EDIÇÕES BESTBOLSO

O diabo veste Prada

Lauren Weisberger nasceu em uma pequena cidade da Pensilvânia e formou-se na Universidade de Cornell. Ao sair da universidade, foi trabalhar como assistente de Anna Wintour, lendária editora da revista *Vogue* americana. Uma experiência difícil e marcante, que Lauren exorciza em *O diabo veste Prada*. Este romance de estreia rapidamente se tornou um fenômeno mundial, ocupando o topo da lista de mais vendidos do *The New York Times* por mais de um ano. Publicado em vários idiomas, *O diabo veste Prada* foi adaptado para as telas de cinemas em 2006, com Meryl Streep e Anne Hathaway nos papéis principais. A produção recebeu duas indicações ao Oscar e Meryl Streep foi premiada com o Globo de Ouro na categoria de melhor atriz de comédia ou musical. Lauren Weisberger também é autora de *Todo mundo que vale a pena conhecer* e *À caça de Harry Winston*.

Lauren Weisberger

O DIABO VESTE PRADA

Tradução de
ANA LUIZA DANTAS BORGES

5ª edição

EDIÇÕES
BestBolso

RIO DE JANEIRO – 2014

CIP-BRASIL. CATALOGAÇÃO NA FONTE
SINDICATO NACIONAL DOS EDITORES DE LIVROS, RJ

W42d Weisberger,Lauren, 1977-
5ª ed. O diabo veste Prada / Lauren Weisberger; tradução Ana Luiza Dantas Borges – 5ª edição – Rio de Janeiro: BestBolso, 2014.

Tradução de: The Devil Wears Prada
ISBN 978-85-7799-157-0

1. Ficção norte-americana. I. Borges, Ana Luiza Dantas. II. Título.

CDD: 813
09-4518 CDU: 821.111.(73)-3

O diabo veste Prada, de autoria de Lauren Weisberger.
Título número 136 das Edições BestBolso.
Quinta edição impressa em setembro de 2014.
Texto revisado conforme o Acordo Ortográfico da Língua Portuguesa.

Título original norte-americano:
THE DEVIL WEARS PRADA

www.edicoesbestbolso.com.br

Design de capa: Leonardo Iaccarino. Adaptação da capa publicada pela Editora Record (Rio de Janeiro, 2006) com a imagem do cartaz do filme (Fox 2000 Pictures).
Revisão técnica: Biti Averbach e Marcia Disitzer.

Impresso no Brasil

ISBN 978-85-7799-157-0

Dedicado às únicas três pessoas
vivas que acreditam genuinamente que este livro rivaliza
com *Guerra e paz*:

minha mãe, Cheryl, *a mãe que*
"um milhão de garotas dariam a vida para ter";

meu pai, Steve, *que é bonito, espirituoso,*
brilhante e talentoso, e que insistiu
em escrever a sua própria dedicatória;

minha irmã fenomenal, Dana, *a predileta deles*
(até eu escrever um livro).

Cuidado com as empresas que exigem roupas novas.
– HENRY DAVID THOREAU, *WALDEN*, 1854

1

O sinal não tinha nem mesmo se tornado verde no cruzamento da rua 17 com a Broadway, quando um exército de taxistas arrogantes passou rugindo com seus carros pelo minúsculo calhambeque que eu tentava dirigir pelas ruas da cidade. *Embreagem, troca de marcha* (do ponto morto para a primeira? Ou da primeira para a segunda?), *soltar a embreagem,* eu repetia, mentalmente, vezes e vezes seguidas o mantra que oferecia pouco conforto e orientação no meio do tráfego caótico do meio-dia. O carrinho deu dois solavancos antes de cambalear à frente no cruzamento. Meu coração dava cambalhotas no peito. Sem aviso, o motor se estabilizou e comecei a ganhar velocidade. Muita velocidade. Olhei de relance para baixo só para confirmar que estava apenas na segunda, mas a traseira de um táxi se assomou tão imensa no para-brisa que não me restou outra alternativa a não ser pisar fundo no freio, com tanta força que meu salto quebrou. Merda!

Mais um par de sapatos de 700 dólares sacrificado à minha completa e definitiva falta de elegância sob pressão: esse foi o meu terceiro acidente desse tipo no mês. Foi quase um alívio quando o carro morreu (obviamente me esqueci de pisar na embreagem quando tentava frear para salvar a minha vida). Tive alguns segundos – segundos pacíficos, se não pensarmos nas buzinadas iradas e nos diversos xingamentos vindos de todas as direções – para tirar meus sapatos Manolo Blahnik e jogá-los no assento do carona. Não havia onde enxugar as mãos suadas, exceto a calça de camurça Gucci que apertava com tal força minhas coxas e meus quadris que começaram a pinicar assim que fechei o último botão. Meus dedos deixaram riscas úmidas na camurça maleável que envolvia minhas, agora entorpecidas, coxas. Tentar dirigir esse conversível de 84 mil dólares, com câmbio manual, pelas ruas atravancadas do Centro, na hora do almoço exigia, com urgência, que eu fumasse um cigarro.

– Ei, dona, anda, porra! – gritou um motorista moreno, cujos cabelos do peito ameaçavam cobrir a camiseta mamãe-sou-forte que ele usava. – Está pensando o quê? Que isto é a porra de uma autoescola? Sai da frente, porra!

Levantei uma mão trêmula para lhe mostrar o dedo e, depois, me concentrei no que havia me proposto: fazer a nicotina correr por minhas veias o mais rapidamente possível. Minhas mãos ficaram de novo molhadas de suor, tanto que os fósforos teimavam em cair no chão. O sinal ficou verde assim que consegui encostar o fogo na ponta do cigarro, e fui obrigada a deixá-lo pendendo entre os lábios enquanto fazia a complexa operação de *embreagem, troca de marcha* (ponto morto para a primeira? Ou primeira para a segunda?), *soltar a embreagem* – a fumaça ondulando para dentro e para fora da minha boca a cada respiração. Foram mais três quadras até o carro se mover de forma suave o bastante para que eu pegasse o cigarro, mas era tarde demais: a cinza acumulada tinha ido diretamente para a mancha de suor em minha calça. Extraordinário. Mas antes que eu tivesse tempo de considerar que, incluindo o par de Manolos, havia arruinado 3.100 dólares de mercadorias em três minutos, meu celular ganiu alto. E como se a própria essência da vida não valesse grande coisa nesse momento, o identificador de chamadas confirmou o que eu mais temia: era *Ela*. Miranda Priestly. Minha chefe.

– Ahn-dre-ah! Ahn-dre-ah! Pode me ouvir, Ahn-dre-ah? – trinou ela no momento em que eu abria o meu Motorola, uma proeza nada desprezível já que meus pés (descalços) e minhas mãos estavam lutando com várias obrigações. Apoiei o telefone entre a orelha e o ombro e joguei o cigarro pela janela, quase acertei um mensageiro de bicicleta. Ele gritou alguns "vai se foder", antes de seguir em zigue-zague.

– Sim, Miranda. Oi, posso escutá-la perfeitamente.

– Ahn-dre-ah, onde está meu carro? Já o deixou na garagem?

Graças a Deus o sinal à minha frente ficou vermelho, e parecia que seria dos demorados. O carro deu um solavanco e parou sem bater em nada nem ninguém, e eu suspirei aliviada.

– Estou no carro neste exato instante, Miranda, e devo chegar à garagem em alguns minutos. – Imaginei que ela estivesse preocupada com que tudo corresse bem, de modo que a tranquilizei dizendo que não havia problemas e que nós deveríamos chegar logo e em perfeito estado.

– Não importa – disse ela bruscamente, interrompendo-me no meio da frase. – Preciso que você pegue Madelaine e a deixe no apartamento antes de voltar ao escritório. – Clique. O telefone ficou mudo. Olhei para ele durante alguns instantes antes de me dar conta de que ela tinha desligado porque já havia fornecido todos os detalhes que eu poderia receber. Madelaine. Quem raios era Madelaine? Onde ela estava neste momento? Sabia que eu iria pegá-la? Por que ela estava voltando ao apartamento de Miranda? E por que, pelo amor de Deus – considerando-se que Miranda tinha motorista, governanta e babá em horário integral –, tinha de ser eu a fazer isso?

Lembrando-me de que, em Nova York, era ilegal falar em celular enquanto se dirigia, e pensando que a última coisa de que eu precisava neste momento era ser parada pela polícia, estacionei na faixa de ônibus e liguei o sinal do pisca-alerta. *Inspirar, expirar*, treinei, me lembrando até mesmo de puxar o freio de mão antes de tirar o pé do freio. Havia anos que eu não dirigia um carro de câmbio manual – há cinco anos, na verdade, desde que um namorado ofereceu seu carro para algumas aulas em que fui, obviamente, reprovada –, mas parece que Miranda não levou isso em consideração quando me chamou à sua sala uma hora e meia antes.

– Ahn-dre-ah, preciso que você pegue meu carro e o leve à garagem. Faça isso imediatamente, já que precisaremos dele para ir aos Hamptons hoje à noite. Isso é tudo. – Fiquei ali, presa no tapete em frente à sua mesa imponente, mas ela já havia ignorado completamente a minha presença. Ou foi o que achei. – Isso é *tudo*, Ahn-dre-ah. Faça isso agora mesmo – acrescentou ela, ainda sem erguer os olhos.

Ah, claro, Miranda, pensei enquanto me afastava, tentando imaginar o primeiro passo na tarefa que, certamente, apresentaria um milhão de ciladas pelo caminho. O primeiro era descobrir onde o carro estava. O mais provável é que estivesse sendo consertado na concessionária, mas poderia, é claro, estar em uma de um milhão de oficinas em qualquer um dos cinco distritos de Nova York. Ou, quem sabe, ela o tinha emprestado a uma amiga e, agora, ocupava uma vaga cara em uma garagem de serviços completos na Park Avenue? É claro, havia sempre a chance de ela estar se referindo a um carro novo – marca desconhecida – que tinha comprado recentemente e que ainda não tinha sido entregue em casa pela concessionária (desconhecida). Eu tinha muito trabalho a fazer.

Comecei ligando para a babá de Miranda, mas caiu na caixa postal de seu celular. A governanta foi a segunda da lista e, pela primeira vez, de grande ajuda. Conseguiu me dizer que o carro não era zero e sim um "carro esporte conversível, na cor verde como um carro de corrida britânico", e que, geralmente, ficava estacionado em uma garagem na quadra de Miranda, mas ela não fazia ideia da marca ou de onde estaria. A próxima da lista era a assistente do marido de Miranda, que me informou que, até onde ela sabia, o casal possuía um Lincoln Navigator preto último modelo e um Porsche verde pequeno. Ótimo! Tive a primeira pista. Um telefonema rápido à concessionária Porsche na 11ª Avenida revelou que de fato tinham acabado de retocar a tinta e instalar um novo som em um Carrera 4 Cabriolet verde para uma Sra. Miranda Priestly. Parada ganha!

Chamei uma limusine para me levar à concessionária, onde entreguei um bilhete, em que forjei a assinatura de Miranda, instruindo-os a me liberarem o carro. Ninguém pareceu nem um pouco preocupado em saber se eu tinha alguma relação com essa mulher, ou que um estranho tivesse entrado ali e pedido o Porsche de outra pessoa. Jogaram-me as chaves e só riram quando pedi que o manobrassem para fora, porque eu não estava segura de dar marcha à ré em um carro com câmbio manual. Levei meia hora para percorrer dez quadras e ainda não sabia onde ou como virar, de modo que segui em frente, em direção ao estacionamento na quadra do apartamento de Miranda, descrito por sua empregada. As chances de conseguir chegar à rua 76 com a Quinta Avenida, sem me machucar gravemente, ou bater o carro, ou atingir um ciclista, ou um pedestre, ou outro veículo, eram inexistentes, e essa nova ligação não contribuiu em nada para acalmar meus nervos.

Mais uma vez, fiz a série de ligações, mas, agora, a babá de Miranda atendeu no segundo toque.

– Cara, oi, sou eu.

– Oi, o que houve? Está na rua? Tem muito barulho.

– Sim, pode-se dizer que sim. Tive de pegar o Porsche de Miranda na concessionária. Só que não sei dirigir carro com câmbio manual E agora ela ligou e quer que eu pegue alguém chamado Madelaine e a leve para o apartamento. Quem diabos é Madelaine e onde pode estar?

Cara riu durante uns dez minutos antes de responder:

– Madelaine é uma buldogue francesa e está no veterinário. Foi esterilizada. Eu deveria buscá-la, mas Miranda acabou de ligar e me mandou pegar as gêmeas mais cedo na escola para que todos possam ir a Hamptons.

– Tá brincando! Tenho de pegar uma maldita *cadela* com este Porsche? Sem bater? Isso *nunca vai acontecer.*

– Ela está no East Side Animal Hospital, na rua 52, entre a Primeira e a Segunda Avenidas. Desculpe, Andy, mas tenho de buscar as meninas agora. Ligue se houver algo que eu possa fazer.

Manobrar a besta verde cidade acima consumiu minha última reserva de concentração, e quando cheguei à Segunda Avenida, a tensão me deixou descompensada. *Não é possível que aconteça algo pior do que isso*, pensei quando outro táxi ficou a meio milímetro do para-choque traseiro. Um arranhão em qualquer parte do carro me faria perder o emprego – o que era óbvio –, mas também podia custar a minha vida. Como não havia, evidentemente, lugar para estacionar, permitido ou não, no meio do dia, liguei para a clínica veterinária e pedi que trouxessem Madelaine. Uma mulher prestativa surgiu alguns minutos depois com uma cadelinha choramingando, fungando (justo a tempo de eu atender a outra chamada de Miranda, perguntando por que eu ainda não tinha chegado ao escritório). A mulher me mostrou a barriga costurada de Madelaine e disse para eu dirigir com muito, muito cuidado, porque a cadela estava "sentindo certo desconforto". Está bem, senhora. Vou dirigir com muito, muito cuidado, exclusivamente para salvar o meu emprego e, possivelmente, a minha vida – se a cadela se beneficiar com isso, será apenas um bônus.

Com Madelaine enroscada no banco do carona, acendi outro cigarro e esfreguei meus pés descalços e gelados, de modo que os dedos pudessem voltar a segurar a embreagem e o freio. *Embreagem, trocar a marcha, soltar embreagem,* eu cantava, tentando ignorar os gemidos lamentáveis da cadela toda vez que eu acelerava. Ela alternava entre chorar, gemer e bufar. Quando chegamos ao edifício de Miranda, a cadelinha estava quase histérica. Tentei acalmá-la, mas ela percebeu minha falta de sinceridade – e, além disso, eu não tinha mãos livres para lhe dar tapinhas carinhosos ou aninhá-la. Então foram para isso os quatro anos analisando livros, peças, contos e poemas: a chance de confortar uma buldogue pequena, branca, semelhante a um morcego, enquanto tentava não destruir o carro caríssimo de outra pessoa. Doce vida. Exatamente como sempre sonhei.

Consegui me livrar do carro deixando-o na garagem, e da cadela, que ficou com o porteiro de Miranda. Tudo isso sem mais acidentes, mas as minhas mãos ainda estavam tremendo quando entrei na limusine que tinha me acompanhado por toda a cidade. O motorista olhou para mim com simpatia e fez um comentário solidário sobre a dificuldade da alavanca de câmbio, mas eu não estava a fim de muita conversa.

– De volta ao edifício Elias-Clark – eu disse com um longo suspiro, e o motorista deu a volta na quadra e seguiu em direção à Park Avenue. Como eu fazia esse caminho diariamente, às vezes duas vezes por dia, sabia que tinha exatos oito minutos para respirar, me recompor e imaginar uma maneira de disfarçar as manchas de cinza e suor que tinham se tornado permanentes na camurça Gucci. Os sapatos, bem, esses não tinham mais jeito, pelo menos até poderem ser consertados pelo batalhão de sapateiros da *Runway*, prontos para essas emergências. O trajeto foi concluído em seis minutos e meio, e não tive outra escolha senão mancar, como uma girafa desequilibrada, sobre um sapato sem salto e outro com salto de 10 centímetros. Uma passada rápida no Closet resultou num par novinho de botas Jimmy Choo até os joelhos, perfeitas para a saia de couro de que me apossei, jogando a calça de camurça na pilha "couture cleaning" (onde os preços básicos da lavagem a seco começavam em 75 dólares por item). Agora só faltava passar rapidamente no Closet de Beleza, onde uma das editoras deu uma olhada na minha maquiagem e pegou um baú cheio de corretivos.

Nada mau, pensei, olhando-me em um dos onipresentes espelhos de corpo inteiro. Ninguém acreditaria que minutos antes eu estava prestes a me matar e a todo mundo à minha volta. Fui para a área dos assistentes, fora da sala de Miranda, e sentei-me tranquilamente em meu lugar, aguardando com ansiedade ela retornar do almoço.

– Ahn-dre-ah – chamou de sua sala decorada de maneira austera e fria. – Onde estão o carro e a cadelinha?

Pulei da minha cadeira e corri o mais que pude sobre o carpete felpudo, usando um salto de 12 centímetros, e fiquei diante de sua mesa.

– Deixei o carro com o manobrista e Madelaine com o porteiro, Miranda – respondi, orgulhosa por ter concluído as duas tarefas sem acabar com o carro, o cachorro, ou comigo mesma.

– E por que fez isso? – rosnou, erguendo os olhos de seu exemplar de *Women's Wear Daily* pela primeira vez desde que entrei. – Pedi que trouxesse os dois ao escritório, já que as meninas chegarão daqui a pouco e temos de sair.

– Oh, bem, na verdade, achei que tinha dito que os queria em...

– Chega. Os detalhes de sua incompetência não me interessam. Vá buscar o carro e a cadelinha, traga-os para cá. Espero estarmos todos prontos para sair dentro de 15 minutos. Entendido?

Quinze minutos? Essa mulher estava louca? Levaria um ou dois minutos para descer, entrar na limusine, mais seis ou oito para chegar ao apartamento, e, então, cerca de três horas para encontrar a cadelinha no apartamento de 18 cômodos, retirar o maldito carro de câmbio manual da vaga e conseguir percorrer vinte quadras até o escritório.

– É claro, Miranda. Quinze minutos.

Recomecei a tremer no momento em que saí em disparada de sua sala, perguntando-me se meu coração não poderia simplesmente parar na idade madura de 23 anos. O primeiro cigarro que acendi aterrissou diretamente no alto da minha nova Jimmy, onde, em vez de cair no cimento, fumegou o tempo suficiente para fazer um pequeno e definido furo. *Ótimo*, murmurei. *Simplesmente do cacete.* Mais pontos, arredondando meu total em quatro mil para a mercadoria arruinada hoje – um novo recorde pessoal. Talvez ela morra antes que eu volte, pensei, decidindo que estava na hora de olhar o lado bom. Talvez, só talvez, ela sucumbisse a alguma doença rara e todos seríamos libertados de seu manancial de tormento. Saboreei uma última tragada antes de apagar o cigarro e disse a mim mesma para ser racional. *Você não quer que ela morra*, pensei, espreguiçando-me no assento de trás. *Porque, se ela morrer, você perde toda a esperança de matá-la você mesma. E isso seria uma pena.*

2

Eu não sabia nada quando fui à minha entrevista e entrei nos infames elevadores do Elias-Clark, aqueles transportadores de todas as coisas *en vogue*. Eu não fazia ideia de que os colunistas de fofocas mais bem relacionados da cidade, socialites e executivos da mídia eram obcecados pelas funcionárias perfeitamente maquiadas e bem produzidas desses elevadores suaves e silenciosos. Nunca tinha visto mulheres com um cabelo louro tão brilhante, não sabia que esses reflexos custavam 6 mil dólares anuais para serem mantidos, nem que outros, mais antenados, eram capazes de identificar os coloristas depois de uma olhadela rápida no produto final. Nunca tinha visto homens tão bonitos. Eram perfeitamente sarados – não musculosos demais porque "*isso* não era sexy" – e exibiam sua incessante dedicação à ginástica em elegantes golas rulês e calças de couro justas. Bolsas e sapatos que eu nunca tinha visto em pessoas de verdade gritavam *Prada! Armani! Versace!* Soubera por uma amiga de uma amiga – uma assistente de redação da revista *Chic* – que, volta e meia, os acessórios se encontravam com seus fabricantes nesses mesmos elevadores, uma reunião comovente, em que Miuccia Prada, Giorgio Armani ou Donatella Versace podiam, mais uma vez, admirar seus escarpins da coleção de verão 2002, ou sua bolsinha toalete da coleção primavera em pessoa. Eu sabia que a situação estava mudando para mim – só não tinha certeza se era para melhor.

Até então, eu tinha passado os últimos 23 anos personificando os Estados Unidos do interior. Toda a minha existência era um clichê perfeito. Crescer em Avon, Connecticut, tinha significado: esporte no ginásio, reuniões de grupos da juventude, "festinhas com bebidas" em belos ranchos no subúrbio, quando os pais estavam fora. Usávamos calças de moletom na escola; jeans no sábado à noite e babados em profusão nas festas. E a faculdade! Bem, esse era um mundo de sofisticação depois do segundo grau. Brown fornecia atividades intermináveis, aulas e grupos para todo tipo de artista, desajustado e nerd de computador. Qualquer interesse intelectual ou criativo que eu quisesse desenvolver, independente de quão esotérico ou impopular fosse, tinha um espaço na Brown. A alta-costura talvez fosse a única exceção. Quatro anos por Providence usando casaco de pele de carneiro e botas resistentes, estudando os impressionistas franceses e escrevendo artigos prolixos não me prepararam – de nenhum modo – para o meu primeiro emprego depois de formada.

Consegui adiá-lo pelo máximo de tempo possível. Durante três meses depois da graduação, juntei cada centavo que consegui e parti em uma viagem solo. Percorri a Europa de trem durante um mês, passando muito mais tempo nas praias do que nos museus, e não me preocupei muito em manter contato com ninguém em casa, exceto Alex, meu namorado há três anos. Ele sabia que depois de cinco semanas, mais ou menos, eu começaria a me sentir só, e como seu treinamento para O Professor dos Estados Unidos tinha terminado e ele teria o restante do verão até começar a trabalhar em setembro, apareceu de surpresa em Amsterdã. Eu tinha, então, percorrido a maior parte da Europa, e ele havia viajado no verão anterior, de modo que, depois de uma tarde "não tão sóbria" em um dos cafés, juntamos nossos cheques de viagem e compramos duas passagens de ida a Bangcoc.

Viajamos juntos por grande parte do sudeste da Ásia, raramente gastando mais de 10 dólares por dia e conversando obsessivamente sobre nossos futuros. Ele estava animado para começar a ensinar inglês em uma das escolas desprivilegiadas da cidade, dominado totalmente pela ideia de formar mentes jovens e orientar os mais pobres e negligenciados, de uma maneira que somente Alex poderia estar. Minhas metas não eram tão nobres: eu tinha a intenção de encontrar um trabalho em uma editora de revistas. Apesar de saber que era altamente improvável que eu, uma recém-formada, fosse contratada pela *The New Yorker*, estava decidida a começar a escrever para a revista antes da minha quinta reunião anual de ex-alunos. Era tudo o que eu queria, o único lugar onde eu desejava realmente trabalhar. A primeira vez que a li foi depois de ter ouvido meus pais discutindo um artigo e minha mãe dizer: "Foi tão bem escrito. Não se lê mais coisas assim." E meu pai tinha concordado: "Sem dúvida, é a única coisa inteligente que se escreve hoje em dia." Adorei. Adorei as resenhas elegantes e as charges espirituosas e a sensação de ser admitida em um clube exclusivo de leitores especiais. Tinha lido todas as edições nos últimos sete anos e conhecia cada seção, cada editor e cada escritor.

Alex e eu conversamos sobre como estávamos começando um novo estágio em nossas vidas, como tínhamos sorte em fazer isso juntos. Mas não tínhamos nenhuma pressa em voltar, sentindo, de alguma maneira, que esse talvez fosse o último período calmo antes da loucura. Estendemos, de maneira idiota, nossos vistos em Délhi, para que pudéssemos ter algumas semanas extras viajando pela região rural da Índia.

Bem, nada acaba com um romance mais rapidamente do que uma disenteria. Fiquei uma semana em um albergue indiano imundo, implorando a Alex que não me abandonasse à morte naquele lugar infernal. Quatro dias depois, aterrissamos em Newark e minha preocupada mãe me enfiou no banco de trás do carro, falando durante todo o caminho para casa. De certa maneira, foi a realização do sonho de uma mãe judia, uma razão real para ir de um médico a outro, certificando-se completamente de que todos os miseráveis parasitas tinham abandonado sua filhinha. Precisei de quatro semanas para voltar a me sentir humana e mais duas até começar a sentir que viver na casa dos pais era insuportável. Mamãe e papai eram ótimos, mas ouvi-los perguntar aonde eu ia cada vez que eu saía – ou onde tinha estado sempre que retornava – me enervava muito. Liguei para Lily e perguntei se podia passar a noite no sofá do seu minúsculo conjugado no Harlem. Por ter um coração tão generoso, ela concordou.

ACORDEI NO MINÚSCULO apartamento no Harlem ensopada de suor. Minha testa latejava, meu estômago se revirava, cada nervo do meu corpo vibrava – vibrava de uma maneira *nada* sexy. *Ah, voltou!*, pensei, aterrorizada. Os parasitas tinham retornado ao meu corpo e eu estava fadada a sofrer eternamente! E se fosse pior? Se eu tivesse contraído uma forma rara de dengue? Malária? Até mesmo ebola? Fiquei deitada em silêncio, tentando enfrentar minha morte iminente, quando lembranças da noite anterior me vieram à memória. Um bar enfumaçado em algum lugar do East Village. Alguma música chamada *jazz fusion*. Uma bebida rosa forte em um copo para martíni – oh, náusea, oh, façam isso parar. Amigos passando para me dar as boas-vindas. Um brinde, um gole, outro brinde. Oh, graças a Deus – não era um tipo raro de febre hemorrágica, era apenas ressaca. Nunca me ocorreu que eu não pudesse suportar a bebida depois de perder 10 quilos com disenteria. Afinal, 1,78 metro e 58 quilos não eram bom agouro para uma noitada fora (embora fosse ótimo para um emprego em revista de moda).

Corajosamente me arranquei do sofá estropiado em que dormira durante essa semana e concentrei toda a minha energia em não ficar doente. A adaptação aos Estados Unidos – a comida, as maneiras, as chuveiradas gloriosas – não tinha sido excessivamente extenuante, mas o fato de ser hóspede estava se tornando banal rapidamente. Calculei que, trocando o que tinha sobrado de bahts e rupias, me restava cerca de uma semana e meia até ficar sem um tostão, e a única maneira de conseguir dinheiro com meus pais era voltando para casa e para seu círculo vicioso de segundas opiniões. Esse pensamento sensato foi a única coisa que me impulsionou para fora da cama, em um dia profético de novembro, para onde eu era esperada, em uma hora, para minha primeira entrevista de emprego. Tinha passado a última semana estacionada no sofá de Lily, ainda fraca e exausta, até ela, finalmente, gritar para eu ir embora – pelo menos por algumas horas por dia. Sem saber o que fazer comigo mesma, comprei um MetroCard e andei de metrô, distribuindo, apaticamente, meu currículo. Deixei-o com guardas da segurança de todas as grandes revistas, com uma carta desanimada explicando que queria ser assistente do departamento editorial e ganhar um pouco de experiência em redação. Estava fraca demais e cansada demais para me preocupar se alguém realmente as leria, e a última coisa que estava esperando era uma entrevista. Mas o telefone de Lily tinha tocado exatamente no dia anterior e, surpreendentemente, alguém do departamento de recursos humanos do Elias-Clark queria "bater um papo" comigo. Eu não sabia se seria uma entrevista oficial, mas, de qualquer jeito, "um papo" soou mais aceitável.

Engoli um analgésico com um antiácido e consegui juntar uma jaqueta com uma calça que não combinavam e de modo algum formavam um conjunto, mas, pelo menos, se acomodaram sobre minha figura esquálida. Uma camisa social, um rabo de cavalo não muito alto, e um par de sapatos baixos, ligeiramente gastos, completaram meu visual. Não era o máximo – de fato, beirava a feiura suprema –, mas teria de ser o bastante. *Não vão me contratar ou rejeitar com base somente na aparência*, me lembro de ter pensado. Sem dúvida, não estava muito lúcida.

Apareci para a entrevista às 11 horas e não entrei em pânico até me defrontar com a fila de pernas compridas, tipo Twiggy, esperando os elevadores. Seus lábios não paravam de se mexer, e a tagarelice era pontuada somente pelo som dos saltos finos batendo no chão. *Tagarelice*, pensei. *Perfeito.* (Os elevadores!) *Inspira, expira*, lembrei. *Não vai vomitar. Não vai vomitar. Está aqui só para conversar sobre ser assistente do departamento editorial e, depois, direto de volta ao sofá. Você não vai vomitar. "Mas sim, adoraria trabalhar na* Reaction! *Sim, é claro, acho que* The Buzz *seria conveniente. Como? Para eu escolher? Bem, precisarei de uma noite para decidir entre esta e a* Maison Vous. *Maravilhoso!"*

Instantes depois, eu exibia um crachá de "visitante" inadequado em meu também inadequado pseudoconjunto (não a tempo, descobri que os visitantes bem-informados simplesmente prendiam esses crachás nas bolsas ou, ainda melhor, livravam-se deles imediatamente. Somente os fracassados mais provincianos realmente os *usavam*). Então... entrei em um dos elevados. Para cima, sem parar, movendo-se velozmente no espaço e no tempo, com infinito *sex appeal* a caminho do... departamento de recursos humanos.

Eu me permiti relaxar por um ou dois segundos durante essa viagem veloz e silenciosa. Perfumes fortes e doces, misturados com o cheiro de couro novo, transformavam esses elevadores de meramente funcionais em quase eróticos. Subimos, passando rápido entre andares, parando para deixar as beldades na *Chic, Mantra, The Buzz* e *Coquette.* As portas abriam silenciosas e reverentes para as recepções impecáveis. Móveis chiques, de linhas simples, desafiavam as pessoas a se sentarem, prontos para gritarem em agonia se alguém – horror! – derramasse algo. Os nomes das revistas eram em negrito e identificáveis, em tipologias cheias de estilo ao longo das paredes que ladeavam a sala de espera. Portas de vidro espesso e opaco protegiam os títulos. São nomes que o americano médio reconhece, mas que nunca se imagina andando para lá e para cá, sob o mesmo teto.

Embora eu confesse que nunca tinha tido um emprego mais impressionante do que servir *frozen yogurt*, havia escutado o suficiente das histórias contadas por meus amigos, profissionais novinhos em folha, para saber que a vida numa empresa simplesmente não era assim. Não chegava nem perto. Não havia as enjoativas luzes fluorescentes, o carpete que nunca mostrava qualquer sujeira. Onde secretárias malvestidas deveriam estar comodamente instaladas, havia moças refinadas, com maçãs do rosto proeminentes e roupas profissionais elegantes. Almoxarifado não existia! Necessidades básicas como arquivos em pastas, latas de lixo e livros não estavam presentes. Observei como seis andares desapareceram em remoinhos de perfeição branca antes de eu sentir o veneno no ar e escutar a voz.

– Ela. É. Uma. Vaca! *Não a aguento* mais. Quem aguenta? Aliás... QUEM AGUENTA? – sibilou uma garota de 20 e poucos anos em uma saia de pele de cobra e uma camiseta justa bem curta, parecendo mais adequada para uma noitada numa boate do que para um dia no escritório.

– Eu sei. Eu *seeeeeiii.* O que acha que tive de suportar nos últimos seis meses? Uma vaca. E de péssimo gosto também – concordou sua amiga com um balançar enfático de seu adorável cabelo curtinho.

Um tanto assustada, cheguei ao meu andar e a porta do elevador se abriu. *Interessante*, pensei. Se comparasse esse ambiente de trabalho com um dia comum na vida de uma garota do grupinho do colégio, até que parecia ser melhor. Estimulante? Bem, talvez não. Delicado, doce, instrutivo? Não, não exatamente. O tipo de lugar que faz com que você queira sorrir e fazer um bom trabalho? Não, ok? Não! Mas se está procurando elegância rápida, magra, sofisticada, incrivelmente atualizada e arrebatadora de corações, Elias-Clark é a meca.

As joias magníficas e a impecável maquiagem da recepcionista do departamento de recursos humanos nada fizeram para diminuir minha tirânica sensação de inadequação. Ela disse para eu me sentar e ficar "à vontade para dar uma olhada em algumas das nossas publicações". Em vez disso, tentei, freneticamente, decorar os nomes de todos os diretores das revistas da empresa – como se fossem me interrogar sobre eles. Ah! Eu já conhecia Stephen Alexander, é claro, da revista *Reaction*, e não foi muito difícil me lembrar de Tanner Michel da *The Buzz*. De qualquer jeito, essas eram, realmente, as únicas coisas interessantes que publicavam, achei. Eu me sairia bem.

Uma mulher baixa, esbelta, apresentou-se como Sharon.

– Então, querida, você está querendo entrar para as revistas, não está? – perguntou enquanto me conduzia, passando por uma fila de modelos de pernas compridas, todas parecidas, até a sua austera e fria sala. – É algo difícil, quando se está saindo da faculdade, entende? Há muita, mas muita competição lá fora para muito poucos empregos. E os poucos disponíveis, bem, não são exatamente bem pagos, se você entende o que quero dizer.

Baixei os olhos para o meu traje barato, que não combinava, e para os sapatos inadequados, e me perguntei por que tinha chegado a me dar esse trabalho. Pensando profundamente em como me arrastaria de volta àquele sofá-cama com biscoitos suficientes e cigarros para duas semanas, mal percebi quando ela sussurrou:

– Mas há uma oportunidade incrível neste momento, e vai ser pra já!

Humm. Minha antena se ligou enquanto eu tentava obrigá-la a se comunicar olho a olho comigo. Oportunidade? Pra já? Minha mente estava correndo. Ela queria me ajudar? Gostava de mim? Por que, se eu ainda nem tinha aberto a boca, como ela poderia *gostar* de mim? E por que ela começava a se parecer com um vendedor de carros?

– Querida, pode me dizer o nome da diretora da *Runway*? – perguntou, olhando diretamente para mim desde que eu me sentara.

Um branco. Um branco total e completo, não me lembrava de nada. Não acreditei que ela estivesse me *interrogando*! Nunca tinha lido a *Runway* na minha vida – ela não podia estar me perguntando justo sobre *essa*. Ninguém dava importância à *Runway*. Era uma revista *de moda*, pelo amor de Deus, que eu nem tinha certeza se continha alguma coisa escrita, apenas um monte de modelos de aparência raquítica e anúncios luxuosos. Gaguejei por um momento, enquanto diferentes nomes de diretores passavam pela minha cabeça, dançando em pares trocados. Em alguma parte nos recessos profundos da minha mente, eu tinha certeza de que sabia o seu nome.

Afinal, quem não sabia? Mas o nome não tomou forma em meu cérebro confuso.

– Hum, bem, parece que não me lembro do nome dela agora. Mas sei quem é, é claro, eu sei. Todo mundo sabe quem ela é! Eu simplesmente, bem, acho que, bem, não me lembro neste exato momento.

Ela me olhou de perto, seus grandes olhos castanhos finalmente se fixaram em meu rosto que, agora, transpirava.

– Miranda Priestly – ela quase cochichou, com um misto de reverência e medo. – O nome dela é Miranda Priestly.

Seguiu-se um silêncio. Durante o que pareceu um minuto inteiro, nenhuma de nós disse uma palavra, mas, então, Sharon deve ter decidido fazer vista grossa para meu crucial passo em falso. Na época, eu não sabia que ela estava desesperada para contratar outra assistente para Miranda. Eu não podia saber que ela estava desesperada para fazer essa mulher parar de chamá-la dia e noite, interrogando-a sobre candidatas em potencial. Desesperada para encontrar alguém, qualquer um, que Miranda não rejeitasse. E se eu – embora fosse improvável – tivesse nem que fosse uma chance mínima de ser contratada e, assim, aliviá-la, bem, a solicitude seria reconhecida.

Sharon sorriu e disse que eu ia me reunir com as duas assistentes de Miranda. *Duas* assistentes?

– Ah, sim – confirmou ela com um olhar exasperado.

É claro que Miranda precisava de duas assistentes. Sua assistente sênior atual, Allison, fora promovida a editora de beleza da *Runway*, e Emily, a assistente júnior, iria substituí-la. Isso deixava o cargo de assistente júnior vago!

– Andrea, sei que acaba de se formar e, provavelmente, não está familiarizada com o mundo das revistas...

Interrompeu-se dramaticamente, buscando as palavras certas.

– Mas acho que é meu dever, minha *obrigação*, dizer-lhe como essa oportunidade é realmente única. Miranda Priestly...

Fez uma nova pausa, tão dramática quanto a primeira, como se, mentalmente, fizesse uma reverência.

– Miranda Priestly é a mulher mais influente na indústria da moda e sem dúvida uma das diretoras de revista mais importantes do mundo. Do mundo! A chance de trabalhar para ela, de observá-la editar e se reunir com escritores e modelos famosos, ajudá-la a fazer tudo o que ela realiza diariamente bem, não preciso dizer que é um emprego pelo qual um milhão de garotas dariam a vida.

– Ah, sim, quer dizer, sim, parece maravilhoso – respondi, me perguntando por que Sharon estava tentando me convencer de algo pelo qual um milhão de garotas dariam a vida. Mas não havia tempo para pensar nisso. Ela pegou o telefone, disse algumas palavras, e, em minutos, me acompanhou aos elevadores para começar a minha entrevista com as duas assistentes de Miranda.

Pensei que Sharon começava a parecer um pouco como um robô, mas, então, chegou a hora do meu encontro com Emily. Desci para o 17º andar e esperei na recepção completamente branca da *Runway*. Levou mais de meia hora para uma garota alta e magra surgir por detrás das portas de vidro. Uma saia de couro até a metade da perna pendia de seus quadris e seu cabelo ruivo desalinhado estava preso em um coque descuidado, mas ainda assim charmoso, no alto da cabeça. Sua pele era clara, sem sequer uma única sarda ou mancha, e perfeitamente lisa sobre as maçãs do rosto mais altas que eu já tinha visto. Ela não sorriu. Sentou-se do meu lado e me examinou cuidadosamente, seriamente, mas sem demonstrar muito interesse. Superficial. E então, sem que ninguém perguntasse, e ainda não tendo se apresentado, a garota, que supus ser Emily, lançou-se em uma descrição do cargo. O tom monótono de suas declarações disse-me mais do que todas as suas palavras: obviamente ela já tinha feito isso dezenas de vezes e não acreditava muito que eu fosse diferente do restante e, consequentemente, não perderia muito tempo comigo.

– É difícil, não há duvida. Serão 14 horas por dia, não todos os dias, mas com bastante frequência – continuou falando, sem olhar para mim. – E é importante compreender que não haverá trabalho editorial. Como assistente júnior de Miranda, será exclusivamente responsável por antecipar suas necessidades e satisfazê-las. Bem, essas poderão ser qualquer coisa, desde encomendar seu papel de carta preferido até acompanhá-la nas compras. Mesmo assim, é sempre divertido. Quer dizer, tem de passar um dia após outro, semana após semana, com essa mulher absolutamente surpreendente. E ela é surpreendente – respirou fundo, parecendo um pouquinho animada pela primeira vez desde que começamos a falar.

– Parece ótimo – eu disse e era para valer. Minhas amigas que tinham começado a trabalhar imediatamente após a graduação já estavam há seis meses em suas funções para iniciantes e todas pareciam acabadas. Bancos, agências de publicidade, editoras, não fazia diferença, todas estavam infelizes. Reclamavam dos dias longos, dos colegas e da burocracia, porém, mais do que qualquer outra coisa, queixavam-se amargamente do tédio. Em comparação à escola, as tarefas que lhes designavam eram sem sentido, desnecessárias, apropriadas a um chimpanzé. Falavam das muitas e muitas horas passadas digitando números nos bancos de dados e ligando para pessoas que não queriam que ligassem para elas. Estavam fartas de catalogarem, monotonamente, informações em uma tela de computador e pesquisarem assuntos completamente irrelevantes por meses seguidos, para que seus supervisores achassem que estavam sendo produtivas. Cada uma jurava que tinha ficado mais idiota nesse curto espaço de tempo desde a graduação, e não havia nenhuma saída à vista. Talvez eu não gostasse, particularmente, de moda, mas sem dúvida preferia fazer algo "divertido" durante o dia inteiro a ser absorvida por um emprego maçante.

– Sim. É bárbaro. Simplesmente bárbaro. Quer dizer, realmente, realmente muito bom. De qualquer maneira, foi um prazer conhecê-la. Vou chamar Allison para que a conheça. Ela também é ótima. – Quase tão rápido quanto terminou e desapareceu por trás do vidro com um farfalhar de couro e cachos, uma figura animada apareceu.

Uma garota negra exuberante apresentou-se como Allison, assistente sênior de Miranda que acabava de ser promovida, e eu percebi imediatamente que ela era magra *demais*. Mas não pude nem mesmo me concentrar na maneira como o seu abdome arqueava para dentro e os ossos de sua bacia se projetavam para fora, porque eu estava fascinada com o fato de ela expor a barriga no trabalho. Ela usava calça de couro preta, tão macia quanto apertada, e uma blusa branca sem mangas, felpuda (ou seria peluda?), apertada nos seios, terminando cinco centímetros acima do umbigo. Seu cabelo comprido era preto como tinta e caía nas costas como uma manta espessa, lustrosa. Os dedos das mãos e dos pés estavam pintados de um branco luminoso, parecendo refulgir de dentro, e suas sandálias acrescentavam 8 centímetros à sua estrutura de 1,80 metro. Ela conseguia parecer incrivelmente sexy, seminua, e com classe, tudo ao mesmo tempo, se bem que, para mim, parecesse, de modo geral, fria. Literalmente. Afinal, era novembro.

– Oi, sou Allison, como provavelmente você já sabe – começou, tirando um pouco de pelo da blusa da sua quase inexistente coxa coberta de couro. – Acabei de ser promovida a editora e isso é a grande recompensa por trabalhar para Miranda. Sim, são muitas horas e o trabalho é duro, mas é incrivelmente charmoso e milhões de garotas dariam a vida por isso. E Miranda é uma mulher, uma diretora, uma *persona* maravilhosa que cuida realmente de suas garotas. Você vai saltar anos na escalada profissional trabalhando apenas um ano para ela. Se for talentosa, ela a mandará diretamente ao topo, e... – ela continuou divagando, sem se preocupar em erguer os olhos ou fingir qualquer paixão pelo que estava dizendo. Apesar de eu não ter a impressão de que ela era idiota, seus olhos estavam vidrados, da maneira que vemos nos membros de uma seita ou nos que sofreram lavagem cerebral. Tive a nítida impressão de que poderia cair no sono, enfiar o dedo no nariz, ou simplesmente ir embora que ela não notaria.

Quando finalmente concluiu e foi avisar outra entrevistadora, quase despenquei nos sofás nada acolhedores na recepção. Estava tudo acontecendo tão rápido, tão fora de controle, mas ainda assim eu estava agitada. E daí se eu não sabia quem era Miranda Priestly? Todo mundo parecia muito impressionado. Era uma revista de moda e não algo um pouco mais interessante, mas muito melhor trabalhar na *Runway* do que em alguma publicação horrível por aí, certo? O prestígio de ter a *Runway* em meu currículo certamente me daria muito mais credibilidade quando me candidatasse a trabalhar na *The New Yorker* do que, digamos, a *Popular Mechanics*. Além disso, eu estava certa de que um milhão de garotas *dariam* a vida por esse emprego.

Depois de meia hora de ruminações, outra garota alta e incrivelmente magra veio à recepção. Ela disse seu nome, mas não consegui me concentrar em nada a não ser no seu corpo. Usava uma saia justa de denim esfarrapado, uma camisa branca transparente e sandálias prateadas de tiras. Além disso, estava perfeitamente bronzeada, as unhas feitas, e vestida de uma maneira como pessoas normais não ficam quando há neve no chão. Só quando ela mencionou que eu a seguisse pela porta de vidro e tive de me levantar é que fiquei totalmente ciente da minha roupa medonhamente inadequada, do cabelo sem viço e da completa falta de acessórios, de joias, em suma: de como estava malvestida. Até hoje, a lembrança do que eu usava naquele dia – e de que levava algo semelhante a uma *maleta* – me assombra. Posso sentir meu rosto corar quando me lembro de como era desajeitada no *meio* das mulheres mais elegantes da cidade de Nova York. Só muito depois, quando estava no limite de me tornar mais uma do grupo, soube como tinham rido de *mim* entre as entrevistas.

Depois do exame requisitado, a Garota Estonteante me levou à sala de Cheryl Kerston, diretora executiva da *Runway*, uma lunática adorável e versátil. Ela, também, falou durante o que me pareceram horas, mas dessa vez eu escutei de verdade. Escutei porque ela parecia adorar seu trabalho, falando animada sobre o aspecto das "palavras" na revista, do número maravilhoso que estava lendo, dos escritores com quem lidava e redatores que ela supervisionava.

– Não tenho nada a ver com o lado da moda deste lugar – declarou com orgulho –, por isso é melhor guardar esse tipo de pergunta para outras pessoas.

Quando lhe disse que o seu trabalho é que parecia ser o mais atraente, que eu não tinha nenhum interesse particular nem formação em moda, o seu sorriso se alargou.

– Bem, nesse caso, Andrea, talvez você seja exatamente o que precisamos. Acho que está na hora de conhecer Miranda. E quer um conselho? Olhe-a direto nos olhos e se venda. Venda-se bem e ela respeitará isso.

Como se recebesse uma instrução, a Garota Estonteante entrou rápido e me acompanhou à sala de Miranda. Foi somente o 32º percurso, mas pude sentir todos os olhos em mim. Olhavam por detrás do vidro fosco da sala da diretora e do espaço aberto dos cubículos das assistentes. Uma beldade na copiadora virou-se para me examinar, e o mesmo fez um homem absolutamente magnífico, apesar de obviamente gay e interessado em examinar somente a minha roupa.

Quando eu estava para atravessar a porta que dava para a parte das assistentes no lado de fora da sala de Miranda, Emily pegou a minha pasta e a jogou debaixo de sua mesa. Levei somente um segundo para perceber que a mensagem era *Carregue isso e perca toda a credibilidade.* E então, vi-me de pé em sua sala, um espaço amplo com imensas janelas e fortemente iluminada. Nenhum outro detalhe do local causou qualquer impressão nesse dia. Eu não consegui tirar meus olhos dela.

Como só conhecia Miranda Priestly por fotografia, fiquei chocada ao ver como era *magricela.* A mão que estendeu era de ossos pequenos, feminina, macia. Ela teve de erguer a cabeça para me olhar no olho, apesar de não ter se levantado para me cumprimentar. Seu cabelo tingido de louro com perfeição estava puxado para trás com um laço elegante, deliberadamente frouxo para dar uma aparência casual, mas ainda bem definido, e, apesar de não sorrir, não parecia particularmente intimidadora. Pelo contrário, parecia gentil e, de certa forma, encolhida atrás da mesa preta agourenta, e embora não tenha me convidado a sentar, senti-me à vontade o bastante para pedir uma das cadeiras pretas desconfortáveis à sua frente. E foi então que notei: ela estava me observando atentamente, anotando mentalmente minhas tentativas de ser elegante e adequada, e dando uma certa impressão de estar se divertindo. Condescendente e desajeitada sim, mas medíocre não. Ela foi a primeira a falar.

– O que a trouxe à *Runway*, Ahn-dre-ah? – perguntou com seu sotaque britânico de classe alta, não desviando nunca os olhos dos meus.

– Bem, Sharon me entrevistou e me disse que estavam procurando uma assistente – comecei, a voz um pouco insegura. Quando ela assentiu com a cabeça, minha confiança aumentou um pouquinho. – E, agora, depois de falar com Emily, Allison e Cheryl, sinto como se percebesse o tipo de pessoa que está procurando, e estou confiante de que seria perfeita para o cargo – eu disse, lembrando-me das palavras de Cheryl. Ela pareceu se divertir por um momento, mas não mostrou estar surpreendida.

Foi nesse ponto que comecei a querer o emprego mais desesperadamente, da maneira como as pessoas anseiam por coisas que consideram inatingíveis. Podia não ser como entrar para a faculdade de Direito ou ter um ensaio publicado no jornal do campus, mas era, em minha mente faminta de sucesso, um verdadeiro desafio – um desafio porque eu era uma impostora, e não muito boa nisso. Tinha percebido no minuto em que pisei no andar da *Runway* que ali não era o meu lugar. Minhas roupas e meu cabelo estavam errados, porém ainda mais flagrantemente deslocada era a minha atitude. Eu não sabia nada de moda e *não ligava*. Nem um pouco. E, no entanto, tinha de conseguir. Além disso, um milhão de garotas dariam a vida por esse emprego.

Continuei a responder às perguntas sobre mim mesma com uma franqueza e confiança que me surpreenderam. Não houve tempo para intimidação. Afinal, ela parecia bastante agradável e eu, por incrível que pareça, não sabia nada que contrariasse isso. Tropeçamos um pouco quando ela perguntou que línguas estrangeiras eu falava. Quando respondi que sabia hebraico, ela fez uma pausa, pôs as mãos sobre a mesa e disse secamente:

– Hebraico? Esperava francês, ou pelo menos algo mais *útil*. – Quase pedi desculpas, mas me contive.

– Infelizmente, não falo uma palavra de francês, mas tenho certeza de que isso não será um problema. – Ela voltou a juntar as mãos.

– Aqui diz que estudou na Brown?

– Sim, eu me especializei em inglês, concentrando-me em redação. Escrever sempre foi uma paixão. – *Essa não!* Censurei a mim mesma. *Precisava usar a palavra "paixão"?*

– Então, sua afinidade com a redação significa que não está particularmente interessada em moda? – Ela tomou um gole de um líquido espumante em um copo e tornou a colocá-lo na mesa, em silêncio. Uma olhadela de relance mostrou que ela era o tipo de mulher que podia beber sem deixar uma daquelas marcas nojentas de batom. Ela mantinha os lábios perfeitamente pintados independentemente da hora.

– Oh, não, é claro que não. Adoro moda – menti tranquilamente. – Estou ansiosa para aprender ainda mais sobre isso, já que acho que seria maravilhoso escrever sobre moda, um dia. – De onde diabos tirei isso? Tudo estava se tornando uma experiência de observar a mim mesma fora do meu próprio corpo.

As coisas continuaram com a mesma facilidade relativa até ela fazer a sua última pergunta: Que revistas eu lia regularmente? Inclinei-me à frente, demonstrando interesse e comecei a falar:

– Bem, só assino *The New Yorker* e *Newsweek*, mas leio regularmente *The Buzz*. Às vezes, *Time*, mas é superficial, e *U.S. News* é conservadora demais. É claro que, com um prazer culpado, dou uma olhada na *Chic*, e como acabo de chegar de viagem, leio todas as revistas de viagens e...

– E lê *Runway*, Ahn-dre-ah? – interrompeu-me, inclinando-se sobre a mesa e me olhando ainda mais atentamente que antes.

Isso aconteceu tão rápida e inesperadamente que, pela primeira vez nesse dia, fui pega desprevenida. Não menti, não elaborei nada, nem mesmo tentei explicar.

– Não.

Depois de talvez dez segundos de um silêncio impassível, ela fez um sinal para Emily me acompanhar à porta. E eu sabia que o emprego seria meu.

3

— Não parece que você conseguiu o emprego – disse baixinho Alex mexendo no meu cabelo, minha cabeça latejando em seu colo, depois do dia extenuante.

Fui direto da entrevista para o seu apartamento no Brooklyn, não querendo dormir no sofá de Lily por mais uma noite e precisando contar a ele tudo o que tinha acontecido. Eu pensei em ficar lá, mas não queria que Alex se sentisse sufocado.

– Nem mesmo sei por que você o quereria. – Depois de um instante, ele reconsiderou. – Na verdade, parece uma oportunidade fenomenal. Quer dizer, se essa garota, a Allison, começou como assistente de Miranda e agora é editora da revista, bem, pode ser muito bom. Vai fundo.

Ele estava se esforçando para se mostrar animado, por mim. Namorávamos desde o penúltimo ano na Brown, e eu conhecia cada inflexão de sua voz, cada olhar, cada sinal. Ele tinha começado algumas semanas antes no Grupo Escolar 277, no Bronx, e estava tão exausto que mal conseguia falar. Embora as crianças só tivessem 9 anos, ele tinha ficado decepcionado ao perceber como já estavam fartas e eram cínicas. Ficou enojado com a maneira como falavam sobre coisas como chupões, como conheciam dez gírias diferentes para maconha e como adoravam se vangloriar do que roubavam ou do primo que estava em uma prisão de segurança máxima.

– *Connoisseurs* de prisões – Alex passou a chamá-los. – São capazes de escrever um livro sobre as vantagens sutis da prisão Sing Sing sobre a Rikers, mas não sabem ler uma palavra da língua inglesa. – Ele estava tentando achar uma maneira de fazer diferença, de realmente tentar mudar essa realidade um pouco.

Deslizei minha mão por dentro de sua camiseta e cocei suas costas. Coitadinho, parecia tão infeliz que me senti culpada por perturbá-lo com os detalhes da entrevista, mas eu tinha de falar sobre isso com alguém.

– Eu sei. Sei que não vai ter nada de editorial nesse emprego, mas tenho certeza de que serei capaz de escrever alguma coisa depois de alguns meses – eu disse. – Não acha que é uma completa traição trabalhar em uma revista *de moda*, acha?

Ele apertou meu braço e se deitou do meu lado.

– Meu amor, você é uma escritora brilhante, maravilhosa, e sei que será fantástica em qualquer lugar. E é claro que não significa trair a si mesma. Vai também pagar as suas contas. Você não disse que se ficar um ano na *Runway* vai se poupar de três anos de uma droga de trabalho como assistente em outro lugar?

Assenti com a cabeça.

– Foi o que Emily e Allison disseram, que era um caminho natural, automático. Trabalhe para Miranda durante um ano, e consiga não ser demitida, e ela, com uma ligação, lhe arranjará um trabalho onde você quiser.

– Então, como poderia recusar? Sério, Andy, vai trabalhar um ano e conseguir um emprego na *The New Yorker*. É o que você sempre quis! E parece claro que chegará lá muito mais rápido fazendo isso do que qualquer outra coisa.

– Você tem razão, toda a razão.

– E além do mais, isso garante a sua mudança para Nova York, o que, tenho de admitir, é muito atraente para mim, no momento. – Beijou-me, um daqueles beijos longos, preguiçosos, que pareciam inventados por nós mesmos. – Mas pare de se preocupar tanto. Como você mesma disse, ainda não tem certeza de que a vaga é sua. Vamos esperar e ver.

Preparamos um jantar simples e adormecemos assistindo ao Letterman. Eu estava sonhando com crianças detestáveis de 9 anos fazendo sexo no playground, enquanto tomavam um trago de Olde English e gritavam com o meu doce e amoroso namorado, quando o telefone tocou.

Alex pegou o fone e o pressionou na orelha, sem se dar o trabalho de abrir os olhos ou dizer alô. Deixou-o cair rapidamente do meu lado. Eu não sabia bem se conseguiria juntar energia para pegá-lo.

– Alô? – murmurei, relanceando os olhos ao relógio e vendo que eram 7h15. Quem diabos ligaria a essa hora?

– Sou eu – soou rouca a voz de uma Lily irada.

– Oi, está tudo bem?

– Acha que eu estaria ligando se estivesse tudo bem? Estou com uma ressaca que parece que vai me matar e quando, finalmente, consigo parar de vomitar por um tempo suficiente para dormir, sou acordada por uma mulher assustadoramente animada que disse trabalhar no departamento de recursos humanos do Elias-Clark. E está procurando por você. *Às 7h15*. Ligue para ela. E diga-lhe para perder o meu número.

– Desculpe, Lil. Dei o seu número porque ainda não tenho celular. Não acredito que tenha ligado tão cedo! Será que isso é bom ou ruim? – Peguei o fone e saí da cama, fechando a porta sem fazer barulho.

– Não importa. Boa sorte. Depois me conta. Mas não nas próximas horas, ok?

– Certo. Obrigada. E desculpe.

Consultei o relógio de novo e não acreditei que estava para ter uma conversa de negócios. Pus café no bule e esperei até ficar pronto. Peguei uma xícara e fui para o sofá. Estava na hora de ligar. Não tinha escolha.

– Alô? Aqui é Andrea Sachs – disse com firmeza, embora a minha voz me traísse com um tom de quem acabou de acordar, grave e áspero.

– Andrea, bom dia! Espero não ter ligado cedo demais – cantou Sharon, a voz cheia da luz do sol. – Sei que não, querida, especialmente porque muito em breve você será um pássaro matutino! Tenho boas notícias. Miranda ficou muito bem impressionada e disse que está ansiosa para começar a trabalhar com você. Não é maravilhoso? Parabéns, querida. Como se sente sendo a nova assistente de Miranda Priestly? Imagino que esteja...

Minha cabeça estava girando. Tentei levantar do sofá para pegar mais café, água, qualquer coisa que pudesse clarear a minha mente e verter as palavras dela para o inglês, mas apenas me afundei ainda mais nas almofadas. Estava me perguntando se gostaria do trabalho? Ou estava fazendo uma oferta oficial? Eu não conseguia dar sentido a nada que ela tinha acabado de falar, a não ser o fato de que Miranda Priestly tinha gostado de mim.

– ...se deliciando com a notícia. Quem não se sentiria assim? Bem, vamos ver, você pode começar na segunda, está bem? Ela estará de férias, mas é um excelente momento para se começar. Deixa tempo para que conheça as outras garotas, oh, elas são tão queridas!

Conhecer? O quê? Começar na segunda? Garotas queridas? Nada fazia sentido na minha cabeça confusa. Escolhi uma única frase que compreendi e respondi:

– Hum, acho que não posso começar na segunda – disse calmamente, esperando ter dito algo coerente. Dizer essas palavras tinham me induzido, por choque, a uma semivigília. Eu tinha atravessado as portas do Elias-Clark pela primeira vez no dia anterior, e estava sendo acordada de um sono profundo para ouvir alguém me dizer que eu começaria a trabalhar em três dias. Era sexta-feira, *7 horas da maldita manhã*, e queriam que eu começasse na segunda-feira? Começou a parecer que tudo girava fora de controle. Por que a pressa absurda? Essa mulher era tão importante que precisava tanto assim de mim? E por que exatamente Sharon parecia sentir tanto medo de Miranda?

Começar na segunda seria impossível. Não tinha onde morar. A base era a casa dos meus pais em Avon, o lugar para onde voltei, de má vontade, depois da graduação e onde a maior parte das minhas coisas havia ficado quando viajei no verão. Todas as minhas roupas relacionadas à entrevista estavam empilhadas no sofá de Lily. Eu tinha tentado lavar a louça e esvaziar seus cinzeiros, além de comprar Häagen-Dazs, para que ela não me odiasse, mas achava justo dar-lhe um tempo da minha presença, de modo que, nos fins de semana, acampava no apartamento de Alex. Isso significava ter minhas roupas e maquiagem de fim de semana na casa de Alex, no Brooklyn, o meu laptop e trajes desarmônicos no conjugado de Lily, no Harlem, e o restante da minha vida na casa dos meus pais, em Avon. Eu não tinha apartamento em Nova York e não entendia como todos sabiam que a Madison Avenue seguia para o alto da cidade, e a Broadway, para baixo. Eu realmente não sabia o que era *uptown*, isto é, a parte alta da cidade. E ela queria que eu começasse na segunda-feira?

– Bem, acho que não poderia na segunda, porque não moro em Nova York – expliquei rapidamente, apertando o telefone – e preciso de alguns dias para encontrar apartamento, comprar alguns móveis e me mudar.

– Ah, sim. Acho que na quarta estaria bem – fungou ela.

Depois de alguns minutos tentando chegar a um acordo com ela, acertamos, finalmente, para o dia 17 de novembro, sem ser a próxima, a outra segunda-feira. Isso me dava pouco mais de oito dias para encontrar e mobiliar uma casa em um dos mercados imobiliários mais loucos do mundo.

Desliguei e me joguei, de novo, no sofá. Minhas mãos estavam tremendo, e deixei o telefone cair no chão. Uma semana. Eu tinha uma semana para começar a exercer o cargo que tinha acabado de aceitar, o de assistente de Miranda Priestly. Mas, espere! Era isso o que estava me incomodando... Na verdade, eu não tinha aceitado o trabalho porque este não tinha sido oficialmente oferecido. Sharon não tinha nem mesmo precisado proferir as palavras "Gostaríamos de lhe fazer uma oferta", já que tinha por certo que qualquer um com um pingo de inteligência obviamente aceitaria o emprego. Ninguém tinha mencionado a palavra "salário". Eu quase caí na gargalhada. Era algum tipo de tática de guerra que tinham aperfeiçoado? Esperar até a vítima estar em sono profundo depois de um dia extremamente estressante e, então, lançar-lhe notícias que alterariam a sua vida? Ou ela tinha simplesmente suposto que seria perda de tempo e esforço fazer algo tão mundano quanto uma oferta de trabalho e esperar a resposta positiva quando se tratava da revista *Runway*? Sharon supôs que eu agarraria a chance, que ficaria excitadíssima com a oportunidade. E como sempre no Elias-Clark, ela tinha razão. Tudo tinha acontecido tão rápido, tão freneticamente, que eu não tinha tido tempo de discutir e refletir como sempre. Mas eu tinha um pressentimento de que essa *era* uma oportunidade que seria loucura rejeitar, que poderia ser realmente um grande passo para chegar à *The New Yorker*. Eu tinha de tentar. Tinha muita sorte por ter conseguido a vaga.

Revigorada, engoli o resto do café, preparei outra xícara para Alex e tomei uma chuveirada quente e rápida. Quando voltei ao seu quarto, ele tinha acabado de sentar-se na cama.

– Já está vestida? – perguntou, procurando atrapalhado os pequenos óculos de armação de metal sem os quais ficava cego. – Alguém ligou de manhã ou eu sonhei?

– Não foi um sonho – respondi, me arrastando de volta para debaixo das cobertas, embora estivesse usando jeans e uma suéter de gola rulê. Tomei cuidado para que o meu cabelo não molhasse seus travesseiros. – Foi Lily. A mulher dos recursos humanos ligou para lá porque foi o número que eu tinha dado. E adivinha?

– Conseguiu o emprego?

– Consegui!

– Ah, venha cá! – disse ele, me abraçando. – Estou tão feliz por você! É uma boa notícia, muito boa.

– Então, acha mesmo que é uma boa oportunidade? Sei que falamos sobre isso, mas não me deram uma chance de decidir. Ela simplesmente supôs que eu aceitaria o cargo.

– É uma oportunidade incrível. Moda não é a pior coisa do mundo, talvez seja até interessante. – Revirei os olhos. Então, ele acrescentou: – Está bem, talvez isso seja ir longe demais. Mas com a *Runway* em seu currículo e uma carta dessa mulher, Miranda, e talvez alguns artigos, poxa, você vai poder fazer qualquer coisa. *The New Yorker* vai bater na sua porta.

– Tomara que você esteja certo, tomara mesmo. – Pulei para fora da cama e comecei a jogar as minhas coisas dentro da mochila. – Posso mesmo usar o seu carro? Quanto mais cedo chegar em casa, mais cedo retorno. Não que isso importe, pois estou *me mudando para Nova York!* É oficial!

Como Alex ia para casa, em Westchester, duas vezes por semana, para tomar conta do irmão pequeno quando a mãe dele tinha de trabalhar até tarde, ela tinha deixado seu carro velho com ele. Mas ele só precisaria do carro na terça, e, até lá, eu já estaria de volta.

De qualquer jeito, eu tinha planejado ir para casa nesse fim de semana, e agora tinha boas-novas para levar comigo.

– É claro. Sem problemas. Está em uma vaga a mais ou menos meia quadra, na Grand Street. As chaves estão na mesa da cozinha. Ligue quando chegar lá, ok?

– Ok. Tem certeza de que não quer ir comigo? Vai ter comida boa... Você sabe que a minha mãe só encomenda o que há de melhor.

– Parece tentador. Sabe que eu iria, mas chamei alguns dos professores mais jovens para uma *happy hour* amanhã. Achei que isso poderia ajudar a trabalharmos como uma equipe. Não posso faltar.

– Maldito idealista filantropo. Sempre fazendo o bem, espalhando encorajamento por onde anda. Eu o odiaria se não o amasse tanto. – Inclinei-me e o beijei, me despedindo.

Encontrei o seu pequeno Jetta na primeira tentativa e só levei vinte minutos tentando achar a saída que me levaria à rua 95 norte, que estava livre. Era um dia gélido para novembro; a temperatura era de mais ou menos cinco graus, e as estradas estavam escorregadias e com gelo. Mas fazia sol, o tipo de luz de inverno que faz olhos não acostumados lacrimejarem e se apertarem, e meus pulmões respiravam o ar límpido e frio. Dirigi o tempo todo com o vidro da janela abaixado, escutando a trilha sonora do filme *Quase famosos*. Prendi, com uma das mãos, o cabelo molhado em um rabo de cavalo, para evitar que os fios voassem para os meus olhos, e soprei minhas mãos para mantê-las aquecidas, ou pelo menos o suficiente para segurarem o volante. Apenas seis meses de formada e a minha vida estava prestes a deslanchar. Miranda Priestly, uma estranha até ontem, mas uma mulher poderosa de verdade, havia me escolhido para fazer parte de sua revista. Agora eu tinha um motivo concreto para deixar Connecticut e me mudar – sozinha, como um adulto faria – para Manhattan e fazer de lá o meu lar. Quando estacionei na entrada da casa de minha infância, uma alegria genuína me dominou. Minhas bochechas pareciam vermelhas, queimadas pelo vento, e meu cabelo esvoaçava com fúria. Estava sem maquiagem, o jeans sujo nas bainhas, de tanto andar pela neve mole da cidade. Mas, nesse momento, me senti bela. Natural, gélida, limpa e confiante, abri a porta da frente e chamei minha mãe. Foi a última vez na vida que me lembro de ter me sentido tão leve.

– UMA SEMANA? Querida, não vejo como vai começar a trabalhar em uma semana – disse minha mãe, mexendo seu chá com uma colher. Estávamos sentadas à mesa da cozinha, em nosso lugar de sempre, minha mãe tomando o chá descafeinado de sempre, com adoçante, eu com a minha caneca de sempre de chá e açúcar. Embora fora de casa há quatro anos, bastaram uma caneca excessivamente grande de chá preparado no micro-ondas e alguns potes de creme de amendoim para que eu me sentisse como se nunca tivesse partido.

– Bem, não tive escolha e, francamente, é uma sorte tê-lo conseguido. Devia ter ouvido como essa mulher é intratável ao telefone – disse eu. Ela me olhou apática. – Mas não importa, não posso me preocupar com isso. Consegui emprego em uma revista famosa, com uma das mulheres mais poderosas desse meio. Um trabalho pelo qual um milhão de garotas dariam a vida.

Sorrimos uma para a outra, mas havia um quê de tristeza em seu sorriso.

– Estou tão feliz por você – disse ela. – Que filha bonita e crescida eu tenho. Querida, sei que isso será o começo de uma época maravilhosa, esplêndida, de sua vida. Ah, me lembro de quando me formei na faculdade e me mudei para Nova York. Sozinha nessa cidade grande e louca. Assustada, mas tão, tão empolgada. Quero que aproveite cada minuto, todas as peças, filmes, pessoas, shoppings e livros. Vai ser a melhor época da sua vida, eu sei disso. – Pôs a mão sobre a minha, algo que não tinha o hábito de fazer. – Estou tão orgulhosa de você.

– Obrigada, mãe. Quer dizer que está orgulhosa o bastante para me comprar um apartamento, móveis e um armário completo?

– Sim, está bem – disse ela, e bateu no alto da minha cabeça com uma revista ao se dirigir ao micro-ondas para esquentar mais duas xícaras. Ela não tinha dito não, mas tampouco estava exatamente indo buscar o seu talão de cheques.

Passei o resto da noite escrevendo e-mails para todo mundo que eu conhecia, perguntando se alguém precisava dividir um apartamento ou sabia de alguém que precisasse. Mandei todas as mensagens e liguei para gente com que eu não falava havia meses. Nada. Decidi que a minha única chance – sem me mudar de vez para o sofá de Lily e, inevitavelmente, arruinar a nossa amizade, ou me alojar na casa de Alex, para o que nenhum de nós dois estava preparado – era sublocar um quarto por curto prazo, até poder me situar na cidade. Seria melhor encontrar meu próprio espaço em algum lugar, e de preferência já mobiliado, para que não precisasse lidar com isso também.

O telefone tocou um pouco depois da meia-noite, e eu me lancei a ele, quase caindo da minha cama de solteiro. Uma imagem emoldurada de Chris Evert, meu herói da infância, sorriu na minha parede, logo abaixo de um quadro de avisos, ainda com recortes de revistas de Kirk Cameron colados. Sorri, ao telefone.

– Oi, poderosa, é Alex – disse ele com o tom de voz que significava que algo havia acontecido. Era impossível saber se era algo bom ou ruim. – Acabo de receber um e-mail dizendo que uma garota, Claire McMillan, está precisando dividir o apartamento. Uma garota de Princeton. Eu a conheci, acho. Namorou Andrew, parece totalmente normal. Está interessada?

– Claro, por que não? Tem o telefone dela?

– Não, só o e-mail, mas vou mandar a mensagem para você e você entra em contato com ela. Acho que será legal.

Passei um e-mail para Claire enquanto acabava de falar com Alex e, finalmente, consegui dormir um pouco na minha cama. Talvez, apenas talvez, desse certo.

CLAIRE MCMILLAN: uma roubada. Seu apartamento era escuro e deprimente, no meio de Hell's Kitchen, e havia um drogado apoiado na escada de entrada quando cheguei. As outras opções também não eram muito melhores. Havia um casal querendo alugar um quarto de seu apartamento e que fez referências indiretas à tolerância para seu ato sexual constante e ruidoso; um artista de 30 e poucos anos com quatro gatos e um desejo ardente demais; um quarto no fim de um corredor comprido e escuro, sem janelas nem armários; um garoto gay de 20 anos que se autoproclamava no "estágio de piranhagem". Cada um dos quartos miseráveis que vi sairiam por mais de mil dólares e o meu dinheiro em caixa somava 32.500 dólares. E embora a matemática nunca tivesse sido o meu forte, não era preciso ser gênio para perceber que o aluguel consumiria mais de 12 mil dólares desse dinheiro e os impostos levariam o restante. E meus pais estavam confiscando o cartão de crédito só-para-emergências, agora que eu era "adulta". Que ótimo.

Lily sobreviveu depois de três dias seguidos de abatimento. Como tinha um grande interesse em me tirar do sofá para sempre, passou e-mails para todo mundo que ela conhecia. Uma colega de seu curso de pós-graduação na Columbia tinha uma amiga cujo chefe conhecia duas garotas que estavam procurando mais uma para o apartamento. Liguei imediatamente e falei com uma garota muito simpática chamada Shanti, que me disse que ela e a sua amiga Kendra estavam procurando alguém para dividir o seu apartamento no Upper East Side, um espaço pequenino, mas com uma janela, um armário, e até mesmo uma parede de tijolos. Custaria 800 dólares ao mês. Perguntei se tinha banheiro e cozinha. Tinha (mas não havia máquina de lavar louça, nem banheira, nem elevador, é claro, mas não se pode esperar viver no luxo em sua primeira vez fora de casa). Resolvido. Shanti e Kendra acabaram sendo duas garotas indianas muito doces e tranquilas que tinham acabado de se graduar no Duke, trabalhavam horas intermináveis em bancos de investimentos e me pareceram, nesse primeiro dia e em todos os dias depois, idênticas uma à outra. Eu tinha encontrado uma casa.

4

Eu já dormia havia quatro noites no meu novo quarto e continuava a me sentir uma estranha vivendo em um lugar estranho. O quarto era minúsculo. Talvez um pouquinho maior do que a despensa no quintal da minha casa em Avon. Não, na verdade não era maior. E ao contrário da maioria dos espaços que parecem maiores com móveis, o meu encolheu pela metade. Eu tinha olhado, ingenuamente, o quadrado minúsculo e decidi que se aproximava do tamanho normal de um quarto, e que compraria o conjunto habitual de quarto: uma cama do tamanho *queen*, uma cômoda, talvez uma ou duas mesinhas de cabeceira. Lily e eu havíamos ido no carro de Alex à Ikea, a meca dos apartamentos pós-universidade, e escolhido um belo conjunto de madeira clara e um tapete em tons de azul-claro, azulão, azul-marinho e índigo. Mais uma vez, a decoração de casa, assim como moda, não era a minha praia: acho que Ikea estava em seu "Período Azul". Compramos uma capa de edredom com um padrão de pintas azuis e o acolchoado mais fofo que tinham. Ela me convenceu a levar um desses abajures chineses de papel de arroz para a mesinha de cabeceira e escolhi umas gravuras emolduradas, em preto e branco, para complementar a parede extravagante e tosca de tijolo aparente. Elegante e casual e nem um pouco zen. Perfeito para o meu primeiro quarto de adulto na cidade grande.

Perfeito, isto é, até tudo chegar. Parece que olhar um quarto não é o mesmo que medi-lo. Nada coube. Alex armou a cama e quando a empurrou para a parede de tijolo (código de Manhattan para "parede inacabada"), ela ocupou o quarto inteiro. Tive de mandar o entregador de volta com a cômoda de seis gavetas, as duas adoráveis mesinhas de cabeceira e até mesmo o espelho de corpo inteiro. Os homens e Alex ergueram a cama e eu consegui deslizar o tapete de três tons azuis para debaixo dela, e alguns centímetros de azul ficaram à mostra. O abajur de papel de arroz não tinha cômoda ou mesa de cabeceira onde ficar, portanto coloquei-o no chão, introduzido à força nos 15 centímetros entre a estrutura da cama e a porta de correr do armário. E embora eu tentasse todos os tipos de adesivos disponíveis no mercado, pregos, parafusos, arame, cola, e praguejasse muito, as fotos emolduradas recusavam-se a aderir à parede de tijolo aparente. Depois de quase três horas de esforço, os nós dos dedos sangrando em carne viva de tanto se esfregarem nos tijolos, finalmente eu os deixei no peitoril da janela. Foi o melhor, achei. Bloqueava um pouco a visão da mulher que vivia em frente. Mas nada disso tinha importância. Nem a coluna de ventilação, ao invés da majestosa silhueta de edifícios contra o céu, nem a falta de espaço, nem o armário pequeno demais para conter um casaco de inverno. O quarto era meu – o primeiro que decorei sozinha, sem ajuda de pais ou colegas de apartamento – e o adorei.

Era domingo à noite, véspera do meu primeiro dia de trabalho, e eu não conseguia fazer outra coisa a não ser me preocupar com o que vestiria no dia seguinte. Kendra, a mais bonita das minhas companheiras de apartamento, ficava metendo a cabeça dentro do quarto, perguntando se podia ajudar. Considerando que as duas se vestiam de maneira ultraconservadora para trabalhar, rejeitei qualquer contribuição em relação à moda. Fiquei de lá para cá na sala, quanto conseguia, pois cada extensão só precisava de quatro passos largos para ser percorrida, e então me sentei no colchonete em frente à TV. O que se veste no primeiro dia de trabalho para a mais elegante diretora de moda da revista de moda mais elegante da Terra? Eu tinha ouvido falar de Prada (pelas poucas garotas japonesas que portavam mochilas na Brown) e de Louis Vuitton (porque as minhas duas avós exibiam suas bolsas de grife sem se darem conta de como eram *cool*) e talvez de Gucci (quem não tinha ouvido falar de Gucci?). Mas com certeza eu não possuía uma única peça deles e não saberia o que fazer com isso se o conteúdo dessas três lojas estivesse em meu armário miniatura. Voltei para o meu quarto – ou melhor, ao colchão parede-a-parede que eu chamava de quarto – e desmoronei nessa cama grande e linda, batendo o tornozelo na beirada maciça. Merda. E agora?

Depois de muita angústia e de experimentar várias roupas, decidi, finalmente, por um suéter azul-claro e uma saia preta no comprimento dos joelhos, com minhas botas pretas de cano alto. Eu já sabia que uma pasta não seria bem aceita, por isso não me restou outra opção a não ser minha velha bolsa preta de lona. A última coisa de que me lembro dessa noite foi de tentar caminhar pela minha cama maciça com botas de salto alto, saia e sem blusa, e sentar-me para descansar, exausta do esforço.

Devo ter desmaiado de pura ansiedade, pois foi a adrenalina que me despertou às 5h30. Pulei da cama. Meus nervos tinham passado a semana inteira em constante atividade e minha cabeça parecia que ia explodir. Eu tinha exatamente um hora e meia para tomar banho, me vestir e ir do meu edifício do tipo república estudantil, na rua 96 com a Terceira, à parte central da cidade de transporte público, uma ideia ainda sinistra e intimidadora. Isso significava que eu teria de separar uma hora para a viagem e meia hora para me arrumar.

O banho foi aterrador. O chuveiro fez um barulho agudo, semelhante a um guincho, como um daqueles apitos para treinamento de cachorros, permanecendo inalteravelmente morno até eu entrar para um banheiro gélido, quando então a água se tornou escaldante. Foram meros três dias dessa rotina até eu começar a pular da cama, abrir o chuveiro 15 minutos antes, e voltar para debaixo dos cobertores. Depois de mais três cochilos, voltava pela segunda vez ao banheiro, e os espelhos estariam embaçados por causa da água gloriosamente quente – apesar de um fiapo.

Vesti minha roupa apertada e desconfortável e saí em 25 minutos – um recorde. E só levei dez minutos para encontrar o metrô mais próximo, algo que eu deveria ter feito na noite anterior, mas estava ocupada demais zombando da sugestão de minha mãe de "revisar rapidamente" o caminho, para não me perder. Quando fora à entrevista, na semana anterior, tinha pego um táxi, e já estava convencida de que a experiência do metrô seria um pesadelo. Mas, surpreendentemente, havia uma moça na cabine que falava inglês e que me disse para tomar o trem 6 para a rua 59. Ela disse que eu sairia direto na 59 e teria de andar duas quadras a oeste, para a Madison. Fácil. Viajei no trem frio em silêncio, uma das únicas pessoas loucas o bastante para acordar e se deslocar nessa hora infeliz em pleno novembro. Até agora, tudo bem – sem problemas, até chegar a hora de passar para o nível da rua.

Subi a escada mais próxima e encontrei um dia gélido, em que a única luz que vi era a das lojas 24 horas. Atrás de mim estava o Bloomingdale's, e nada mais me pareceu familiar. Elias-Clark. Elias-Clark. Elias-Clark. Onde ficava esse edifício? Girei 180 graus até ver uma placa: rua 60 com Lexington. Bem, a 59 não devia estar tão distante da 60, mas em que direção eu deveria andar para seguir as ruas a oeste? E onde estava a Madison em relação à Lexington? Não tinha visto nada daquilo na minha outra visita ao edifício na semana anterior, já que saltara direto na porta. Andei um pouco a esmo, feliz por ter reservado tempo suficiente para me perder, e, finalmente, entrei em uma delicatéssen para uma xícara de café.

– Bom dia. Não estou achando o caminho para o edifício Elias-Clark. O senhor poderia me dizer onde fica? – perguntei ao homem nervoso atrás da caixa registradora. Tentei não ser muito simpática, lembrando que todos haviam me avisado que eu não estava em Avon, e que as pessoas ali não reagiam bem a boas maneiras. Ele me olhou com a cara emburrada, eu fiquei nervosa pensando que ele tinha me achado rude. Sorri simpática.

– Um dóla – disse ele, estendendo a mão.

– Está me cobrando para dar a informação?

– Um dóla, cum leti ou puo.

Olhei para ele por um momento antes de perceber que só sabia o inglês suficiente para falar de café.

– Oh, com leite, é perfeito. Muito obrigada. – Dei-lhe um dólar e voltei a sair, mais perdida do que nunca. Perguntei a pessoas que trabalhavam em bancas de jornais, a garis, até mesmo a um homem que estava metido em um desses trailers que vendem café da manhã. Ninguém me entendia o suficiente para me apontar a direção da 59 com a Madison, e tive breves flashbacks de Délhi, depressão, disenteria. *Não! Vou encontrá-lo.*

Mais alguns minutos andando a esmo por uma área até então desconhecida me levaram à porta da frente do edifício Elias-Clark.

O saguão refulgia por trás das portas de vidro no escuro do começo da manhã, e pareceu, durante os primeiros minutos, um lugar quente, acolhedor. Mas quando empurrei a porta giratória para entrar, ela resistiu. Empurrei cada vez com mais força, até o peso do meu corpo ser lançado à frente e o meu rosto ficar praticamente achatado contra o vidro, e, só então, moveu-se ligeiramente. Quando começou a se mover, primeiro deslizou devagar, incitando-me a empurrar com mais força. Mas assim que dei impulso, o vidro imenso girou, batendo em mim por trás e me fazendo tropeçar e ter de me esquivar para me manter em pé. Um homem atrás da mesa da segurança riu.

– Manhosa, não? Não é a primeira vez que vejo isso acontecer, e não será a última – riu meio debochado, as bochechas polpudas sacudindo-se. – Enganam a gente, essas daí.

Olhei-o rapidamente e decidi odiá-lo. Sabia que ele nunca gostaria de mim, independentemente do que eu dissesse ou de como agisse. De qualquer jeito, sorri.

– Sou Andrea – disse, tirando uma luva de tricô e estendendo a mão por sobre a mesa. – Hoje é o meu primeiro dia de trabalho na *Runway*. Sou a nova assistente de Miranda Priestly.

– E eu lamento! – riu alto, jogando a cabeça redonda para trás com júbilo. – Me chame simplesmente de "Lamento por Você"! Ha, ha, ha! Ei, Eduardo, verifique. Ela é uma das novas *escravas* de Miranda! De onde você é, garota, sendo tão amável com essa frescura toda? Do Kansas, Topeka? Ela vai comê-la viva. Ha, ha, ha!

Mas antes que eu respondesse, apareceu um homem corpulento, usando o mesmo uniforme, e, sem a menor sutileza, me olhou da cabeça aos pés. Preparei-me para mais deboches e risadas, mas não aconteceram. Em vez disso, fitou meus olhos com uma expressão bondosa.

– Sou Eduardo, e esse idiota é Mickey – disse ele, apontando o primeiro homem, que pareceu chateado por Eduardo ter agido com civilidade e estragado a brincadeira. – Não ligue pra ele, só está mexendo com você. – Falou com um sotaque espanhol misturado com o de Nova York, enquanto pegava um livro de registros de entradas e saídas. – Só precisa preencher esta informação aqui, e vou te dar um visto temporário para subir. Diga a eles que precisa de um cartão do recursos humanos.

Eu devo ter parecido agradecida, porque ele ficou embaraçado e empurrou o livro sobre o balcão.

– Bem, vamos lá, preencha. E boa sorte, garota. Você vai precisar.

Eu estava nervosa demais e exausta, a essa altura, para lhe fazer perguntas e, além disso, não precisava. A única coisa que eu tivera tempo de fazer, no intervalo entre aceitar o trabalho e começar a trabalhar, havia sido me informar um pouco sobre a minha nova chefe. Fiz a busca no Google e fiquei surpresa ao descobrir que o nome de solteira de Miranda Priestly era Miriam Princhek, nascida no East End de Londres. Sua família era como todas as famílias judias ortodoxas da cidade, extremamente pobre, mas devota. Seu pai fazia biscates, mas contava com a comunidade para seu sustento, pois passou a maior parte de sua vida estudando os textos judaicos. Sua mãe morrera no parto de Miriam, e foi sua avó paterna que se mudou para sua casa e ajudou a criar as crianças. E como havia crianças! Onze ao todo. A maioria de seus irmãos e irmãs eram operários, como seu pai, sobrando pouco tempo para outra coisa senão rezar e trabalhar. Dois filhos conseguiram fazer faculdade, só para se casarem jovens e começarem a sua própria grande família. Miriam foi a única exceção da tradição da família.

Depois de economizar as pequenas quantias que seus irmãos mais velhos lhe davam quando podiam, Miriam não demorou a abandonar os estudos, ao completar 17 anos – a menos de três meses de concluir o segundo grau – para aceitar um emprego de assistente de um designer britânico promissor, ajudando-o a organizar seus desfiles a cada estação. Depois de alguns anos fazendo o seu próprio nome como uma das queridinhas do mundo da moda londrina, em franco desenvolvimento, e estudar francês à noite, conseguiu um emprego como redatora júnior na revista francesa *Chic*, em Paris. Nessa época, ela já tinha pouco a ver com a família: eles não compreendiam a sua vida ou ambições, e ela se constrangia com a devoção religiosa antiquada e a devastadora falta de sofisticação deles. A alienação de sua família completou-se pouco depois de ela passar a trabalhar para a *Chic* francesa, quando, aos 24 anos, Miriam Princhek tornou-se Miranda Priestly, abandonando seu sobrenome étnico por um com mais verve. Seu sotaque *cockney* de garota foi logo substituído por um outro cuidadosamente refinado, educado. Quando já estava com quase 30 anos, a transformação de Miriam, de camponesa judia para *socialite* mundana, se completou. Galgou rapidamente, implacavelmente, as posições do mundo das revistas.

Miranda passou dez anos na direção da *Runway* francesa antes de Elias transferi-la para o cargo mais importante na *Runway* americana, a realização máxima. Mudou-se com as duas filhas e o seu astro do rock, então seu marido (ele próprio ansioso por ganhar mais fama na América) para um apartamento de cobertura na Quinta Avenida com a rua 76 e começou uma nova era na revista *Runway:* os anos Priestly, o sexto dos quais se aproximava quando iniciei meu primeiro dia.

Por um golpe de sorte, trabalhei quase um mês antes de Miranda estar de volta ao escritório. Ela tirava suas férias, todo ano, de uma semana antes do feriado de Ação de Graças até logo depois do Ano-Novo. Geralmente passava algumas semanas no apartamento que mantinha em Londres, mas nesse ano soube que ela tinha levado o marido e as filhas para a propriedade de Oscar de la Renta, na República Dominicana, para duas semanas, antes de passar o Natal e o Ano-Novo no Ritz, em Paris. Também fui advertida de que, embora tecnicamente ela estivesse "de férias", continuava a trabalhar o tempo todo e, portanto, assim também deveriam fazer todos da equipe. Eu seria apropriadamente treinada sem "Sua Alteza" estar presente. Desse modo, Miranda não teria de tolerar meus erros inevitáveis enquanto aprendia o trabalho. Para mim, pareceu ótimo. E assim, às 7 horas em ponto assinei meu nome no livro de Eduardo e passei rapidamente pela roleta pela primeira vez.

– Faça uma pose! – gritou Eduardo logo antes de as portas do elevador se fecharem rápido.

EMILY, MUITO PÁLIDA e desleixada em uma camiseta branca transparente e justa, porém amassada, e calças cargo super na moda, estava me esperando na recepção, segurando uma xícara da Starbucks e folheando a nova revista de dezembro. Seus saltos altos estavam sobre a mesinha de tampo de vidro, e um sutiã de renda preto estava à mostra através do algodão completamente transparente de sua camiseta. O batom, um pouco manchado ao redor da boca pela xícara de café, e o cabelo ruivo ondulado e despenteado que caía sobre seus ombros faziam com que parecesse que tinha passado as últimas 72 horas na cama.

– Ei, seja bem-vinda – murmurou, lançando-me o primeiro olhar da cabeça aos pés, além dos olhares do guarda de segurança. – Bota bonita.

Meu coração bateu acelerado. Ela falava sério? Ou estava sendo sarcástica? Era impossível saber pelo tom de voz. Meus pés já doíam e os dedos apertavam-se na ponta, mas se eu tivesse sido realmente elogiada por uma garota *Runway*, talvez a dor valesse a pena.

Emily olhou para mim mais demoradamente e, então, jogou as pernas para fora da mesa, suspirando dramaticamente.

– Bem, vamos começar. É *realmente* uma sorte para você ela não estar aqui – disse ela. – Não que ela não seja ótima, é claro, porque ela é – acrescentou no que eu logo reconheceria, e passaria a adotar também, como a clássica Virada Paranoica *Runway*. Assim que algo negativo sobre Miranda escapa dos lábios de uma das funcionárias – por mais justificado que seja –, a paranoia de que Miranda descobrirá domina a interlocutora e inspira uma mudança de atitude radical. Um dos meus passatempos preferidos no trabalho tornou-se observar minhas colegas negarem rapidamente qualquer blasfêmia que tivessem proferido.

Emily passou seu cartão no leitor eletrônico, e andamos lado a lado, em silêncio, pelos corredores sinuosos, até o meio do andar, onde ficava o escritório de Miranda. Observei-a abrir as portas de vidro da sala e jogar sua bolsa e seu casaco sobre uma das mesas que ficava diretamente em frente à sala cavernosa de Miranda.

– Esta é a sua mesa – apontou para uma prancha de fórmica em forma de L, de madeira lisa, que ficava bem em frente à sua. Tinha um computador iMac turquesa novinho, um telefone, e algumas bandejas para papéis, e já havia, nas gavetas, canetas, clipes e alguns cadernos de anotações. – Deixei a maior parte das minhas coisas para você. É mais fácil eu encomendar apenas o novo material para mim.

Emily tinha acabado de ser promovida a assistente sênior, deixando o cargo de assistente júnior para mim. Ela explicou que passaria dois anos como assistente sênior de Miranda, e depois subiria a uma posição surpreendente na *Runway*. O programa de três anos como assistente que ela completaria era a garantia definitiva da escalada no mundo da moda, mas eu me apegava à crença de que a minha sentença de um ano bastaria para *The New Yorker*. Allison já tinha deixado a sala de Miranda para o seu novo posto no departamento de beleza, onde seria responsável por testar as novas maquiagens e os produtos para cabelo, e por escrever sobre eles. Eu não sabia bem como ter trabalhado como assistente de Miranda a tinha preparado para essa função, mas, ainda assim, fiquei impressionada. As promessas eram verdadeiras: as pessoas que trabalhavam para Miranda conseguiam boas colocações.

O restante da equipe começou a chegar por volta das dez, cerca de cinquenta ao todo no departamento editorial. O maior departamento era o de moda, é claro, quase trinta pessoas, incluindo todos os assistentes dos acessórios. Matéria principal, beleza e arte completavam a mistura. Quase todos passaram pela sala de Miranda para papear com Emily, saber de alguma fofoca relacionada à chefe e examinar a nova garota. Conheci dezenas de pessoas nessa primeira manhã, todas exibindo sorrisos enormes, dentes à mostra e parecendo genuinamente interessados em me conhecer.

Os homens eram todos ostentosamente gays, enfeitando-se com calças de couro justíssimas e camisetas apertadas sobre bíceps pronunciados e peitorais perfeitos. O diretor de arte, um homem mais velho que exibia um cabelo louro champanhe rareando, que parecia dedicar a vida a imitar Elton John, apresentou-se com mocassins de pele de coelho e delineador nos olhos. Ninguém piscou o olho. Havia grupos gays no campus e tive amigos que se revelaram homossexuais nos últimos anos, mas nenhum deles tinha essa aparência. Era como estar cercada pelo elenco e a equipe inteira do *Rent* – com melhor figurino, é claro.

As mulheres, ou melhor, as garotas, eram belas individualmente. Em grupo, eram estranhas. A maioria parecia ter cerca de 25 anos, e poucas pareciam ter um dia a mais de trinta. Apesar de quase todas usarem diamantes enormes e cintilantes no dedo do meio da mão esquerda, era praticamente impossível que qualquer uma delas já tivesse filhos – ou fosse ter um dia. Entrando e saindo, entrando e saindo, elas andavam com graça sobre saltos finíssimos de 10 centímetros, passando pela minha mesa para estender mãos brancas como leite, com dedos compridos e unhas bem cuidadas por manicures, apresentando-se "Jocelyn que trabalha com Hope", "Nicole da moda", e "Stef que supervisiona acessórios". Somente uma, Shanya, tinha menos de 1,75 metro, mas era tão pequena que lhe parecia impossível suportar mais dois centímetros em sua altura. Todas pesavam menos de 55 quilos.

Ao me sentar em minha cadeira giratória, tentando me lembrar de todos os nomes, a garota mais bonita que vi naquele dia entrou de repente. Ela usava uma suéter de *cashmere* rosa, que parecia tecido com nuvens. O mais surpreendente foi o seu cabelo branco, que caía em ondas por suas costas. Sua estrutura parecia carregar o peso justo para mantê-la ereta, mas ela se movia com a graça surpreendente de uma bailarina. Suas maçãs do rosto brilhavam e seu anel de diamante de muitos quilates, impecável, refletia uma luminosidade inacreditável. Achei que ela tinha me visto olhando fixo para ele, já que pôs a mão debaixo do meu nariz.

– Eu o criei – anunciou, sorrindo para a mão e olhando para mim. Olhei para Emily, pedindo uma explicação, uma pista de quem ela seria, mas ela estava de novo ao telefone. Achei que a garota se referia ao anel, que realmente o tivesse desenhado, mas, em seguida, ela disse: – Não é uma cor magnífica? É uma camada de Marshmallow e uma de Ballet Slipper. Na verdade, Ballet Slipper veio primeiro e, depois, uma camada por cima, para o acabamento. É perfeito: cor luminosa sem parecer que pintou as unhas com White Out. Acho que vou usá-lo sempre que for à manicure! – E deu a volta e saiu.

Ah, sim, foi um prazer também para mim, falei mentalmente às suas costas quando saiu se exibindo.

Gostei de conhecer todos os meus colegas de trabalho; todos pareciam gentis, doces e, exceto a bela excêntrica com o fetiche da unha esmaltada, todos pareceram interessados em me conhecer. Emily ainda não tinha saído do meu lado, aproveitando toda oportunidade para me ensinar algo. Disse quem era realmente importante, quem não se enfurecia, de quem era vantajoso se tornar amiga porque dava as melhores festas. Quando descrevi a Garota Manicure, o rosto de Emily se iluminou.

– Oh! – exclamou mais agitada do que quando tinha falado de qualquer outro. – Ela não é incrível?

– Hum, sim, parece legal. Não tivemos a chance de conversar, ela estava apenas, sabe, me mostrando o esmalte das unhas.

Emily abriu um largo sorriso, com orgulho.

– Sim, você sabe quem ela é, não sabe?

Quebrei a cabeça tentando lembrar se ela se parecia com alguma estrela de cinema ou cantora ou modelo, mas não consegui. Então, ela era famosa! Talvez por isso não tinha se apresentado. Eu deveria tê-la reconhecido. Mas não reconheci.

– Não, não sei. Ela é famosa?

O olhar que recebi em resposta foi em parte de descrença, em parte de repugnância.

– Bem, *sim* – disse Emily, enfatizando o "sim" e apertando os olhos como se dissesse: *Sua completa idiota.* – É Jessica Duchamps. – Ela esperou. Eu esperei. Nada. – Você sabe quem é, não sabe? – De novo, listas passaram pela minha mente, tentando relacionar alguma coisa com essa nova informação, mas eu tinha certeza de que nunca tinha ouvido falar dela. Além do mais, esse jogo começava a ficar chato.

– Emily, eu nunca a vi antes, e o nome não me parece familiar. Você pode, por favor, me dizer quem é ela? – perguntei, lutando para ficar calma. A ironia foi que nem mesmo me preocupei com quem ela era, mas Emily, com certeza, não ia me informar antes de fazer com que eu parecesse uma completa fracassada.

Seu sorriso, dessa vez, foi condescendente.

– É claro. Basta pedir. Jessica Duchamps é, bem, uma Duchamps! Entende? Como no restaurante francês mais famoso da cidade! Seus pais são os donos, não é uma loucura? Eles são incrivelmente ricos.

– Ah, é mesmo? – disse eu, fingindo entusiasmo pelo fato de que valia a pena conhecer essa garota super bonita porque seus pais eram donos de restaurante. – Que máximo.

Atendi algumas ligações com a frase "Escritório de Miranda Priestly", embora tanto Emily quanto eu estivéssemos preocupadas com a possibilidade de a própria Miranda ligar e eu não saber o que fazer. O pânico se instalou durante uma chamada, quando uma mulher não identificada falou asperamente algo incoerente com um forte sotaque britânico e joguei o telefone para Emily, sem nem mesmo pensar em pedir que esperasse.

– É ela – sussurrei com urgência. – Atende.

Emily me fez conhecer o seu olhar especial, que não era de jeito algum o tipo que moderasse emoções. Ela conseguiu erguer as sobrancelhas e deixar o queixo cair de uma maneira que transmitia, em partes iguais, nojo e pena.

– Miranda? É Emily – disse ela, um sorriso luminoso no rosto, como se Miranda fosse capaz de filtrar-se pelo fone e vê-la. Silêncio Um franzir de cenho. – Oh, Mimi, desculpe! A nova garota achou que você era Miranda! Eu sei, é engraçado. Acho que temos de aprender a não *pensar que todo sotaque britânico é necessariamente da nossa chefe!* – Olhou para mim ostensivamente, suas sobrancelhas excessivamente suspensas arquearam ainda mais alto.

Ela conversou um pouco mais, enquanto eu continuava a atender o telefone e anotar recados para Emily, que, depois, responderia às ligações – sem interrupção, seguindo a ordem de importância, se houvesse alguma, na vida de Miranda. Por volta do meio-dia, logo que os primeiros espasmos de fome se manifestaram, atendi uma chamada e ouvi um sotaque britânico no outro lado.

– Alô? Allison, é você? – perguntou a voz gélida, ainda que régia. – Vou precisar de uma saia.

Pus a mão em concha sobre o bocal e senti meus olhos escancarados.

– Emily, é ela, não há dúvida de que seja ela – sibilei, agitando o fone para chamar a sua atenção. – Ela quer uma saia!

Emily virou-se e viu a minha cara tomada pelo pânico e desligou o telefone imediatamente sem nem um "Ligo depois" ou mesmo um adeus". Ela apertou o botão que ligava Miranda à sua linha e chapou outro sorriso largo.

– Miranda? É Emily. O que posso fazer? – Pôs a caneta no bloco e começou a escrever furiosamente, a testa vincada concentrada. – Sim, é claro. Naturalmente. – E tão rápido quanto começou, acabou. Olhei para ela na expectativa. Ela girou os olhos para mim, demonstrando impaciência. – Bem, parece que você recebeu a primeira tarefa. Miranda precisa de uma saia para amanhã, entre outras coisas, por isso temos de colocá-la em um avião hoje à noite, quanto antes.

– Ok, bem, de que tipo de saia ela precisa? – perguntei, ainda tonta com o choque de que uma saia pudesse viajar à República Dominicana só porque ela havia expressado o desejo de que assim fosse.

– Ela não disse exatamente – murmurou Emily pegando o telefone. – Oi, Jocelyn, sou eu. Ela quer uma saia, e vou precisar que esteja no voo da Sra. de la Renta hoje à noite, já que ela vai se encontrar com Miranda lá. Não, não faço ideia. Não, ela não disse. Eu realmente não sei. Ok, obrigada. – Virou-se para mim e disse: – Fica mais difícil quando ela não especifica. Ela é ocupada demais para se preocupar com detalhes, por isso não disse de que tecido ou cor ou estilo ou grife ela quer. Mas tudo bem. Sei o tamanho dela, e conheço seu gosto bem o bastante para saber exatamente do que vai gostar. Essa era Jocelyn, do departamento de moda. Vão começar a buscar ajuda. – Imaginei Jerry Lewis presidindo um programa de TV para levantar fundos para caridade com um placar gigantesco, rufar de tambores, e *voilà*! Gucci e aplausos espontâneos.

Não totalmente. "Buscar ajuda" para as saias foi a minha primeira aula de absurdo na *Runway*, embora tenha de admitir que o processo era tão eficiente quanto uma operação militar. Emily ou eu mesma avisaria as assistentes de moda – oito ao todo, cada uma mantendo contato com uma lista específica de designers e lojas. As assistentes começariam imediatamente a ligar para todos os seus contatos de relações públicas nas diversas casas de design e, se necessário, nas lojas da classe mais alta de Manhattan, e dizer que Miranda Priestly – sim, Miranda Priestly, e sim, era realmente para seu uso *pessoal* – estava querendo determinado item. Em minutos, todos os assessores de imprensa e seus assistentes trabalhando na Michael Kors, Gucci, Prada, Versace, Fendi, Armani, Chanel, Barney's, Chloé, Calvin Klein, Bergdorf, Roberto Cavalli e Sacks enviariam (ou, em alguns casos, entregariam pessoalmente) todas as saias que tivessem em estoque e de que Miranda Priestly pudesse gostar. Observei o processo se desenvolver como um balé altamente coreografado, cada membro sabendo exatamente onde, quando e como daria o seu passo. Enquanto essa atividade quase diária se desenvolvia, Emily me mandou pegar outras coisas que precisaríamos enviar com a saia nesta noite.

– Seu carro aguardará você na rua 58 – disse ela, falando em dois telefones e escrevendo instruções para mim em um pedaço de papel timbrado *Runway*. Fez uma breve pausa para me jogar um celular e dizer: – Pegue, leve para o caso de eu precisar falar com você ou você ter alguma dúvida. Não o desligue nunca. Atenda sempre. – Peguei o telefone e o papel e fui para o lado do edifício que dava para a rua 58, me perguntando como conseguiria encontrar o "meu carro". Ou o que isso realmente significava. Mal tinha pisado na calçada e olhado em volta, com resignação, quando um homem grisalho, atarracado, mordendo um cachimbo, se aproximou.

– É a nova garota da Priestly? – perguntou com a voz rouca, os lábios manchados de tabaco, sem tirar o cachimbo cor de mogno da boca. Assenti com um movimento da cabeça. – Sou Rich. Da expedição. Se precisar de carro, fale comigo. Entendeu, lourinha? – Assenti de novo com a cabeça e me meti no banco de trás de um Cadillac sedã preto. Ele bateu a porta e acenou.

– Aonde vai, senhorita? – perguntou o motorista, trazendo-me de volta ao presente. Percebi que não fazia ideia e puxei o pedaço de papel do meu bolso.

Primeira parada: Estúdio de Tommy Hilfiger, 355 West,
rua 57, 6º andar.
Pergunte por Leanne. Ela lhe dará tudo de que precisa.

Dei o endereço ao motorista e olhei pela janela. Eram 13 horas de uma tarde de inverno gelado, eu tinha 23 anos e estava no banco de trás de um sedã com chofer, a caminho do estúdio de Tommy Hilfiger. E estava, sem sombra de dúvida, morrendo de fome. Foram quase 45 minutos para percorrer 15 quadras durante a hora de almoço nessa área central da cidade, o meu primeiro vislumbre do verdadeiro engarrafamento em Nova York. O motorista me disse que daria a volta no quarteirão até eu sair de novo, e fui para o estúdio de Tommy. Quando perguntei por Leanne na recepção do sexto andar, uma garota adorável, que não devia ter mais de 18 anos, desceu pulando a escada.

– Oi! – gritou ela, estendendo o som por alguns segundos. – Você deve ser Andrea, a nova assistente de Miranda. Nós a adoramos muito, por isso, seja bem-vinda à equipe! – Sorriu largo. Eu sorri largo. Ela puxou uma bolsa de plástico volumosa debaixo de uma mesa e derramou seu conteúdo no chão. – Aqui temos o jeans favorito de Caroline em três cores, e separamos também algumas camisetas. E Cassidy adora as saias cáqui de Tommy; estamos mandando para ela em verde-oliva e estonado. – Jeans, saias, jaquetas de denim, até mesmo alguns pares de meias voaram da bolsa, e tudo o que pude fazer foi olhar: havia roupa suficiente para compor mais de quatro guarda-roupas pré-adolescentes completos. *Quem diabos são Cassidy e Caroline?* Eu me perguntei olhando o resultado da pilhagem. Que tipo de pessoa usa jeans Tommy Hilfiger em três cores, não menos?

Devo ter parecido muito confusa, porque Leanne virou-se de costas, intencionalmente, rearrumando as roupas na bolsa e disse:

– As filhas de Miranda vão adorar essas roupas. Há anos as vestimos, e Tommy insiste em escolher as roupas para elas pessoalmente.

Lancei-lhe um olhar agradecido e pus a bolsa no ombro.

– Boa sorte! – gritou ela quando as portas do elevador se fecharam, com um sorriso sincero tomando quase todo o seu rosto. – Tem sorte em ter um trabalho tão fantástico! – Antes de ela ter tempo para dizer isso, me peguei terminando mentalmente a frase: *um milhão de garotas dariam a vida por ele!* E nesse momento, tendo acabado de sair do estúdio de um estilista famoso e na posse de milhares de dólares em roupas, achei que Leanne tinha razão.

Depois que peguei o jeito, o resto do dia fluiu. Fiquei na dúvida por alguns minutos se alguém se irritaria se eu usasse um minuto para pegar um sanduíche, mas não tive escolha. Não tinha comido nada desde o croissant às 7 horas, e eram quase 14 horas. Pedi ao motorista para parar em uma delicatéssen e, na última hora, decidi dar-lhe um também. Seu queixo caiu quando eu lhe dei o de peru e mostarda, e depois pensei se não o teria deixado sem jeito.

– Eu só achei que estaria com fome também – disse eu. – Sabe, ter que dirigir o dia todo, provavelmente não sobra muito tempo para comer.

– Obrigado, senhorita, agradeço. É que dirijo para as garotas do Elias-Clark há 12 anos, e elas não são tão simpáticas. Você é muito gentil – disse ele com um sotaque forte mas indefinido, olhando para mim pelo espelho retrovisor. Sorri para ele e senti certa apreensão momentânea. Mas o momento passou e mastigamos nosso sanduíche, sentados no engarrafamento, escutando o seu CD preferido, que me pareceu uma mulher ganindo a mesma coisa várias vezes em uma língua desconhecida, tudo para se ajustar à cítara.

A instrução seguinte de Emily era para pegar um short branco de que Miranda estava desesperadamente precisando para o tênis. Achei que iríamos para a Polo, mas ela tinha escrito Chanel. Chanel fazia short branco para tênis? O motorista me levou ao salão privado, onde uma vendedora mais velha, cuja plástica tinha deixado seus olhos parecendo ranhuras, deu-me um short justíssimo de cotton-lycra, tamanho zero, preso a um cabide e coberto por uma capa de veludo. Olhei para o short, que parecia não caber em uma criança de 6 anos e, depois, de volta para a mulher.

– Hum, você acha mesmo que Miranda vai usar algo assim? – perguntei hesitante, convencida de que a mulher poderia abrir a sua boca de *pit-bull* e me engolir. Ela me olhou com fúria.

– Bem, espero que sim, senhorita, considerando que foi feito sob medida, segundo suas especificações exatas – falou, de maneira hostil, ao me entregar o short. – Diga-lhe que o Sr. Kopelman envia lembranças. – *É claro, senhora. Quem quer que ele seja.*

Minha próxima parada foi o que Emily escreveu como a "caminho do Centro", J&R Computer World, do lado da prefeitura. Parece que era a única loja na cidade que vendia Warriors of the West, um jogo que Miranda queria comprar para o filho de Oscar e Annette de la Renta, Moises. Quando cheguei ao Centro, uma hora depois, me dei conta de que o celular podia fazer ligações interurbanas, e disquei, feliz, para os meus pais e contei como o trabalho era fantástico.

– Papai? Oi, é Andy. Adivinha onde estou agora. Sim, é claro, no trabalho, mas acontece que estou no banco de trás de um carro com chofer rodando por Manhattan. Estive no Tommy Hilfiger e na Chanel, e depois de comprar um jogo para computador, vou para o apartamento de Oscar de la Renta na Park Avenue para deixar todas essas coisas. Não, não são para ele! Miranda está na República Dominicana e Annette está indo para lá encontrá-los hoje à noite. Em um avião particular, sim! Papai! Eu disse República Dominicana, é claro!

Ele pareceu cauteloso, mas satisfeito por eu estar tão feliz, e decidi que tinha sido contratada como "boy" de nível superior. O que estava ótimo para mim. Depois de deixar a sacola com as roupas da Tommy, o short justo e o jogo de computador com um porteiro de aparência muito distinta em um saguão luxuoso na Park Avenue (então é isso que as pessoas querem dizer quando falam da Park Avenue), voltei para o Elias-Clark. Quando entrei na área da minha sala, Emily estava sentada no chão, na posição de lótus, embrulhando presentes em papel branco liso, com fitas brancas. Estava cercada por montanhas de caixas vermelhas e brancas, todas idênticas na forma, centenas, talvez milhares, espalhadas entre as nossas mesas e transbordando até a sala de Miranda. Emily não percebeu que eu a observava, e vi que lhe bastavam dois minutos para embrulhar com perfeição cada caixa, e mais 15 segundos para dar um laço com a fita de cetim branca. Movia-se com eficiência, sem perder um único segundo, empilhando as caixas brancas embrulhadas em novas montanhas atrás dela. A pilha embrulhada crescia cada vez mais, mas a pilha não embrulhada não diminuía. Calculei que mesmo que ela ficasse nisso durante os próximos quatro dias, não terminaria de embrulhá-las.

Chamei-a, falando mais alto que o som do CD de música da década de 1980 que tocava em seu computador.

– Ei, Emily? Oi, estou de volta.

Ela virou-se para mim e, por um breve momento, pareceu não fazer ideia de quem eu era. Um branco total. Mas, então, a minha posição de a nova garota voltou à sua memória.

– Como foi? – perguntou rapidamente. – Fez tudo o que estava na lista?

Assenti com a cabeça.

– Até o videogame? Quando liguei para lá, só restava um. Encontrou-o?

Assenti de novo com a cabeça.

– E levou tudo ao porteiro dos De la Renta, na Park Avenue? As roupas, o short, tudo?

– Sim, sem problemas. Foi tranquilo e deixei tudo lá há alguns minutos. Estava pensando se Miranda usaria mesmo esse tipo...

– Ouça, preciso ir ao banheiro e estava esperando você chegar. Sente-se do lado do telefone por um minuto, está bem?

– Não foi ao banheiro desde que eu saí? – perguntei incrédula. Tinham sido cinco horas. – Por que não?

Emily terminou de dar o laço na caixa que tinha acabado de embrulhar e me olhou friamente.

– Miranda não tolera que ninguém, a não ser suas assistentes, atendam seu telefone, logo, como você não estava, eu não quis ir. Acho que poderia ter saído por um minuto, mas sei que ela está tendo um dia conturbado, e quero deixar claro que estou sempre disponível para ela. Portanto, não, não vamos ao banheiro, ou a qualquer outro lugar, sem combinarmos uma com a outra. Precisamos trabalhar juntas para deixarmos claro para ela que estamos fazendo o trabalho da melhor forma possível. Ok?

– É claro – eu disse. – Vá em frente. Ficarei aqui. – Ela virou-se e saiu, e eu pus a mão na mesa para me acalmar. Não ir ao banheiro sem um plano de guerra coordenado? Ela realmente ficou sentada nesta sala durante as últimas cinco horas mandando a sua bexiga se comportar porque estava preocupada se uma mulher em outro país talvez ligasse durante os dois minutos e meio que levaria para ir ao banheiro? Aparentemente sim. Parecia um tanto exagerado, mas supus que era apenas Emily sendo excessivamente dedicada. Não havia como Miranda exigir isso de suas assistentes. Eu tinha certeza. Ou havia?

Peguei algumas folhas de papel da impressora e vi o título "Presentes de Natal Recebidos". Um, dois, três, quatro, cinco, *seis* páginas, em espaço simples, de presentes, cada um com remetente e item em uma linha. Duzentos e cinquenta e seis presentes ao todo. Parecia uma lista do casamento da rainha da Inglaterra, e não consegui ler tudo rápido o bastante. Havia um conjunto de maquiagem Bobby Brown, enviado pela própria Bobby Brown; uma exclusiva bolsa de couro Kate Spade, de Kate e Andy Spade; uma agenda de couro vinho, da Smythson da Bond Street, de Graydon Carter; um saco de dormir forrado de vison, de Miuccia Prada; uma pulseira Verdura de várias voltas de Aerin Lauder; um relógio com diamante incrustado de Donatella Versace; uma caixa de champanhe de Cynthia Rowley; um conjunto de blusa bordada e bolsa de noite de Mark Badgley e James Mischka; uma coleção de canetas Cartier, de Irv Ravitz; um cachecol de pele de chinchila, de Vera Wang; uma jaqueta com estampa de zebra, de Alberta Ferretti; um cobertor de *cashmere* Burberry, de Rosemarie Bravo. E isso foi só o começo. Havia bolsas de várias formas e tamanhos de: Herb Ritts, Bruce Weber, Gisele Bündchen, Hillary Clinton, Tom Ford, Calvin Klein, Annie Leibovitz, Nicole Miller, Adrienne Vittadini, Michael Kors, Helmut Lang, Giorgio Armani, John Sahag, Bruno Magli, Mario Testino e Narciso Rodriguez, para citar alguns. Havia dezenas de donativos feitos em nome de Miranda a várias instituições de caridade, que deviam ter sido cem garrafas de vinho e champanhe, oito ou dez bolsas Dior, umas duas dúzias de velas perfumadas, algumas peças de cerâmica oriental, pijamas de seda, livros de capa de couro, produtos para banho, chocolates, pulseiras, caviar, suéteres de *cashmere*, fotografias emolduradas, e arranjos de flores e/ou vasos de plantas suficientes para decorar uma dessas quinhentas missas de casamentos que são realizadas nos estádios de futebol da China. Ó meu Deus! Isso era verdade? Estava realmente acontecendo? Estava eu trabalhando para uma mulher que recebia 256 presentes no Natal de algumas das pessoas mais famosas do mundo? Ou não tão famosas? Eu não tinha certeza. Reconheci algumas das celebridades e estilistas realmente óbvios, mas ainda não sabia que os outros incluíam alguns dos fotógrafos, maquiadores, modelos, socialites e todo um contingente dos executivos mais procurados do Elias-Clark. Assim que me perguntei se Emily saberia realmente quem eram todos eles, ela entrou. Procurei fingir que não estava lendo a lista, mas ela não deu a menor importância.

– Loucura, não é? Ela é a mulher mais badalada – falou entusiasmada, apanhando as folhas de papel em sua mesa e olhando para elas com o que só pode ser descrito como luxúria. – Já tinha visto coisas tão surpreendentes em sua vida? Esta é a lista do ano passado. Eu a separei para sabermos o que esperar, já que os presentes começaram a chegar. Esta é, definitivamente, uma das melhores partes do trabalho: abrirmos todos os presentes.

Fiquei confusa. *Nós* abríamos os presentes? Por que ela mesma não abria? Perguntei.

– Está maluca? Miranda não gosta de 90 por cento das coisas que enviam. Algumas são, francamente, insultantes, coisas que nem mesmo mostro para ela. Como isto – disse ela, pegando uma caixa pequena. Era um telefone sem fio Bang and Olufsen com o típico tom prateado e formas arredondadas, capaz de permanecer sem interferências por uns 3 mil quilômetros. Eu tinha estado na loja apenas algumas semanas antes, vendo Alex salivar pelos aparelhos estéreos, e sabia que o telefone custava mais de 500 dólares e podia fazer de tudo, exceto manter uma conversa *por* você. – Um telefone? Acredita que alguém teve coragem de mandar um *telefone* para Miranda Priestly? – Ela o jogou para mim. – Fique com ele, se quiser. Eu nunca a deixaria ver isso. Ela ficaria irritada com alguém que lhe mandasse algo *eletrônico*. – Pronunciou a palavra "eletrônico" como se fosse sinônimo de "coberto de fluidos corporais".

Enfiei o telefone debaixo da minha mesa e tentei apagar o sorriso da minha cara. Era perfeito demais! Um telefone sem fio estava na lista do que eu ainda precisava no meu quarto, e eu tinha conseguido grátis um de 500 dólares.

– Na verdade – prosseguiu ela, sentando-se de novo no chão da sala de Miranda, na posição de lótus –, vamos passar algumas horas embrulhando mais algumas garrafas de vinho e, depois, você pode abrir os presentes que chegaram hoje. Estão ali. – Apontou para trás de sua mesa, para uma pequena montanha de caixas e sacolas e cestas de várias cores.

– Então, estes são presentes que Miranda está enviando, certo? – perguntei, pegando uma caixa e começando a embrulhá-la com o papel branco espesso.

– Sim. Todo ano é a mesma coisa. Pessoas no alto da pirâmide recebem garrafas de Dom. Isso inclui os executivos do Elias e os grandes estilistas que não são amigos pessoais. Além de seu advogado e contador. Pessoas no nível médio recebem Veuve, e isso vale para todo mundo: os professores das gêmeas, os cabeleireiros, Uri etc. Os menos importantes recebem uma garrafa de Ruffino Chianti. Geralmente vão para o pessoal de relações públicas que enviam presentes pequenos, gerais, que não são personalizados, para ela. Ela vai querer que seja enviado Chianti para o veterinário, algumas das babás que substituem Cara, o pessoal que a atende em lojas a que vai com frequência, e a todos os caseiros de sua casa de verão em Connecticut. De qualquer jeito, encomendei cerca de 25 mil dólares dessas bebidas no começo de novembro, Sherry-Lehman entrega e geralmente leva quase um mês para embrulhar tudo. É bom que ela esteja fora, ou teríamos de embrulhar tudo em casa. Um negócio muito bom, pois Elias paga a conta.

– Calculo que custaria o dobro se a Sherry-Lehman embrulhasse, não é? – pensei, tentando processar a hierarquia da doação de presentes.

– E o que nós temos com isso? – falou com desdém. – Acredite em mim, você vai aprender rapidamente que custo não é um problema por aqui. É que Miranda não gosta do papel de embrulho que eles usam. Eu dei a eles este papel branco no ano passado, mas não fizeram tão bonito quanto nós fazemos. – Ela pareceu orgulhosa.

Ficamos embrulhando até quase seis horas, com Emily me contando como as coisas funcionavam e eu tentando entender esse mundo estranho e excitante. Quando ela estava descrevendo como Miranda gosta do café (com leite, copo comprido, dois cubinhos de açúcar), uma garota loura ofegante, da qual eu me lembrava como uma das muitas assistentes de moda, entrou carregando uma cesta de vime do tamanho de um carrinho de bebê. Ela hesitou à porta da sala de Miranda, como se achasse que o carpete cinza macio se transformasse em areia movediça sob seus Jimmy Choo, se ela ousasse atravessar o limiar.

– Oi, Em. Estou com as saias aqui. Desculpe ter demorado tanto, mas não havia ninguém por perto, já que é uma data complicada, bem antes do feriado de Ação de Graças. De qualquer jeito, espero que encontre algo de que ela vá gostar. – Baixou os olhos para a cesta cheia de saias dobradas.

Emily olhou para ela com um escárnio mal disfarçado.

– Deixe-as na minha mesa. Devolvo as que não servirem. *O que imagino será a maioria, considerando o seu gosto.* – A última parte ela falou baixinho, o bastante para que só eu ouvisse.

A garota loura parecia confusa. Com certeza não era a estrela mais brilhante no firmamento, mas bonita. Eu me perguntei por que Emily a odiava tanto. Como já tinha sido um longo dia, com muitas informações e incumbências pela cidade, e centenas de nomes e rostos para tentar memorizar, não perguntei.

Emily pôs a cesta grande sobre a sua mesa e a olhou, colocando as mãos nos quadris. Do que pude ver no chão da sala de Miranda, havia talvez 25 saias diferentes em uma variedade incrível de tecidos, cores e tamanhos. Ela não tinha especificado nada do que queria? Realmente não tinha se dado o trabalho de informar Emily se estava precisando de algo para um jantar black-tie ou para compor um conjunto informal ou para usar sobre uma roupa de banho? Queria denim ou um chiffon ficaria melhor? Como exatamente adivinharíamos o que *podia* agradá-la?

Eu estava para descobrir. Emily levou a cesta para a sala de Miranda e cuidadosamente, reverentemente, colocou-a sobre o carpete felpudo do meu lado. Sentou-se e começou a retirar as saias uma por uma, dispondo-as em um círculo à nossa volta. Havia uma bela saia de crochê rosa-shocking da Celine, uma saia transpassada cinza pérola da Calvin Klein, e uma preta de camurça com contas pretas ao redor da barra do próprio Sr. De la Renta. Havia saias em vermelho, marfim e lilás, algumas com renda, outras em *cashmere*. Algumas eram longas o bastante para envolverem graciosamente os tornozelos, e outras eram tão curtas que mais pareciam tops tomara-que-caia. Peguei uma linda marrom de seda, comprimento até a batata da perna, e a segurei em minha cintura, mas o tecido cobriu apenas uma das minhas pernas. A seguinte na pilha ia até o chão, em uma profusão de tule e chiffon, parecendo mais apropriada a uma festa ao ar livre de Charleston. Uma das saias jeans era pré-lavada e vinha com um cinto de couro marrom gigantesco já preso em volta, e outra tinha uma camada pregueada, de tecido prateado, em cima de um forro prateado mais opaco. Aonde diabos nós chegaríamos?

– Uau, parece que Miranda tem um fraco por saias, hein? – eu disse, simplesmente porque não tinha nada melhor a dizer.

– Na verdade, não. Miranda tem mesmo é uma leve obsessão por echarpes. – Emily recusou-se a olhar nos meus olhos, como se tivesse acabado de revelar que tinha uma doença contagiosa. – É uma das coisas charmosas e sutis sobre ela que deve saber.

– Ah, é mesmo? – perguntei, tentando parecer divertida e não horrorizada. Uma obsessão por echarpes? Gosto de roupas e bolsas e sapatos tanto quanto qualquer garota, mas não declararia nenhum deles como uma "obsessão". E havia um quê na maneira de Emily dizer isso que não parecia natural.

– Sim, bem, ela deve precisar de uma saia para algo específico, mas é de echarpes que ela realmente gosta. Sabe, as suas echarpes são como a sua marca. – Olhou para mim. A minha expressão deve ter traído a minha total ignorância. – Lembra-se de tê-la visto durante a entrevista, não?

– É claro – respondi rapidamente, sentindo que não seria boa ideia deixar essa garota perceber que eu mal lembrava o sobrenome de Miranda durante a entrevista, muito menos o que estava vestindo. – Mas não estou certa de ter notado uma echarpe.

– Ela sempre, sempre, sempre usa uma única Hermès branca, em alguma parte de seu traje. Geralmente em volta do pescoço, mas, às vezes, faz com que seu cabeleireiro a amarre em um coque, ou, ocasionalmente, a usa como cinto. São como a sua marca. Todo mundo sabe que Miranda Priestly usa uma echarpe Hermès branca, independentemente de qualquer coisa. Não é o máximo?

Foi nesse exato momento que notei que Emily tinha uma echarpe verde-limão entremeada no cinto sobre a sua calça cargo, parcialmente visível sob a camiseta branca.

– Ela gosta, às vezes, de misturá-la, e acho que esta é uma dessas vezes. De qualquer jeito, aquelas idiotas em moda nunca sabem do que ela vai gostar. Veja algumas destas, são medonhas! – Ela ergueu uma saia absolutamente maravilhosa, ligeiramente mais elegante do que as demais, com pequenos brilhos dourados salpicados em um fundo castanho.

– É – concordei, no que se tornou a primeira de milhares de vezes, senão milhões, em que concordei com qualquer coisa que ela dizia, só para que parasse de falar. – É horrenda. – Era tão linda que ficaria feliz em usá-la no meu casamento.

Emily continuou a tagarelar sobre estampados e tecidos e necessidades de Miranda, ocasionalmente inserindo um insulto mordaz a um colega de trabalho. Finalmente, escolheu três saias radicalmente diferentes e as separou para Miranda, falando, falando, falando o tempo todo. Tentei escutar, mas eram quase sete horas, e estava tentando decidir se estava vorazmente faminta, completamente nauseada, ou simplesmente exausta. Acho que os três. Nem mesmo notei quando o ser humano mais alto que já vi entrou na sala de repente.

– VOCÊ! – ouvi de alguma parte atrás de mim. – LEVANTE-SE PARA QUE EU A VEJA!

Virei-me a tempo de ver o homem, que tinha, no mínimo, 2,10 metros de altura, a pele bronzeada, o cabelo preto, apontando diretamente para mim. Pesava 125 quilos sobre a estrutura incrivelmente alta e era tão musculoso, tão vigoroso, que parecia que explodiria de seu... macacão colante? Ó meu Deus! Ele estava usando um macacão colante. Sim, sim, um macacão inteiriçc de jeans *stretch*, com calça justa, cintura marcada e mangas arregaçadas. E uma capa. Havia, na verdade, uma capa de pele do tamanho de um cobertor amarrada duas vezes em volta de seu pescoço grosso, e botas de combate pretas lustrosas do tamanho de raquetes de tênis adornavam seus pés de mamute. Parecia ter uns 35 anos, embora todos os músculos, o bronzeado forte e o maxilar esculpido pudessem ocultar dez anos ou acrescentar cinco. Ele estava agitando as mãos na minha direção, para que eu me levantasse. Levantei-me, sem conseguir tirar os olhos dele, que se virou para me examinar imediatamente.

– BEM, O QUE TEMOS AQUI? – berrou, o máximo que alguém conseguiria em sua voz de falsete. – VOCÊ É BONITA, MAS SADIA DEMAIS. E A ROUPA NÃO AJUDA NADA!

– Meu nome é Andrea. Sou a nova assistente de Miranda.

Ele me olhou da cabeça aos pés, inspecionando cada centímetro. Emily estava assistindo ao espetáculo com uma expressão desdenhosa. O silêncio foi insuportável.

– BOTAS DE CANO ALTO? COM UMA SAIA ATÉ O JOELHO? ESTÁ ME GOZANDO? GAROTA, NO CASO DE NÃO SABER, NO CASO DE NÃO TER LIDO O LETREIRO GRANDE E PRETO NA PORTA, ESTA É A REVISTA *RUNWAY*, A REVISTA *MAIS ELEGANTE* DO MUNDO. DO MUNDO! MAS NÃO SE PREOCUPE, QUERIDA, NIGEL VAI TE LIVRAR RAPIDINHO DESTA APARÊNCIA DE RATA DE SHOPPING SUBURBANA.

Pôs as mãos enormes nos meus quadris e me girou. Senti seus olhos em minhas pernas e meu traseiro.

– LOGO, QUERIDA. PROMETO, PORQUE É UMA BOA MATÉRIA-PRIMA. BELAS PERNAS. CABELO LINDO E NÃO É GORDA. POSSO TRABALHAR COM NÃO GORDOS. LOGO, LOGO, QUERIDA.

Eu queria me sentir ofendida, para me afastar de suas mãos na parte de baixo do meu corpo, ter alguns minutos e refletir sobre o fato de que um completo estranho, e não menos que um colega de trabalho, tinha acabado de fornecer uma avaliação não solicitada e franca da minha roupa e aparência, mas não me sentia ofendida. Gostei daqueles olhos verdes bondosos que pareciam rir ao invés de escarnecer, porém, mais do que isso, gostei de ter passado no exame. Esse era Nigel – um único nome, como Madonna ou Prince –, a autoridade em moda que reconheci da TV, das revistas, colunas sociais, de toda parte, e ele tinha dito que eu era bonita. E que tinha belas pernas! Desconsiderei o comentário do rato de shopping. *Gostei* desse cara.

Ouvi Emily, de alguma parte no fundo, lhe dizer para me deixar em paz, mas eu não queria que ele fosse embora. Tarde demais, ele já estava na porta, a capa de pele agitando-se atrás. Quis chamá-lo, dizer-lhe que tinha sido bom conhecê-lo, que eu não estava ofendida com o que tinha dito e que estava excitada com o fato de ele querer me arrumar. Mas antes que eu pudesse dizer qualquer coisa, Nigel virou-se rápido e cobriu o espaço entre nós com dois passos, cada um como um grande salto. Parou bem na minha frente, envolveu meu corpo com seus braços volumosos e me apertou contra si. Minha cabeça bateu no seu peito, e senti o inconfundível perfume da loção para bebê da Johnson. E assim que tive a presença de espírito de abraçá-lo também, ele me afastou, juntou minhas mãos nas suas, e gritou:

– BEM-VINDA À CASA DE BONECAS, GAROTA!

5

— O que ele disse? – perguntou Lily, lambendo uma colher de sorvete de chá verde. Nós nos encontramos no Sushi Samba, às nove, para que eu contasse sobre o meu primeiro dia. Meus pais tinham, relutantemente, pago de novo o cartão de crédito só-para-emergências até eu receber o meu primeiro salário. Rolinhos de atum e salada de algas certamente pareciam uma emergência, e, portanto, agradeci, em silêncio, a mamãe e papai por tratarem Lily e a mim tão bem.

– Ele disse: "Bem-vinda à casa de bonecas, garota." Juro. Não é o máximo?

Ela me olhou, a boca aberta, a colher suspensa no ar.

– Você tem o emprego mais *cool* de que já ouvi falar – disse Lily, que sempre falava de como teve de trabalhar durante um ano antes de voltar à escola.

– É muito legal mesmo, não é? Sem dúvida é esquisito, mas *cool*, também. Não importa – disse eu, mexendo no meu brownie de chocolate. – Não quer dizer que eu não preferiria ser estudante a fazer qualquer coisa desse tipo.

– É, tenho certeza de que você adoraria trabalhar meio expediente para financiar seu obscenamente caro e definitivamente inútil ph.D. Adoraria, não? Tem inveja porque eu sou garçonete em um *pub underground*, sou assediada por calouros até as quatro da manhã, toda noite, e depois tenho aula o dia inteiro, não tem? Tudo isso sabendo que se, e é um "se" grande e gordo, conseguir terminar em algum lugar nos próximos 17 anos, nunca conseguirei trabalho. Em lugar nenhum. – Deu um sorriso largo e falso e bebeu um gole de seu Sapporo. Lily estava estudando para o seu mestrado em literatura russa, na Columbia, e fazendo biscates em todos os seus momentos livres, isto é, quando não estava estudando. Sua avó mal conseguia sustentar a si mesma, e Lily só receberia ajuda financeira quando terminasse o mestrado, por isso era extraordinário ela ter saído naquela noite.

Mordi a isca, como sempre acontecia quando ela se queixava da vida.

– Então, por que faz isso, Lil? – perguntei, embora já tivesse ouvido a resposta um milhão de vezes.

Lily riu com desdém e revirou os olhos de novo.

– Porque adoro! – falou com sarcasmo. E apesar de nunca admitir, porque era muito mais divertido reclamar, ela realmente adorava. Tinha desenvolvido uma ligação com a cultura russa desde que o seu professor, na oitava série, lhe dissera que se parecia com a imagem que criara de Lolita, com o rosto redondo e o cabelo preto cacheado. Ela tinha ido direto para casa e lido a obra-prima da libertinagem, de Nabokov, sem que a referência do professor a Lolita a incomodasse em momento algum. Depois, leu tudo o que Nabokov escreveu. E Tolstoi. E Gogol. E Tchecov. Quando começaram as aulas na faculdade, ela se inscreveu na Brown para trabalhar com um determinado professor de literatura russa que, ao entrevistar Lily, de 17 anos, declarou que ela era uma das estudantes mais entusiasmadas e que mais lera literatura russa que ele já tinha conhecido: fosse universitário não formado, formado, ou qualquer outra coisa. Ela continuava a adorar esse estudo, a estudar a gramática russa e era capaz de ler qualquer coisa no original, mas gostava de se queixar.

– Sim, bem, definitivamente concordo que tenho o melhor emprego que existe. Quer dizer, Tommy Hilfiger? Chanel? Apartamento de Oscar de la Renta? No primeiro dia. Tenho de admitir que não sei até que ponto isso tudo vai me aproximar da *The New Yorker*, mas talvez seja cedo demais para saber. É que não parece realidade, entende?

– Bem, quando estiver a fim de voltar a manter contato com a realidade, sabe onde me encontrar – disse Lily, pegando o seu cartão do metrô na bolsa. – Se sentir desejo de um pequeno gueto, se estiver morrendo de vontade de fazê-lo virar realidade no Harlem, bem, o meu luxuoso conjugado de 75 metros quadrados é todo seu.

Paguei a conta e nos despedimos nos abraçando, e ela tentou me orientar sobre como ir da Sétima Avenida com a Christopher Street até o meu apartamento, em *uptown*. Jurei que tinha entendido exatamente onde encontrar o trem-L e, depois, o 6, e como andar da parada na rua 96 até o meu apartamento, mas assim que ela partiu, entrei em um táxi.

Só esta vez, pensei, afundando no banco de trás aquecido, e tentando não sentir o cheiro do corpo do motorista. *Agora, sou uma garota Runway.*

FIQUEI FELIZ ao descobrir que o restante da primeira semana não foi muito diferente do primeiro dia. Na sexta, Emily e eu nos encontramos de novo no saguão impecavelmente branco às sete da manhã, e, dessa vez, ela me deu o meu próprio cartão de identificação, completo com uma foto que eu não me lembrava de ter tirado.

– Da câmera de segurança – disse ela quando me espantei. – Estão por toda parte, é bom saber. Tiveram problemas com pessoas roubando coisas, roupas e joias pedidas para as sessões de fotos; parece que os "boys" e, às vezes, até mesmo redatores, se apossavam dos antigos. Por isso agora rastreiam todo mundo. – Ela deslizou seu cartão na fissura e a porta de vidro espesso abriu-se.

– Rastreiam? O que quer dizer exatamente com "rastreiam"?

Ela desceu rapidamente o corredor em direção à nossa área, os quadris silvando para a frente e para trás, para a frente e para trás, na calça Seven de veludo cotelê, colada à pele, que estava vestindo. Ela tinha me dito no dia anterior que eu devia pensar seriamente em comprar uma ou dez dessas, pois estavam entre as únicas calças jeans ou de veludo cotelê que Miranda permitia no escritório. Essas e as MJ's eram admitidas, mas somente na sexta-feira, e somente se usadas com salto alto. MJ's? "Marc Jacobs", ela disse, exasperada.

– Bem, entre as câmeras e os cartões, eles meio que sabem tudo o que todo mundo está fazendo – disse ela, jogando a bolsa Gucci de compras sobre a mesa. Começou a desabotoar seu blazer de couro, um casaco que parecia extremamente inadequado para o clima de fim de novembro. – Não acho que eles realmente fiquem olhando para as câmeras, a não ser que algo tenha desaparecido, mas os cartões dizem tudo. Toda vez que o usamos lá embaixo, para passar pela segurança, ou no andar, para abrir a porta, sabem onde você está. É assim que dizem se as pessoas estão no trabalho, de modo que, se precisar sair, e nunca vai precisar, a não ser no caso de algo realmente terrível acontecer, basta me dar seu cartão e eu o uso. Assim, continuará a receber pelos dias que faltar. Você fará o mesmo por mim, todo mundo faz.

Eu ainda estava na parte "e nunca vai precisar", mas ela continuou as instruções.

– E é assim que você consegue comida no refeitório, também. É um cartão de débito: basta mostrar alguma despesa e ela é deduzida no livro de registro. É claro que, assim, eles podem saber o que está comendo – disse ela, destrancando a porta da sala de Miranda e caindo no chão. Estendeu o braço imediatamente para uma caixa com uma garrafa de vinho e começou a embrulhar.

– Eles se importam com o que você come? – perguntei, como se tivesse acabado de entrar diretamente em uma cena de *Invasão de privacidade*.

– Hum, não sei bem. Talvez. Só sei que sabem. E o ginásio. Deve usá-lo lá também, e na banca, para comprar livros ou revistas. Acho que isso os ajuda a se organizarem.

Organizarem? Eu estava trabalhando para uma companhia que definia boa "organização" como sabendo que andar cada empregado visitava, se preferiam sopa de cebola ou salada Caesar no almoço, e exatamente quantos minutos conseguiam suportar o transporte? Eu era uma garota de muita, muita sorte.

Exausta pelo meu quarto dia acordando às cinco e meia da manhã, precisei de mais cinco minutos para reunir energia para sair do casaco e me instalar na minha mesa. Pensei em apoiar minha cabeça no tampo para descansar um pouco, mas Emily pigarreou. Alto.

– Hum, pode vir aqui me ajudar? – perguntou, embora sem dúvida não fosse uma pergunta. – Pegue, embrulhe alguma coisa. – Jogou uma pilha de papel branco no meu caminho e retomou sua tarefa. Jewel cantara alto nos alto-falantes extras presos ao seu iMac.

Corta, coloca, dobra, cola. Emily e eu trabalhamos disciplinadamente a manhã toda, só parando para ligar para o centro de mensageiros sempre que concluíamos 25 caixas. Eles as guardariam até darmos o sinal verde para que fossem distribuídas por toda Manhattan, em meados de dezembro. Já tínhamos terminado todas as garrafas para fora da cidade durante os dois primeiros dias, e estavam empilhadas no Closet, esperando que a DHL as buscasse. Considerando-se que cada uma havia sido preparada para ser enviada com prioridade, chegando ao destino o mais cedo possível na manhã seguinte, não entendi direito por que a pressa – estávamos no começo de novembro –, mas já tinha aprendido que era melhor não fazer perguntas. Despacharíamos pela Federal Express cerca de 150 garrafas pelo mundo. As garrafas Priestly iriam a Paris, Cannes, Bordeaux,

Milão, Roma, Florença, Barcelona, Genebra, Bruges, Estocolmo, Amsterdã e Londres. Dezenas para Londres! A Federal Express as lançaria em Beijing, Hong Kong, Cidade do Cabo, Tel-Aviv e Dubai (Dubai!). Brindariam Miranda Priestly em Los Angeles, Honolulu, Nova Orleans, Charleston, Houston, Bridgehampton e Nantucket. E todas essas antes de qualquer uma que fosse distribuída em Nova York – a cidade com todos os amigos de Miranda, médicos, criadas, cabeleireiros, babás, maquiadores, psiquiatras, instrutores de ioga, *personal trainers* e motoristas. É claro que é onde a maior parte do pessoal da indústria da moda estava: designers, modelos, atores, editores, anunciantes, relações-públicas e todos os especialistas em elegância receberiam uma garrafa, segundo o seu nível, entregue por um mensageiro Elias-Clark.

– Quanto acha que custa tudo isso? – perguntei a Emily, cortando o que poderia ser o milionésimo pedaço de papel branco.

– Já disse, encomendei 25 mil dólares em bebida.

– Não, não... quanto acha que custa tudo junto? Quer dizer, despachar todos esses embrulhos para serem entregues no dia seguinte, pelo mundo afora. Aposto que, em alguns casos, expedir custa mais do que o preço da garrafa, especialmente se for uma para uma pessoa sem importância.

Ela pareceu intrigada. Era a primeira vez que a via olhar para mim com algo mais que repugnância, exasperação ou indiferença.

– Bem, vejamos. Se imaginar que as expedições domésticas giram em torno de 20 dólares, e as internacionais em aproximadamente 60, então, isso soma 9 mil dólares pela Federal Express. Ou suponhamos que os mensageiros cobrem 11 dólares por pacote, então, enviar 250 ficaria em 2.750 dólares. E a nossa carga horária, bem, se levamos uma semana inteira para embrulhar tudo, somando tudo, são duas semanas dos nossos salários, que são mais 4 mil...

Foi aí que percebi que o salário de nós duas juntas, por uma semana inteira de trabalho era, de longe, a despesa mais insignificante.

– É, fica por volta dos 16 mil dólares, no total. Loucura, hein? Mas qual é a escolha? Ela é Miranda Priestly, você sabe.

Por volta da uma da tarde, Emily comunicou que estava com fome e ia descer para comer alguma coisa com as garotas dos acessórios. Supus que ela estivesse dizendo que pegaria o almoço, já que tinha feito isso durante toda a semana, então esperei dez minutos, quinze, vinte, mas ela não voltou com a comida. Nenhuma de nós tinha comido no restaurante desde que eu começara, para o caso de Miranda ligar, mas isso era ridículo. Bateram as duas horas, depois duas e meia, três, e eu só conseguia pensar em como estava faminta. Tentei ligar para o celular de Emily, mas caiu na secretária. Teria morrido no restaurante? Engasgado com um pouco de alface ou tido um colapso depois de tomar rápido um suco? Pensei em pedir para alguém me trazer algo, mas me pareceu demais pedir a um estranho para buscar meu almoço. Afinal, supostamente, *eu* é que deveria buscar almoços: *Oh, sim, querida, é que sou importante demais para abandonar o meu posto, embrulhando presentes, por isso pensei que você podia buscar um croissant de peru e brie. Ótimo.* Não pude fazer isso. Portanto, quando o relógio marcou quatro horas e nem sinal de Emily e nenhuma ligação de Miranda, fiz o inconcebível: saí da sala, sem deixar ninguém no meu lugar. Depois de dar uma olhada no corredor e confirmar que Emily não estava à vista, literalmente corri à recepção e apertei o botão para descer vinte vezes. Sophy, a bela recepcionista asiática, ergueu a sobrancelha e desviou o olhar, e não sei se foi minha impaciência ou seu conhecimento de que a sala de Miranda tinha sido abandonada que a fez olhar para mim daquela maneira. Não havia tempo para descobrir. O elevador finalmente chegou e consegui entrar, apesar de um homem fungando, magro de heroína, com o cabelo espigado e tênis Puma verde-limão ficar apertando "Fechar Porta". Ninguém se afastou para me dar lugar, embora houvesse muito espaço. E apesar disso, normalmente, me deixar maluca, tudo em que consegui me concentrar foi em conseguir comida e voltar, o mais rápido possível.

A entrada do restaurante todo de vidro e granito estava bloqueada por um grupo de "matracas-em-treinamento", todos curvados, cochichando, examinando cada grupo de pessoas que saía do elevador. Amigos dos empregados do Elias, imediatamente me lembrei da descrição desses grupos feita por Emily, óbvios em sua excitação flagrante por estarem no centro disso tudo. Lily já tinha me implorado para trazê-la ao restaurante, já que quase todo jornal e revista de Manhattan o mencionara por sua alta qualidade – sem falar da quantidade de gente bonita que frequentava o local –, mas eu ainda não estava preparada para isso. Além do mais, por causa do horário de trabalho que eu e Emily negociávamos todo dia, eu teria de passar mais tempo lá do que os dois minutos e meio que levava para escolher e pagar minha comida, e não sabia se conseguiria um dia.

Abri caminho entre as garotas e senti que se viravam para ver se eu era alguém importante. Negativo. Avançando rapidamente, intencionalmente, desviei de prateleiras maravilhosas com cordeiro e vitela ao Marsala na seção de entradas e, com um impulso de força de vontade, passei direto pela pizza especial de tomate seco e queijo de leite de cabra (que ficava em uma mesa pequena isolada e que todos chamavam de "O Canto do Carboidrato"). Não foi tão fácil navegar em volta da *pièce de résistance* do balcão de saladas (também conhecido como "Greens"), que era tão comprido quanto uma pista de aterrissagem no aeroporto e acessível por quatro lados, mas a multidão me deixou passar quando garanti, alto, que queria pegar o último cubo de tofu. Nos fundos, diretamente atrás da bancada de canapés, que, na verdade, parecia um balcão de maquiagem, ficava o solitário posto das sopas. Solitário porque o seu *chef* era o único em todo o restaurante que se recusava a fazer uma única opção com baixa caloria, gordura reduzida, sem gordura, baixo sódio ou baixo carboidrato. Simplesmente se recusava. Consequentemente, sua mesa era a única sem fila em todo o restaurante, e eu corria direto para ele todo dia. Como, ao que parecia, eu era a única na companhia inteira que comprava sopa – e só estava lá há uma semana –, a cúpula havia reduzido o seu menu a uma sopa solitária por dia. Rezei para que fosse a de tomate e cheddar. Mas ele ergueu uma concha gigantesca de ensopado de mariscos da Nova Inglaterra, declarando, orgulhosamente, que era feito com creme puro. Três pessoas no Greens viraram-se para olhar. O único obstáculo que restava era se esquivar das pessoas ao redor da mesa do *chef*, onde um *chef* visitante todo de branco arrumava grandes pedaços de sashimi para fãs que, aparentemente, o reverenciavam. Li o crachá preso em seu colarinho branco engomado: Nobu Matsuhisa. Anotei mentalmente para me informar sobre ele ao subir, já que eu parecia ser o único empregado que não o estava bajulando. Seria pior nunca ter ouvido falar no Sr. Matsuhisa ou em Miranda Priestly?

A caixa olhou primeiro para a sopa e depois para meus quadris quando registrou a conta. Será mesmo? Eu já estava me acostumando a ser olhada dos pés à cabeça o tempo todo e podia jurar que ela estava me olhando com a mesma expressão que eu teria diante de alguém pesando 250 quilos e com oito Big Macs na frente: os olhos se ergueram o suficiente como se para perguntar: "Você precisa disto *mesmo*?" Mas pus minha paranoia de lado e lembrei a mim mesma que a mulher era apenas uma caixa em uma cafeteria, não uma conselheira do Vigilantes do Peso. Ou uma editora de moda.

– Pois é, não são muitos os que compram sopa hoje em dia – disse ela, calmamente, apertando números na registradora.

– É. Acho que pouca gente gosta do ensopado de mariscos da Nova Inglaterra – murmurei, batendo meu cartão e desejando que suas mãos fossem mais rápidas.

Ela parou e virou seus olhos castanhos puxados diretamente para os meus.

– Não, acho que é porque o *chef* insiste em fazer coisas que engordam. Faz ideia de quantas calorias há nisso? Faz ideia de quanto esta pequena tigela de sopa engorda? O que estou dizendo é que é possível ganhar 5 quilos só de olhar para ela. – *E você não é o tipo que pode se dar ao luxo de ganhar 5 quilos,* deixou implícito.

Urgh. Como se já não fosse difícil o bastante me convencer de que eu tinha um peso normal para uma altura normal, quando todas as louras *Runway*, altas e esbeltas, tinham me examinado, vinha a *caixa* dizer que eu estava gorda? Peguei o saco com a comida e abri caminho entre as pessoas. Entrei no banheiro, que se localizava, convenientemente, logo em frente do restaurante, onde se podia purgar problemas anteriores com excesso de comida. E embora eu soubesse que o espelho não revelaria nada a mais do que havia mostrado de manhã, virei-me para encará-la. Uma cara contorcida, irada, me olhou de volta.

– O que diabos está fazendo aqui? – Emily quase gritou ao meu reflexo.

Virei-me a tempo de vê-la pendurar o blazer de couro na sua bolsa Gucci, empurrando os óculos escuros para o alto da cabeça. Ocorreu-me que Emily tinha querido dizer o que tinha dito mesmo, três horas e meia antes, literalmente: tinha saído para almoçar. Quer dizer, fora. Quer dizer, me deixado sozinha por três horas seguidas sem avisar, praticamente amarrada a uma linha de telefone, sem esperança de pausa para comida e banheiro. Quer dizer, nada disso importava porque eu continuava sabendo que tinha errado em sair e que iria ser repreendida aos berros por alguém da minha idade. Felizmente, a porta abriu e a diretora da *Coquette* entrou. Ela nos olhou dos pés à cabeça quando Emily agarrou meu braço e me levou para fora do banheiro, na direção do elevador. Ficamos assim, ela agarrada ao meu braço e eu me sentindo como se tivesse molhado a cama. Estávamos vivendo uma dessas cenas em que o sequestrador põe a arma nas costas de uma mulher em plena luz do dia e, tranquilamente, a ameaça enquanto a leva ao seu porão de tortura.

– Como pôde fazer isso comigo? – sibilou empurrando-me pelas portas da recepção da *Runway*. E corremos de volta às nossas mesas. – Como assistente sênior, sou a responsável pelo que acontece no escritório. Sei que é nova, mas eu lhe disse no primeiro dia: não deixamos Miranda sem ninguém.

– Mas Miranda não está aqui. – Isso saiu como um guincho.

– Mas podia ter ligado enquanto você estava fora e não haveria ninguém aqui para atender o telefone! – gritou batendo a porta da nossa área. – A nossa prioridade, nossa única prioridade, é Miranda Priestly. Ponto final. E se não pode lidar com isso, lembre-se de que há milhões de garotas que dariam a vida para estar no seu lugar. Agora verifique os recados. Se ela ligou, estamos fritas. *Você* está frita.

Tive vontade de rastejar para dentro do meu iMac e morrer. Como podia ter pisado na bola desse jeito na minha primeira semana? Miranda nem estava no escritório e eu já a decepcionava. E daí se eu estava com fome? Podia esperar. Havia gente importante tentando fazer as coisas direito, pessoas que dependiam de mim, e eu as tinha decepcionado. Disquei minha caixa postal.

"Oi, Andy, sou eu." Alex. "Como vai? Nunca achei que você não atenderia. Mal posso esperar para o nosso jantar hoje. Está de pé, não? Onde quiser, você escolhe. Ligue quando receber esta mensagem. Vou estar na sala de espera da faculdade a partir das quatro. Te amo." Senti-me imediatamente culpada, porque já tinha decidido, depois do desastre do almoço, que preferia marcar outro dia. Minha primeira semana tinha sido tão louca que mal tínhamos nos visto, e havíamos planejado jantar nesta noite, só os dois. Mas eu sabia que não seria nada divertido se eu adormecesse ao tomar o vinho, e eu queria uma noite para relaxar, ficar sozinha. Teria de me lembrar de ligar e ver se marcávamos para a noite seguinte.

Emily estava me vigiando, já tinha checado os seus recados. Por sua cara relativamente calma, calculei que Miranda não tinha deixado nenhuma ameaça de morte. Sacudi a cabeça para indicar que ainda não tinha recebido nada dela.

"Oi, Andrea, é Cara." Babá de Miranda. "Miranda ligou há pouco" – parada do coração – "e disse que ninguém atendeu no escritório. Imaginei que estivesse acontecendo alguma coisa aí, de modo que lhe respondi que tinha falado com vocês duas um minuto antes, mas não se preocupe. Ela queria que passassem por fax para ela um exemplar de *Women's Wear Daily*, e eu tenho um aqui. Já confirmou que ela o recebeu, por isso não se estresse. Só quis avisá-la. De qualquer jeito, tenha um bom fim de semana. Falo com você mais tarde. Tchau."

Salva-vidas. A garota era uma perfeita santa. Era difícil acreditar que a conhecia há apenas uma semana – e nem sequer em pessoa, somente por telefone –, mas achei que estava apaixonada por ela. Cara, o oposto de Emily em todos os aspectos: era calma, resolvida e não estava nem aí para moda. Reconhecia o absurdo de Miranda;

possuía aquela qualidade rara e encantadora de ser capaz de rir de si mesma e dos outros.

– Nada, nada dela – eu disse a Emily, mentindo e não mentindo, sorrindo triunfante. – Estamos limpas.

– *Você* está limpa, desta vez – disse num tom decisivo. – Só não se esqueça de que estamos nisso juntas, mas eu sou a responsável. Você me dá cobertura, se eu quero sair para almoçar de vez em quando. Eu sou a chefe. Isso não vai acontecer de novo, certo?

Contive o impulso de responder algo atrevido.

– Certo – eu disse. – Certo.

TÍNHAMOS CONSEGUIDO embrulhar o restante das garrafas e entregá-las aos mensageiros por volta das sete da noite, e Emily não tocou mais no assunto do abandono da sala. Finalmente, às oito, entrei em um táxi (só essa vez), e, às dez, estava esparramada, completamente vestida, em cima das minhas cobertas. Ainda não tinha comido, porque não aguentava nem pensar em sair para buscar o que comer e me perder de novo, como tinha acontecido nas últimas quatro noites, em meu próprio bairro. Liguei para Lily para me queixar, usando o meu Bang and Olufsen novinho em folha.

– Oi! Pensei que você e Alex iam sair hoje à noite – disse ela.

– Sim, íamos, mas estou morta. Ele foi legal deixando para amanhã à noite, e acho que vou pedir alguma coisa. Qualquer coisa. Como foi o seu dia?

– Tenho uma única palavra: uma porcaria. Está bem, são duas palavras. Não pode imaginar o que aconteceu. Bem, é claro que pode, depende do...

– Resuma, Lil. Vou desmaiar a qualquer momento.

– Ok. O cara mais gracinha foi à minha leitura hoje. Prestou atenção até o fim, parecendo absolutamente fascinado, e me esperou depois. Perguntou se podia me oferecer algo para beber e ouvir tudo sobre a tese que eu tinha publicado na Brown, que ele já tinha lido.

– Parece o máximo. O que ele era? – Lily saía com caras diferentes quase todas as noites depois do trabalho, mas ainda não completara a sua fração. Tinha fundado "a Escala do Amor Fracionário" certa noite, depois de escutar alguns de nossos amigos classificarem as garotas com que saíam segundo a Escala Dez-Dez, que inventaram. "Ela é um seis, oito, B+", declarou Jake sobre a assistente de publicidade com quem tinha ficado na noite anterior. Supunha-se que todo mundo sabia o que era uma escala de dez pontos, com o rosto sempre sendo a primeira classificação numérica, corpo a segunda, e personalidade a última, com um grau de letra um pouco mais generalizado. Como havia mais fatores em jogo no julgamento dos rapazes, Lily arquitetou a Escala Fracionária, que tinha um total de dez pedaços, cada uma ganhava um ponto. O Cara Perfeito teria, obviamente, todos os cinco primeiros pedaços: inteligência, senso de humor, corpo decente, cara bonitinha e qualquer tipo de trabalho considerado "normal". Como era praticamente impossível achar o Cara Perfeito, era possível aumentar sua fração ganhando pontos nos cinco secundários, que incluíam uma definitiva ausência de ex-namoradas piradas, de pais pirados e de colegas de quarto estupradores, e ter qualquer tipo de interesse extracurricular ou hobby que não se relacionasse a esporte ou pornografia. Até agora, o máximo que alguém já recebera havia sido nove décimos, mas tinha rompido com ela.

– Bem, no começo era um bom candidato a sete décimos. Estudou teatro em Yale *e* é heterossexual, e foi capaz de discutir a política israelense de maneira tão inteligente que não sugeriu nem uma só vez que nós "simplesmente os atacaríamos com armas nucleares", de modo que estava ótimo.

– Parece mesmo ótimo. Mal posso esperar o fim. O que era? Falou sobre o seu jogo Nintendo favorito?

– Pior – disse ela com um suspiro.

– É mais magro que você?

– Pior. – Ela parecia derrotada.

– O que diabos pode ser pior do que isso?

– Ele mora em Long Island...

– Lily! Então ele é geograficamente indesejável. O que não o torna não namorável! Você sabe melhor do que...

– Com seus pais – interrompeu.

– Oh.

– Nos últimos quatro anos.

Essa não.

– E ele absolutamente adora isso. Diz que não consegue se imaginar querendo viver sozinho em uma cidade tão grande, quando a mãe e o pai são companhias tão maravilhosas.

– Puxa! Não diga mais nada. Não acho que já tenhamos tido um sete décimos que caísse direto para o zero depois do primeiro encontro. Esse cara estabeleceu um novo recorde. Parabéns. O seu dia foi oficialmente pior do que o meu. – Eu me curvei para fechar a porta do meu quarto quando ouvi Shanti e Kendra chegarem do trabalho. Escutei a voz de um rapaz e me perguntei se minhas colegas de apartamento tinham namorados. Eu as tinha visto por somente dez minutos ao todo nessa semana e meia, pois pareciam trabalhar mais horas do que eu.

– Ruim? Como o seu dia pode ter sido ruim? Você trabalha com *moda* – disse ela.

Houve uma leve batida na porta.

– Espere um segundo, alguém chegou. Entre! – gritei à porta, alto demais para o espaço tão pequeno.

Esperei que uma das minhas tranquilas companheiras perguntasse timidamente se eu tinha me lembrado de ligar para o senhorio para pôr o meu nome no contrato de aluguel (não) ou comprado mais pratos de papel (não) ou anotado algum recado (não), mas Alex apareceu.

– Ei, posso ligar depois? Alex acaba de aparecer. – Fiquei super emocionada ao vê-lo, super excitada por ele ter feito essa surpresa, mas uma pequena parte minha estava ansiosa para tomar um banho e cair na cama.

– É claro. Dá um alô para ele. E lembre-se de que é uma garota de sorte por ter completado a fração com ele, Andy. Ele é bárbaro. Segure-o.

– E eu não sei? O garoto é um santo. – Sorri na direção dele.

– Tchau.

– Oi! – Fiz força para me sentar na cama e, depois, me levantar e ir até ele. – Que surpresa! – Ia abraçá-lo, mas ele recuou, mantendo os braços para trás. – O que houve?

– Nada. Sei que teve uma semana puxada e, como a conheço, imaginei que ainda não tivesse comido, portanto trouxe comida para você. – Mostrou uma sacola de papel marrom enorme, do estilo das sacolas da antiga cantina de escola, que já tinha algumas manchas de gordura, com um cheiro delicioso. De repente, fiquei morta de fome.

– Não! Como sabia que eu estava aqui, neste exato segundo, me perguntando como criar forças para buscar comida? Estava quase desistindo.

– Pois então, venha e coma!

Ele pareceu satisfeito e abriu a sacola, mas nós dois não cabíamos em pé, ao mesmo tempo, no quarto. Pensei em comer na sala, mas Kendra e Shanti tinham desmaiado em frente à TV, suas saladas intocadas, abertas na frente das duas. Achei que estavam esperando até o episódio, a que estavam assistindo, de *Real World* terminar, mas, então, percebi que tinham adormecido. Que vida doce levávamos.

– Espere. Tenho uma ideia – disse ele, e saiu, na ponta dos pés. Voltou com dois sacos enormes de lixo e os abriu sobre o edredom azul. Pôs a mão na sacola e tirou dois hambúrgueres gigantescos, com tudo, e um pacote extragrande de fritas. Não tinha se esquecido do ketchup e toneladas de sal para mim, nem mesmo dos guardanapos. Bati palmas, excitada, embora uma imagem rápida da decepção na cara de Miranda aparecesse, dizendo: *Você? Você está comendo hambúrguer?*

– Ainda não acabou. Tome. Veja. – E tirou de sua mochila um punhado de velinhas com perfume de baunilha, uma garrafa de vinho tinto de tampa de rosca, e dois copos de papel.

– Está brincando – eu disse baixinho, sem acreditar que ele tivesse juntado tudo isso depois de eu ligar cancelando o encontro.

Ele me deu um copo de vinho e bateu nele com o seu.

– Não, não estou não. Acha que eu ia deixar de ouvir sobre a primeira semana do resto de nossas vidas? À minha melhor garota.

– Obrigada – eu disse, bebendo um gole devagarinho. – Obrigada, obrigada, obrigada.

6

— Ó meu Deus, é a editora de moda em pessoa? – Jill debochou ao abrir a porta da frente. – Venha cá e deixe a sua irmã mais velha reverenciá-la.

– Editora de moda? – bufei. – Improvável. Tente um fracasso da moda. Bem-vinda de volta à civilização. – Abracei-a por uns dez minutos e não a queria soltar. Foi duro quando ela começou em Stanford e me deixou sozinha com nossos pais, quando eu tinha só 9 anos, mas foi ainda pior quando ela seguiu seu namorado, agora marido, a Houston. Houston! O lugar parecia empapado de umidade e infestado de mosquitos, a ponto de ser insuportável, e como se isso não fosse o bastante, minha irmã, a minha irmã mais velha, linda e sofisticada, que adorava arte neoclássica e fazia o nosso coração se derreter quando declamava poesia, tinha desenvolvido um sotaque sulista. E não apenas um sotaque com uma ligeira e charmosa cadência sulista, mas a fala arrastada consumada, inconfundível, tipo broca-nos-tímpanos, do conservador e fanático sulista. Eu ainda não tinha perdoado Kyle de arrastá-la a esse lugar deplorável, mesmo ele sendo um cunhado muito decente, e não ajudava em nada a mudar meu sentimento quando ele abria a boca.

– Oi, Andy, querida, estás uma garota cada vez mais bela. – *Estás uma garota cada vez mais guapa.* – Estão te alimentando bem na *Runway*, hein?

Minha vontade era meter uma bola de tênis na sua boca para que não falasse nunca mais, mas ele sorriu. Fui até ele e o abracei. Podia parecer um caipira e sorrir um pouco demais, mas se esforçava muito e, sem dúvida, adorava minha irmã. Prometi a mim mesma fazer um esforço sincero de não me encolher quando ele falava.

– Não é propriamente o que eu chamaria de um lugar acolhedor e amistoso, se entende o que quero dizer. O que quer que seja, está mais para água do que comida. Mas isso não tem importância. Kyle, você também está ótimo. Mantendo minha irmã ocupada na cidade da tristeza, espero?

– Andy, venha nos visitar, querida. Traga Alex e tirem umas pequenas férias. Não é tão ruim, você vai ver. – Ele sorriu primeiro para mim, depois para Jill, que sorriu de volta e passou as costas da mão em suas bochechas. Eles estavam repugnantemente apaixonados.

– É verdade, Andy, é um lugar rico culturalmente, com muita coisa para fazer. Queremos que venha nos ver mais vezes. Não está certo sermos sempre nós a vir para cá – disse ela, fazendo um gesto largo em volta da sala de estar dos nossos pais. – Isto é, se consegue suportar Avon, certamente conseguirá suportar Houston.

– Andy, você já chegou! Jay, a garota promissora da grande cidade de Nova York está aqui, venha dar um alô – minha mãe gritou ao vir da cozinha. – Achei que ia ligar da estação de trem, quando chegasse.

– A Sra. Myers foi buscar Erika, que veio no mesmo trem, e, então, me trouxe. Quando vamos comer? Estou morrendo de fome.

– Agora. Quer se lavar? Nós esperamos. Parece um pouco amassada da viagem. Sabe, é bom se...

– Mãe! – lancei-lhe um olhar de advertência.

– Andy! Você está maravilhosa. Venha cá dar um abraço no seu velho. – Meu pai, alto e ainda bonito na faixa dos 50, sorriu do corredor. Estava segurando uma caixa de Scrabble, o jogo de palavras cruzadas, escondida atrás das costas, deixando que somente eu visse, mostrando-o rapidamente do lado da sua perna. Esperou até todos desviarem o olhar dele, apontou para a caixa e fez com a boca "Dou-lhe uma palmada. Estou avisando".

Sorri e assenti com a cabeça. Contrariando todo o bom senso, me vi esperando ansiosamente as próximas 48 horas com a minha família, mais do que nos quatro anos desde que saíra de casa. O Dia de Ação de Graças era o meu feriado preferido, e, neste ano, decidi aproveitá-lo mais do que nunca.

Reunimo-nos na sala de jantar e nos lançamos à farta refeição que minha mãe tinha encomendado com perícia, a sua versão judaica tradicional do banquete de véspera da Ação de Graças. *Bagels*, salmão defumado, *cream cheese,* congro e panquecas, tudo disposto profissionalmente em travessas descartáveis, esperando ser transferido para pratos de papel e consumido com garfos e facas de plástico.

Minha mãe sorria amorosamente, enquanto suas crias se serviam, com uma expressão de orgulho como se tivesse passado a semana cozinhando para alimentar seus bebês.

Contei para eles tudo sobre o trabalho, tentei descrever da melhor maneira possível um emprego que ainda nem eu mesma compreendia totalmente. Pensei por um instante se não seria ridículo contar como as saias foram pedidas e todas as horas que passei embrulhando e enviando presentes, e como havia um pequeno cartão eletrônico de identificação que rastreava tudo o que você fazia. Era difícil pôr em palavras o sentido de urgência que cada uma dessas coisas assumia na hora, como, quando eu estava lá, o trabalho parecia extremamente relevante, até mesmo importante. Falei e falei, mas não soube como explicar esse mundo que podia estar a apenas duas horas de distância geográfica, mas que, na verdade, estava em outro sistema solar. Todos balançavam a cabeça, demonstrando estarem atentos, sorriam e faziam perguntas, fingindo interesse, mas eu sabia que era tudo estranho demais para fazer algum sentido para pessoas que, como eu até algumas semanas atrás, nunca tinham ouvido o nome de Miranda Priestly. Ainda não fazia muito sentido para mim também: às vezes, parecia excessivamente dramático, e mais do que um pequeno Big Brother, mas excitante. E *cool*. Era definitivamente, inegavelmente, um lugar *super cool* onde trabalhar. Certo?

– Bem, Andy, você acha que será feliz lá durante um ano? Quem sabe não vai querer até continuar por mais tempo, hein? – perguntou minha mãe, espalhando *cream cheese* em seu *bagel* salgado.

Quando assinei meu contrato no Elias-Clark, concordei em ficar com Miranda por um ano – se não fosse despedida, o que, a essa altura, me parecia um grande "se". E se eu cumprisse minha obrigação com classe e entusiasmo e algum nível de competência (e essa parte não estava escrita, mas deixada implícita por meia dúzia de pessoas do departamento de recursos humanos, por Emily e Allison), estaria na posição de escolher o trabalho que eu gostaria de desenvolver em seguida. Esperava-se, é claro, que, qualquer que fosse a escolha, se relacionasse à *Runway* ou, no mínimo, fosse no Elias-Clark, mas eu estaria livre para trabalhar com resenhas de livros na editoria de cultura, até servir de ligação entre as celebridades de Hollywood e a *Runway*. Das dez últimas assistentes que haviam completado um ano no escritório de Miranda, 100 por cento tinham escolhido a editoria de moda da *Runway*, mas isso não me interessava. Trabalhar no escritório de Miranda era considerado a maneira definitiva de saltar de três a cinco anos de indignidade como assistente e assumir diretamente funções importantes em cargos de prestígio.

– Com certeza. Até agora, todos parecem legais. Emily é um pouco, bem, empenhada, mas, tirando isso, tem sido ótima. Não sei, ao escutar Lily falar de seus exames ou Alex falar de todas as coisas terríveis com que tem de lidar no trabalho, acho que tive sorte. Quem mais roda a cidade em um carro com chofer no primeiro dia? Quer dizer, de verdade. Por isso, sim, acho que será um ano fantástico, e estou ansiosa para que Miranda volte. Acho que estou pronta.

Jill revirou os olhos e me lançou um olhar que parecia dizer: *Pare de besteiras, Andy. Todos sabemos que você provavelmente está trabalhando para uma maluca cercada de fanáticas da moda anoréxicas e está pintando esse quadro cor-de-rosa porque está preocupada em estar muito empenhada*, mas, em vez disso, ela disse:

– Parece muito bom, Andy, realmente muito bom. Uma oportunidade incrível.

Ela era a única na mesa que, possivelmente, compreenderia, tendo em vista que, antes de se mudar para o terceiro mundo, tinha trabalhado durante um ano em um pequeno museu particular em Paris e desenvolvido um interesse pela alta-costura. Era um hobby mais artístico e estético do que consumidor para ela, mas continuava sofrendo certa influência do mundo da moda.

– Também temos boas notícias – prosseguiu ela, estendendo a mão para o outro lado da mesa, para pegar a mão de Kyle. Ele pôs seu café sobre a mesa e estendeu as duas mãos.

– Oh, graças a Deus – exclamou minha mãe instantaneamente, caindo sentada como se alguém tivesse finalmente tirado um haltere de 100 quilos que havia estado sobre seus ombros durante as últimas duas décadas. – Já era hora.

– Parabéns, vocês dois! Tenho de admitir que haviam deixado sua mãe realmente preocupada. Sem dúvida já passaram da fase de recém-casados, entendem? Começávamos a imaginar... – Da cabeceira da mesa, meu pai ergueu as sobrancelhas.

– Ei, garotos, isso é ótimo. Já era hora de eu ser tia. Para quando é?

Os dois pareciam estarrecidos, e, por um momento, achei que tínhamos compreendido errado, que as suas "boas" notícias eram que estavam construindo uma casa nova, maior, naquele pântano em que viviam, ou que Kyle tinha, finalmente, decidido abandonar o escritório de advocacia de seu pai e iria abrir, junto com minha irmã, a galeria de arte com que ela sempre sonhara. Talvez tivéssemos nos precipitado, ansiosos por ouvir que um neto e sobrinho estava a caminho. Meus pais só falavam disso ultimamente, analisando e reanalisando as razões por que minha irmã e Kyle – já na faixa dos 30 e com quatro anos de casamento – ainda não tinham se reproduzido. Nos últimos seis meses, o assunto tinha progredido de obsessão pelo tempo de dedicação à família a uma crise.

Minha irmã pareceu preocupada. Kyle franziu o cenho. Meus pais deram a impressão de que iriam desmaiar com o silêncio. A tensão era notória.

Jill levantou-se da cadeira e se aproximou de Kyle, sentando-se em seu colo. Passou o braço em volta de seu pescoço e inclinou o rosto para perto do dele, cochichando em seu ouvido. Relanceei os olhos para a minha mãe, que parecia a cinco segundos de desfalecer. Sua preocupação fazia com que as linhas do lado dos olhos ficassem fundas como trincheiras.

Finalmente, finalmente, abafaram um risinho, viraram-se para a mesa, e anunciaram juntos:

– Vamos ter um bebê.

E então, foi a luz. E guinchos. E abraços. Minha mãe voou com tal rapidez de sua cadeira que a derrubou, e essa, por sua vez, derrubou um vaso com cactos que ficava do lado da porta de vidro de correr. Meu pai agarrou Jill e a beijou nas duas bochechas e no alto da cabeça, e, pela primeira vez, desde o seu casamento, beijou Kyle também.

Bati na lata de cerejas Dr. Brown's com um garfo de plástico e anunciei que precisávamos brindar.

– Por favor, ergam os copos, todo mundo levante seu copo ao bebê Sachs, que virá se juntar à família. – Kyle e Jill me olharam acintosamente. – Está bem, acho que, tecnicamente, é um bebê Harrison, mas será um Sachs de coração. A Kyle e Jill, futuros pais perfeitos do bebê mais perfeito do mundo. – Todos batemos latas de refrigerante e canecas de café e brindamos ao casal sorridente e à cintura de 60 centímetros da minha irmã. Tirei a mesa jogando tudo diretamente no saco de lixo, enquanto minha mãe pressionava Jill a dar ao bebê o nome de um dos parentes mortos. Kyle bebericou o café e pareceu satisfeito consigo mesmo, e, logo antes da meia-noite, meu pai e eu escapulimos para o seu gabinete para jogarmos.

Ligou a máquina de ruído eletrônico, que ele usava quando tinha pacientes durante o dia, tanto para bloquear os ruídos da casa quanto para impedir que alguém escutasse o que estava sendo discutido em seu escritório. Como qualquer bom psicólogo, meu pai tinha colocado um sofá de couro cinza no canto, tão macio que eu gostava de descansar a cabeça no seu braço, e três cadeiras viradas de frente e que seguravam uma pessoa com uma espécie de corda de tecido. Como no útero, me disse. Sua mesa era preta e polida. Em cima, havia um monitor de tela plana, e a cadeira de couro preto tinha o espaldar alto e era suntuosa. Uma parede de livros de psicologia, uma coleção de caules de bambu em um vaso de cristal bem alto no chão, e algumas gravuras coloridas – a única cor no ambiente – completavam o estilo futurista. Sentei-me no chão, entre o sofá e a mesa, e ele fez o mesmo.

– Agora, me diga o que está acontecendo de verdade, Andy – disse ele, dando-me um pequeno suporte para tijolinhos de madeira. – Tenho certeza de que está se sentindo, neste exato momento, oprimida.

Peguei meus sete tijolos e os arrumei cuidadosamente.

– É, foram semanas muito doidas. Primeiro, a mudança, depois, o começo do trabalho. É um lugar esquisito, difícil de explicar.

É como se todo mundo fosse lindo, magro e usasse roupas maravilhosas. E parecem realmente simpáticos, todos se mostram realmente cordiais. Quase como se todos estivessem seriamente drogados. Sei lá...

– O quê? O que ia dizer?

– Não consigo dizer qual é o problema exatamente. É uma sensação de que não passa de um castelo de cartas que vai desmoronar à minha volta. Não consigo evitar a sensação de que é ridículo trabalhar para uma revista de moda, entende? Até agora, o trabalho tem sido um tanto tolo, mas nem mesmo me importo. É desafiador o bastante por ser completamente novo, entende?

Ele assentiu com a cabeça.

– Sei que é um emprego *cool*, mas não sei como ele me prepararia para a *The New Yorker*. Talvez eu esteja procurando uma falha porque, até agora, parece bom demais para ser verdade. Espero que seja só loucura minha.

– Não acho que esteja louca, querida. Acho que é sensível. Mas tenho de concordar que teve muita sorte. Pessoas passam a vida inteira sem ver as coisas que você vai ver neste ano. Pense só. O seu primeiro emprego depois de formada, e está trabalhando para a mulher mais importante, na revista que mais vende na maior editora de revistas do mundo. Vai observar tudo acontecer, de lá de cima até cá embaixo. Se apenas mantiver os olhos abertos e suas prioridades em ordem, vai aprender mais em um ano do que a maioria das pessoas, nessa área, em toda a sua carreira. – Ele colocou a primeira palavra no meio do tabuleiro. CHOQUE.

– Nada mau para uma primeira palavra – disse e calculei seu valor, dupliquei-o porque a primeira palavra sempre ia em uma estrela rosa e iniciava um cartão de pontos. Papai: 22 pontos. Andy: 0. Minhas letras não eram muito promissoras. Acrescentei um O, X e A ao C, e aceitei meus seis insignificantes pontos.

– Só quero ter certeza de que será justa – disse ele, mexendo em seus tijolos. – Quanto mais penso sobre isso, mais me convenço de que vai significar grandes coisas para você.

– Bem, espero que tenha razão, porque tenho de cortar papel de embrulho ainda durante muito, muito tempo. É melhor que aconteça mais que isso.

– Vai acontecer, querida, vai acontecer. Você vai ver. Talvez pareça que está fazendo coisas tolas, mas confie em mim, não está. Esse é o começo de um futuro fantástico. Posso sentir isso. E me informei sobre a sua chefe. Essa Miranda parece uma mulher durona, sem dúvida, mas acho que vai gostar dela. E que ela também vai gostar de você.

Ele colocou a palavra TOALHA usando o meu A e ficou satisfeito.

– Espero que tenha razão, papai. Realmente espero que esteja certo.

– ELA É A DIRETORA da *Runway*, você sabe, a revista de moda – sussurrei, com insistência, ao telefone, tentando, corajosamente, não me sentir frustrada.

– Ah, sei! – disse Julia, assistente de publicidade do setor de livros escolares. – Grande revista. Adoro aquelas cartas em que garotas contam suas histórias no período da menstruação. São verdadeiras? Lembra aquela em que...

– Não, não, não a revista para adolescentes. É, com toda certeza, dirigida a mulheres adultas. – Teoricamente, pelo menos. – Nunca viu mesmo uma *Runway*? – *É humanamente impossível não conhecê-la?*, me perguntei. – De qualquer jeito, soletra-se P-R-I-E-S-T-L-Y, Miranda, sim. – Falei com uma paciência infinita. Imaginei como ela teria reagido se soubesse, de fato, que eu tinha na linha alguém que nunca tinha ouvido falar dela. Provavelmente não muito bem.

– Bem, se puder me ligar de volta o mais breve possível, eu *realmente* ficaria agradecida – eu disse a Julia. – E se a assessora de imprensa chegar logo, *por favor*, peça que me ligue.

Era uma manhã de sexta-feira, em meados de dezembro, e a doce liberdade do fim de semana estava a apenas dez horas. Eu estivera tentando convencer uma Julia, que ignorava a moda, no departamento de livros escolares, de que Miranda Priestly era realmente alguém importante, alguém por quem valia a pena quebrar regras e suspender a lógica. Isso revelou-se consideravelmente mais difícil do que eu tinha imaginado. Como eu podia saber que teria de explicar o peso da posição de Miranda para influenciar alguém que nunca tinha ouvido falar da revista de moda mais prestigiada no mundo, nem de sua famosa diretora? Em minhas poucas quatro semanas como assistente de Miranda, já tinha compreendido que a imposição do peso e a bajulação faziam parte do meu trabalho, mas geralmente a pessoa que eu estava tentando persuadir, intimidar, senão pressionar, cedia completamente à mera menção do infame nome da minha chefe.

Infelizmente para mim, Julia trabalhava para uma editora de livros escolares, onde alguém como Nora Ephron ou Wendy Wasserstein tinham muito mais probabilidade de receber um tratamento VIP do que alguém conhecido por seu gosto impecável em peles. No fundo, eu entendia isso. Tentava recordar o tempo em que nunca tinha ouvido falar em Miranda Priestly – cinco semanas antes – e não conseguia. Mas sabia que esse tempo mágico tinha existido. Invejei a indiferença de Julia, mas eu tinha um trabalho a fazer, e ela não estava me ajudando.

O quarto livro da deplorável série Harry Potter seria lançado no dia seguinte, um sábado, e as gêmeas de 10 anos de Miranda queriam um. Os primeiros exemplares não chegariam às lojas até a segunda-feira, mas eu tinha de estar com eles em mãos no sábado de manhã – minutos depois de terem sido liberados do depósito. Afinal, Harry e seu pessoal tinham de pegar um avião particular para Paris.

Meus pensamentos foram interrompidos pelo telefone. Atendi como sempre fazia, agora que Emily já confiava em mim o suficiente para falar com Miranda. E, céus, nós falávamos – provavelmente umas duas dúzias de vezes por dia. Mesmo de longe, Miranda tinha conseguido se insinuar na minha vida e dominá-la completamente, gritando ordens, solicitações e exigências em um ritmo frenético, das sete da manhã até, finalmente, eu ter permissão para ir embora, às nove da noite.

– Ahn-dre-ah? Alô? Tem alguém aí? Ahn-dre-ah!

Pulei da cadeira no momento em que a escutei pronunciar meu nome. Levei um momento para me lembrar e aceitar que ela não estava, de fato, no escritório – ou mesmo no país, e durante algum tempo, pelo menos, me senti segura. Emily tinha me garantido que Miranda não tinha a menor consciência de que Allison tinha sido promovida nem que eu tinha sido contratada, que esses eram detalhes insignificantes em sua mente. Contanto que alguém atendesse o telefone e lhe desse o que precisasse, a identidade da pessoa era irrelevante.

– Não consigo entender por que demora tanto para falar depois de pegar o telefone – declarou. Vindo de qualquer outra pessoa no mundo isso pareceria um lamento, mas vindo de Miranda parecia apropriadamente frio e firme. Exatamente como ela. – Só para o caso de você não estar aqui a tempo suficiente para ter percebido, quando eu ligar, responda. Na verdade, é muito simples. Entende? Eu ligo. Você responde. Acha que pode fazer isso, Ahn-dre-ah?

Respondi que sim com a cabeça, como uma menininha de 6 anos que acaba de ser repreendida por jogar macarrão no teto, embora ela não pudesse me ver. Concentrei-me em não chamá-la de "senhora", erro que cometi uma semana antes e que quase me despediu.

– Sim, Miranda, desculpe – eu disse baixinho, a cabeça baixa. E por um momento eu *pedi* desculpas, desculpas por suas palavras não terem sido registradas em meu cérebro três décimos de segundo mais rápido, desculpas pelo meu atraso em dizer "escritório de Miranda Priestly" uma fração de segundo maior do que o necessário. O seu tempo era, como eu era constantemente lembrada, muito mais importante do que o meu.

– Está bem. Depois de todo esse tempo perdido, podemos começar? Confirmou a reserva do Sr. Tomlinson? – perguntou.

– Sim, Miranda, fiz a reserva do Sr. Tomlinson no Four Seasons à uma hora da tarde.

Podia sentir que aconteceria a um quilômetro de distância. Meros dez minutos atrás, ela ligara e me mandara fazer uma reserva no Four Seasons, ligar para o Sr. Tomlinson, para o seu motorista e a babá e informá-los dos planos e, agora, ela queria modificá-los.

– Bem, mudei de ideia. O Four Seasons não é um lugar apropriado para o almoço dele com Irv. Reserve uma mesa para dois no Le Cirque, e não se esqueça de lembrar ao *maître* que vão querer se sentar *no fundo* do restaurante. Não na frente, à vista. *No fundo.* Isso é tudo.

Eu tinha me convencido, quando falei pela primeira vez ao telefone com Miranda, que, ao proferir "isso é tudo", ela realmente pretendia que suas palavras significassem "obrigada". Na segunda semana, eu reconsiderei essa conclusão.

– É claro, Miranda. *Obrigada* – eu disse com um sorriso. Pude sentir que ela fazia uma pausa no outro lado da linha, perguntando-se como responder. Sabia que eu estava chamando atenção para a sua recusa em dizer obrigada? Estranhava eu estar agradecendo por receber ordens dela? Eu começara, recentemente, a agradecer-lhe depois de cada comentário sarcástico ou ordens desagradáveis por telefone, e a tática era, estranhamente, confortante. Ela sabia que eu a estava gozando de alguma maneira, mas o que ela podia fazer? *Ahn-dre-ah, não quero mais ouvir você dizer obrigada. Proíbo-a de expressar gratidão dessa maneira!* Pensando bem, não seria tão difícil.

Le Cirque, Le Cirque, Le Cirque, repeti várias vezes mentalmente, determinada a fazer essa reserva o mais rápido possível, para, assim, poder voltar ao desafio Harry Potter, consideravelmente mais difícil. No Le Cirque, concordaram imediatamente em deixar uma mesa pronta para o Sr. Tomlinson e Irv, para a hora que chegassem.

Emily entrou, vindo de uma volta pelo escritório, e me perguntou se Miranda tinha ligado.

– Só três vezes, e não ameaçou me despedir em nenhuma delas – eu disse com orgulho. – É claro, ela insinuou, mas não ameaçou claramente. É um progresso, não?

Ela riu de uma maneira como só fazia quando eu debochava de mim mesma, e perguntou o que Miranda, o seu guru, queria.

– Só queria que mudasse a reserva de almoço de C-SEM. Não sei bem por que eu estou fazendo isso, já que ele tem a sua própria assistente, mas opa, eu não faço perguntas aqui. – O Sr. Cego, Surdo e Mudo era o apelido do terceiro marido de Miranda. Embora, para o público em geral, ele não parecesse ser nada disso, nós, que conhecíamos a situação, tínhamos certeza de que ele era as três coisas. Não havia nenhuma outra explicação para um cara tão simpático aguentar viver com *ela*.

Em seguida, foi hora de ligar para o próprio C-SEM. Se eu não ligasse logo, talvez ele não conseguisse chegar ao restaurante a tempo. Ele tinha retornado de suas férias para dois dias de reuniões de negócios, e esse almoço com Irv Ravitz – o diretor executivo do Elias-Clark – estava entre as mais importantes. Miranda queria todos os detalhes perfeitos – como se isso fosse novidade. O nome verdadeiro de C-SEM era Hunter Tomlinson. Ele e Miranda tinham se casado no verão antes de eu começar a trabalhar, depois, pelo que eu soube, de uma corte de mão única: ela perseguia, ele objetava. Segundo Emily, ela correu atrás dele implacavelmente, até ele ceder por mera exaustão de esquivar-se dela. Ela havia deixado seu segundo marido (o cantor de uma das bandas mais famosas do fim da década de 1960 e pai das gêmeas) sem absolutamente nenhum aviso antes de seu advogado entregar os papéis, e casou-se de novo exatamente 12 dias depois de o divórcio ser concluído. O Sr. Tomlinson obedeceu às ordens e se mudou para a cobertura na Quinta Avenida. Eu só tinha visto Miranda uma vez e nunca tinha visto seu marido, mas havia passado tantas horas ao telefone com cada um deles que os sentia, infelizmente, como se fossem da família.

Três toques, quatro toques, cinco toques... *hummm, onde estará a sua assistente?* Rezei por uma secretária eletrônica, já que não estava a fim da conversa fiada amigável e fútil da qual C-SEM parecia gostar tanto. Mas sua secretária atendeu.

– Escritório do Sr. Tomlinson – trinou ela na cadência grave e arrastada do Sul. – Em que posso ajudar? – *Emm quee posso ajudar?*

– Olá, Martha, sou eu, Andrea. Ouça, eu não preciso falar com o Sr. Tomlinson, pode lhe dar um recado? Fiz uma reserva para...

– Querida, você sabe que o Sr. T. sempre quer falar com você. Espere só um segundo. – E antes que eu pudesse protestar, estava escutando a versão para elevador de "Don't Worry Be Happy", de Bobby McFerrin. Perfeito. Era perfeito C-SEM ter escolhido a música mais irritantemente otimista já escrita para entreter quem ligava enquanto esperava.

– Andy, é você, querida? – perguntou tranquilamente com a sua voz grave, característica. – O Sr. Tomlinson vai pensar que o está evitando. Faz séculos que não tenho o prazer de falar com você. – Uma semana e meia, para ser precisa. Além da cegueira, da surdez e do mutismo, o Sr. Tomlinson tinha o hábito irritante de referir-se a si mesmo, constantemente, na terceira pessoa.

Respirei fundo.

– Olá, Sr. Tomlinson. Miranda pediu para avisar que o almoço é hoje, à uma da tarde, no Le Cirque. Ela disse que o senhor...

– Querida – disse ele lentamente, calmamente –, pare de fazer todos esses planos por um segundo. Permita um momento de prazer a um homem velho e conte ao Sr. Tomlinson toda a sua vida. Fará isso por ele? Conte-me, querida, está feliz por trabalhar para a minha mulher? – Se eu estava feliz trabalhando para a sua mulher? Humm, vamos ver. Filhotes de mamíferos guincham de alegria quando um predador os engole? *Mas é claro, seu idiota, estou delirando de felicidade por estar trabalhando para a sua mulher. Quando não estamos ocupadas, trocamos fofocas sobre nossa vida amorosa. Parecemos adolescentes que vão dormir na casa uma da outra para fofocar, sabe do que falo. Acabamos morrendo de rir.*

– Sr. Tomlinson, gosto do meu trabalho e adoro trabalhar para Miranda. – Prendi a respiração e rezei para ele desistir.

– Bem, o Sr. T. está encantado por estar tudo dando certo. – *Bárbaro, babaca, mas está encantaao?*

– Que bom, Sr. Tomlinson. Tenha um bom almoço. – Interrompi-o antes que, inevitavelmente, me perguntasse sobre os meus planos para o fim de semana, e desliguei.

Recostei-me na cadeira e olhei para o outro lado do escritório. Emily estava envolvida em conciliar mais uma das contas de 20 mil dólares no American Express de Miranda, a testa larga vincada de concentração. O projeto Harry Potter avultou na minha frente, e tive de me dedicar imediatamente a ele, já que queria sair neste fim de semana.

Lily e eu tínhamos planejado uma maratona de filmes no sábado e no domingo. Eu estava exausta de trabalhar e ela estava estressada com as suas aulas, de modo que havíamos combinado passar o fim de semana paradas em seu sofá e subsistir exclusivamente de cerveja e Doritos. Nada de Snackwells. Nada de Coca Light. E absolutamente nada de calça preta. Embora falássemos sempre, não nos encontrávamos desde que eu me mudara para a cidade.

Ela era a minha melhor amiga desde o oitavo ano, quando a vi chorando em uma cafeteria. Lily tinha acabado de se mudar com a sua avó e começava a escola, depois que ficara claro que seus pais não voltariam tão cedo para casa. Tinham ido embora alguns meses antes para seguir o Grateful Dead em suas turnês (ela nasceu quando os dois tinham apenas 19 anos e estavam muito mais interessados em fumar maconha do que em bebês), deixando-a para ser cuidada por seus amigos doidões na comuna do Novo México (ou, como Lily preferia, a "coletividade"). Como não tinham retornado quase um ano depois, sua avó a buscou na comuna (ou como sua avó dizia, na "seita") para que vivesse com ela em Avon. No dia em que a encontrei chorando sozinha na cafeteria, sua avó a havia obrigado a cortar seus *dreadlocks* sujos e a usar vestido, e Lily não tinha ficado nada satisfeita com isso. Alguma coisa na sua maneira de falar, na maneira de dizer "Isso é tão zen de sua parte" ou "Vamos simplesmente relaxar", me encantou, e nos tornamos amigas imediatamente. Tornamo-nos inseparáveis durante todo o segundo grau, dividimos o quarto por quatro anos na Brown. Lily ainda não havia decidido se preferia batom MAC ou colares de cânhamo, e continuava um tanto "excêntrica" demais para fazer qualquer coisa totalmente aceita, mas nos complementávamos bem. Eu sentia falta dela. Seu primeiro ano de formada e o fato de eu ter me tornado uma escrava em potencial impediram que nos víssemos mais ultimamente.

Mal podia esperar pelo fim de semana. Minhas 14 horas de trabalho por dia estavam registradas em meus pés, meus braços, na região lombar. Óculos tinham substituído as lentes de contato, que usei durante uma década, porque meus olhos ficaram muito ressecados e cansados para aceitá-las. Fumava um maço de cigarros por dia e sobrevivia exclusivamente de Starbucks (caro, é claro) e sushi (mais caro ainda). Eu já começava a perder peso. O peso perdido com a disenteria tinha sido recuperado, mas pouco tempo, pois, com o meu trabalho na *Runway*, eles começaram a desaparecer de novo. Creio ter sido alguma coisa no ar de lá, acho, ou talvez fosse a intensidade com que a comida era evitada no escritório. Eu já havia contraído uma sinusite e estava consideravelmente mais pálida, e apenas tinham se passado quatro semanas. Eu só tinha 24 anos. E Miranda ainda não tinha aparecido no escritório. Dane-se. Eu merecia um *fim de semana.*

Nessa mistura, havia a questão Harry Potter, e eu *não* estava satisfeita. Miranda tinha ligado de manhã. Só precisou de alguns momentos para descrever em linhas gerais o que queria, embora eu tivesse precisado de um tempo sem fim para interpretá-lo. Aprendi rapidamente que no mundo de Miranda Priestly era melhor fazer alguma coisa errada e gastar muito tempo e dinheiro para consertá-la do que admitir que não tinha compreendido suas instruções tortuosas, com seu sotaque carregado, e pedir um esclarecimento. Portanto, quando ela resmungou qualquer coisa sobre conseguir os livros para as gêmeas e mandá-los para Paris, foi a intuição que me disse que isso ia interferir no meu fim de semana. Quando ela desligou abruptamente alguns minutos depois, olhei em pânico para Emily.

– O que, ai, o que foi que ela disse? – gemi, me odiando por ter ficado com tanto medo de pedir a Miranda para repetir o que tinha dito. – Por que não entendo uma palavra do que essa mulher diz? Não sou eu, Em. Eu falo inglês, sempre falei. Sei que ela faz isso propositalmente para me deixar louca.

Emily olhou para mim com o misto de repugnância e pena de sempre.

– Como o livro vai ser lançado amanhã e não estão aqui para comprá-lo, quer que você pegue dois exemplares e os leve a Teterboro. O jato os levará a Paris – resumiu friamente, desafiando-me a comentar o ridículo das instruções. Mais uma vez fui lembrada que Emily era capaz de qualquer coisa, mas qualquer coisa mesmo, se isso significasse deixar Miranda um pouco mais confortável. Revirei os olhos e fiquei calada.

Como eu NÃO ia sacrificar nem um segundo do fim de semana para cumprir uma ordem sua, e como tinha uma quantidade ilimitada de dinheiro e poder (dela) à minha disposição, passei o resto do dia providenciando para que Harry Potter viajasse para Paris. Primeiro, algumas palavras para Julia, do departamento de livros escolares.

Querida Julia,

Minha assistente, Andrea, me disse que você é a pessoa adorável de quem eu devia reconhecer o valor inestimável. Informou-me que você é a única pessoa capaz de localizar dois exemplares desse livro encantador para mim amanhã. Quero que saiba quanto aprecio o seu trabalho dedicado e sua inteligência. Por favor, saiba que fará feliz minhas queridas filhas. E nunca hesite em me informar se precisar de alguma coisa, de qualquer coisa. Parabéns pela garota fabulosa que você é.

Um beijinho,

Miranda Priestly

Forjei seu nome com um floreio perfeito (hora após hora praticando com Emily me vigiando, me instruindo a fazer o último "a" um pouco mais redondo, tinha compensado), prendi o bilhete no último número de *Runway* – um que ainda não estava nas bancas – e chamei um "boy" para entregar o pacote no escritório do departamento de livros escolares, no Centro. Se isso não funcionasse, nada funcionaria. Miranda não se importava que falsificássemos sua assinatura – isso a poupava de se aborrecer com detalhes –, mas, provavelmente, ficaria lívida ao ver que eu havia escrito algo tão cordial, tão *adorável*, usando o seu nome.

Três semanas antes, eu teria rapidamente cancelado meus planos, se Miranda ligasse e quisesse que eu fizesse alguma coisa no fim de semana, mas eu, agora, era experiente – e estava esfalfada – o bastante para quebrar algumas regras. Como Miranda e as garotas não estariam no aeroporto em Nova Jersey quando *Harry Potter* chegasse no dia seguinte, não vi razão para que fosse eu a levá-lo. Agindo na suposição e fé de que Julia me conseguiria alguns exemplares, elaborei alguns detalhes. Disquei para algumas pessoas e, em uma hora, um plano tinha emergido.

Brian, um assistente de redação do departamento – que eu estava certa de que teria permissão de Julia em algumas horas –, levaria para casa dois exemplares de *Harry Potter* nesta noite, de modo que não precisasse voltar ao escritório no sábado. Brian deixaria os livros com o porteiro do edifício no Upper West Side, e eu mandaria um carro pegá-los na manhã seguinte às onze. O motorista de Miranda, Uri, então ligaria para o meu celular para confirmar que tinha recebido o pacote e que estava a caminho de deixá-lo no aeroporto Teterboro, onde os dois livros seriam transferidos para o jato particular do Sr. Tomlinson e enviados para Paris. Cheguei a pensar em conduzir toda a operação em código para fazer com que parecesse ainda mais uma operação da KGB, mas desisti quando me lembrei de que Uri não falava o inglês tão bem. Eu tinha checado para ver quão rápido a opção mais rápida da DHL os levaria para lá, mas a entrega não podia ser garantida até segunda-feira, o que, obviamente, era inaceitável. Daí o avião particular. Se tudo corresse como planejado, as pequenas Cassidy e Caroline acordariam em sua suíte parisiense particular no domingo e desfrutariam seu leite da manhã lendo as aventuras de Harry – *um dia inteiro antes de todas as suas amigas.* Isso comoveu meu coração, de verdade.

Minutos depois os carros tinham sido reservados e todas as pessoas envolvidas colocadas em alerta. Julia ligou de volta. Embora fosse uma tarefa estafante e, provavelmente, lhe criasse problemas, ficaria feliz em dar a Brian dois exemplares para a Sra. Priestly. Amém.

– ACREDITA QUE ELE ficou *noivo?* – perguntou Lily, enquanto rebobinava a cópia de *Curtindo a vida adoidado* a que tínhamos acabado de assistir. – Quer dizer, temos 24 anos, pelo amor de Deus... para que a pressa?

– Sei que parece esquisito – gritei da cozinha. – Talvez mamãe e papai só o deixem ter acesso ao fundo fiduciário quando ele se assentar. Isso seria motivação suficiente para ele pôr um anel no dedo dela. Ou, quem sabe, ele simplesmente não se sente solitário?

Lily olhou para mim e riu.

Naturalmente, ele não pode apenas estar apaixonado e disposto a passar o restante da sua vida com ela, certo?

– Correto. Essa não é uma opinião válida. Tente de novo.

– Então, bem, sou obrigada à opção número três. Ele é gay. Finalmente, tomou consciência, embora eu soubesse desde o começo, e percebe que mamãe e papai não conseguirão aceitar isso, de modo que ele ocultará sua condição casando-se com a primeira garota que encontrar. O que acha?

Casablanca foi o próximo da lista, e Lily avançou o filme, passando pelos créditos, enquanto eu esquentava no micro-ondas xícaras de chocolates, na pequenina cozinha de seu conjugado em Morningside Heights. Ficamos sem fazer nada na sexta à noite – dando um tempo só para fumar um cigarro e colocar outro filme para rodar. Sábado à tarde nos encontrou particularmente motivadas, e conseguimos dar uma volta pelo Soho por algumas horas. Compramos roupas para a festa de réveillon de Lily e dividimos uma caneca enorme de gemada em um café. Quando voltamos ao seu apartamento, estávamos exaustas e felizes e passamos o restante da noite alternando entre *Harry e Sally*, na TNT, e *Saturday Night Live*. Foi tão completamente relaxante, um tal distanciamento da desgraça que tinha se tornado minha rotina diária, que me esqueci completamente da missão Harry Potter, até ouvir o telefone tocar no domingo. Ó meu Deus, era Ela! Ouvi Lily falando russo com alguém, provavelmente um colega de turma, em seu celular. Obrigada, obrigada, obrigada, Senhor: não era Ela. Mas isso não significou que eu não corria mais perigo. Já era domingo de manhã, e eu não fazia ideia se aqueles livros idiotas tinham ido para Paris. Eu estava gostando tanto do meu fim de semana – tinha realmente conseguido relaxar bastante – que tinha me esquecido de verificar. É claro, o meu telefone estava ligado com a campainha no nível mais alto, mas não tinha esperado que alguém me ligasse com um problema, quando, obviamente, seria tarde demais para fazer qualquer coisa. Eu deveria ter agido antes e confirmado ontem, com todos os envolvidos, que todos os passos do nosso plano elaboradamente coreografado tinham dado certo.

Remexi freneticamente na bolsa com as minhas coisas para o fim de semana, procurando o celular que me tinha sido dado pela *Runway*, que asseguraria que eu estava apenas a sete dígitos de Miranda. Finalmente, tirei-o de um emaranhado de roupa de baixo, no fundo da bolsa, e me deitei de volta na cama. A tela anunciava imediatamente que eu não o tinha usado até agora, e eu soube, instintivamente, que ela tinha ligado e que caíra direto na caixa postal. Odiei o celular com toda a minha alma. Odiei até meu novo telefone Bang and Olufsen. Odiei o telefone de Lily, comerciais de telefone, imagens de telefones nas revistas e odiei Alexander Graham Bell. Trabalhar para Miranda Priestly causava vários efeitos colaterais lamentáveis em minha vida, porém o menos natural era o meu ódio extremo de telefones.

Para a maioria das pessoas, a campainha do telefone era um sinal bem-vindo. Alguém estaria querendo falar com você, dizer um alô, saber como está, ou fazer planos. Para mim, desencadeava medo, ansiedade intensa e pânico de fazer parar o coração. Algumas pessoas consideravam os vários recursos dos telefones modernos uma novidade, até mesmo divertidos. Para mim, eles eram o mínimo necessário. Embora, antes de Miranda, eu não usasse tanto a chamada em espera, alguns dias na *Runway* e passei a recorrer a todo momento à chamada em espera (para que ela nunca ficasse com o telefone ocupado), ao identificador de chamadas (para eu evitar suas chamadas), à chamada em espera e ao identificador de chamadas (para evitar chamadas enquanto falo na outra linha), e à caixa postal (para que ela não soubesse que eu estava evitando suas chamadas porque escutaria uma mensagem na secretária eletrônica). Cinquenta dólares por mês pelo serviço telefônico – antes da comunicação a longa distân cia – parecia barato para pagar minha paz de espírito. Bem, não paz de espírito propriamente, antes um aviso bem antecipado.

O telefone celular não me proporcionava tais barreiras. É claro que tinha os mesmos recursos do telefone fixo, mas, do ponto de vista de Miranda, simplesmente não havia razão, *qualquer que fosse*, para o celular ser desligado. Nunca deixaria de ser atendido. As poucas razões para tal situação que eu coloquei para Emily, quando recebi o celular -- um suprimento padrão *Runway* – com a instrução de atender sempre, foram rapidamente eliminadas.

– E se estiver dormindo? – perguntei, de maneira idiota.

– Acorde e atenda – ela respondeu, lixando uma unha lascada.

– E em um jantar sofisticado?

– Seja como qualquer nova-iorquino e atenda à mesa do jantar.

– Fazendo um exame ginecológico?

– Não estarão examinando seus ouvidos, estarão?

Está bem, entendi.

Eu detestava esse maldito celular, mas não podia ignorá-lo. Ele me mantinha atada a Miranda como um cordão umbilical, recusando-se a me deixar crescer, ou me soltar ou me afastar da minha fonte de sufoco. Ela ligava *constantemente*: e como um experimento pavloviano doentio que escapou do previsto, o meu corpo tinha começado a responder visceralmente à sua campainha. *Triimm-triimmm.* Aumenta o ritmo cardíaco. *Trimmmm.* Dedos se apertam e ombros se retesam automaticamente. *Triiiimmmmmm. Oh, por que ela não me deixa em paz, por favor, oh, por favor, esqueça que estou viva* – o suor irrompe em minha fronte. Durante todo esse glorioso fim de semana nem mesmo considerei que o telefone pudesse não estar carregado, e supus que tocaria apenas se houvesse um problema. Erro número um. Perambulei pelos 60 metros quadrados até a AT&T decidir voltar a trabalhar, prendi a respiração e disquei a caixa postal.

Mamãe deixou uma gracinha de mensagem desejando que me divertisse muito com Lily. Um amigo de São Francisco estava em Nova York a trabalho e queria me ver. Minha irmã ligou para me lembrar de enviar um cartão de aniversário para seu marido. E ali estava, quase inesperado, mas não totalmente, o medonho sotaque britânico repicando em meus ouvidos. "Ahn-dre-ah. É Mir-ahnda. São nove da manhã de domingo em Pah-ris e as meninas ainda não receberam seus livros. Ligue para mim no Ritz para me assegurar de que chegarão logo. Isso é tudo." Clique.

A bílis começou a subir na minha garganta. Como sempre, a mensagem carecia de qualquer gentileza. Nenhum alô, adeus ou obrigada. Obviamente. Porém, mais que isso, tinha sido deixada quase um dia antes e eu ainda não a tinha respondido. Motivo para demissão, eu sabia, e não havia nada que eu pudesse fazer a respeito. Como uma amadora, tinha presumido que o meu plano funcionaria perfeitamente e não tinha nem mesmo me dado conta de que Uri não ligara para confirmar ter buscado e entregado os livros. Procurei na agenda em meu telefone e rapidamente disquei para o número do celular de Uri: outra compra de Miranda, de modo que também ele estaria de prontidão 24 horas ao dia.

– Oi, Uri, é Andrea. Desculpe incomodar no domingo, mas você pegou os livros ontem na rua 87 com a Amsterdam?

– Oi, Andy, é tão bom ouvir sua voz – cantarolou com seu sotaque russo que sempre achei tão confortante. Chamava-me de Andy, como um velho tio preferido desde a primeira vez que nos vimos, e vindo dele, como o oposto do que sentia com C-SEM, eu não me incomodava. – É claro que peguei os livros, exatamente como você disse. Acha que não ia ajudá-la?

– Não, não, é claro que não, Uri. É que recebi uma mensagem de Miranda dizendo que ainda não os recebeu, não sei o que deu errado.

Ele ficou em silêncio por um momento, e depois me deu o nome e o telefone do piloto do jato particular.

– Ah, obrigada, obrigada, obrigada – eu disse, anotando o número freneticamente e rezando para o piloto ser prestativo. – Tenho que correr. Desculpe, tenho de desligar, mas tenha um ótimo fim de semana.

– Sim, sim, bom fim de semana para você também, Andy. Acho que o piloto vai ajudar você a encontrar os livros. Boa sorte – ele disse alegre, e desligou.

Lily estava fazendo waffles e tudo o que eu queria era estar com ela, mas tinha de tratar daquilo já ou perderia o emprego. Ou talvez já tivesse sido despedida, pensei, e ninguém tinha sequer se dado o trabalho de me avisar. Não era algo incomum na *Runway*, e então me lembrei da redatora de moda dispensada quando estava em sua lua de mel. Ela deu com a mudança de seu status lendo a notícia em um exemplar de *Women's Wear Daily*, em Bali. Liguei rapidamente para o número do piloto que Uri tinha me dado e achei que desmaiaria de frustração quando uma secretária eletrônica atendeu.

– Jonathan? Aqui é Andrea Sachs da revista *Runway*. Sou a assistente de Miranda Priestly e tenho de lhe fazer uma pergunta sobre o voo de ontem. Oh, acho que provavelmente você deve estar em Paris ou, talvez, a caminho de volta. Bem, eu só queria saber se os livros e, ahn, bem, e você também, chegaram bem a Paris. Pode ligar para o meu celular? 917-555-8702. Por favor, o mais cedo possível. Obrigada. Tchau.

Pensei em ligar para a portaria do Ritz para ver se se lembravam de ter recebido o carro que teria levado os livros do aeroporto particular, nos arredores de Paris, mas me dei conta rapidamente de que o meu celular não fazia ligação internacional. Possivelmente era a única tarefa para a qual não estava programado, e essa era, evidentemente, a única que interessava. Neste momento, Lily anunciou que tinha um prato de *waffles* e uma xícara de café para mim. Fui para a cozinha e peguei a comida. Ela estava bebericando um Bloody Mary. Urgh. Era domingo de manhã, como ela podia estar bebendo?

– Tendo um momento Miranda? – perguntou com uma expressão de simpatia.

Assenti com a cabeça.

– Acho que me dei muito mal desta vez – eu disse, aceitando o prato agradecida. – Posso ser demitida.

– Oh, querida, você sempre diz isso. Ela não vai despedir você. Ainda nem mesmo a viu trabalhando. Pelo menos, é melhor que não a despeça. Você tem o emprego mais bárbaro do mundo!

Olhei, circunspecta, para ela, e torci para ficar calma.

– Bem, você tem – disse ela. – Ela parece difícil de agradar e um pouco louca. Mas quem não é? Você tem sapatos, maquiagem, corte de cabelo e roupas grátis. E que roupas! Quem no mundo consegue roupas de grife de graça só para se exibir todo dia no trabalho? Andy, você trabalha na *Runway*, não entende? Um milhão de garotas matariam pelo seu cargo.

Entendi. Entendi no mesmo instante em que Lily, pela primeira vez desde que a conhecera fazia nove anos, não entendeu. Ela, como todas as minhas outras amigas, adoravam escutar as histórias incríveis que eu tinha acumulado nas últimas semanas – a fofoca e o glamour –, mas não percebia como era duro cada dia. Ela não compreendia que a razão por que eu me exibia, dia após dia, não eram as roupas grátis, não compreendia que todas as roupas grátis do mundo não tornariam esse trabalho suportável. Estava na hora de introduzir uma das minhas melhores amigas no meu mundo, onde, eu tinha certeza, ela *compreenderia.* Ela só precisava saber. Sim! Estava na hora de dividir com alguém exatamente o que estava acontecendo. Abri minha boca para começar, empolgada com a perspectiva de ter uma aliada, mas meu telefone tocou.

Maldição! Quis jogá-lo na parede, mandar quem quer que estivesse na linha para o inferno. Mas uma pequena parte minha esperava que fosse Jonathan com alguma informação. Lily sorriu e disse para eu ficar à vontade. Balancei a cabeça, com tristeza, e atendi:

– É Andrea? – perguntou uma voz de homem.

– Sim, é Jonathan?

– Sim. Acabo de ligar para casa e recebi a sua mensagem. Estou voando de volta de Paris, neste exato instante. Enquanto falamos, estou sobrevoando o Atlântico, mas você parecia tão preocupada que eu quis ligar logo.

– Obrigada! Obrigada! Estou mesmo agradecida. Sim, estou um pouco preocupada porque recebi uma ligação de Miranda, mais cedo, hoje, e parece estranho ela não ter recebido o pacote. Você o entregou ao motorista em Paris, certo?

– É claro que sim. Sabe, no meu trabalho, não faço perguntas. Simplesmente voo para onde e quando me mandam, e tento que todo mundo chegue inteiro. Mas é claro que não é frequente eu atravessar o oceano com apenas um pacote a bordo. Deve ter sido algo realmente importante, imagino, como um órgão para transplante ou, talvez, alguns documentos confidenciais. Portanto, sim, tomei muito cuidado com o pacote e o entreguei ao motorista, exatamente como mandou. Um cara legal do Ritz. Sem problemas.

Agradeci e desliguei. A recepção do Ritz deve ter providenciado um chofer para ir esperar o avião particular do Sr. Tomlinson, no De Gaulle, e levar *Harry* de volta ao hotel. Se tudo saíra como o planejado, Miranda deveria ter recebido os livros por volta das sete da manhã, hora local, e considerando que já era fim de tarde lá, não conseguia entender o que havia saído errado. Não havia outra alternativa: eu tinha de ligar para a recepção, e como o meu celular não fazia ligações internacionais, tinha de procurar outro telefone.

Levei o prato de waffles, agora frios, para a cozinha e os joguei no lixo. Lily estava deitada no sofá, meio adormecida. Abracei-a, me despedindo, disse que telefonaria mais tarde e saí para pegar um táxi que me levasse ao escritório.

– E como fica hoje? – queixou-se. – Tenho *The American President* separado e prontinho para rodar. Ainda não pode ir... o nosso fim de semana não acabou!

– Eu sei, desculpe, Lil. Tenho de cuidar disso agora. Não há nada de que eu gostaria mais do que ficar aqui, mas ela me tem na coleira neste exato instante. Ligo mais tarde?

O escritório estava, é claro, deserto, com todo mundo certamente tendo o *brunch* no Pastis, com seus amigos banqueiros. Sentei-me na minha área escurecida, respirei fundo e disquei. Felizmente, *monsieur* Renaud, o meu recepcionista preferido do Ritz, estava disponível.

– Andrea, querida, como vai? Estamos simplesmente deliciados por ter Miranda e as gêmeas de volta tão cedo – mentiu ele. Emily me contou que Miranda ficava no Ritz com tanta frequência que o *staff* do hotel sabia seu nome e o de suas filhas.

– Sim, *monsieur* Renaud, e sei que ela está emocionada por estar aí – menti de volta. Por mais prestativo que fosse o coitado, Miranda via defeito em cada gesto seu. Era mérito dele nunca parar de tentar, tampouco parar de mentir que gostava dela. – Ouça, o carro que enviou para esperar o avião de Miranda já voltou ao hotel?

– É claro, querida. Há horas. Ele deve ter chegado aqui antes das oito da manhã. Enviei o melhor motorista do nosso *staff* – disse com orgulho. Se pelo menos ele soubesse para transportar o quê o seu melhor motorista tinha sido enviado.

– Bem, é estranho, porque recebi uma mensagem de Miranda dizendo que não tinha recebido pacote nenhum, e eu chequei com o motorista daqui que jura que o levou ao aeroporto. O piloto jura que o levou a Paris e o entregou ao seu motorista e, agora, o senhor me diz que se lembra dele chegando ao hotel. Como ela pode não tê-lo recebido?

– Parece que a única maneira de resolver isso é perguntar a ela – disse afetando uma voz feliz. – Posso pô-la em contato com ela?

Eu tinha esperado que não chegasse a isso, que conseguiria identificar e corrigir o problema sem ter de falar com ela. O que lhe diria se ela insistisse que não tinha recebido o pacote? Deveria sugerir que olhasse na mesa de sua suíte, em que devia ter sido posto horas antes? Ou deveria fazer tudo de novo, e conseguir mais dois exemplares no fim do dia? Ou talvez eu devesse contratar um agente do serviço secreto da próxima vez, para acompanhar os livros na viagem e assegurar que nada comprometesse sua chegada a salvo? Era algo em que pensar.

– Claro, *monsieur* Renaud. Obrigada pela ajuda.

Alguns cliques e o telefone estava tocando. Eu transpirava um pouco por causa da tensão, de modo que enxuguei a palma da mão na calça do meu *training* e tentei não pensar no que Miranda diria se me visse de *training* no escritório. *Fique calma, seja confiante,* falei a mim mesma. *Ela não pode estripá-la pelo telefone.*

– Sim? – ouvi de um lugar distante, despertando de meus pensamentos de autoajuda. Era Caroline que, com apenas 10 anos, tinha aperfeiçoado a maneira brusca de sua mãe de falar ao telefone. Cassidy, pelo menos, tinha a cortesia de atender com um "alô".

– Oi, querida – disse eu gentilmente, me odiando por ser servil com uma criança. – É Andrea, do escritório. A sua mãe está aí?

– Quer dizer minha *mãe?* – corrigiu como sempre fazia quando eu usava a pronúncia americana. – É claro, vou chamá-la.*

Um momento depois, Miranda estava na linha.

*Mom é a pronúncia americana, e mum, a britânica. *(N. do E.)*

– Sim, Ahn-dre-ah? É melhor que seja importante. Sabe como me sinto ao ser interrompida quando estou com as meninas – declarou de seu modo frio e apressado. *Sabe como me sinto ao ser interrompida quando estou com as meninas?* Eu quis gritar. *Está me gozando, senhora? Acha que estou ligando pela minha maldita saúde? Porque não aguento passar um fim de semana sem escutar a sua voz desgraçada? E que tal o meu tempo com as minhas amigas?* Achei que ia desmaiar de raiva, mas respirei fundo e mergulhei.

– Miranda, lamento que seja um mau momento, mas estou ligando para confirmar se recebeu os exemplares de *Harry Potter*. Ouvi sua mensagem dizendo que ainda não os tinha recebido, mas falei com todo mundo e...

Ela me interrompeu no meio da frase e falou devagar e com firmeza.

– Ahn-dre-ah. Devia escutar com mais atenção. Eu não disse isso. Recebemos o pacote de manhã cedo. Incidentalmente, chegou tão cedo que nos acordaram para essa tolice.

Eu não pude acreditar no que estava ouvindo. Não sonhei que ela tinha deixado o recado, sonhei? Eu ainda era jovem demais para o início do mal de Alzheimer, certo?

– O que eu disse foi que não recebemos *os dois* exemplares do livro, como eu tinha pedido. O pacote incluía somente um, e sei que pode imaginar como as meninas ficaram desapontadas. Elas estavam realmente ansiosas para terem o seu *próprio* livro, como eu tinha pedido. Preciso que me explique por que minhas ordens não foram obedecidas.

Isso não estava acontecendo. Não podia estar acontecendo. Eu só podia estar sonhando, vivendo algum tipo de existência em um universo alternativo, onde tudo o que se parece com racionalidade e lógica foi suspenso por tempo indeterminado. Nem mesmo me daria o trabalho de considerar o absurdo do que estava acontecendo.

– Miranda, eu me lembro de que pediu dois exemplares e encomendei dois – gaguejei me odiando de novo por estar bajulando. –

Falei com a garota do departamento de livros escolares e tenho certeza de que ela entendeu que você precisava de dois exemplares do livro, por isso não consigo imaginar...

– Ahn-dre-ah, sabe o que sinto em relação a desculpas. Não estou interessada em ouvir as suas. Espero que nunca mais ocorra algo desse tipo, certo? Isso é tudo. – Desligou.

Fiquei ali pelo que pareceu cinco minutos completos, escutando o som de fora do gancho com o telefone pressionado ao meu ouvido. Minha mente acelerou, cheia de perguntas. Poderia matá-la? Eu me perguntei, considerando a probabilidade de ser pega. Presumiriam automaticamente que tinha sido eu? É claro que não, concluí – todo mundo, pelo menos na *Runway*, tinha um motivo. Tinha eu, realmente, as condições emocionais para observar a sua morte demorada, terrivelmente dolorosa? Bem, sim, isso com certeza – qual seria a maneira mais agradável de extinguir a sua existência deplorável?

Desliguei o telefone lentamente. Teria eu não compreendido mesmo a sua mensagem quando a escutei mais cedo? Peguei o meu celular e repeti a mensagem. "*Ahn-dre-ah. É Miranda. São nove da manhã de domingo em Pah-ris e as meninas ainda não receberam seus livros. Ligue para mim no Ritz para me assegurar de que chegarão logo. Isso é tudo.*" Nada estava errado. Ela pode ter recebido um exemplar em vez de dois, mas, deliberadamente, deu a impressão de que eu tinha cometido um erro tremendo, que acabaria com a minha carreira. Tinha ligado sem se preocupar que a sua ligação às nove da manhã me pegaria aqui às três da manhã, no meu fim de semana mais perfeito em meses. Tinha ligado para me deixar mais maluca, para me provocar mais um pouco. Tinha ligado para que eu me atrevesse a desafiá-la. Tinha ligado para me fazer odiá-la muito mais.

7

A festa de réveillon de Lily, em seu apartamento, foi boa e discreta, apenas muitos copos de papel cheios de champanhe, com um bando de gente da faculdade e alguns outros que conseguiram arrastar junto. Nunca fui muito fã desse dia. Não me lembro de quem o chamou, pela primeira vez, de "Noitada de Amadores" (acho que foi Hugh Hefner), dizendo que ele saía nos outros 364 dias do ano, mas eu tendo a concordar. Toda a bebida e alegria forçada não são garantia de bons momentos. De modo que Lily tinha se adiantado e organizado uma pequena festa para poupar nós todos de pagar 150 dólares em entradas para alguma boate ou, o que seria pior, qualquer pensamento absurdo de congelar na Times Square. Cada um levou uma garrafa de alguma coisa não forte demais e ela distribuiu apitos, reco-recos e tiaras luminosas. Ficamos completamente bêbados e felizes, e brindamos o ano-novo em seu terraço com vista para o Harlem. Embora tivéssemos todos bebido demais, Lily estava muito mal quando os convidados foram embora. Já tinha vomitado duas vezes e fiquei com medo de deixá-la sozinha no apartamento. Assim, Alex e eu arrumamos uma bolsa com algumas coisas suas e a levamos no táxi conosco. Ficamos todos em meu apartamento, Lily no colchonete na sala, e saímos para um grande *brunch* no dia seguinte.

Fiquei feliz quando o feriado acabou. Estava na hora de seguir com a minha vida e começar – começar de verdade – no novo emprego. Embora parecesse que eu estava trabalhando há uma década, tecnicamente eu só estava começando. Tinha muita esperança de que as coisas melhorariam depois que Miranda e eu começássemos a trabalhar juntas diariamente. Qualquer um podia ser um monstro insensível ao telefone, especialmente alguém desconfortável com as férias e tão distante do trabalho. Mas eu estava convencida de que a desgraça do primeiro mês seria substituída por uma situação completamente nova, e estava empolgada em ver como se desenrolaria.

Passava um pouco das dez de um 3 de janeiro frio e cinza, e eu me sentia, de fato, feliz por estar no trabalho. Feliz! Emily estava entusiasmada com um cara que conhecera em uma festa de réveillon em Los Angeles, um "compositor de música super quente e promissor", que tinha prometido vir visitá-la em Nova York nas próximas semanas. Eu estava conversando com o redator de beleza, que ficava mais além no corredor, um rapaz realmente doce que tinha se formado na Vassar e cujos pais não sabiam – apesar da sua escolha na universidade e o fato de ser um redator de *beleza* em uma revista *de moda* – que ele, na verdade, dormia com rapazes.

– Oh, venha comigo, por favor? Vai ser tão divertido, juro. Vou apresentá-la a gente quente, Andy, você vai ver. Tenho amigos heterossexuais maravilhosos. Além disso, é festa do *Marshall.* Vai ser fantástica. – James falou baixinho, apoiado em minha mesa enquanto eu verificava meu e-mail. Emily estava papeando animada, no seu lado da sala, detalhando seu encontro com o cantor de cabelo comprido.

– Eu iria, sabe, iria, mas já combinei com o meu namorado de sair hoje à noite, desde antes do Natal – eu disse. – Planejamos há semanas sair para jantar em um bom restaurante, e eu cancelei da última vez.

– Você pode vê-lo depois! Vamos, não é todo dia que temos a chance de conhecer o cabeleireiro mais talentoso do mundo civilizado! E haverá um monte de celebridades, todo mundo lindo e, bem, só sei que será a festa mais glamourosa da semana! 'Harrison e Shriftman' a estão produzindo, pelo amor de Deus, você não pode faltar. Diga sim. – Ele franziu a cara, estreitando exageradamente os olhos, e eu tive de rir.

– James, eu gostaria, eu realmente gostaria de ir. Nunca estive no Plaza! Mas não posso mudar os planos. Alex fez reserva no restaurante italiano do lado de sua casa e não tenho como marcar para outro dia. – Eu sabia que não podia cancelar, nem queria. Queria passar a noite sozinha com Alex e ouvir como o seu programa extracurricular estava se desenvolvendo, mas lamentava que tivesse de ser na mesma noite dessa festa. Eu tinha lido sobre ela no jornal na semana passada: parecia que toda Manhattan estava esperando, em êxtase, a festa anual pós-Ano-Novo que Marshall Madden, o cabeleireiro colorista extraordinário, oferecia. Diziam que neste ano seria ainda maior, porque Marshall havia acabado de publicar um novo livro, *Color Me Marshall.* Mas eu não ia cancelar o encontro com meu namorado para ir a uma festa badalada.

– Está bem, mas não diga que nunca a convidei a ir a lugar nenhum. E não me apareça chorando depois de ler amanhã, no *Page Six,** que fui visto com Mariah ou J-Lo. Por favor. – E foi embora ofendido, meio brincando que estava com raiva, meio falando sério, já que, de qualquer jeito, parecia estar sempre irritado.

Até agora, a semana depois do Ano-Novo tinha sido fácil. Ainda estávamos desembrulhando e catalogando presentes – eu tinha aberto o par de saltos finos Swarovski mais impressionantes de manhã –, mas não havia presente algum para mandar e os telefones estavam silenciosos, já que muita gente ainda estava fora. Miranda retornaria de Paris no fim da semana, mas só iria ao escritório na segunda-feira. Emily estava confiante de que eu estava preparada para lidar com ela, e eu também. Tínhamos passado por tudo, e eu tinha usado quase um bloco inteiro com anotações. Relanceei os olhos para ele, torcendo para me lembrar de tudo. Café: somente Starbucks, copo comprido de café com leite, dois cubinhos de açúcar, dois guardanapos, um mexedor. Desjejum: Mangia delivery, 555-3948, um queijo Danish, quatro fatias de bacon, duas salsichas. Jornais: banca no saguão, *New York Times, Daily News, New York Post, Financial Times, Washington Post, USA Today, Wall Street Journal, Women's Wear Dialy* e o *New York Observer* às quartas. Revistas semanais disponíveis às segundas: *Time, Newsweek, U.S. News, The New Yorker* (!), *Time Out New York, New York, Economist.* E por aí afora, listando suas flores favoritas e as mais detestadas, nome, endereço e telefone da casa de seus médicos, criados, lanches preferidos, água mineral preferida, seu tamanho em cada peça de roupa, da lingerie às botas de esquiar. Fiz

*Coluna social e de fofocas do *New York Post.* (*N. do R.*)

uma lista das pessoas com quem ela queria falar *(Sempre)*, e listas separadas de pessoas com quem ela nunca queria falar *(Nunca)*. Escrevi, escrevi e escrevi enquanto Emily revelava essas coisas durante as semanas juntas, e, quando terminamos, achei que não havia nada que eu não conhecesse sobre Miranda Priestly. Exceto, é claro, o que a tornava tão importante para que eu tivesse enchido um bloco com a lista das coisas de que gostava e não gostava. Por que, exatamente, eu teria de me importar com isso?

– Sim, ele é surpreendente – Emily dizia com um suspiro, torcendo o fio do telefone em seu dedo indicador. – Foi o fim de semana mais romântico que já vivi.

Pim! Você tem um novo e-mail de Alexander Fineman. Clique aqui para abrir. Opa, divertido. Elias-Clark tinha bloqueado o programa de mensagens instantâneas, mas, por algum motivo, eu ainda recebia notificações instantâneas de que tinha novo e-mail.

> Oi, gata, como foi seu dia? As coisas aqui estão uma loucura, como sempre. Lembra que contei a você que Jeremiah tinha ameaçado todas as meninas com um estilete que havia trazido de casa? Bem, parece que ele falava sério. Trouxe outro para a escola hoje, cortou os braços de uma menina no recreio e a chamou de puta. Não foi um corte profundo, mas, quando o professor lhe perguntou de onde tinha tirado essa ideia, ele disse que o namorado de sua mãe faz isso com ela. Ele tem 6 anos. Andy, dá para acreditar? De qualquer maneira, o diretor convocou uma reunião de emergência para hoje à noite, portanto acho que não vamos poder jantar. Eu sinto muito! Mas tenho de admitir que estou feliz por eles estarem reagindo a isso tudo, é mais do que eu tinha esperado. Você entende, não? Por favor, não fique com raiva. Ligo mais tarde e prometo compensá-la. Amor, A.

Por favor, não fique com raiva? Espero que entenda? Um de seus alunos da quarta série tinha *cortado* uma aluna e ele esperava que ficasse tudo bem por cancelar o jantar? Cancelei com ele na minha primeira semana de trabalho porque achei que a minha semana de rodar pela cidade de limusine e embrulhar presentes tinha sido estafante demais. Senti vontade de chorar, de ligar para ele e dizer que é claro que estava tudo bem, que eu estava orgulhosa dele por cuidar dessas crianças, antes de mais nada, por ter aceitado esse trabalho. Cliquei no "responder" e estava para começar a escrever quando ouvi meu nome.

– Andrea! Ela está chegando. Estará aqui em dez minutos – anunciou Emily em voz alta, obviamente se esforçando para ficar calma.

– O quê? Desculpe, não ouvi...

– Miranda está vindo para cá neste momento. Precisamos estar prontas.

– Vindo para o escritório? Mas achei que ela nem estaria de volta ao país antes de sábado...

– Bem, é claro que ela mudou de ideia. Agora, mexa-se! Desça e pegue seus jornais e deixe-os como lhe ensinei. Quando acabar, limpe sua mesa e deixe um copo de água Pellegrino no lado esquerdo, com gelo e limão. E verifique se não falta nada em seu banheiro, ok? Vá! Ela já está no carro, de modo que deve chegar em menos de dez minutos, dependendo do trânsito.

Quando saí correndo da sala, ouvi Emily discando, sucessivamente, ramais de quatro dígitos e quase gritando: "Ela está a caminho. Avise todo mundo." Só precisei de três segundos para percorrer o corredor sinuoso e atravessar o departamento de moda, mas já escutei gritos de pânico: "Emily disse que ela está a caminho" e "Miranda está chegando!". E um grito particularmente horripilante de "Ela está de vooooooooooolta!". Assistentes se puseram a arrumar as roupas freneticamente nas prateleiras e paredes, e editoras dispararam para suas salas. Vi uma mudando seus sapatos de salto baixo para um de saltos finos de 10 centímetros, enquanto outra passava batom, rímel e ajustava a alça do sutiã sem nem mesmo diminuir a velocidade. Quando o editor geral saiu do banheiro masculino, relanceei os olhos ao passar por ele e vi James parecendo empolgado, checando se havia fios de tecido em sua suéter de *cashmere* preta, enquanto colocava, espasmodicamente, anti-ácidos na boca. A não ser que o banheiro de homens estivesse equipado com alto-falantes para essas ocasiões, eu não sabia como ele já tomara conhecimento.

Eu estava morta de vontade de parar e observar como a cena se desenrolaria, mas tinha menos de dez minutos para me preparar para o primeiro encontro com Miranda, como a sua atual assistente, e não ia estragá-lo. Até então, eu tinha tentado não demonstrar que estava correndo, mas ao ver a absoluta falta de dignidade de todos, disparei.

– Andrea! Sabe que Miranda está a caminho, não sabe? – gritou Sophy da mesa da recepção quando passei voando.

– Sim, eu sei, mas como você sabe?

– Docinho, eu sei tudo. Sugiro que se apresse. Uma coisa é certa: Miranda não gosta de esperar.

Pulei para dentro do elevador e gritei um obrigada.

– Volto em três minutos com os jornais!

As duas mulheres no elevador me olharam com nojo, e me dei conta de que tinha gritado.

– Desculpe – eu disse, tentando recobrar o fôlego. – Acabamos de saber que a nossa diretora está a caminho do escritório e não estávamos preparados, por isso todo mundo está um pouco nervoso. – *Por que estou me justificando para essas pessoas?*

– Ó meu Deus, você deve trabalhar para Miranda! Espere, deixe eu adivinhar. É a nova assistente de Miranda? Andrea, certo? – A morena de pernas longas expôs o que deviam ter sido quatro dúzias de dentes e avançou como uma piranha. A sua amiga se iluminou instantaneamente.

– Ahn, sim, Andrea – eu disse, repetindo o meu próprio nome como se não tivesse certeza de que era meu. – E, sim, sou a nova assistente de Miranda.

Neste momento, o elevador chegou ao saguão e as portas se abriram para o mármore branco. Fui para a frente das mulheres e me lancei para fora antes mesmo de as portas estarem completamente abertas. E ouvi uma delas gritar:

– Você é uma garota de sorte, Andrea. Miranda é uma mulher incrível, e um milhão de garotas dariam a vida pelo seu cargo!

Tentei não colidir com um grupo de advogados, que pareciam muito infelizes, e quase me choquei com a banca no canto do saguão, que um homenzinho do Kuwait, chamado Ahmed, presidia sobre uma exposição de títulos de publicações de luxo e uma série, muito mais esparsa, de balas dietéticas e refrigerantes diet. Emily tinha me apresentado a Ahmed antes do Natal, como parte do meu treinamento, e esperava que ele pudesse ser recrutado para me ajudar agora.

– Pare aí, já! – gritou ele quando eu tirava jornais de suas prateleiras de arame. – Você é a nova garota de Miranda, certo? Venha cá.

Virei-me e vi Ahmed abaixar-se e remexer debaixo da registradora, o rosto ficando um tanto vermelho demais com o esforço.

– Ah-ha! – gritou de novo, ficando em pé de um pulo com toda a agilidade de um homem velho com duas pernas quebradas. – Para você. Para que, assim, não faça bagunça na minha banca. Eu os separo todo dia para você. Talvez também para garanti-los antes que acabem. – Ele piscou um dos olhos.

– Ahmed, obrigada. Não imagina como isso ajuda. Acha que posso pegar as revistas agora também?

– É claro. Veja, já é quarta-feira e todas saíram na segunda. A sua chefe provavelmente não vai gostar disso – disse com experiência. E, de novo, estendeu o braço para baixo da registradora e, de novo, levantou-o cheio de revistas, que, com uma olhada rápida, confirmei serem todas as da minha lista. Nem uma a mais, nem uma a menos.

Cartão de identidade, cartão de identidade, onde diabos estava o maldito cartão? Pus a mão dentro da minha blusa branca engomada, abotoada até o pescoço, e achei o cordão de seda que Emily tinha feito para mim de uma das echarpes Hermès brancas de Miranda. "Nunca use o cartão quando ela estiver por perto, é claro", ela tinha dito, "só em caso de se esquecer de tirá-lo, pelo menos não o estará usando com uma corrente de plástico." Tinha, praticamente, cuspido as duas últimas palavras.

– Aqui está, Ahmed. Muito obrigada pela ajuda, mas estou na maior pressa. Ela está a caminho.

Ele passou meu cartão pelo leitor do lado da máquina e colocou o cordão de seda em volta do meu pescoço como um colar havaiano.

– Agora, corra! Corra!

Agarrei a sacola de plástico cheia e corri, tirando de novo o cartão para passá-lo na roleta da segurança e poder entrar no elevador. Passei o cartão. Nada. Passei de novo, dessa vez com mais força. Nada.

Eduardo, o segurança gordinho e um pouco suado, começou a cantar *Material Girl* com a voz aguda, por trás de sua mesa. Merda. Eu já sabia, sem precisar olhar, que o seu sorriso, conspirador e imenso, exigia de novo – como todo o santo dia nas últimas semanas – que eu brincasse com ele. Parece que o seu repertório de músicas chatas, que ele adorava cantar, era inesgotável, e ele não me deixaria passar até eu representá-las. No dia anterior tinha sido *I'm Too Sexy* eu tive de descer uma rampa imaginária no saguão. Até podia ser divertido quando eu estava com um humor decente. Às vezes, até mesmo me fazia sorrir. Mas era o meu primeiro dia com Miranda, eu não podia me atrasar arrumando as suas coisas, eu simplesmente não podia. Eu *queria feri-lo* por me deter quando todas as outras pessoas passavam chispando, sem problemas nas roletas, pela mesa da segurança, nos meus dois lados.

Cantei parte da música murmurando, alongando e deixando as palavras morrer, como Madonna.

Ele ergueu uma das sobrancelhas.

– E o entusiasmo, amiga?

Achei que ia fazer algo violento se ouvisse a voz de novo, de modo que larguei a sacola de jornais no balcão, levantei os dois braços e joguei os quadris para a esquerda, fazendo um beicinho dramático.

Quase gritei a música, e ele bateu palmas e bradou *uau!* Deixou que eu passasse.

Anotação mental: Discutir com Eduardo quando e onde for apropriado para me fazer pagar mico. Mais uma vez, mergulhei nos elevadores e passei correndo por Sophy, que gentilmente abriu as portas do andar sem fazer perguntas. Até mesmo me lembrei de parar em uma das minicopas e pôr gelo em um dos copos de pé Baccarat que guardávamos em um armário especial sobre o micro-ondas, só para Miranda. Copo em uma das mãos, jornais na outra, fiz a curva no corredor e dei de cara com Jessica, também conhecida como "Garota Manicure". Ela parecia ao mesmo tempo aborrecida e tomada pelo pânico.

– Andrea, já sabe que Miranda está a caminho do escritório? – perguntou, olhando-me da cabeça aos pés.

– É claro que sei. Estou com seus jornais e sua água e preciso deixá-los em sua sala. Se me dá licença...

– Andrea! – chamou ela quando passei correndo, um cubo de gelo voando do copo e aterrissando do lado de fora do departamento de arte. – Não se esqueça de trocar os sapatos!

Parei no ato e olhei para baixo. Estava usando um par de tênis básico. As normas do vestuário – tácitas e não tácitas – eram obviamente menos rígidas quando Miranda estava fora, e embora todos no escritório parecessem fantásticos, cada um estava usando algo que juraria que nunca, jamais usaria na frente de Miranda. Meus tênis vermelhos, quadriculados, eram um exemplo perfeito.

Eu estava suando quando cheguei à nossa sala.

– Trouxe todos os jornais e também as revistas, por via das dúvidas. O único problema é, bem, não acho que possa usar estes sapatos, posso?

Emily tirou os fones de ouvidos e os jogou sobre a mesa.

– Não, é claro que não pode usar isso. – Pegou o telefone, discou quatro dígitos e comunicou: – Jeffy, me traga um par de Jimmy no tamanho... – olhou para mim.

– Trinta e nove. – Tirei uma garrafa pequena de Pellegrino do armário e enchi o copo.

– Trinta e nove. Não. Agora. Não, Jeffy, falo sério. Agora, já. Andrea está de tênis, pelo amor de Deus, tênis *vermelho*, e Ela está para chegar. Ok. Obrigada.

Foi então que percebi que nos quatro minutos que eu tinha estado lá embaixo, Emily tinha conseguido trocar seus jeans desbotados por calça de couro, e seu tênis básico por sapatos de saltos finos altos, abertos na frente. Também tinha limpado todo o escritório, varrendo tudo o que estava sobre as nossas mesas para as gavetas e escondendo no armário todos os presentes para Miranda que ainda não haviam sido transferidos para o seu apartamento. Tinha passado brilho nos lábios e colocado blush nas maçãs do rosto, e agora me fazia sinais para que me apressasse.

Peguei a sacola de jornais e os sacudi para fora em uma pilha sobre uma caixa de luz, espécie de mesa iluminada na qual Emily disse que Miranda passava horas seguidas examinando filmes que haviam sido enviados de sessões de fotos. Mas também era onde ela gostava que seus jornais fossem colocados e, mais uma vez, consultei meu bloco para a ordem correta. Primeiro, o *New York Times*, seguido do *Wall Street Journal*, e, então, o *Washington Post*. E assim sucessivamente, a ordem obedecendo a um padrão que eu não consegui distinguir, cada um colocado ligeiramente em cima do anterior, até se abrirem em leque. *Women's Wear Daily* era a única exceção: era para ser colocado no meio de sua mesa.

– Ela está aqui! Andrea, venha cá! Ela está subindo – ouvi Emily sibilar da área externa. – Uri acaba de ligar para dizer que acaba de deixá-la.

Pus o *WWD* na mesa, a Pellegrino no canto sobre um guardanapo de linho (de que lado? não conseguia me lembrar de que lado deveria ficar) e saí rápido da sala, dando uma última olhada em volta para me certificar de que estava tudo em ordem. Jeffy, um dos assistentes de moda que me ajudou a organizar o armário, jogou-me uma caixa de sapatos amarrada com um elástico. Abri a caixa imediatamente. Dentro estava um par de sapatos de salto Jimmy Choo, com tiras de pelo de camelo, cruzando em todas as direções e fivelas no meio disso tudo, provavelmente valendo uns 800 dólares. Merda! Tinha de calçá-los. Tirei o tênis e as minhas meias suadas e os enfiei debaixo da minha mesa. O direito entrou fácil, mas não consegui que a minha unha curta demais abrisse a fivela do esquerdo, até... pronto! Abri e joguei meu pé esquerdo dentro, observando as tiras aderirem à pele já inchada. Em mais alguns segundos, afivelei-o e estava voltando à posição ereta, quando Miranda entrou.

Paralisada. Eu fiquei absolutamente paralisada no meio do movimento, minha mente agindo rápido o bastante para perceber como eu devia parecer ridícula, mas não rápido o bastante para me mover. Ela me notou de imediato, provavelmente porque devia estar esperando ver Emily sentada à sua antiga mesa, e se aproximou. Inclinou-se sobre uma bancada em frente à minha mesa, debruçou-se sobre ela, chegando mais perto de mim, até ver meu corpo inteiro, imobilizado na cadeira. Seus olhos azuis moveram-se para cima e para baixo, de um lado para o outro, por toda a minha blusa branca abotoada até em cima, a minissaia Gap de veludo cotelê vermelha, as sandálias Jimmy Choo, de tiras de pelo de camelo e afiveladas, os olhos movendo-se rapidamente, mas a expressão permanecendo inalterada. Aproximou-se ainda mais, até seu rosto ficar a quase 30 centímetros do meu, e senti o aroma fantástico do xampu e perfume caros, tão perto que deu para ver as linhas finas em volta da sua boca e seus olhos, que se tornavam invisíveis a uma distância mais confortável. Mas não pude olhar durante muito tempo para o seu rosto, porque ela estava examinando, atentamente, o meu. Não havia a menor indicação de que ela reconhecia que a) nós tínhamos, de fato, nos conhecido antes; b) eu era a sua nova funcionária; ou c) eu não era Emily.

– Olá, Sra. Priestly – falei impulsivamente, embora em algum lugar no fundo da minha cabeça eu soubesse que ela ainda não tinha proferido uma palavra sequer. Mas a tensão foi insuportável, e não pude evitar me antecipar. – Estou tão emocionada por trabalhar para a senhora. Muito obrigada pela oportunidade de... – *Cale-se! Cale a sua boca estúpida!* Perda total da dignidade.

Ela afastou-se. Acabou de me olhar da cabeça aos pés, recuou da bancada e, simplesmente, foi embora enquanto eu gaguejava uma frase. Senti o calor subir por meu rosto, a sensação de confusão, dor e humilhação me dominou, e só piorou ao sentir Emily me olhando irritada. Ergui o rosto quente e confirmei que Emily estava me olhando fixamente, com irritação.

– O boletim está atualizado? – perguntou Miranda a ninguém em particular, entrando em sua sala e indo diretamente para a mesa de luz onde eu tinha disposto seus jornais.

– Sim, Miranda, aqui está – disse Emily obsequiosamente, correndo atrás dela e lhe entregando a prancheta onde prendíamos todas as mensagens de Miranda, digitadas como tinham chegado.

Sentei-me em silêncio, observando Miranda mover-se deliberadamente por sua sala nas molduras das fotos penduradas na parede: se eu olhasse para o vidro, não para as fotos em si, veria o seu reflexo. Emily, imediatamente, ficou ocupada em sua mesa e o silêncio se instalou. *Nunca conversamos uma com a outra ou com qualquer outra pessoa se ela estiver na sala?*, me perguntei. Escrevi um e-mail breve a Emily, perguntando isso, e a vi recebê-lo e lê-lo. Sua resposta chegou no mesmo momento: *Você entendeu,* escreveu ela. *Se eu e você precisarmos nos falar, sussurraremos. Senão, nada de conversa. E JAMAIS fale com ela a menos que ela fale com você. E NUNCA a chame de Sra. Priestly. É Miranda. Entendeu?* Senti de novo como se tivesse levado um tapa, mas ergui os olhos e concordei com a cabeça. E foi então que notei o casaco. Estava logo ali, uma pilha enorme de uma pele fabulosa, na beira da minha mesa, como um braço pendendo. Olhei para Emily. Ela girou os olhos, agitou a mão em direção ao armário e fez com a boca: "Pendure-o!" Era tão pesado quanto um edredom molhado, saindo da máquina de lavar, e precisei das duas mãos para evitar que se arrastasse no chão, mas pendurei-o, cuidadosamente, no cabide de seda e fechei o armário sem fazer barulho.

Não tinha ainda me sentado quando Miranda apareceu do meu lado, e, dessa vez, seus olhos estavam livres para percorrerem meu corpo inteiro. Por mais impossível que pareça, senti cada parte se inflamar com o seu olhar, mas eu estava paralisada, incapaz de me sentar. No instante em que o meu cabelo ia pegar fogo, aqueles olhos azuis implacáveis finalmente se detiveram nos meus.

– Queria o meu casaco – disse ela com calma, olhando diretamente para mim, e eu me perguntei se ela se perguntava quem eu era, ou se nem se importava com que houvesse uma estranha posando de sua assistente. Não houve nada além de um lampejo de reconhecimento, mesmo que a minha entrevista com ela tivesse acontecido algumas semanas antes.

– É claro – consegui dizer, e voltei ao armário, o que foi uma manobra desajeitada, pois ela estava em pé entre mim e ele. Virei meu corpo de lado para evitar bater nela e tentei passar e abrir a porta que tinha acabado de fechar. Ela não se moveu nem um centímetro para me dar passagem, e senti seus olhos continuando a me examinar. Finalmente, graças a Deus, minhas mãos envolveram a pele e puxei-a cuidadosamente para a liberdade. Minha vontade era jogá-lo para ela e ver se o pegava, mas me controlei no último segundo e o segurei aberto como um cavalheiro faria com uma senhora. Ela entrou nele com um movimento gracioso e pegou seu celular, o único item que levara para o escritório.

– Gostaria de ter o Livro hoje à noite, Emily – disse, saindo confiantemente da sala, provavelmente sem nem mesmo notar que um grupo de três mulheres no corredor se dispersou imediatamente ao vê-la.

– Sim, Miranda. Mandarei Andrea levá-lo.

E foi isso. Ela foi embora. E a visita que tinha inspirado o pânico pelo escritório todo, os preparativos frenéticos, até as correções na maquiagem e no vestuário, tinha durado menos de quatro minutos, e acontecido – até onde meus olhos inexperientes tinham visto – por absolutamente nenhum motivo.

8

– Não olhe agora – falou James, sem mexer os lábios, como um ventríloquo –, mas estou vendo Reese Witherspoon à direita.

Eu me virei imediatamente, ele se encolhendo de vergonha, e, sim, lá estava ela, bebendo uma taça de champanhe e jogando a cabeça para trás, dando uma risada. Eu não queria ficar impressionada, mas não consegui evitar: ela era uma das minhas atrizes favoritas.

– James, querido, estou tão contente que tenha vindo à minha festinha – gracejou um homem magro e lindo, que chegou por trás de nós. – E quem temos aqui? – Beijaram-se.

– Marshall Madden, o guru da cor, esta é Andrea Sachs. Andrea, na verdade...

– A nova assistente de Miranda – concluiu Marshall, sorrindo para mim. – Ouvi falar de você, gatinha. Bem-vinda à família. Eu realmente espero que venha me visitar. Prometo que juntos podemos, humm, suavizar a sua aparência. – Passou as mãos delicadamente sobre a minha cabeça e pegou as pontas do meu cabelo, que imediatamente ergueu contra as raízes. – Sim, apenas um toque de mel e será a próxima supermodelo. Pegue o meu número com James, ok, querida? E venha me ver na hora que quiser. Provavelmente é mais fácil falar do que fazer! – cantou e deslizou na direção de Reese.

James deu um suspiro e continuou parecendo melancólico.

– Ele é um mestre – falou baixinho –, simplesmente o melhor. O definitivo. Um homem entre meninos, no mínimo. E lindo. – Um homem entre meninos? Engraçado. Antes, sempre que alguém usava essa frase, eu imaginava Shaquille O'Neal. Não um cabeleireiro.

– Ele é realmente lindo, concordo. Já o namorou? – Parecia a combinação perfeita: o redator de beleza da *Runway* saindo com o cabeleireiro colorista mais badalado do mundo da moda.

– Bem que gostaria. Ele está com o mesmo cara há quatro anos. Dá para acreditar? Quatro anos. Desde quando homens gays sensuais têm permissão de ser monogâmicos? Não é justo!

– Ei, ouvi direito? Desde quando homens heterossexuais sensuais têm permissão para ser monogâmicos? Bem, a menos que sejam monogâmicos comigo, claro. – Dei uma longa tragada no meu cigarro e soprei um anel de fumaça perfeito.

– Vamos, admita, Andy. Diga-me que está feliz por ter vindo. Diga-me se não é a maior festa que já houve – disse ele sorrindo.

Eu tinha decidido, de má vontade, ir com James, depois de Alex ter cancelado o jantar, principalmente porque ele não me deixaria em paz. Parecia impossível que uma única coisa interessante transpirasse de uma festa para o lançamento de um livro sobre celebridades, mas eu tinha de admitir que me surpreendera. Quando Johnny Depp se aproximou para cumprimentar James, fiquei chocada ao ver que, além de dominar completamente a língua inglesa, era capaz de, até mesmo, fazer algumas piadas engraçadas. E foi extremamente gratificante ver que Gisele, a mais atraente de todas as garotas, era incontestavelmente baixa. É claro que seria ainda melhor descobrir que ela era atarracada também, ou tinha um sério problema de acne que havia sido oculto com retoques em suas maravilhosas fotos de capa, mas decidi pelo "baixa". De maneira geral, essa hora e meia até agora não tinha sido nada ruim.

– Não sei se iria tão longe – eu disse, inclinando-me para ele para poder ver de relance um cara bonitão que parecia emburrado em um canto perto da mesa com os livros. – Mas não é tão repugnante quanto eu tinha imaginado. E, além do mais, estou pronta para qualquer coisa depois do dia que tive.

Depois da chegada e partida abruptas de Miranda, Emily me informou que essa noite seria a primeira vez que eu teria de levá-lo ao apartamento de Miranda. O Livro era uma grande coleção de páginas, atadas com arame, tão grande quanto um catálogo de telefone, no qual cada número atual da *Runway* era simulado e desenhado. Explicou que nenhum trabalho substancial poderia ser feito até depois de Miranda ir embora, porque todo o pessoal da arte e da redação passava o dia inteiro se consultando com ela, e ela mudando de ideia a toda hora. Portanto, quando Miranda saía por volta das cinco, todo dia, para ficar um pouco com as gêmeas, é que o verdadeiro dia de trabalho começava. O departamento de arte, então, criaria o novo layout e incluiria algumas novas fotos que tinham chegado, e a redação adaptaria e imprimiria qualquer exemplar que, por fim, houvesse obtido a aprovação de Miranda – um gigantesco, floreado, "MP" ocupando toda a primeira página. Cada redator enviaria todas as mudanças diárias ao assistente de arte, que, horas depois de quase todo mundo ter ido embora, passaria as imagens, os layouts e as palavras por uma pequena máquina que encerava o verso das páginas e os pressionava na página adequada do Livro. Então, cabia a mim levá-lo ao apartamento de Miranda sempre que era concluído – entre oito e onze da noite, dependendo de onde estávamos no processo da produção –, e, nesse ponto, ela faria anotações em cima de tudo. Ela o levaria no dia seguinte e a equipe inteira recomeçaria tudo mais uma vez.

Quando Emily me ouviu dizer a James que, afinal, iria à festa com ele, interrompeu no mesmo momento.

– Humm, você sabe que não irá a lugar nenhum até o Livro estar pronto, certo?

Eu a encarei. James pareceu que ia se atracar com ela.

– Sim, devo dizer que esta é a parte de seu trabalho que mais me dá prazer não mais caber a mim. Às vezes, fica pronto muito tarde, mas Miranda precisa vê-lo toda noite, sabe? Ela trabalha em casa. De qualquer jeito, vou esperar com você hoje à noite para mostrar como fazer, mas depois ficará por sua conta.

– Ok, obrigada. Faz ideia de quando estará pronto hoje?

– Nenhuma. Muda toda noite. Tem que perguntar ao departamento de arte.

O Livro finalmente ficou pronto cedo, às oito e meia, e depois de eu pegá-lo com um assistente de arte com a aparência exausta, Emily e eu descemos andando a rua 59. Emily estava com os braços carregados de roupas, que acabavam de ser lavadas a seco, em cabides, envolvidas com plástico, e me explicou que as roupas lavadas sempre acompanhavam o Livro. Miranda levava suas roupas sujas ao escritório, e, por acaso, cabia a mim ligar para a lavanderia e informar que tínhamos roupa para lavar. Eles mandavam alguém, imediatamente, ao edifício Elias-Clark buscar a roupa e a devolviam em perfeito estado no dia seguinte. Nós a guardávamos no armário da nossa sala até a entregarmos a Uri ou a levarmos nós mesmas ao apartamento. Meu trabalho estava ficando cada vez mais estimulante intelectualmente!

– Oi, Rich! – Emily chamou animada, falsamente, o homem da expedição, o que mascava o cachimbo e que eu conhecera no meu primeiro dia. – Esta é Andrea. Ela vai levar o Livro toda noite, de modo que tenha certeza de que ela tenha um bom carro, ok?

– Pode deixar, ruiva. – Tirou o cachimbo da boca e fez um gesto na minha direção. – Vou tomar conta direitinho da lourinha ali.

– Ótimo. Ah, e pode conseguir outro carro que nos siga até a casa de Miranda? Andrea e eu iremos para lugares diferentes depois de deixarmos o Livro.

Duas limusines enormes estacionaram nesse mesmo momento, e o motorista da primeira saiu precipitadamente do banco da frente e abriu as portas de trás para nós duas. Emily entrou primeiro, pegou o celular e disse:

– Apartamento de Miranda Priestly, por favor. – Ele concordou com a cabeça, engrenou o carro, e partimos.

– É sempre o mesmo motorista? – eu disse, perguntando-me como ele sabia aonde ir.

Ela fez um sinal para eu me calar enquanto deixava um recado para sua companheira de apartamento. Depois, disse:

– Não, são muitos motoristas trabalhando para a empresa. Eu já andei com todos no mínimo umas vinte vezes, de modo que agora sabem o caminho. – Ela voltou a discar o celular. Olhei para trás e vi a segunda limusine imitando, cuidadosamente, as nossas viradas e paradas. Estacionamos em frente a um edifício típico da Quinta Avenida: calçada imaculada, sacadas bem cuidadas, e o que parecia um saguão magnífico, iluminado acolhedoramente. Um homem de smoking e chapéu veio imediatamente ao carro, abriu a porta para nós e Emily saiu. Eu me perguntei por que não deixávamos o Livro e as roupas com ele. Até onde entendia – o que não era muito, em especial no que se relacionava a essa cidade –, os porteiros eram para isso. Quer dizer, esse é o seu trabalho. Mas Emily pegou um chaveiro de couro Louis Vuitton em sua grande bolsa Gucci e me deu.

– Eu espero aqui. Você leva tudo ao apartamento dela, cobertura A. Apenas abra a porta e deixe o livro sobre a mesa no foyer e pendure as roupas nos ganchos do lado do armário. Não *no* armário, *do lado* do armário. E saia. Não bata nem aperte a campainha de jeito nenhum. Ela não gosta de ser incomodada. Entre e saia sem fazer ruído! – Ela me entregou o emaranhado de cabides de arame e plástico e tornou a abrir o celular. *Está bem, posso tratar disso. Por que tanto drama por um livro e algumas calças?*

O ascensorista sorriu gentilmente e apertou, sem falar, o botão da cobertura depois de girar uma chave. Ele parecia uma esposa que apanhou do marido, rejeitada e triste, que, como não pudesse mais lutar, se resignara à sua infelicidade.

– Vou esperar aqui – disse ele baixinho, olhando fixo para o chão. – Você não deve demorar mais de um minuto.

O carpete do corredor era de cor vinho-escuro, e eu quase caí quando um dos meus saltos ficou preso. As paredes tinham sido cobertas por um tecido espesso, cor creme, listras bem fininhas, e havia um banco forrado de camurça creme encostado na parede. As portas de vidro diretamente à minha frente informavam Cob. B, mas me virei e vi outras idênticas com Cob. A. Precisei de todo o controle para não tocar a campainha, lembrando-me do aviso de Emily, e girei a chave na fechadura. Estalou no mesmo instante, e antes que eu pudesse aieitar o cabelo ou imaginar o que havia no outro lado, vi-me em um *foyer* grande e arejado, sentindo o cheiro mais incrível de costeletas de carneiro. E lá estava ela, levando delicadamente o garfo à boca enquanto duas meninas idênticas, de cabelo preto, gritavam uma para a outra, cada qual de um lado da mesa, e um homem alto, de aparência vigorosa, o cabelo grisalho e um nariz grande que tomava todo o rosto, lia um jornal.

– Mãe, diz para ela que não pode entrar no meu quarto e pegar meu jeans! Ela não quer me escutar – uma delas pediu a Miranda, que havia posto o garfo sobre o prato e tomava um gole do que eu sabia ser Pellegrino com limão, no lado *esquerdo* da mesa.

– Caroline, Cassidy, chega. Não quero mais ouvir. Tomas, traga um pouco mais de gelatina de menta – gritou. Um homem, que presumi ser o *chef*, apareceu rápido com uma tigela de prata sobre uma travessa de prata.

E então percebi que estava ali por quase trinta segundos, observando-os jantar. Eles ainda não tinham me visto, mas veriam assim que eu me movesse para a mesa do hall. Fiz isso com cuidado, mas senti todos se virarem para me olhar. Antes de fazer algum tipo de cumprimento, lembrei-me da vergonha que passei no nosso primeiro encontro mais cedo, nesse mesmo dia, gaguejando como uma idiota, e fiquei com a boca fechada. *Mesa, mesa, mesa.* Ali estava. *Pôr o livro na mesa.* E agora as roupas. Olhei em volta procurando freneticamente o lugar em que deveria pendurar a roupa limpa, mas não encontrei. A mesa de jantar tinha se silenciado, e senti todos me observando. Ninguém disse alô. Não parecia incomodar às meninas uma completa estranha estar em seu apartamento. Finalmente, vi um armário atrás da porta, e consegui pendurar cada cabide torcido e escorregadio.

– No armário não, Emily – ouvi Miranda gritar, devagar e deliberadamente. – Nos ganchos que são exatamente para isso.

– Oh, humm, oi. – *Idiota! Cala a boca! Ela não está esperando uma resposta, apenas faça o que ela manda!* Mas não consegui evitar. Era esquisito demais ninguém dizer um olá ou se perguntar quem eu era, ou admitir que alguém acabara de entrar em seu apartamento e vagueava por ali. E *Emily*? Estava brincando? Era cega? Não podia mesmo dizer que eu não era a garota que trabalhara para ela por mais de um ano? – Sou Andrea, Miranda. A sua nova assistente.

Silêncio. Um silêncio penetrante, insuportável, sem fim, ensurdecedor, debilitador.

Eu sabia que não podia continuar falando, sabia que estava cavando a própria sepultura, mas não consegui me controlar.

– Humm, bem, desculpe a confusão. Vou só pendurar a roupa nos ganchos como você disse e saio logo. – *Pare de falar! Ela não dá a mínima para o que você está fazendo. Apenas faça e saia.* – Ok, tenham um bom jantar. Foi um prazer conhecer vocês. – Virei-me para sair e percebi que não somente o mero ato em si de falar era ridículo como também estava falando coisas idiotas. *Um prazer conhecer vocês?* Eu não tinha sido apresentada a nenhum deles.

– Emily! – ouvi quando a minha mão tocou na maçaneta. – Emily, que isso não se repita amanhã à noite. Não estamos interessados na interrupção. – E a maçaneta girou por si só na minha mão e, finalmente, eu estava no corredor. Tudo tinha acontecido em menos de um minuto, mas eu me sentia como se tivesse nadado a extensão de uma piscina olímpica sem virar a cabeça para respirar.

Caí no banco e respirei fundo várias vezes. Que vaca! A primeira vez que me chamou de Emily poderia ter sido um engano, mas a segunda foi sem dúvida nenhuma deliberada. Que melhor maneira de diminuir e marginalizar alguém que não insistir em chamá-lo pelo nome errado, depois de recusar reconhecer a presença desse alguém em sua própria casa? Eu já sabia que era a forma de vida inferior, a mais insignificante na revista – como Emily ainda não perdera uma oportunidade para me mostrar –, mas era realmente tão necessário assim que Miranda se certificasse de que eu estava consciente disso?

Não estaria fora da realidade ficar ali a noite toda, disparando balas mentais na porta da Cob. A, mas ouvi um pigarro e ergui os olhos, e me deparei com o homenzinho triste do elevador observando o patamar e esperando pacientemente por mim.

– Desculpe – eu disse, arrastando-me para dentro do elevador.

– Não tem problema – ele quase sussurrou, estudando atentamente o assoalho de madeira. – Vai ficar mais fácil.

– O quê? Desculpe, não ouvi o que...

– Nada, nada. Chegamos, mocinha. Tenha uma boa noite. – A porta abriu-se para o saguão, onde Emily conversava em voz alta no celular. Desligou e fechou-o ao me ver.

– Como foi? Sem problemas, certo?

Pensei em contar o que tinha acontecido, desejei ardentemente que ela fosse uma colega de trabalho solidária, que pudéssemos formar uma equipe, mas sabia que simplesmente receberia mais uma chicotada verbal. *Portanto, não interessava nesse momento contar nada.*

– Foi tudo bem. Sem problema algum. Estavam jantando e deixei tudo exatamente onde você disse.

– Ótimo. Bem, é isso que você vai fazer toda noite. Depois, pegue o carro para casa e pronto. De qualquer jeito, divirta-se na festa de Marshall hoje. Eu iria, mas marquei a depilação da virilha e não posso cancelar. Acredita que não há hora pelos dois próximos meses? E estamos no meio do inverno. Não deve haver horário por causa das pessoas que estão saindo de férias. Certo? Mas não consigo entender por que toda mulher em Nova York precisa de depilação na virilha. É tão estranho, mas o que podemos fazer, não é?

Minha cabeça latejava ao ritmo de sua voz, e parecia que, independentemente do que eu fizesse ou de como respondesse, estava condenada para sempre a escutar a sua conversa sobre depilação da virilha. Teria sido melhor ouvi-la gritar comigo por ter interrompido o jantar de Miranda.

– É, o que podemos fazer? Bem, é melhor eu ir, disse a James que o encontraria às nove e já passam das dez. Até amanhã.

– Sim, até amanhã. Ah, agora que está bem treinada, continuará a entrar às sete, mas eu só chego às oito. Miranda sabe, compreende-se que a assistente sênior chegue mais tarde, já que trabalha muito mais. – Quase me lancei ao seu pescoço. – Portanto, siga a rotina da manhã como lhe ensinei. Ligue, se precisar, mas agora já deve saber o que tem de fazer. Tchau! – Pulou para o banco de trás do segundo carro, que estava esperando na frente do edifício.

– Tchau! – trinei, um enorme e falso sorriso estampado na cara. O motorista fez menção de sair do carro para abrir a porta de trás para mim, mas eu lhe disse que tudo bem eu entrar sozinha. – O Plaza, por favor.

James estava esperando na escada da frente, embora a temperatura fosse de –7°C. Tinha ido para casa se trocar e parecia muito, muito magro na calça de camurça preta e camiseta branca canelada, que exibia seu bronzeado artificial, perfeitamente aplicado, de meio de inverno. Eu continuava parecendo apropriadamente uma típica amadora na minha minissaia Gap.

– Ei, Andy, como foi a entrega do Livro? – Esperamos na fila para a revista dos nossos casacos e imediatamente localizei Brad Pitt.

– Meu Deus, é brincadeira. Brad Pitt está aqui?

– Sim, bem, Marshall faz o cabelo de Jennifer. De modo que ela também deve estar aqui. De verdade, Andy, talvez na próxima vez você acredite em mim quando eu disser para vir comigo. Vamos beber alguma coisa.

Os Reese e Johnny não paravam de passar, e por volta da uma da manhã, eu tinha tomado quatro drinques e estava tagarelando feliz com um assistente de moda da *Vogue*. Falávamos sobre depilação da virilha. Apaixonadamente. E não me incomodava nem um pouco. *Meu Deus,* pensei, atravessando a multidão em busca de James, exibindo um imenso sorriso subserviente na direção de Jennifer Aniston quando passei – *não é uma festa tão ruim.* Mas eu estava bêbada, tinha de estar trabalhando em menos de seis horas, e estava fora de casa há quase 24 horas, por isso, quando localizei James beijando um dos cabeleireiros do salão de Marshall, pensei em ir embora. Foi quando senti a mão de alguém nas minhas costas.

– Oi – disse o homem lindo que eu localizara antes emburrado num canto. Esperei que se desse conta de que tinha se aproximado da garota errada, que eu devia me parecer, de costas, com a sua namorada, mas ele sorriu ainda mais largo. – Não é de muita conversa, não?

– Ah, e dizer "oi" o torna eloquente, acho? – *Andy! Cala a boca!* Eu me repreendi em silêncio. *Um homem absolutamente lindo aproxima-se inesperadamente numa festa de celebridades e você o critica no ato?* Mas ele não pareceu ofendido e, embora parecesse impossível, seu sorriso alargou-se mais ainda. – Desculpe – murmurei olhando o meu copo quase vazio. – Meu nome é Andrea. Pronto. Acho que é uma maneira melhor de começar. – Estendi a mão e me perguntei o que ele estaria querendo.

– Na verdade, gostei do seu jeito. Meu nome é Christian. É um prazer conhecê-la, Andy. – Afastou um cacho castanho do olho esquerdo e tomou um gole de uma garrafa Budweiser. Ele me parecia vagamente familiar, achei, mas não conseguia saber de onde.

– Bud, hein? – perguntei apontando para a sua mão. – Achei que não serviam algo tão popular em festas assim.

Ele riu, uma risada profunda, sincera, não um risinho abafado como esperei.

– Você realmente diz o que pensa, não é? – Devo ter parecido mortificada, porque ele sorriu de novo e disse: – Não, não, isso é bom. E raro, especialmente nesse ramo. Não consigo beber champanhe de uma minigarrafa com canudinho, entende? Há algo de castrador nisso. Por isso o *barman* arranjou uma dessas na cozinha. – Afastou outro cacho, mas este caía de novo sobre seu olho assim que ele tirava a mão. Tirou um maço de cigarros do bolso de seu blazer preto e o ofereceu a mim. Aceitei e o deixei cair imediatamente, aproveitando a oportunidade para examiná-lo enquanto abaixava para recuperá-lo.

Caiu a alguns centímetros de seu mocassim lustrado, de bico quadrado, que ostentava a irrefutável borla Gucci, e, ao me levantar, reparei em seu jeans Diesel, manchado nas partes exatas, comprido e largo o bastante na perna, arrastando um pouco atrás dos mocassins lustrosos, a bainha puída da repetida interação com as solas. Um cinto preto, provavelmente Gucci, mas, graças a Deus, não reconhecível, mantinha o jeans no ponto perfeito abaixo da cintura, onde ele enfiara uma camiseta de algodão branca e lisa, que poderia muito bem ser uma Hanes, mas que, sem dúvida, era uma Armani ou Hugo Boss, colocada de modo a contrabalançar a sua bela compleição. Seu blazer preto parecia caro e bem cortado, talvez até mesmo feito sob medida para se ajustar ao seu manequim, mas inexplicavelmente sexy, e foram seus olhos verdes que chamaram mais atenção. Verde-água, achei, lembrando-me das antigas cores J.Crew que amávamos tanto no colégio, ou talvez apenas um verde-azulado. A altura, o físico, o pacote total lembrava vagamente Alex, só que com muito mais estilo europeu e muito menos camiseta de malha Abercrombie. Um pouco mais *cool*, com uma aparência um pouquinho melhor. Com certeza, mais velho, na faixa dos 30. E provavelmente muito mais esperto.

Ele imediatamente produziu uma chama e inclinou-se para perto, para acender o meu cigarro.

– Então, o que a trouxe a uma festa como esta, Andrea? É uma das poucas afortunadas que podem chamar Marshall Madden de seu?

– Não, receio que não. Pelo menos, não ainda, embora ele não tenha sido nada sutil ao me dizer que provavelmente eu deveria ser. – Ri, notando por um breve momento que estava *desesperada* para impressionar esse estranho. – Trabalho na *Runway*. Um dos rapazes me trouxe.

– Ah, a revista *Runway*? Um local interessante para se trabalhar, se está envolvida com sadomasoquismo e esse tipo de coisa. E gosta?

Eu não tinha certeza se ele se referira ao sadomasoquismo ou ao trabalho em si, mas considerei a possibilidade de ele ter entendido, já que era um cara do meio, o bastante para saber que não era exatamente o que parecia ser aos de fora. Será que o seduziria com o pesadelo da entrega do Livro naquela mesma noite? Não, não, eu não fazia a menor ideia de quem ele era... pelo que percebi, ele também trabalhava na *Runway*, em algum departamento remoto, e eu nunca o tinha visto, ou talvez para outra revista no Elias-Clark. Ou talvez, só talvez, era um desses repórteres dissimulados do *Page Six*, sobre os quais Emily me alertara tanto: "Eles simplesmente aparecem", ela havia dito de modo agourento. "Simplesmente aparecem e tentam enrolar a gente dizendo algo sobre Miranda ou a *Runway*. Cuidado." Entre isso e o rastreio dos cartões de identidade, eu tinha certeza absoluta de que a vigilância da *Runway* deixava o crime organizado com vergonha. A Virada Paranoica da *Runway* estava de volta.

– Sim – respondi, tentando parecer espontânea e evasiva. – É um lugar estranho. Não estou tão ligada na moda, na verdade, preferia estar escrevendo, mas acho que não é um mau começo. O que você faz?

– Sou escritor.

– Ah, é? Isso deve ser bom. – Esperei não ter parecido tão condescendente quanto achei, mas era realmente maçante essa história de todo mundo em Nova York se intitular escritor, ator, poeta ou artista plástico. *Eu costumava escrever para o jornal da faculdade,* pensei, *e, poxa, cheguei a ter um ensaio publicado em uma revista mensal, uma vez, quando estava no segundo grau.* Isso fazia de mim uma escritora? – O que você escreve?

– Até agora, principalmente ficção, mas, na verdade, estou trabalhando no meu primeiro romance histórico. – Bebeu mais um gole e, de novo, afastou o irritante, mas adorável, cacho.

– O primeiro histórico – implicava que havia outros não históricos. Interessante. – Sobre o quê?

Ele refletiu por um instante, e disse:

– É uma história contada da perspectiva de uma jovem, sobre como foi viver neste país durante a Segunda Guerra Mundial. Ainda estou terminando minha pesquisa, transcrevendo entrevistas e coisas assim. Mas a escrita foi acontecendo junto. Acho que...

Ele continuou falando, mas eu já estava fora de sintonia. Merda. Reconheci a descrição do livro imediatamente, de um artigo da *New Yorker* que acabara de ler. Parecia que o mundo inteiro dos livros estava ansiosamente antecipando a sua próxima contribuição e não podia calar-se sobre o realismo com que ele descreve a sua heroína. Estava eu em uma festa, papeando casualmente com Christian Collinsworth, o garoto prodígio que havia sido publicado pela primeira vez aos 20 anos. Os críticos tinham enlouquecido com o seu primeiro livro, aclamando-o uma das realizações literárias mais significativas do século XX, e ele tinha lançado, em seguida, mais dois, desde então, que disputavam a lista dos mais vendidos. O artigo da *The New Yorker* tinha incluído uma entrevista em que o autor havia chamado Christian de "não somente um nome promissor" no mercado editorial, mas uma força com "uma tremenda aparência, uma elegância arrasadora e charme natural suficiente para garantir, no improvável caso de seu êxito literário não o fazer, uma vida de sucesso com as mulheres".

– Uau, isso é realmente bárbaro – eu disse, de repente me sentindo cansada demais para ser espirituosa, divertida ou engraçadinha. Esse cara era um autor prestigiado, o que diabos estava querendo comigo? Provavelmente matar tempo antes de sua namorada acabar de assinar um contrato de 10 mil dólares por dia como modelo e aparecer. *E o que isso importa, Andrea?*, perguntei a mim mesma, com severidade. *Se, convenientemente, se esqueceu, você tem, por acaso, um namorado incrivelmente gentil, companheiro e adorável. Chega disso!* Inventei rapidamente uma história sobre ter de ir para casa naquele instante, e Christian pareceu divertido.

– Está com medo de mim – declarou objetivamente, lançando-me um sorriso provocador.

– Medo de você? Por que *eu* teria medo de você? A menos que haja uma razão... – Eu não pude evitar flertar, ele tornava isso tão fácil.

Ele pegou em meu cotovelo e, habilmente, me virou.

– Vamos, vou colocá-la em um táxi. – E antes que eu pudesse dizer não, que eu podia encontrar o caminho para casa sozinha, que tinha sido um prazer conhecê-lo, mas que era melhor ele pensar duas vezes se tinha intenção de ir para casa comigo, eu estava em pé no tapete vermelho na porta do Plaza, com ele.

– Querem um táxi? – o porteiro perguntou quando saímos.

– Sim, por favor, um para a senhora – respondeu Christian.

– Não, tenho um carro, humm, logo ali. – Eu disse apontando para a faixa na rua 58 em frente do Paris Theatre, onde todos os Town Cars ficavam enfileirados.

Eu não estava olhando para ele, mas pude senti-lo sorrindo de novo. Um *daqueles sorrisos.* Ele me acompanhou ao carro e abriu a porta, oscilando o braço gentilmente em direção ao banco de trás.

– Obrigada – eu disse num tom formal, nem um pouco constrangida, estendendo a mão. – Foi realmente um prazer conhecê-lo, Christian.

– Para mim também, Andrea. – Ele pegou minha mão, que pensei que ia apertar, e levou-a aos lábios, deixando-a ali somente uma fração de segundo mais do que deveria. – Espero que nos vejamos de novo em breve. – Nesse momento eu tinha me instalado no banco traseiro sem tropeçar nem me humilhar, e me concentrei em não corar, embora eu já percebesse que era tarde demais. Ele bateu a porta e observou o carro dar a partida.

Dessa vez, não me pareceu estranho – embora eu tivesse visto o interior de um Town Car dois meses antes – ter tido um chofer particular nas últimas seis horas, e que, embora nunca antes tivesse conhecido ninguém, sequer remotamente, famoso, ter acabado de estar com celebridades de Hollywood e minha mão afocinhada, sim, a palavra era afocinhada, por um dos solteiros mais qualificados na cidade de Nova York. *Não, nada disso realmente importa,* lembrei a mim mesma repetidamente. *Tudo isso faz parte desse mundo, e nesse mundo não há nenhum lugar que lhe interesse. Talvez, daqui, pareça divertido,* pensei, *mas está além da sua compreensão.* De qualquer jeito, olhei para a minha mão, tentando me lembrar de cada detalhe da maneira como ele a tinha beijado e, depois, meti a mão ofendida na minha bolsa e peguei meu telefone. Quando disquei o número de Alex, me perguntei o que exatamente lhe contaria, se é que lhe contaria algo.

9

Foram 12 semanas até eu me empanturrar do suprimento, aparentemente inesgotável, de roupas de grife que a *Runway* estava implorando para me fornecer. Doze semanas incrivelmente longas, de 14 horas de trabalho diário, e nunca mais de cinco horas de sono por dia. Doze miseráveis semanas sendo examinada da cabeça aos pés, do cabelo aos sapatos diariamente, sem nunca receber um único elogio ou pelo menos ter a impressão de que eu tinha passado no exame. Doze semanas terrivelmente longas para se sentir estúpida, incompetente e completamente débil mental. E assim, decidi, no começo do meu quarto mês (só faltavam mais nove!) na *Runway*, ser uma nova mulher e começar a me vestir de acordo.

Acordar, me vestir e sair antes da epifania da minha 12ª semana tinha me esgotado completamente – tinha de admitir que seria mais fácil ter um armário cheio de roupas "apropriadas". Até esse ponto, tinha sido a parte mais estressante de uma rotina matutina já bastante desagradável. O despertador tocava tão cedo que eu não aguentava dizer a ninguém a que horas realmente me levantava, como se a mera menção das palavras infligisse dor física. Trabalhar às sete da manhã era tão difícil que quase era engraçado. É claro que eu tinha acordado e saído às sete da manhã algumas vezes na vida – talvez ido ao aeroporto quando tive de pegar algum avião logo cedo ou terminando de estudar para uma prova naquele dia. Mas, em geral, quando via essa hora da manhã fora de casa era porque ainda não tinha ido para a cama desde a noite anterior, e a hora não parecia tão ruim quando um dia inteiro de sono se estendia à minha frente. Agora era diferente. Era a privação constante, inexorável, desumana, do sono, e por mais que tentasse me deitar antes da meia-noite, não conseguia. As últimas duas semanas tinham sido duras, pois estavam fechando um dos números da primavera, de modo que tive de ficar sentada no escritório esperando o Livro até quase onze, em algumas noites. Quando o deixava e ia para casa, já era quase meia-noite, e ainda tinha de comer alguma coisa e tirar a roupa, antes de desmaiar.

O ruído estridente – a única coisa que eu não conseguia ignorar – começava exatamente às cinco e meia da manhã. Eu me esforçava para tirar um pé de debaixo do edredom e esticar a perna na direção do despertador (que estava colocado, estrategicamente, aos pés da minha cama para forçar um pouco de movimento), chutando a esmo até eu fazer contato e o barulho estridente cessar. Isso continuava regularmente, previsivelmente, a cada sete minutos, até seis horas e quatro minutos. A essa altura, eu entrava inevitavelmente em pânico e pulava da cama para o chuveiro.

A briga com o meu armário vinha em seguida, geralmente entre 6h31 e 6h37. Lily, não exatamente uma pessoa consciente da moda, em seu uniforme universitário consistindo em jeans, suéteres esfarrapados L. L. Bean e colares de cânhamo, dizia toda vez que nos víamos. "Ainda não entendo o que você veste para trabalhar. É a revista *Runway*, pelo amor de Deus. As suas roupas são tão legais quanto as de qualquer outra garota, mas nada do que tem é material *Runway*."

Não lhe contei que nos primeiros meses tinha me levantado mais cedo com a forte determinação de assumir uma aparência *Runway* com as minhas próprias roupas da Banana Republic. Ficava com o meu café de micro-ondas por quase meia hora toda manhã, agoniada em relação a botas e cintos, lã e microfibra. Mudava de meias cinco vezes até, finalmente, encontrar a cor certa, só para me censurar que as meias de qualquer tipo ou cor eram *tão inapropriadas.* Os saltos de meus sapatos eram sempre baixos demais, grossos demais, com camadas demais. Não tinha nada de *cashmere.* Ainda não sabia o que eram *thongs** (!) e, portanto, ficava obcecada pela ideia de acabar com as calcinhas fio-dental, que eram o foco de muitas críticas no intervalo do café. Não importava quantas vezes eu os experimentasse, não conseguia me decidir a usar tops tomara-que-caia no trabalho.

E, assim, depois de três meses, eu me rendi. Estava exausta. Emocionalmente, fisicamente, mentalmente; a experiência penosa, diária, do armário me sugava toda a energia. Isto é, até eu me aquietar no aniversário do terceiro mês. Era um dia como qualquer outro, eu com a minha caneca "I ♥ Providence" em uma mão, a outra mão virando rapidamente minhas camisetas de malha favoritas. *Por que lutar contra?*, perguntei a mim mesma. Vestir suas roupas não significaria necessariamente uma traição, significaria? Além disso, os comentários sobre a minha maneira de vestir estavam se tornando mais frequentes e maliciosos, e eu tinha começado a pensar se o meu emprego não estaria em perigo. Olhei no espelho de corpo inteiro e tive de rir: a garota com sutiã Maidenform (urgh!) e calcinhas de algodão Jockey (duplo urgh!) estava querendo ter o visual *Runway*? Haha. Não com essa porcaria. Pelo amor de Deus, eu estava trabalhando para a revista *Runway* – usar tudo o que não estava rasgado, puído, manchado ou grande demais simplesmente não era mais possível. Pus de lado minhas blusas básicas e tirei do armário a saia de *tweed* Prada, blusa de gola rulê preta Prada, botas Prada de cano alto, que Jeffy havia me dado uma noite enquanto eu esperava o Livro.

– O que é isto? – perguntei, abrindo o zíper da sacola de roupas.

– Isto, Andy, é o que você deve usar se não quer ser demitida. – Ele sorriu, mas não me olhou nos olhos.

– Como?

– Olha, acho que tem de saber que a sua, humm, que a sua aparência não combina com a de todos aqui. Sei que isso custa caro, mas podemos dar um jeito. Tenho tanta coisa no closet que ninguém vai notar se você precisar, bem, pedir emprestado algum item, às vezes. – Ele fez o sinal de aspas com os dedos ao dizer "pedir emprestado". – E, é claro, devia ligar para todo o pessoal de relações públicas e obter o seu cartão de desconto dos *designers*. Eu só consegui trinta por

---

**Thongs* significa sandália de dedo e também um tipo de calcinha. *(N. do R. T.)*

cento, mas como você trabalha para Miranda, vou ficar surpreso se lhe cobrarem por qualquer coisa. Não há razão para continuar a usar, bem, essa coisa Gap.

Eu não expliquei que usar Nine West em vez de Manolo ou jeans que vendiam no departamento júnior do Macy's, não no oitavo andar do paraíso do denim na Barney's, tinha sido uma tentativa de mostrar a todo mundo que eu não estava seduzida por tudo da *Runway*. Mas, em vez disso, simplesmente balancei a cabeça, reparando que ele se sentia extremamente constrangido por ter de me dizer que eu estava me humilhando todo dia. Eu me perguntei quem o haveria colocado nessa posição. Emily? Ou a própria Miranda? Na verdade, isso não importava, raios, eu já tinha sobrevivido três meses inteiros e, se usar gola rulê Prada em vez de uma da Urban Outfitters ia me ajudar a sob eviver os nove seguintes, que assim fosse. Decidi organizar um novo armário imediatamente.

Finalmente, saí por volta das 6h50, me sentindo, na verdade, muito bem em relação à minha aparência. O homem do trailer que servia café da manhã mais próximo do meu apartamento até assobiou, e, antes de eu dar dez passos, uma mulher me disse que namorava essas botas há três meses. *Posso me acostumar com isso*, pensei. Todo mundo tem de vestir alguma coisa todo dia e isso certamente parecia muito melhor do que qualquer uma de minhas roupas. Como se tornara um hábito, andei até a esquina da Terceira Avenida e logo chamei um táxi e me sentei no banco de trás aquecido. Estava cansada demais para agradecer por não precisar me juntar aos usuários do metrô e resmunguei:

– Número 640 da Madison. Rápido, por favor.

O taxista me olhou pelo retrovisor – com um quê de simpatia, juro – e disse:

– Ah, sim, o edifício Elias-Clark – e viramos à esquerda, na rua 97 e de novo à esquerda na Lex, passando em alta velocidade pelos sinais até a rua 59, onde seguimos a oeste para a Madison. Após exatamente seis minutos, como não havia nenhum trânsito, chegamos com uma cantada de pneu em frente ao monólito alto, fino, polido, que estabelecia esse belo modelo físico para tantos de seus habitantes.

A corrida custou 6,40 dólares, como toda manhã, e lhe dei uma nota de dez dólares, como sempre fazia.

– Fique com o troco – disse, sentindo a mesma alegria todo dia que via a surpresa e felicidade na expressão do motorista. – É por conta da *Runway*.

Não seria um problema, com certeza. Só precisei de uma semana no emprego para ver que contabilidade não era exatamente o ponto forte no Elias, nem mesmo uma prioridade. Nunca foi problema anotar 10 dólares de corrida de táxi diariamente. Outra empresa talvez perguntasse, para início de conversa, quem lhe dava o direito de pegar táxi para o trabalho. Elias-Clark perguntava por que você tinha se dignado a pegar um táxi, quando havia um serviço de carros disponível. Algo semelhante a trapacear a empresa, com esses 10 dólares extras todo dia – embora eu imagine que ninguém sofresse diretamente com essa despesa – fazia eu me sentir muito melhor. Alguns chamariam isso de rebelião passiva-agressiva. Eu chamava de ficarmos quites.

Saí do táxi, feliz por ter feito alguém ganhar o dia, e me dirigi ao número 640 da Madison. Apesar de o nome do edifício ser Elias-Clark, JS Bergman, um dos bancos mais prestigiados da cidade (obviamente), alugava a metade. Não compartilhávamos nada com eles, nem mesmo os elevadores, mas isso não impedia que seus ricos banqueiros e nossas beldades se examinassem no saguão.

– Oi, Andy. Como vai? Faz tempo que não vejo você. – A voz atrás de mim soou acanhada e relutante, e eu me perguntei por que quem quer que fosse não me deixava em paz.

Tinha me preparado mentalmente para começar a rotina da manhã com Eduardo quando ouvi meu nome, e me virei vendo Benjamin, um dos muitos ex-namorados de Lily, da faculdade, andando curvo, logo na entrada, nem mesmo parecendo notar que estava na calçada. Ele era apenas um dos muitos rapazes de Lily, mas tinha sido o primeiro de quem ela gostara de verdade. Eu não falava com o bom Benji (ele odiava que o chamassem assim) desde que Lily o tinha pego fazendo sexo com duas garotas do seu grupo de canto. Ela entrou em seu apartamento fora do campus e o encontrou esparramado na sala, com uma soprano e uma contralto, garotas sem graça e que nunca mais conseguiram olhar para Lily. Tentei convencê-la de que tinha sido apenas uma farra de faculdade, mas ela não quis saber. Chorou durante dias e me fez prometer que não contaria a ninguém o que tinha descoberto. Eu não precisei contar a ninguém, porque ele contou – vangloriou-se para quem quis ouvir sobre como ele tinha "ficado com duas cantoras chatinhas" e transado com elas enquanto "uma terceira observava". Isso deu a entender que Lily tinha estado lá o tempo todo, agradavelmente instalada no sofá, assistindo a seu homem exibir sua masculinidade. Lily tinha jurado nunca mais se apaixonar por ninguém e, até agora, parecia cumprir a promessa. Dormia com um monte de rapazes, mas certamente não deixava que se demorassem tempo suficiente para que corresse o risco de descobrir alguma coisa agradável neles. Olhei de novo para ele e tentei encontrar o velho Benji em seu rosto. Ele tinha sido atlético e bonitinho. Um rapaz normal. Mas Bergman o havia transformado em um molusco humano. Estava vestindo um terno excessivamente grande e amassado e tinha a aparência de quem estava louco para fumar *crack*. Parecia extenuado, apesar de serem apenas sete da manhã, e isso fez com que eu me sentisse melhor. Pois era o troco por ter sido um babaca com Lily, e por eu não ser a única a me arrastar para o trabalho a essa hora obscena. Provavelmente ele deveria receber 150 mil dólares por ano para estar tão infeliz, mas, de qualquer jeito, pelo menos eu não era a única.

Benji me cumprimentou com um cigarro aceso, refulgindo sinistramente na manhã ainda escura, e acenou para que eu me aproximasse. Eu estava nervosa por não querer me atrasar, mas Eduardo me mandou o seu "Não se preocupe, ela ainda não está aqui, você está bonita", e eu fui falar com Benji. Seus olhos estavam congestionados e ele parecia desanimado. Provavelmente *ele* achava que tinha um chefe tirânico. Haha! Se soubesse. Tive vontade de rir alto.

– Ei, reparei que você é a única aqui tão cedo – murmurou para mim enquanto eu buscava o batom na bolsa antes de entrar no elevador. – O que está acontecendo?

Ele parecia tão cansado, tão acabado, que tive um ímpeto de simpatia e gentileza. Mas, então, senti minhas pernas quase cederem de exaustão, e me lembrei da expressão de Lily quando uma das amiguinhas abobadas de Benji tinha perguntado se ela preferia assistir ou participar, e perdi a calma.

– Bem, o que está acontecendo é que trabalho para uma mulher muito exigente, e preciso chegar duas horas e meia antes do restante da maldita revista para que esteja preparada para ela – eu disse, minha voz gotejando raiva e sarcasmo.

– Opa, só estava perguntando. Desculpe, mas isso parece terrível. Para quem trabalha?

– Trabalho para Miranda Priestly – respondi, e rezei por uma não reação. O fato de um profissional aparentemente instruído, bem-sucedido, não fazer ideia de quem era Miranda me deixaria muito, mas muito feliz. Quase deliciada. E, felizmente, esse não me decepcionou. Ele deu de ombros, inspirou e olhou para mim esperando. – Ela é a diretora da *Runway.* – Baixei a voz e comecei com júbilo. – É a pessoa mais despótica que já conheci. Aliás, nunca conheci alguém como ela. Ela realmente não é humana.

Eu tinha uma lista de queixas que gostaria de descarregar em cima de Benji, mas a Virada Paranoica *Runway* atuou com toda a força. Fiquei imediatamente nervosa, quase paranoica, convencida de que essa pessoa desconhecida, indiferente, fosse um dos lacaios de Miranda enviado para me espionar, do *Observer* ou *Page Six.* Eu sabia que era um pensamento ridículo, completamente absurdo. Afinal, eu tinha conhecido Benji pessoalmente por anos e tinha certeza de que não estava trabalhando para Miranda. Não certeza absoluta. Afinal, como se poderia ter certeza absoluta de algo? E quem sabe quem pode estar atrás de mim nesse mesmo segundo, escutando casualmente uma das minhas palavras ofensivas? Um esforço para minimizar os danos foi necessário imediatamente.

– É claro que ela é a mulher mais poderosa em moda e editoria de moda, e não se pode chegar ao topo das duas maiores indústrias da cidade de Nova York distribuindo balas o dia inteiro. Humm, é compreensível que ela seja um pouco durona no trabalho, entende? Eu também seria. Pois é, bem, tenho de correr. Foi bom vê-lo.

E escapei, como tinha feito tantas vezes nas últimas semanas, quando me via falando com alguém que não fosse Lily, Alex ou meus pais, e não conseguia evitar atacar a bruxa.

– Ei, não se sinta tão mal – gritou para mim quando me dirigi ao elevador. – Estou aqui desde quinta de manhã. – E com isso, ele largou a guimba do cigarro e, indiferente, esmagou-a no cimento.

– BOM DIA, EDUARDO – eu disse lançando-lhe meu olhar mais cansado e patético. – Odeio segundas-feiras.

– Oi, colega, não se preocupe. Pelo menos, hoje você a venceu disse ele sorrindo. Referia-se, é claro, àquelas manhãs infelizes em que Miranda aparecia às cinco da manhã e precisava ser acompanhada até lá em cima, já que se recusava a portar um cartão de acesso. Então, ficava de lá para cá em sua sala, ligando para Emily e para mim várias vezes, até uma de nós conseguir acordar, se aprontar e ir trabalhar, como se fosse uma emergência de segurança nacional.

Empurrei a roleta, rezando para que nessa segunda-feira fosse uma exceção, que ele me deixasse passar sem uma performance. Negativo.

Cantou *Wanna be* com o seu imenso sorriso, os dentes à mostra, e o sotaque espanhol. E todo o prazer por ter deixado o taxista feliz e por saber que tinha chegado antes de Miranda se esvaneceu. Fui deixada, como toda manhã, querendo chegar atrás do balcão da segurança e arrancar a pele da cara de Eduardo. Mas como eu era boa-praça e ele, um dos meus únicos amigos naquele lugar, consenti sem muito ânimo, e cantei resignadamente, em um lamentável tributo ao sucesso dos anos 1990 das Spice Girls. E de novo, Eduardo sorriu e me deixou passar.

– Ei, não se esqueça: 16 de julho! – gritou.

– Eu sei. 16 de julho... – gritei de volta, uma referência aos nossos aniversários. Não me lembro de como ou por que ele tinha descoberto a data do meu aniversário, mas ele adorava o fato de termos nascido no mesmo dia. E, por alguma razão inexplicável, tornou-se parte do nosso ritual matutino. Todo maldito dia.

Havia oito elevadores no lado do Elias-Clark: metade para os andares até o 17º, metade para ir do 17º para cima. Somente o primeiro grupo interessava, já que a maioria dos grandes nomes estava nos primeiros 17 andares; anunciavam a sua presença com painéis iluminados nas portas dos elevadores. Havia uma academia de ginástica de última geração, gratuita, no segundo andar, para os funcionários, completa, com um conjunto de equipamentos Nautilus completo e, pelo menos, uma centena de *steps*, esteiras e outras máquinas. Salas com compartimentos trancados tinham sauna a vapor, sauna seca, banheiras quentes, e atendentes com uniformes de criadas, e um salão que oferecia manicure, pedicure e tratamento de pele de emergência. Havia até um serviço complementar de toalhas, ou foi o que ouvi falar – além de não ter horário livre, o lugar estava sempre lotado entre seis da manhã e dez da noite, para permitir mais do que dar uma olhada. Escritores, editores, assistentes de vendas, reservavam lugar com três dias de antecedência nas aulas de ioga e kickboxing, e, ainda assim, perdiam a vez se não chegassem 15 minutos antes. Como quase tudo no Elias-Clark foi projetado para que os funcionários tivessem uma vida melhor, isso também me estressava.

Ouvi dizer que havia uma creche no térreo, mas eu não conhecia ninguém que tivesse filhos, portanto, não tinha certeza se realmente existia. A ação de verdade começava no terceiro andar, com o restaurante, onde, até agora, Miranda se recusara a comer entre os peões, a menos que estivesse almoçando com Irv Ravitz, o diretor executivo do Elias-Clark, que gostava de comer ali, em uma demonstração de união com seus empregados.

E lá subimos nós, passando por outros títulos famosos. A maior parte tinha que dividir um andar, cada um ficando com um lado da mesa da recepção, e se encarando por trás de portas de vidro separadas. Cheguei rápido ao 17º andar, checando meu traseiro no reflexo do vidro da porta. Em um acesso de empatia e gênio, o arquiteto, gentilmente, não tinha colocado espelhos nos elevadores do número 640 da Madison. Como sempre, eu tinha me esquecido do meu cartão de identidade – o mesmo que rastreava todos os nossos movimentos, compras e ausências do edifício – e teria de arrombar a porta. Sophy não chegaria antes das nove, portanto tive de me curvar por baixo da sua mesa, achar o botão que destrancava as portas, partir em disparada, e abri-las com um puxão antes que se trancassem de novo. Às vezes, tinha que fazer isso três ou quatro vezes até, finalmente, prendê-las, mas hoje consegui na segunda tentativa.

O andar estava sempre escuro quando eu chegava, e eu fazia o mesmo caminho até minha mesa, toda manhã. Passava pelo departamento de publicidade e vendas, à esquerda, onde trabalhavam as garotas que mais gostavam de se enfeitar com camisetas Chloé e botas de saltos finos, enquanto distribuíam cartões de visita que alardeavam "Runway". O pessoal desse departamento era completamente isolado de tudo o que acontecia no lado editorial do andar. Era o departamento editorial que escolhia as roupas para a divulgação da moda, persuadia escritores, selecionava os acessórios, entrevistava os modelos, editava o exemplar, fazia os layouts e contratava os fotógrafos. O editorial viajava aos lugares em voga no mundo inteiro para sessões de fotos, ganhava brindes e descontos de todos os designers, pesquisava as novas tendências e ia a festas no Pastis e Float porque "tinham que conferir o que as pessoas estavam usando".

A publicidade ficava com a venda de anúncios. Às vezes, organizavam festas promocionais, mas como não tinham celebridades, eram maçantes para a cena *hype* de Nova York (ou assim Emily tinha me dito, com escárnio). Meu telefone tocava sem trégua em dia de festa desse departamento da *Runway*, com pessoas que eu não conhecia direito pedindo convite. "Bem, eu soube que a *Runway* vai dar uma festa hoje à noite. Por que não fui convidado?" Eu sempre sabia pela pessoa do outro lado da linha que haveria uma festa naquela noite: o departamento editorial nunca era convidado porque não iria mesmo. Como se não bastasse as garotas *Runway* escarnecerem, aterrorizarem e excluírem toda e qualquer pessoa que não fosse uma delas, criaram classes internas também.

O departamento de vendas dava para um corredor comprido e estreito. Parecia se estender sem fim, até chegar a uma cozinha minúscula no lado esquerdo. Ali havia uma variedade de cafés e chás, uma geladeira para armazenar lanches – tudo inútil, já que a Starbucks tinha o monopólio das doses diárias de cafeína dos funcionários e todas as refeições eram cuidadosamente selecionadas no restaurante ou encomendadas de qualquer um dos mil lugares que faziam entregas naquela parte da cidade. Mas era um toque simpático, quase encantador. Dizia: "*Ei, olhe para nós, temos chá Lipton e Sweet'N Lows e até um micro-ondas no caso de querer esquentar alguma sobra do jantar de ontem! Somos como qualquer um!*"

Finalmente, cheguei no enclave de Miranda às sete horas e cinco minutos, tão cansada que mal conseguia me mover. Mas, como com tudo, ainda havia outra rotina que eu nunca questionei ou pensei em alterar, e, então, comecei com determinação. Destranquei sua sala e acendi todas as luzes. Ainda estava escuro lá fora, e eu adorava a sensação de ficar no escuro, olhando a cidade de Nova York cintilante e insone, e me imaginando em um desses filmes (escolha você – qualquer um que tenha amantes se abraçando na varanda luxuosa de seu apartamento de seis milhões de dólares, com vista para o rio), sentindo-me no topo do mundo. E, então, as luzes se inflamavam, e a minha fantasia acabava. A sensação de "tudo é possível" em Nova York, ao amanhecer, se esvanecia, as caras idênticas e sorridentes de Caroline e Cassidy eram tudo o que eu conseguia ver.

Em seguida, destrancava o armário na área fora da nossa sala, o lugar em que eu pendurava o seu casaco (e o meu, quando ela não estava usando um de pele – Miranda não gostava que o casaco de Emily ou que as minhas lãs prosaicas ficassem do lado de seus visons), e onde guardávamos vários outros itens: casacos e roupas rejeitados que valiam dezenas de milhares de dólares, alguma roupa limpa que havia sido entregue no escritório e ainda não havia sido levada ao apartamento de Miranda, pelo menos duzentas das infames echarpes Hermès brancas. Eu tinha ouvido falar que a Hermès, no ano passado, decidira mudar o estilo para um quadrado de seda branca simples e elegante. Alguém na firma achou que devia uma explicação a Miranda e, de fato, ligou para lhe pedir desculpas. Não é de admirar que ela tenha respondido como estava decepcionada, e comprado, de imediato, todo o estoque que restara. Cerca de quinhentas echarpes tinham sido entregues no escritório uns dois anos antes de eu chegar, e, agora, restava menos da metade. Miranda as deixava em toda parte: restaurantes, cinemas, desfiles de moda, reuniões semanais, táxis. Deixava-as em aviões, na escola das meninas, na quadra de tênis. É claro que ela sempre tinha uma elegantemente incorporada em sua roupa – eu ainda não a tinha visto fora de casa sem uma. Mas isso não explicava aonde todas iam parar. Talvez ela achasse que fossem lenços. Ou talvez gostasse de fazer anotações sobre seda em vez de no papel. O que quer que fosse, ela parecia realmente acreditar que eram descartáveis, e nenhuma de nós sabia como lhe dizer que não eram. Elias-Clark pagara uns 200 dólares por cada uma, mas não importa: nós as entregávamos a ela como se fossem lenços de papel. Se ela continuasse nesse ritmo, em menos de dois anos ficaria sem nenhuma.

Eu arrumava as caixas duras cor de laranja na prateleira mais fácil de serem pegas, onde nunca permaneciam por muito tempo. A cada três ou quatro dias, ela se prepararia para sair para o almoço e diria com um suspiro: "Ahn-dre-ah, dê-me uma echarpe." Eu me consolava com o pensamento de que já teria ido embora muito tempo antes de ela esgotar seu estoque. Quem for infeliz o bastante para estar por perto, teria de lhe dizer que não havia mais echarpes Hermès brancas, e que nenhuma poderia ser feita, despachada, criada, formada, enviada por correio, encomendada, ou ordenada. O mero pensamento era aterrador.

Assim que fechei o armário e abri o escritório, Uri ligou.

– Andrea? Alô, alô. É Uri. Pode descer, por favor? Estou na rua 58, perto da Park Avenue, logo em frente do New York Sports Club. Tenho umas coisas para você.

Essa ligação era uma boa maneira, mas imperfeita, de me avisar que Miranda chegaria, de certa forma, cedo. Talvez. Na maioria das manhãs, ela enviava Uri na frente com as suas coisas, um sortimento de roupas sujas que precisavam ser lavadas, algum exemplar que ela tinha levado para ler em casa, revistas, sapatos ou bolsas para serem consertados, e o Livro. Eu, então, iria até o carro, traria todas essas coisas tão comuns antes do horário e cuidaria delas antes que ela entrasse no escritório. Ela apareceria mais ou menos meia hora depois de suas coisas. Uri as deixava e voltava para buscá-la onde quer que estivesse escondida naquela manhã.

Poderia estar em qualquer lugar, pois, segundo Emily, nunca dormia. Não acreditei nisso até começar a chegar ao escritório antes de Emily e ser a primeira a escutar os seus recados. Toda noite, sem exceção, Miranda deixava de oito a dez mensagens ambíguas entre uma e seis da manhã. Recados como: "Cassidy quer uma daquelas bolsas de náilon que todas as meninas têm. Encomende uma no tamanho médio e da cor que ela gostaria", e "Vou precisar do endereço e do número de telefone da casa de antiguidades, na rua 70 ou 70 alguma coisa, onde vi uma cômoda antiga". Como se soubéssemos que bolsa de náilon que era moda entre as meninas de 10 anos ou qual das quatrocentas lojas de antiguidades nas ruas 70 e 70 alguma coisa – a propósito, leste ou oeste? – em que ela, por acaso, viu algo de que gostou em algum momento nos últimos 15 anos? Porém, toda manhã, eu ouvia e transcrevia fielmente essas mensagens, apertando o "repetir" várias e várias vezes, tentando dar sentido ao sotaque e interpretar as dicas para evitar lhe pedir diretamente mais informações.

Uma vez, cometi o erro de sugerir que pedíssemos a Miranda mais detalhes, e tudo o que consegui foi Emily me lançar um de seus olhares arrasadores. Contestar Miranda estava, aparentemente, fora de questão. Melhor conseguir fazer do jeito que fosse e esperar ouvir como o resultado havia sido insatisfatório. Para localizar a cômoda antiga que havia atraído o olhar de Miranda, passei dois dias e meio em uma limusine, por Manhattan, rodando as ruas 70 dos dois lados do parque. Excluí a York Avenue (residencial demais) e subi a Primeira, desci a Segunda, subi a Terceira, desci a Lex. Pulei a Park (também residencial demais), continuei Madison acima, e repeti um processo similar no West Side. Caneta equilibrada, olhos atentos, agenda de telefone no colo, pronta para saltar à primeira visão de uma loja que vendesse antiguidades. Honrei cada loja de antiguidades – não lojas comuns de móveis – com uma visita pessoal. Lá pela loja número quatro, eu tinha me tornado uma especialista.

– Oi, vocês vendem cômodas antigas? – eu praticamente gritava no instante em que abriam a porta para mim. Na sexta loja, eu não me dava nem mesmo o trabalho de entrar. Algum vendedor metido a besta inevitavelmente me examinava dos pés à cabeça – eu não conseguia escapar disso! –, me avaliando para saber se valia a pena perder tempo comigo. A maior parte veria a limusine esperando e, de má vontade, me respondia um sim ou um não, outros pediam descrições detalhadas da cômoda que eu procurava.

Se admitissem vender algo que se ajustasse às duas palavras do meu pedido, eu logo emendava com um lacônico "Miranda Priestly esteve aqui recentemente?". Se até então não tivessem me achado louca, agora pareciam prontos para chamar o segurança. Alguns nunca tinham ouvido falar em seu nome, o que foi fantástico tanto por ser rejuvenescedor ver, em primeira mão, que ainda existiam seres humanos funcionando normalmente e cujas vidas não eram dominadas por ela, quanto por eu poder sair imediatamente sem maiores discussões. A maioria patética que reconhecia o nome tornava-se instantaneamente curiosa. Alguns se perguntavam para que coluna de fofocas eu escreveria. Mas, independentemente da história que inventasse, ninguém a tinha visto na loja (com exceção de três lojas que não tinham visto "a Sra. Priestly há meses, e, oh, como sentimos sua falta! Por favor, diga que Franck/Charlotte/Sarabeth mandam lembranças!").

Como ainda não havia localizado a loja por volta do meio-dia do terceiro dia, Emily finalmente me deu sinal verde para ir à sala de Miranda e lhe pedir que explicasse. Comecei a suar quando o carro estacionou em frente ao edifício. Ameacei pular a roleta se Eduardo não me deixasse passar sem uma performance. Quando cheguei ao nosso andar, o suor tinha ensopado a minha blusa. As mãos começaram a tremer no momento em que entrei na nossa sala e o discurso perfeitamente preparado *(Olá, Miranda. Estou bem, obrigada, muito obrigada por perguntar. Como vai você? Ouça. Eu só queria que soubesse que tenho tentado localizar a loja de antiguidades que você descreveu, mas não tenho tido muita sorte. Poderia me dizer se fica no lado leste ou oeste de Manhattan? Ou quem sabe não se lembra do nome?)* simplesmente desapareceu nas regiões volúveis do meu cérebro nervoso. Contrariando todo protocolo, não afixei a minha pergunta no quadro de avisos: pedi permissão para me aproximar de sua mesa e – provavelmente por ter ficado chocada por eu ter tido coragem de falar sem ela falar primeiro – ela deu. Resumindo a história, Miranda deu um suspiro, olhou-me de maneira superior, insultou-me de todas as maneiras que só ela sabia e, por fim, abriu sua agenda Hermès de couro preto (atada, de modo inconveniente, mas elegantemente, com uma echarpe Hermès branca) e apresentou... o cartão da loja.

– Deixei esta informação para você na gravação, Ahn-dre-ah. Não creio que fosse tão trabalhoso anotá-la. – E apesar de o desejo de decorar sua cara com pedacinhos daquele cartão de visita já mencionado encher todo o meu ser, simplesmente concordei balançando a cabeça. Só quando baixei os olhos para o cartão percebi o endereço: 244 East, rua 68. Naturalmente. Leste ou oeste ou Segunda ou Terceira Avenida ou Amsterdam não teriam feito a menor diferença, porque a loja a que eu acabara de dedicar as últimas 36 horas de trabalho para localizar não se ficava nem mesmo na 70 ou 70 e alguma coisa.

Pensei nisso quando anotava o último dos pedidos de Miranda na madrugada, antes de descer correndo para me encontrar com Uri na área combinada. Toda manhã ele descrevia onde tinha estacionado detalhadamente, para que, teoricamente, eu me encontrasse com ele no carro. Mas toda manhã, por mais rápido que eu descesse, ele trazia tudo para que eu não precisasse correr de cima para baixo as ruas procurando-o. Fiquei contente de ver que hoje não tinha sido uma exceção: ele estava recostado na roleta do saguão, segurando sacolas e roupas e livros como um avô benevolente e generoso.

– Não venha correndo, ouviu? – disse ele com sua voz grossa e seu sotaque russo. – O dia inteiro você corre, corre, corre. Ela faz você dar muito, muito duro. Por isso trago as coisas – disse ele, me ajudando a pegar as sacolas e caixas abarrotadas. – Você é uma boa garota, ouviu?, e tenha um bom-dia.

Lancei-lhe um olhar agradecido, olhei fixo para Eduardo meio brincando – minha maneira de dizer: "Eu mato você se chegar a *pensar* em pedir que eu faça uma pose agora" – e abrandei um pouco, quando fez girar a roleta, e passei sem comentários. Miraculosamente me lembrei de passar na banca, onde Ahmed empilhava todos os jornais da manhã pedidos por Miranda nos meus braços. Embora o pessoal responsável pela correspondência entregasse todos na mesa de Miranda às nove, diariamente, eu ainda tinha de comprar um novo grupo completo toda manhã para ajudar a diminuir o risco de ela passar um único segundo em sua sala sem os jornais. A mesma coisa com as revistas semanais. Ninguém parecia se preocupar por pagar por nove jornais diariamente e sete revistas semanalmente para alguém que lia apenas as páginas de fococas e de moda.

Meti todas as suas coisas no chão, debaixo da minha mesa. Havia tempo para a primeira rodada de encomendas. Disquei o número, que tinha memorizado havia muito tempo, do Mangia, um local sofisticado que entregava refeições e, como sempre, Jorge atendeu.

– Oi, querido, sou eu – eu dizia, escorando o telefone no ombro para poder conectar o Hotmail. – Vamos começar o dia. – Jorge e eu ficamos amigos. Falar três, quatro, cinco vezes toda manhã é uma maneira engraçada de ligar rapidamente duas pessoas.

– Oi, gata, vou lhe mandar um dos garotos agora mesmo. Ela já está aí? – perguntou, compreendendo que "ela" era a minha chefe lunática que trabalhava para a *Runway*, mas não entendendo quem exatamente comeria o desjejum que eu tinha acabado de pedir. Jorge era um dos meus homens matinais, como eu gostava de chamá-los. Eduardo, Uri, Jorge e Ahmed me propiciavam o mais decente começo de dia possível. Eram independentes da *Runway*, se bem que suas existências separadas em minha vida significavam exclusivamente tornar mais perfeita a vida de sua diretora. Nenhum deles realmente entendia o poder e o prestígio de Miranda.

O café da manhã de primeira classe estaria a caminho do número 640 da Madison em segundos, e as chances de eu ter de jogá-lo fora eram grandes. Miranda comia quatro fatias de bacon gorduroso, duas salsichas e um queijo Danish toda manhã, além de tomar um copo comprido de café com leite do Starbucks (dois cubinhos de açúcar, não se esqueça!). Até onde sei, o escritório dividia-se entre se ela fazia permanentemente a dieta Atkins ou se tinha a sorte de ter um metabolismo super-humano, resultado de alguns genes fantásticos. De qualquer jeito, achava natural devorar a comida mais gordurosa, mais enjoativamente insalubre – embora o restante de nós não pudesse exatamente se permitir o mesmo luxo. Como nada ficava quente por mais de dez minutos, eu ficava encomendando e jogando fora até ela aparecer. Eu poderia conservar uma refeição dessas de cada vez no micro-ondas, mas isso me permitia só mais cinco minutos, e ela, geralmente, percebia. ("Ahn-dre-ah, isto está repugnante. Consiga um desjejum fresco imediatamente.") Eu pediria e tornaria a pedir a cada vinte minutos até ela ligar de seu celular e me mandar encomendar seu café da manhã. ("Ahn-dre-ah, estarei no escritório daqui a pouco. Peça o meu café da manhã.") É claro que isso, em geral, era apenas um aviso de dois ou três minutos, portanto a encomenda antecipada era necessária, tanto por causa da comunicação em cima da hora quanto pela possibilidade de ela não comunicar nada. Se eu já tivesse concluído o meu trabalho quando ligasse, eu já teria dois ou três a caminho.

O telefone tocou. Tinha de ser ela, era cedo demais para ser qualquer outra pessoa.

– Escritório de Miranda Priestly – falei animada, me preparando para o gelo.

– Emily, chegarei em dez minutos e gostaria que o meu café da manhã estivesse pronto.

Ela tinha passado a chamar Emily e a mim de "Emily", sugerindo que, para ela, éramos indistinguíveis uma da outra e completamente intercambiáveis. Em alguma parte, no fundo da minha mente, eu me sentia ofendida, mas, a essa altura, já tinha me acostumado. Além do mais, estava cansada demais para me preocupar com algo tão incidental quanto o meu nome.

– Sim, Miranda, agora mesmo. – Mas ela já tinha desligado. A Emily real entrou.

– Ei, ela está aqui? – sussurrou, olhando furtivamente na direção da sala de Miranda, como sempre fazia, sem um alô ou um bom-dia, exatamente como a sua mentora.

– Não, mas ligou dizendo que chegará em dez minutos. Estarei de volta.

Rapidamente transferi meu celular e cigarros para o bolso do casaco e corri. Tinha somente alguns minutos para descer, atravessar a Madison e furar a fila no Starbucks – e tragar o meu primeiro precioso cigarro do dia em trânsito. Pisando no restinho de brasa, dei com o Starbucks na rua 57 com a Lex e examinei a fila. Se houvesse menos de oito pessoas, eu preferia esperar como uma pessoa normal. No entanto, como na maioria dos dias, a fila, hoje, tinha vinte ou mais pobres almas profissionais esperando cansadas por sua dose cara de cafeína, e tive de passar à frente. Não era algo que eu apreciasse, mas Miranda parecia não entender que o café com leite que eu lhe apresentava toda manhã não só poderia *não* ser entregue como poderia levar meia hora, no horário nobre, para ser comprado.

Umas duas semanas de ligações estridentes e iradas para meu celular ("Ahn-dre-ah, simplesmente não entendo. Liguei para você há 25 minutos para lhe dizer que estava chegando, e o meu café da manhã não está pronto. Isso é inadmissível.") e eu tinha falado com a gerente da franquia.

– Humm, oi. Obrigada por ter um minuto para falar comigo – eu disse à mulher negra baixinha que era a responsável. – Sei que parece doideira, mas pensei se não poderíamos combinar uma maneira de eu não ter de esperar na fila. – Continuei explicando do melhor modo possível que eu trabalhava para uma pessoa importante e irracional que não gostava de esperar pelo café da manhã, e se havia alguma maneira de eu furar a fila, sutilmente, é claro, e alguém providenciar meu pedido imediatamente. Por algum golpe da sorte, Marion, a gerente, estudava marketing de moda à noite na FIT (Sunny-Fashion Institute of Technology).

– Ó meu Deus, está brincando? Trabalha para Miranda Priestly? E ela bebe nosso café com leite? No copo comprido? Toda manhã? Inacreditável. Oh, sim, sim, é claro! Direi a todos para que a ajudem. Não se preocupe com nada. Ela é a pessoa mais poderosa no mundo da moda – falou, entusiasmada, e eu me forcei a concordar balançando a cabeça entusiasticamente.

E assim eu podia, à vontade, evitar uma fila de nova-iorquinos cansados, agressivos, hipócritas, e fazer o meu pedido antes de tantos que esperavam há vários minutos. Isso não fazia eu me sentir bem ou importante ou mesmo descolada, e sempre tive horror dos dias em que era obrigada a agir assim. Quando a fila estava infernalmente longa – seguindo a extensão do balcão e continuando lá fora –, eu me sentia ainda pior e sabia que sairia carregada. A essa altura, minha cabeça latejava e meus olhos pareciam pesados e secos. Tentava me esquecer de que essa era a minha vida, a razão por que passara quatro longos anos memorizando poemas e analisando a prosa, o resultado das boas notas, e muita bajulação. Mas, ao contrário, pedi o café com leite de um dos novos balconistas e acrescentei algumas bebidas para mim mesma. Um grandioso Amaretto Cappuccino, um Mocha Frappuccino e um Caramel Macchiato em meu porta-quatro-xícaras, e mais meia dúzia de muffins e croissants. O total foi de 28,83 dólares, e me certifiquei de enfiar o recibo na seção, já estufada, especialmente projetada para recibos, em minha carteira – todos eles seriam reembolsados pelo já confiável Elias-Clark.

Agora, eu tinha de correr, pois já haviam se passado 12 minutos desde que Miranda ligara e provavelmente ela estaria sentada lá, perguntando-se onde, exatamente, eu me escondia toda manhã – o logotipo do Starbucks no lado da xícara nunca lhe deu uma pista. Mas antes que eu pegasse tudo no balcão, meu telefone tocou. E, como sempre, meu coração cambaleou. Eu sabia que era ela, tinha certeza absoluta, mas ainda assim me apavorei. O identificador de chamadas confirmou a minha suspeita, e fiquei surpresa ao ouvir que era Emily, chamando do telefone de Miranda.

– Ela está aqui e está furiosa – sussurrou Emily. – Você já deveria estar de volta.

– Estou fazendo tudo o que posso – resmunguei, tentando equilibrar a bandeja e o saco de pães em um braço e segurar o telefone com o outro.

E, portanto, essa era a raiz do ódio que existia entre mim e Emily. Como ela era a assistente "sênior", eu era mais a assistente pessoal de Miranda, estava ali para buscar cafés e refeições, ajudar suas crianças com o dever de casa e percorrer a cidade inteira para buscar os pratos perfeitos para os jantares que oferecia. Emily calculava suas despesas, tomava as providências para suas viagens e – o maior trabalho de todos – ligava para encomendar suas roupas, de meses em meses. De modo que, quando eu estava fora recolhendo as guloseimas toda manhã, Emily era deixada só para tratar de todas as linhas de telefone que tocavam, de uma Miranda alerta de manhã cedo e de todas as suas exigências. Eu a odiava por ela poder usar camisetas sem mangas para trabalhar, por nunca precisar deixar a sala aquecida seis vezes ao dia para percorrer Nova York procurando, pesquisando, recolhendo. Ela me odiava por ter desculpas para deixar o escritório, quando me demorava mais do que o necessário para falar no meu celular e fumar.

O caminho de volta ao edifício levava, geralmente, mais tempo do que o de ida ao Starbucks, já que eu tinha de distribuir os cafés e lanches. Eu preferia dá-los aos sem-teto, um bando pequeno de fregueses habituais que ficavam à toa e dormiam nas entradas de prédios na rua 57, ignorando as tentativas da cidade de "evacuá-los". A polícia sempre os enxotava antes da hora do *rush*, mas eles continuavam perambulando quando eu fazia a primeira corrida do dia ao café. Havia algo de fantástico – realmente revigorante – em me certificar de que esse café excessivamente caro, patrocinado pelo Elias-Clark, chegasse às mãos das pessoas mais indesejáveis da cidade.

O homem ensopado de urina que dormia em frente ao Chase Bank recebia um Mocha Frappuccino. Na verdade, ele nunca acordou para recebê-lo, mas eu o deixava (com um canudinho, é claro) do lado do seu cotovelo esquerdo toda manhã, e, frequentemente, tinha desaparecido – junto com ele – quando eu retornava para a minha corrida seguinte ao café, algumas horas depois.

A velha que se escorava sobre seu carrinho e tinha escrito em um papelão DESABRIGADA/FAZ FAXINA/PRECISA DE COMIDA recebeu o Caramel Macchiato. Logo descobri que seu nome era Theresa e costumava comprar para ela um café com leite como o de Miranda. Ela sempre dizia obrigada, mas nunca fez menção de experimentá-lo enquanto quente. Quando finalmente perguntei se queria que eu parasse de levá-los, ela sacudiu a cabeça vigorosamente e murmurou que odiava ser tão meticulosa, mas que, na verdade, gostaria de algo mais doce, que o café era forte demais. No dia seguinte levei um café com baunilha e creme batido em cima. Este é melhor? Oh, sim, muito melhor, mas talvez um pouco doce demais. Mais um dia e, por fim, acertei: Theresa gostava de seu café sem aromatizante, com creme em cima e um pouco de xarope de caramelo. Ela exibiu um sorriso quase sem dentes e começou a bebê-lo diariamente, assim que eu lhe dava.

O terceiro café era para Rio, o nigeriano que vendia CDs em um paraquedas. Ele não parecia um desabrigado, mas, certa manhã, se aproximou quando eu dava para Theresa a sua dose diária e disse, ou melhor, cantou:

– Ei, você, você, você é a fada Starbucks ou o quê? Onde está o meu? – Eu lhe dei um nobre Amaretto Cappuccino no dia seguinte, e nos tornamos amigos desde então.

Eu gastava mais 24 dólares por dia com café do que o necessário (o café com leite de Miranda custava meros 4 dólares) só para mais um golpe passivo-agressivo na empresa, minha reprimenda pessoal pela carta-branca dada a Miranda Priestly. Eu os dava aos imundos, fedorentos e malucos porque isso – e não o dinheiro gasto – era o que *realmente* os deixava fulos.

Quando cheguei no saguão, Pedro, o garoto mexicano que fazia as entretas da Mangia, com o seu sotaque carregado, estava conversando em espanhol com Eduardo, do lado do elevador.

– Ei, aí está a nossa garota – disse Pedro, e alguns tagarelas nos olharam. – Trouxe o de sempre: bacon, salsicha e uma coisa com o aspecto de um queijo nojento. Você só pediu um hoje! Não sei como come esta porcaria e continua magra, garota. – Ele abriu um sorriso largo. Contive o impulso de lhe dizer que ele nem desconfiava do que era ser magro. Pedro sabia muito bem que não era eu que comia aquele café da manhã, mas, como todas as pessoas com quem eu falava antes das oito da manhã, todo dia, desconhecia os detalhes. Dei-lhe uma nota de dez, como sempre, pelo café da manhã de 3,99 dólares e subi.

Ela estava ao telefone quando entrei, a sua capa Gucci de pele de cobra em cima da minha mesa. Minha pressão subiu dez vezes mais. Será que a mataria dar mais dois passos até o armário e pendurar seu próprio casaco? Por que tinha de jogá-lo em cima da minha mesa? Deixei o café com leite sobre a mesa, olhei para Emily, que estava ocupada demais ao telefone, atendendo três linhas, para reparar em mim, e pendurei a capa de pele de cobra. Tirei o casaco e me abaixei para jogá-lo embaixo da minha mesa, já que o meu poderia infectar o dela se se misturassem no armário.

Peguei dois cubinhos de açúcar, um mexedor e um guardanapo de um estoque que eu guardava na minha gaveta e os embrulhei juntos. Pensei, por um breve momento, em cuspir na sua bebida, mas consegui me conter. Em seguida, puxei um pequeno prato de porcelana e joguei fora a carne gordurosa e o Danish lambuzado, limpando as mãos na roupa suja, escondida debaixo da mesa, para que ela não visse que ainda não tinha sido pega. Na teoria, eu deveria lavar seu prato todo dia na pia em nosso protótipo de cozinha, mas eu simplesmente não me animava a me dar esse trabalho. A humilhação de lavar sua louça na frente de todo mundo me instigava a limpá-la com lenço de papel depois de cada refeição e raspar todo o restante de queijo com as unhas. Se estivesse muito suja ou tivesse ficado suja por muito tempo, eu abria uma garrafa de Pellegrino, que mantínhamos em grande quantidade, e derramava um pouquinho em cima. Imaginava que ela ficaria grata por eu não borrifá-lo com um removedor usado para limpar a mesa. Eu estava razoavelmente segura de que a minha moral tinha atingido o ponto mais baixo – o que era preocupante era eu ter relaxado tão naturalmente.

– Lembre-se, quero minhas garotas sorrindo – ela estava dizendo ao telefone. Pelo tom de voz, eu podia afirmar que falava com Lucia, a diretora de moda que seria a responsável pela sessão fotográfica no Brasil, que ocorreria em breve. – Felizes, muitos dentes à mostra, garotas sadias, sem problemas. Nada de cismas, nada de raiva, nada de cenho franzido, nada de maquiagem escura. Eu as quero esplendorosas. É isso. Lucia, não vou admitir nada menos que isso.

Pus o prato na beira de sua mesa e, do lado, o café com leite e o guardanapo com todos os acessórios necessários. Ela não olhou para mim. Fiz uma pausa para ver se me daria uma pilha de papéis, coisas para transmitir por fax ou procurar ou arquivar, mas ela me ignorou e eu saí. Oito e meia da manhã, eu estava acordada havia três horas, e parecia que já tinha trabalhado 12, e pude me sentar pela primeira vez em toda a manhã. Assim que estava conectando o Hotmail, ansiosa para ler alguns e-mails engraçados de pessoas de fora da empresa, ela apareceu. A jaqueta cintada apertava sua cintura já finíssima e complementava a saia justa, de caimento perfeito. Ela estava maravilhosa.

– Ahn-dre-ah. O café está gelado. Não entendo por quê. Com certeza se demorou muito! Vá buscar outro.

Respirei fundo e me concentrei em evitar a expressão de ódio na minha cara. Miranda pôs o café rejeitado em minha mesa e folheou rapidamente o novo número de *Vanity Fair* que havia sido deixado para ela. Senti Emily me observando, e sabia que o seu olhar era de simpatia e raiva: ela se sentia mal por eu ter de repetir a provação toda, mas me odiava por ousar me chatear com isso. Afinal, um milhão de garotas não dariam a vida por meu emprego?

E então, com um suspiro audível – algo que eu aperfeiçoara recentemente, alto o bastante para Miranda ouvir, mas não o suficiente para ela me repreender –, tornei a vestir meu casaco e consegui fazer minhas pernas se dirigirem aos elevadores. Ia ser mais um dia longo, muito longo.

O segundo café levou vinte minutos e foi muito mais tranquilo: as filas no Starbucks tinham diminuído um pouco e Marion estava trabalhando. Ela começou a preparar um café com leite assim que me viu entrar. Não aumentei o pedido dessa vez porque estava louca para voltar e me sentar, mas acrescentei *venti cappuccinos* para mim e Emily. No exato momento em que estava pagando, meu telefone tocou. Maldição, essa mulher era insuportável. Insaciável, impaciente, impossível. Eu não estava fora há mais de quatro minutos: ela não podia já ter se cansado de esperar. De novo, equilibrei a bandeja com uma das mãos e tirei o telefone do bolso do casaco. Eu já tinha decidido que esse comportamento de sua parte me garantia mais um cigarro – nem que fosse para segurar seu café por mais algum tempo –, quando percebi que era Lily ligando de casa.

– Ei, liguei na hora errada? – perguntou, parecendo empolgada. Consultei o relógio e vi que ela deveria estar na aula.

– Humm, mais ou menos. Estou na segunda corrida do café, o que é ótimo. Estou realmente me divertindo muito, se é isso que está querendo saber. O que houve? Não teve aula?

– Sim, mas saí com o Garoto da Camisa Rosa de novo na noite passada e nós dois bebemos *margaritas* demais. Mais ou menos umas oito. Ele ainda está desmaiado aqui, então não posso sair. Mas não é por isso que estou ligando.

– Mesmo? – Eu mal estava escutando, já que um dos cappuccinos estava derramando e o telefone estava entre o meu pescoço e o meu ombro enquanto eu usava a mão livre para tirar um cigarro do maço e acendê-lo.

– Meu senhorio teve a coragem de bater à minha porta às oito da manhã para me dizer que eu estava sendo despejada – disse ela sem a menor alegria na voz.

– Despejada? Lil, por quê? O que vai fazer?

– Parece que, finalmente, estão se dando conta de que não sou Sandra Gers e que ela não mora aqui há seis meses. Já que ela, tecnicamente, não é parente, a lei do inquilinato não permite que transfira o apartamento para mim. É claro que eu sabia disso, por isso eu dizia que era ela. Não sei como descobriram. Mas não importa, porque agora eu e você poderemos morar juntas! O seu contrato com Shanti e Kendra é mensal, não é? Você sublocou porque não tinha onde morar, certo?

– Certo.

– Bem, agora tem! Podemos dividir um apartamento onde você quiser!

– Que máximo! – Isso pareceu falso aos meus ouvidos, se bem que estava genuinamente animada.

– Então, está a fim? – perguntou ela, seu entusiasmo parecendo um pouco amortecido.

– Lil, é claro. Sinceramente, é uma ideia bárbara. Não quero parecer negativa, mas é que está chovendo e nevando e eu estou na rua, e tem café quente escorrendo por meu braço esquerdo... – *Bip-bip*. Tocou a outra linha e, apesar de quase queimar o pescoço com a ponta do cigarro, enquanto tentava afastar o telefone do ouvido, pude ver que era Emily. – Merda, Lil, é Miranda na outra linha, tenho de correr. Mas parabéns por ter sido despejada! Estou animadíssima. Ligo mais tarde, ok?

– Ok, vou falar com...

Eu já tinha desligado e me preparado mentalmente para o bombardeio.

– Eu, de novo – disse Emily laconicamente. – O que está acontecendo? É só um café, pelo amor de Deus. Esqueceu que eu fazia o seu trabalho e sei que não leva tanto tempo...

– O quê? – eu disse alto, com alguns dedos sobre o bocal do telefone. – O que você disse? Não estou ouvindo. Se estiver me ouvindo, estou chegando em um minuto! – Fechei o telefone e o enfiei no bolso. E apesar de o Marlboro estar pela metade, joguei-o na calçada e corri de volta ao trabalho.

Miranda dignou-se a aceitar o café com leite um pouquinho mais quente, e até nos permitiu alguns momentos de paz entre as dez e onze horas, quando instalou-se em sua sala com a porta fechada, falando amorosamente com C-SEM. Oficialmente, eu o conhecera na semana anterior, quando deixei o Livro naquela quarta à noite, por volta das nove. Ele tinha tirado seu casaco do armário no *foyer* e passado os dez minutos seguintes referindo-se a si mesmo na terceira pessoa. A partir desse encontro, ele passara a me dispensar uma atenção especial, extra, quando, toda noite, eu chegava, sempre tomando alguns minutos para perguntar como havia sido meu dia ou elogiar um trabalho bem-feito. Naturalmente, nenhuma dessas gentilezas parecia contagiar sua mulher, mas, pelo menos, era uma pessoa agradável.

Eu estava para ligar para um dos relações-públicas para ver se conseguia mais algumas roupas para trabalhar, quando a voz de Miranda interrompeu meus pensamentos.

– Emily, gostaria do meu almoço. – Ela tinha falado de sua sala a ninguém em particular, pois Emily podia ser qualquer uma de nós duas. A verdadeira Emily olhou para mim e fez um movimento com a cabeça, indicando-me que deveria agir. O número do Smith and Wollensky estava programado na minha agenda e reconheci a voz, no outro lado, da nova garota.

– Oi, Kim, é Andrea, do escritório de Miranda Priestly. Sebastian está?

– Oh, olá, humm, como disse mesmo que se chamava? – Independentemente de eu ligar à mesma hora duas vezes por semana, e já ter me identificado, ela sempre agia como se nunca tivéssemos falado.

– Do escritório de Miranda Priestly. Da *Runway*. Ouça, não quero ser rude – *sim, realmente quero* –, mas estou com um pouco de pressa. Pode chamar Sebastian? – Se qualquer outra pessoa tivesse atendido, eu poderia ter dito apenas para providenciar o pedido de sempre de Miranda, mas como essa garota era pateta demais para ser confiável, eu tinha aprendido a chamar o gerente.

– Humm, ok, vou ver se ele pode atender. – *Pode ter certeza, Kim. Miranda Priestly é a sua vida.*

– Andy, querida, como vai? – disse Sebastian. – Espero que esteja ligando porque a nossa diretora de moda preferida quer o almoço, não?

Eu me perguntei o que ele diria se, só uma vez, eu respondesse que não era para Miranda, mas para mim. Afinal, não era exatamente um restaurante de quentinhas, mas faziam uma exceção para a rainha.

– Oh, sim, é isso. Ela acabou de dizer que gostaria de algo delicioso de seu restaurante, e, também, que mandava um abraço. – Se nem mesmo sob a ameaça de morte ou desmembramento, Miranda conseguiria identificar o nome do lugar em que encomendava seu almoço, não tinha importância o nome desse gerente diurno, mas ele sempre parecia muito feliz quando eu dizia algo assim. Hoje, ficou tão contente que riu afetado.

– Fabuloso! Simplesmente fabuloso! Já estará pronto quando você chegar – gritou ele com um entusiasmo novo em sua voz. – Não pode esperar! E dê-lhe um abraço meu, também, é claro!

– Darei sim. Até já. – Era exaustivo afagar seu ego tão entusiasticamente, mas ele facilitava tanto o meu trabalho que valia a pena. Todo dia que Miranda não almoçava fora, eu lhe servia o mesmo prato em sua mesa, e ela o comia calmamente a portas fechadas. Eu mantinha um suprimento de pratos de porcelana com esse propósito. A maioria era de amostras enviadas por *designers* cujas novas linhas "do lar" tinham acabado de ser lançadas, embora pegasse alguns no restaurante. No entanto, seria muito maçante ter de guardar estoques de coisas como molheiras, facas, guardanapos de linho, de modo que Sebastian sempre fornecia esses acessórios com a refeição.

E, mais uma vez, vesti meu casaco de lã preto, meti os cigarros e o telefone no bolso e saí, no fim de um dia de fevereiro, que parecia ficar cada vez mais cinza. Embora fosse uma caminhada de apenas 15 minutos até o restaurante, na rua 49 com a Terceira, pensei em chamar um táxi, mas reconsiderei ao sentir o ar puro nos pulmões. Acendi um cigarro e traguei; quando exalei, não soube bem se era fumaça, ar frio ou irritação, mas foi bom demais.

Esquivar-me dos turistas flanando tinha se tornado mais fácil. Antes, eu costumava olhar com repugnância para pedestres falando em celulares, mas por causa dos meus dias agitados, me tornei uma falante caminhante. Peguei o celular e liguei para a escola de Alex, onde, segundo a minha vaga lembrança, ele poderia estar almoçando no saguão da faculdade.

Tocou duas vezes antes de uma voz aguda de mulher atender.

– Alô. Aqui é o Grupo Escolar 277 e é a Srta. Whitmore falando. Em que posso ajudá-lo?

– Alex Fineman está?

– E quem gostaria de falar com ele?

– Andrea Sachs, a namorada dele.

– Ah, sim, Andrea! Ouvimos tanto falar de você. – Suas palavras foram tão entrecortadas que parecia que ela se asfixiaria a qualquer momento.

– Ah, é mesmo? Isso é... isso é bom. Também ouvi muito de vocês, é claro. Alex diz coisas maravilhosas sobre todos na escola.

– Bem, não é tão agradável. Mas, falando sério, Andrea, parece que você tem um trabalho e tanto! Como deve ser interessante trabalhar para uma mulher tão talentosa. Você é realmente uma garota de sorte.

Ah, sim, Srta. Whitmore. Sou uma garota de sorte realmente. *Tenho tanta sorte que nem imagina. Não pode imaginar como me senti com sorte quando fui enviada ontem à tarde para comprar tampões para a minha chefe, só para depois escutar que tinha comprado os errados e por que eu não fazia nada direito. E a sorte é provavelmente a única explicação para eu ter que separar as roupas suadas e manchadas de comida de outra pessoa toda manhã antes das 8 horas, e providenciar para que sejam lavadas. Ah, espere! Acho que o que mais me torna afortunada é ter de falar com criadores de animais por toda a área por três semanas seguidas procurando um filhote de buldogue francês perfeito, para que duas meninas incrivelmente mimadas e hostis possam, cada uma, ter o seu próprio cachorrinho de estimação. Sim, é isso aí!*

– Oh, sim, bem, é uma oportunidade fantástica – eu disse, por hábito. – Um trabalho pelo qual um milhão de garotas dariam a vida.

– Pode ter certeza, querida! Adivinha? Alex acaba de chegar. Vou passar para ele.

– Oi, Andy, o que houve? Como está o seu dia?

– Nem me fale. Estou indo pegar o almoço dela. E o seu?

– Até agora, tudo bem. A minha turma tem aula de música hoje depois do almoço, então tenho uma hora e meia livre, o que é muito bom. Depois, faremos mais exercícios de fonética! – disse ele, parecendo só um pouco frustrado. – Embora a impressão seja a de que nunca vão aprender a ler alguma coisa.

– Bem, hoje teve alguém cortando alguém?

– Não.

– E o que você quer mais? Teve um dia relativamente sem dor, sem sangue. Aproveite-o. Deixe o conceito de leitura para amanhã. Adivinha? Lily ligou de manhã. Foi finalmente despejada do apartamento no Harlem, e, então, vamos morar juntas. Engraçado, não é?

– Ei, parabéns! Não podia ser em um momento melhor para você. Vocês duas vão se divertir muito. Mas, pensando bem, dá um pouco de medo. Lidar com Lily o dia todo... e os garotos de Lily... Promete que passaremos bastante tempo em minha casa?

– É claro. Mas vai se sentir em casa. Será como o último ano de novo.

– É ruim ela ter perdido um apartamento barato. Mas, fora isso, são ótimas notícias.

– Sim, estou animada. Shanti e Kendra são legais, mas estou um pouco farta dessa coisa de morar com estranhos. – Gostava de comida indiana, mas não de como o cheiro de *curry* se impregnara em tudo meu. – Vou ver se Lily quer se encontrar para beber alguma coisa hoje à noite e celebrar. Está a fim? Podemos nos encontrar em algum lugar no East Village, assim não fica muito longe para você.

– Sim, é claro, parece ótimo. Vou a Larchmont assistir a Joey hoje à noite, mas estarei de volta à cidade mais ou menos às oito horas. Você ainda nem terá largado o trabalho a essa hora, então me encontrarei com Max e depois nos vemos todos. Ei, Lily está saindo com alguém? Max poderia, bem...

– O quê? – ri. – Vamos, fale. Acha que minha amiga é puta? Ela é liberada, só isso. E se está saindo com alguém? Que tipo de pergunta é essa? Alguém chamado Garoto da Camisa Rosa passou a noite passada lá. Não sei o seu nome de verdade.

– Não importa. De qualquer jeito, a campainha acaba de tocar. Ligue quando entregar o Livro.

– Ligo. Tchau.

Eu estava guardando o celular quando tocou de novo. O número não me era familiar, mas atendi aliviada por não ser Miranda ou Emily.

– Escr... alô? – Atendia automaticamente o celular ou o telefone em casa dizendo "escritório de Miranda Priestly", o que era extremamente constrangedor quando era outra pessoa que não meus pais ou Lily. Tinha de trabalhar isso.

– É a adorável Andrea Sachs que eu, inadvertidamente, aterrorizei na festa de Marshall? – perguntou uma voz rouca e muito sexy. Christian! Eu tinha me sentido quase aliviada por ele não ter reaparecido depois de massagear minha mão com seus lábios. Mas toda a vontade de querer impressioná-lo com a minha sagacidade e meu charme naquela noite retornou imediatamente, e eu rapidamente jurei ficar calma.

– É. E posso saber com quem estou falando? Foram muitos os homens que me aterrorizaram naquela noite e pelas mais variadas razões. – *Ok, até aqui, tudo bem. Respire fundo, fique fria.*

– Não percebi que tinha tantos rivais – disse ele suavemente. – Mas eu não devia me surpreender. Como está, Andrea?

– Bem. Muito bem, na verdade – menti logo, me lembrando de um artigo na *Cosmo* que havia aconselhado a me "manter leve, etérea e feliz" ao falar com um cara que acabara de conhecer, porque os caras mais "normais" não reagiam bem ao cinismo empedernido. – O trabalho vai indo bem. Estou adorando, de verdade! Ultimamente tem sido bastante interessante. Muita coisa para aprender, milhões de coisas acontecendo. Sim, é bárbaro. E você? – *Não fale demais sobre você mesma, não domine a conversa, deixe-o à vontade o bastante para falar sobre o seu tópico preferido e mais familiar: ele.*

– Você é uma mentirosa hábil, Andrea. A um ouvido não treinado isso soaria quase convincente, mas sabe o que dizem, não sabe? Não se pode contar lorota a um loroteiro. Mas não se preocupe. Deixarei que saia impune desta vez. – Abri a boca para negar a acusação, mas, ao invés disso, apenas ri. Um cara perspicaz, sem dúvida. – Vou direto ao assunto, porque estou para embarcar em um avião para Washington, D.C., e a segurança não parece muito feliz por eu passar pelo detector de metal conversando ao telefone. Tem planos para sábado à noite?

Eu odiava quando as pessoas expressavam suas perguntas dessa maneira, perguntavam se tinha planos antes de dizerem o que tinham em mente. Sua namorada precisava de um mensageiro e ele achou que eu seria boa para a função? Ou quem sabe ele não precisava de alguém para levar seu cachorro para passear enquanto dava mais uma entrevista de oito horas ao *New York Times*? Eu estava pensando em como responder sem me envolver, quando ele disse:

– Tenho uma reserva no Babbo para sábado. Nove da noite. Um grupo de amigos estará lá, também; a maior parte é de editores de revistas, pessoas interessantes. Um editor da *The Buzz* e alguns escritores da *The New Yorker*. Gente boa. Está a fim? – Nesse exato momento, uma ambulância passou com a sirene tocando, luzes faiscando em uma tentativa vã de atravessar o trânsito engarrafado. Como sempre, os motoristas ignoraram a ambulância e ela teve que parar no sinal vermelho como todos os outros veículos.

Ele acabava de me convidar para sair? Sim, achei que era exatamente o que tinha acabado de acontecer. Ele estava me convidando para sair! Ele estava me convidando para sair. Christian Collinsworth estava marcando um encontro comigo – um encontro sábado à noite, para ser mais específica, e no Babbo, onde ele acabara de fazer uma reserva, para o horário nobre, com um grupo de pessoas inteligentes, interessantes como ele. Nem mesmo me importavam os escritores da *New Yorker*! Puxei pela memória tentando me lembrar se tinha mencionado a ele, na festa, que o Babbo era o restaurante que eu mais queria conhecer em Nova York, que adorava comida italiana e sabia quanto Miranda gostava de lá e estava louca para ir. Tinha até mesmo pensado em estourar o salário de uma semana em uma refeição e tinha ligado para fazer uma reserva para mim e Alex, mas eles estavam com as reservas esgotadas pelos próximos cinco meses. Em três anos, o único rapaz que marcara encontro comigo tinha sido Alex.

– Humm, Christian, poxa, eu adoraria. – Imediatamente tentei me esquecer de que tinha dito "poxa". *Poxa!* Quem disse isso? A cena em que Baby orgulhosamente anuncia a Johnny que tinha levado uma melancia me passou pela cabeça, mas a repeli e me forcei a avançar rapidamente, apesar da humilhação. – Eu realmente adoraria – *sim, idiota, acabou de dizer isso, tente algo novo agora* –, mas não vou poder. Eu, bem, já tenho um compromisso para sábado. – Uma boa resposta, de modo geral, pensei. Eu estava gritando por sobre o barulho da sirene, mas achei que ainda parecia, de alguma maneira, digna. Não há necessidade de estar disponível para um encontro para dali a dois dias, e nenhuma necessidade de revelar a existência de um namorado... afinal, não era da conta dele. Certo?

– Tem mesmo compromisso, Andrea, ou acha que seu namorado não aprovará que saia com outro homem? – Ele estava jogando verde, eu sabia.

– Seja como for, não é da sua conta – repliquei afetadamente, e realmente cheguei a revirar os olhos. Atravessei a Terceira Avenida sem notar que o sinal estava contra mim e quase fui atropelada por uma van.

– Ok, vou perdoá-la desta vez. Mas vou convidá-la outro dia. E acho que, na próxima vez, você vai dizer sim.

– Ah, é mesmo? O que lhe dá essa impressão? – A confiança que antes tinha parecido tão sexy começava a parecer arrogância. O único problema era que o tornava ainda mais sexy.

– Só um palpite, Andrea, só um palpite. E não precisa preocupar essa sua cabecinha bonita, ou a do seu namorado. Eu só estava fazendo um convite cordial para uma boa refeição e boa companhia. Quem sabe ele não gostaria de nos encontrar, Andrea? O seu namorado. Deve ser um cara e tanto, eu realmente gostaria de conhecê-lo.

– Não! – quase gritei, em pânico com a ideia dos dois sentados à mesa um diante do outro, cada um tão surpreendente de maneira radicalmente diferente. Eu ficaria envergonhada de Christian ver a integridade de Alex, suas maneiras de bom samaritano. Para Christian, Alex seria um caipira ingênuo. E eu ficaria ainda mais envergonhada de Alex ver, com seus próprios olhos, todas as coisas feias que eu achava incrivelmente atraentes em Christian: a elegância, a arrogância, a confiança sólida como uma rocha que fazia parecer impossível insultá-lo. – Não. – Eu ri, ou melhor, forcei uma risada e tentei parecer natural. – Não acho que seria uma boa ideia. Embora acredite que ele adoraria conhecer você, também.

Ele riu comigo, mas seu riso era escarnecedor, condescendente.

– Eu estava brincando, Andrea. Estou certo de que ele é mesmo um grande sujeito, mas não estou particularmente interessado em conhecê-lo.

– É claro. Sim. Quer dizer, eu sabia que você...

– Ouça, tenho de correr. Por que não me liga, se mudar de ideia... ou de "planos"? Está bem? O convite continua de pé. Ah, e tenha um excelente dia. – E antes que eu pudesse dizer qualquer outra coisa, desligou.

O que diabos tinha acabado de acontecer? Revisei tudo de novo: Escritor Sensual e Inteligente tinha descoberto, não sei como, o número do meu celular, ligado e me convidado para, no sábado à noite, irmos a um Restaurante da Moda. Eu não sabia bem se ele já sabia que eu tinha namorado ou não, mas não pareceu desencorajado com a informação. A única coisa que eu sabia ao certo era que eu tinha passado tempo demais conversando ao telefone, fato confirmado por uma olhadela rápida ao meu relógio. Tinham se passado 32 minutos desde que eu saíra do escritório, mais tempo do que gastava geralmente para pegar o almoço e voltar.

Guardei o telefone e vi que já tinha chegado ao restaurante. Empurrei a porta de madeira de construção e entrei no salão silencioso e escuro. Embora as mesas estivessem todas ocupadas por banqueiros e advogados mordendo sua carne preferida, quase não se ouvia um ruído, como se o carpete fofo e a cor viril absorvessem todo e qualquer som.

– Andrea! – ouvi Sebastian gritar da recepção. Dirigiu-se em linha reta a mim, como se eu levasse os últimos medicamentos que salvariam vidas. – Estamos todos tão contentes em vê-la aqui! – Duas garotas com *tailleurs* cinza balançavam a cabeça seriamente atrás dele.

– É mesmo? E por que isso? – Não consegui deixar de brincar, só um pouco, com Sebastian. Ele era um puxa-saco inacreditável.

Ele inclinou-se, com um ar conspirador, a excitação flagrante.

– Bem, você sabe o que o *staff* todo do Smith and Wollensky sente em relação à Sra. Priestly, não sabe? *Runway* é uma revista tão maravilhosa, com todas aquelas fotos belíssimas e uma elegância incrível e, é claro, artigos eruditos fascinantes. Todos nós adoramos!

– Artigos eruditos? – perguntei, reprimindo um sorriso rasgado que ameaçava emergir. Ele balançou a cabeça com orgulho e virou-se quando uma das ajudantes de *tailleur* deu um tapinha em seu ombro e lhe entregou uma sacola.

Ele, literalmente, gritou de alegria.

– Ah-hah! Aqui está, um almoço preparado com perfeição para uma diretora perfeita. E uma assistente perfeita – acrescentou, piscando para mim.

– Obrigada, Sebastian, nós duas agradecemos. – Abri a sacola de algodão cru, uma bolsa igual às *über-cool* da Strand, que todos os estudantes da New York University penduram a tiracolo, mas sem o logotipo, e conferi tudo. Um quilo de lombo, sangrando, tão cru que podia nem ter sido cozido. Confere. Duas batatas assadas do tamanho de gatinhos pequeninos, fumegando. Confere. Um pequeno recipiente de lado com purê de batatas, bem macio, com muito creme e manteiga. Confere. Exatamente oito caules de aspargos com as pontas de cima roliças e suculentas, e as de baixo bem aparadas. Confere. Também havia uma molheira de metal cheia de manteiga, e um pequeno saleiro transbordando de sal, uma faca de cabo de madeira e um guardanapo de linho branco, que estava dobrado na forma de uma saia pregueada. Que adorável. Sebastian esperou para ver se eu gostava.

– Muito bem, Sebastian – eu disse, como se elogiasse um cachorrinho por ter ido fazer cocô lá fora. – Você hoje realmente se superou.

Ele sorriu radiante, depois baixou os olhos e buscou ser humilde.

– Obrigado. Você sabe o que sinto em relação à Sra. Priestly e, bem, é realmente uma honra, bem, você sabe...

– Preparar seu almoço? – complementei, prestativa.

– Bem, sim. Exatamente. Você sabe o que quero dizer.

– Sim, é claro que sei, Sebastian. Ela vai adorar. Tenho certeza. – Não tive a coragem de lhe dizer que eu desembrulhava imediatamente todas as suas criações porque a Sra. Priestly, que ele adorava tanto, teria um acesso de fúria se ela se deparasse com um guardanapo em outra forma que não a de um guardanapo – nem que fosse na forma de uma bolsa ou de um sapato de salto. Pus a bolsa sob o braço e me virei para sair, quando meu telefone tocou.

Sebastian olhou para mim na expectativa, esperando ardorosamente que a voz no outro lado da linha fosse a do seu amor, da razão de sua vida. Não foi desiludido.

– Emily? Emily, é você, quase não a ouço! – A voz de Miranda chegou do outro lado em um *staccato* estridente e raivoso.

– Alô, Miranda. Sim, é Andrea – declarei calmamente, e Sebastian ficou visivelmente enfeitiçado ao escutar seu nome.

– Está preparando pessoalmente a minha refeição, Andrea? Porque, segundo o meu relógio, eu a pedi há 35 minutos. Não consigo uma razão sequer por que o meu almoço ainda não está na minha mesa. E você?

Ela disse o meu nome! Um pequeno sucesso, mas não havia tempo para celebrar.

– Humm, bem, lamento ter demorado tanto, mas houve uma pequena confusão com...

– Você sabe como me interessam pouco tais detalhes, não sabe?

– Sim, é claro que compreendo, e não vai demorar para...

– Estou ligando para dizer que quero o meu almoço, e quero *agora*. Não há espaço para desculpas, Emily. Eu. Quero. Meu. Almoço. Já! – E desligou o telefone, e as minhas mãos estavam tremendo tanto que deixei cair o celular no chão. Podia muito bem ter caído em arsênico fervendo.

Sebastian, que estava a ponto de desmaiar, abaixou-se rapidamente para pegar o telefone para mim.

– Ela está chateada conosco, Andrea? Espero que ela não ache que a desapontamos! Acha? Ela acha isso? – Sua boca franziu, apertada, em uma forma oval, e as veias, já proeminentes em sua testa, pulsaram, e eu quis odiá-lo tanto quanto odiava ela, mas só senti pena. Por que esse homem, esse homem que parecia notável por ser tão comum, por que ele se importava tanto com Miranda Priestly? Por que investia tanto em agradá-la, impressioná-la, servi-la? Talvez pudesse pegar o meu lugar, pensei, porque eu ia me demitir. Sim, era isso. Eu ia andar de volta a esse escritório e pediria demissão. Quem precisava daquela droga? Quem lhe dava o direito de falar comigo, ou com qualquer outro, dessa maneira? A posição? O poder? O prestígio? A maldita Prada? Onde, em um universo justo, esse comportamento seria admissível?

O recibo que eu deveria assinar diariamente, cobrando os 95 dólares ao Elias-Clark, estava à minha frente e eu rabisquei rapidamente uma assinatura ilegível. Se era minha ou de Miranda ou de Emily ou de Mahatma Gandhi, a essa altura, eu não sabia ao certo, mas não teria importância. Peguei a sacola de comida que redefinia o termo "almoço" e saí pisando pesado, deixando um Sebastian muito frágil cuidar de si mesmo. Entrei em um táxi no momento que cheguei à rua, quase derrubando um homem idoso. Não havia tempo para me preocupar. Tinha um emprego a abandonar. Mesmo com o trânsito do meio do dia, cobrimos as poucas quadras em dez minutos, e dei uma nota de 20 ao taxista. Teria dado 50 se tivesse uma maneira de ser reembolsada pelo Elias-Clark, mas não havia nenhuma nota de cinquenta em minha carteira. Ele se pôs imediatamente a contar o troco, mas bati a porta e corri. Que esses vinte servissem para cuidar de uma menininha ou consertar o aquecedor, decidi. Ou mesmo para algumas cervejas depois do trabalho, no estacionamento de táxis no Queens – o que quer que o taxista fizesse com eles seria, de certa maneira, mais nobre do que comprar mais outra xícara de Starbucks.

Cheia de indignação hipócrita, disparei para dentro do edifício e ignorei os olhares reprovadores do pequeno grupo de tagarelas. Vi Benji saindo do elevador Bergman, mas me virei rapidamente, para não perder mais tempo, passei o cartão e joguei o quadril contra a roleta. Merda! A barra de metal bateu na minha pélvis e eu soube que em poucos minutos estaria com uma mancha roxa no local. Ergui os olhos para as duas fileiras de dentes brancos brilhantes e a cara gorda e suada em volta deles. Eduardo. Ele devia estar brincando. Tinha de estar.

Rapidamente lancei-lhe o meu olhar mais atrevido, o que dizia, muito simplesmente, *Morra!*, mas hoje não funcionou. Encarando-o, fui para a roleta seguinte, passei o cartão e avancei. Ele tinha conseguido trancá-la a tempo, e ficou ali, deixando os tagarelas passarem pela primeira roleta. Tentei as seis e continuei ali, tão frustrada que achei que ia chorar. Eduardo não foi simpático.

– Amiga, não fique tão deprimida. Não é nenhuma tortura. É engraçado. Agora, por favor. Preste atenção, porque... – e mandou *I think we're alone now.*

– Eduardo! Como acha que devo representar esta? Não tenho tempo para esta merda agora!

– Ok, ok. Não represente, apenas cante. Eu começo, você termina.

Imaginei que não precisaria pedir demissão se conseguisse subir porque seria despedida de qualquer jeito. Mas talvez pudesse fazer alguém ganhar o dia.

E cantei sem perder o ritmo.

Aproximei-me mais quando notei que o panaca do primeiro dia, Mickey, estava tentando escutar, e Eduardo a concluiu. Ele gargalhou e jogou a mão para o alto. Eu bati a minha na sua, e ouvi a barra de metal estalar ao se abrir.

– Tenha um bom almoço, Andy! – gritou, ainda com um sorriso largo no rosto.

– Você também, Eduardo, você também.

A subida no elevador foi, graças a Deus, sem imprevistos, e só quando eu estava diante da porta do nosso conjunto de salas é que decidi que não podia pedir demissão. À parte o óbvio – isto é, seria aterrador demais fazê-lo sem estar preparada, ela provavelmente apenas olharia para mim e diria: "Não, não permito que peça demissão." E então o que eu responderia? Não podia esquecer que era somente um ano na minha vida. Um único ano para escapar de coisa muito pior. Um ano, 12 meses, 52 semanas, 365 dias, de suportar esse lixo para fazer o que realmente queria. Não era uma exigência tão grande e, além do mais, estava cansada demais para, até mesmo, pensar em procurar outro trabalho. Cansada demais.

Emily ergueu os olhos para mim quando entrei.

– Ela já vai voltar. Foi chamada à sala do Sr. Ravitz. Sério, Andrea, por que demorou tanto? Sabe que ela me repreende quando você atrasa, e o que posso dizer? Que está fumando, em vez de comprar seu café, ou falando com o seu namorado, ao invés de buscar seu almoço? Não é justo, não é mesmo. – Voltou a atenção para o computador, com a expressão resignada.

Ela tinha razão, é claro. Não era justo. Para mim, para ela, para nenhum ser humano semicivilizado. E me senti mal por piorar as coisas para ela, o que eu fazia sempre que levava alguns minutos extras fora do escritório, para relaxar e me revigorar. Pois cada segundo que eu estava fora, era mais um segundo que Miranda concentrava sua atenção implacável em Emily. Prometi a mim mesma me esforçar mais.

– Você tem toda razão, Em, me desculpe. Vou me esforçar mais.

Ela pareceu genuinamente surpresa e um pouquinho satisfeita.

– Eu agradeceria, Andrea. Quer dizer, eu já fiz o seu trabalho e *sei* como absorve. Houve dias em que tive de sair na neve, na lama e na chuva, para buscar o seu café cinco, seis, sete vezes em um único dia. Eu ficava tão cansada que mal conseguia me mover. Eu sei como é! Às vezes, ela me chamava para perguntar onde estava alguma coisa. Seu café com leite, seu almoço, algo especial, me mandava procurar um creme dental para dentes sensíveis, foi reconfortante descobrir que pelo menos seus dentes tinham um pouco de sensibilidade, e eu ainda nem tinha saído do edifício. Não tinha ido lá fora! Ela é assim, Andy. É a sua maneira de ser. Você não pode lutar contra, ou não sobreviverá. Ela não quer fazer mal, ela realmente não quer. É simplesmente a sua maneira de ser.

Balancei a cabeça e entendi, mas não me convenci. Eu não tinha trabalhado em outro lugar, mas não conseguia acreditar que todos os chefes agissem dessa maneira. Mas quem sabe agiam?

Levei a sacola com a comida para a minha mesa e comecei os preparativos para servi-la. Um por um, usei minhas mãos para tirar a comidas de seus recipientes quentes e selados e dispô-la (elegantemente, eu esperava) em um dos pratos de porcelana. Mais devagar somente para limpar minhas mãos, agora engorduradas, na calça Versace que ainda não tinha mandado lavar, coloquei o prato sobre a bandeja de azulejo marrom que ficava sob a minha mesa. Do lado, a molheira cheia de manteiga, o sal e os talheres de prata envolvidos no guardanapo de linho-não-mais-saia-pregueada. Um exame rápido do meu talento artístico revelou que faltava a Pellegrino. Melhor correr, ela estaria de volta em um minuto! Disparei para uma das minicozinhas e peguei um punhado de cubos de gelo, soprando-os para que não queimassem minhas mãos. Soprar foi apenas um passo pequenininho para lamber – *faço isto? Não! Fique acima disso, você é mais que isso. Não cuspa na comida dela nem lamba seus cubos de gelo. Você é mais que isso!*

Sua sala ainda estava vazia quando voltei, e a única coisa que restava a fazer era verter a água e colocar a bandeja toda arrumada sobre a sua mesa. Ela voltaria e se sentaria à mesa gigantesca e chamaria alguém para fechar a porta. E era a única hora que eu me levantava de um pulo, feliz e animada, porque significava não somente que ela ficaria, por trás da porta fechada, em silêncio por uma boa meia hora, ao telefone com C-SEM, mas também que estava na nossa hora de comer. Uma de nós podia correr até o restaurante e pegar a primeira coisa que visse e correr de volta para dar tempo de a outra ir. Esconderíamos a comida debaixo da mesa e atrás da tela dos computadores para o caso de ela aparecer inesperadamente. Se havia uma regra tácita, mas irrefutável, era a de que membros do *staff* da *Runway* não comiam na frente de Miranda Priestly. Ponto final.

Meu relógio dizia que faltavam quinze para as duas. Meu estômago dizia que era fim da tarde. Haviam se passado sete horas desde que eu empurrara um biscoito de chocolate goela abaixo ao voltar do Starbucks para o escritório, e estava com tanta fome que cheguei a pensar em dar uma mordida no seu lombo.

– Em, acho que vou desmaiar de fome. Vou descer e pegar alguma coisa para comer. Quer que traga algo para você?

– Está maluca? Ainda não serviu o almoço dela. Ela deve voltar a qualquer momento.

– Falo sério. Não estou me sentindo bem. Acho que não posso esperar. – A privação de sono e a baixa de glicose combinadas me deixaram tonta. Não tinha certeza se conseguiria levar a bandeja até a mesa dela, mesmo que ela chegasse logo.

– Andrea, seja racional! E se vocês se esbarrarem no elevador ou na recepção? Ela ficaria sabendo que saiu da sala. Ela perderia o controle! Não vale a pena arriscar. Espere um segundo, vou buscar alguma coisa. – Ela pegou sua bolsinha de moedas e saiu da sala. Nem quatro segundos depois, vi Miranda descendo o corredor na minha direção. Qualquer pensamento de tonteira ou fome ou exaustão desapareceram no momento em que a localizei, de cenho franzido, e voei da minha mesa para colocar a bandeja na sua mesa antes que ela entrasse.

Aterrissei na minha cadeira, a cabeça girando, a boca seca, e completamente desorientada, antes que o seu primeiro Jimmy Choo ultrapassasse o limiar. Ela nem relanceou os olhos na minha direção ou, graças a Deus, pareceu notar que a verdadeira Emily não estava em sua mesa. Tive o pressentimento de que a reunião com o Sr. Ravitz não tinha sido boa, se bem que podia ser simplesmente o ressentimento por ter sido obrigada a sair de sua sala para ir à de outra pessoa. O Sr. Ravitz era, até agora, a única pessoa no edifício inteiro que Miranda se apressava a prestar um favor.

– Ahn-dre-ah! O que é isto? Por favor, me diga, o que diabos é isto?

Corri para a sua sala e fiquei diante de sua mesa, onde nós duas olhamos para o que era, obviamente, o mesmo almoço que sempre comia quando não saía. Uma lista mental de itens revelou que não estava faltando nada nem nada estava fora do lugar ou no lado errado ou cozido de maneira incorreta. Qual seria o problema?

– Humm, é, bem, é o seu almoço – eu disse calmamente, fazendo um esforço genuíno para não parecer sarcástica, o que era difícil, considerando-se que a minha resposta era extremamente óbvia. – Tem alguma coisa errada?

Acho que ela apenas separou os lábios, mas para o meu ego quase delirante, pareceu que estava mostrando presas pontiagudas.

– Se tem alguma coisa errada? – imitou com uma voz aguda que não se pareceu com a minha, que não se pareceu com nada humano. Ela estreitou os olhos e se inclinou para mais perto, recusando-se, como sempre, a elevar a voz. – Sim, há algo errado. Algo muito, muito errado. Por que tenho de voltar à minha sala e encontrar *isto* sobre a minha mesa?

Foi como ter de decifrar um de seus enigmas. Por que ela teve de voltar à sua mesa e encontrar isso sobre ela, eu me perguntei. Sem dúvida, o fato de ela ter pedido isso uma hora atrás não era a resposta certa, mas era a única que eu tinha. Não gostou da bandeja? Não, era impossível: ela a tinha visto um milhão de vezes e nunca reclamara. Tinham, sem querer, lhe dado o corte errado da carne? Não, não era isso tampouco. O restaurante tinha, uma vez, me dado com um filé aparentemente delicioso, achando que ela certamente gostaria mais disso do que do lombo duro, mas ela quase tivera um ataque do coração. Tinha feito com que eu ligasse para o *chef* pessoalmente e gritasse com ele ao telefone, enquanto ela vigiava e me dizia o que falar.

– Lamento, senhorita, realmente lamento – disse ele baixinho, parecendo o melhor sujeito do mundo. – Realmente achei que, como a Sra. Priestly é uma freguesa tão boa, preferiria receber o que temos de melhor. Não cobrei mais, mas não se preocupe, não vai acontecer de novo, prometo. – Achei que ia chorar quando ela mandou eu lhe dizer que ele nunca seria um *chef* de verdade em nenhum lugar que não um empório de carne de segunda classe, mas obedeci. E ele tinha pedido desculpas e concordado, e a partir desse dia sempre recebera o lombo sangrento. Portanto, também não era isso. Eu não fazia ideia do que dizer ou fazer.

– Ahn-dre-ah, a assistente do Sr. Ravitz não disse que tínhamos almoçado juntos nesse restaurante deplorável não faz muito tempo? – perguntou devagar, como se estivesse se contendo para não perder o controle completamente.

Ela *o quê*? Depois de tudo isso, depois da corrida e do ridículo de Sebastian, e das ligações iradas, e dos 95 dólares, e da canção Tiffany, e da arrumação da comida, e da tonteira, e da espera para comer até ela voltar, e *ela já tinha comido*?

– Não, não recebemos nenhuma ligação dela. Então... quer dizer... isso significa que não quer isto? – perguntei apontando para a bandeja.

Ela olhou para mim como se eu tivesse acabado de sugerir que ela comesse uma das gêmeas.

– O que acha que significa, Emily?

Merda! Ela estava indo tão bem com o meu nome.

– Acho que, ahn, bem, que você não quer isto.

– Bastante perspicaz de sua parte, Emily. Tenho sorte de você perceber tão rápido. Tire isto daqui. E que não aconteça de novo. Isso é tudo.

Uma fantasia rápida me ocorreu: meu braço, exatamente como no cinema, atravessaria a mesa e jogaria a bandeja para o ar. Ela observaria e, chocada e arrependida, pediria desculpas por falar comigo daquela maneira. Mas o bater de suas unhas sobre a mesa me trouxe de volta à realidade, e peguei a bandeja e, com cuidado, saí da sala.

– Ahn-dre-ah, feche a porta! Preciso de um momento de paz! – gritou ela. Acho que ter um almoço requintado em sua mesa quando não estava a fim de comer tinha sido realmente uma parte estressante de seu dia.

Emily tinha acabado de voltar com uma lata de Coca Light e um pacote de passas para mim. Supostamente, era o lanchinho para me aguentar até almoçar, e, evidentemente, não havia uma única caloria ou grama de gordura ou de açúcar naquilo. Ela os deixou na mesa ao ouvir Miranda gritar e correu para fechar as portas.

– O que aconteceu? – cochichou, olhando para a bandeja de comida intocada que eu estava segurando, paralisada do lado da minha mesa.

– Ah, parece que a nossa chefe encantadora já almoçou – sibilei com os dentes trincados. – E ela acaba de me destratar por não ter previsto, não ter adivinhado, não ter olhado dentro de seu estômago e visto que não estava mais com fome.

– Está brincando – disse ela. – Gritou com você porque correu para buscar seu almoço, exatamente como ela pediu, e, depois, não sabia que ela já tinha comido em outro lugar? Mas que filha da puta!

Concordei com a cabeça. Era uma mudança fenomenal Emily ter tomado o meu partido por uma vez, e não me feito uma preleção sobre Eu Simplesmente Não Entender. Mas espere aí! Era bom demais para ser verdade. Como o sol saindo do céu e deixando apenas riscas rosa e azuis onde tinha brilhado segundos antes, o rosto de Emily passou de raivoso para contrito. A Virada Paranoica *Runway*.

– Lembre-se do que falamos antes, Andrea. – Oh, sim, aí estava. VPR, meio-dia. – Ela não faz isso para magoá-la. Ela não tem qualquer intenção que seja ao agir dessa maneira. Ela é simplesmente importante demais para se ater a coisas pequenas. Por isso, não resista. Apenas jogue a comida fora, e vamos trabalhar. – Emily fixou as feições em uma expressão determinada e sentou-se em frente ao seu computador. Eu sabia que ela estava pensando, naquele exato instante, se Miranda não teria colocado na área fora de sua sala aparelhos de escuta clandestinos e escutado tudo. Estava vermelha, aturdida e, obviamente, chateada com a sua falta de controle. Eu não sabia como ela tinha sobrevivido por tanto tempo.

Pensei em comer a carne, mas o mero pensamento de que tinha estado na mesa de Miranda há poucos instantes me provocou náuseas. Levei a bandeja à cozinha e a inclinei de modo que cada item deslizasse diretamente para dentro do lixo – toda a comida preparada, temperada com perícia, o prato de porcelana, a molheira com manteiga, o sal, o guardanapo, os talheres de prata, e o copo de cristal Baccarat. Tudo. Tudo desaparecido. Que importância tinha? Eu buscaria tudo novamente no dia seguinte, ou quando ela sentisse fome de novo para almoçar.

QUANDO CHEGUEI a Drinkland, Alex parecia aborrecido, e Lily, abatida. Imediatamente me perguntei se Alex saberia, não sei como, que eu havia sido convidada para sair por um cara que, além de famoso e mais velho, era um completo e perfeito garanhão. Ele sabia? Sentia o que tinha acontecido? Eu devia contar? Não, não havia necessidade de discutir isso, algo tão insignificante. Não era o mesmo que eu estar interessada em outro, não como se eu realmente fosse tomar uma atitude. Portanto, não havia nada a ganhar mencionando a conversa.

– Oi, garota da moda – disse Lily, agitando seu gim-tônica para mim, em uma saudação. Derramou um pouco em seu cardigã, mas ela pareceu nem notar. – Ou devo dizer futura companheira de apartamento? Peça uma bebida. Temos de brindar!

Beijei Alex e me sentei do seu lado.

– Está sexy, hoje! – disse ele olhando e aprovando meu traje Prada. – Quando foi isso?

– Ah, hoje. Já que só faltaram apregoar que se eu não cuidasse da minha aparência, poderia perder o emprego. Bastante ofensivo, mas tenho de admitir que vestir algo diferente todo dia não é nada mau. Ei, ouçam, eu sinto muito, mas muito mesmo ter-me atrasado. O Livro nunca ficava pronto, e assim que o deixei na casa de Miranda, ela me mandou à delicatéssen da esquina comprar manjericão.

– Pensei que ela tivesse um cozinheiro – falou Alex. – Por que ele não fez isso?

– Ela tem um cozinheiro. Também tem uma faxineira, uma babá e duas filhas. Por isso não faço a menor ideia de por que me mandou comprar as ervas para o jantar. Foi especialmente irritante porque a Quinta Avenida não tem nenhuma delicatéssen em esquinas, tampouco a Madison ou a Park, de modo que tive de ir até a Lex para encontrar uma. Mas, é claro, não vendiam manjericão, por isso tive de percorrer nove quadras até encontrar um D'Agostino's aberto. Isso me tomou mais 45 minutos. Mas vou dizer uma coisa: esses 45 minutos valeram a pena! Isto é, pensem em quanto aprendi comprando esse manjericão, como estou muito mais preparada para o meu futuro nas revistas! Agora chegarei mais rápido à posição de redatora! – E exibi um sorriso de triunfo.

– Ao seu futuro! – gritou Lily, sem detectar um único sinal de sarcasmo em meu discurso.

– Ela está de porre – disse Alex calmamente, observando Lily com a expressão de alguém diante de um parente doente na cama de um hospital. – Cheguei aqui com Max, que já foi embora, na hora marcada, mas ela já devia estar aqui há horas. Ou isso, ou bebe rápido demais.

Lily sempre tinha bebido demais, o que não era de estranhar porque ela fazia tudo demais. Foi a primeira a fumar maconha no ginásio, a primeira a perder a virgindade no segundo grau e a primeira a saltar de paraquedas, com acrobacias, na faculdade. Gostava de tudo e todos que não retribuíam o seu amor, contanto que a fizessem *se sentir* viva.

– Não entendo como dorme com ele sabendo que nunca vai romper com a namorada – eu disse sobre um cara com quem se encontrava secretamente durante o penúltimo ano na faculdade.

Não entendo como você pode obedecer a tantas regras – replicou instantaneamente. – O que tem de divertido em sua vida tão perfeitamente planejada, detalhada, cheia de normas? Viva um pouco, Andy! Sinta alguma coisa! É bom estar viva!

Talvez ela andasse bebendo um pouco mais ultimamente, mas eu sabia que os estudos de seu primeiro ano eram terrivelmente estressantes, até mesmo para ela, e que seus professores na Columbia eram mais exigentes e menos compreensivos do que os que ela dominara facilmente na Brown. *Talvez não fosse má ideia*, pensei, fazendo um sinal para a garçonete. Talvez beber fosse a maneira de tratar disso. Pedi uma Absolut e suco de *grapefruit*, e bebi um gole demorado. Isso me enjoou mais do que qualquer outra coisa, porque eu ainda não tinha tido tempo de comer nada, exceto as passas e a Coca Light que Emily tinha conseguido para mim mais cedo.

– Tenho certeza de que teve algumas semanas duras na escola – eu disse a Alex, como se Lily não estivesse sentada conosco. Ela não notou que falávamos dela, porque estava absorta em lançar olhares lânguidos, sedutores, a um *yuppie* no balcão. Alex pôs o braço em volta de mim e chegou mais para perto no sofá. Era muito bom estar perto dele de novo. Era como se não nos víssemos há semanas.

– Odeio ser um desmancha-prazeres, mas tenho de ir para casa – disse Alex, puxando meu cabelo para trás das orelhas. – Vai ficar bem com ela?

– Você tem de ir? Já?

– Já? Andy, estou aqui assistindo à sua melhor amiga beber há duas horas. Vim para ver você, mas você não estava. E agora é quase meia-noite, e ainda tenho que corrigir redações. – Falou calmamente, mas percebi que estava chateado.

– Sei, lamento. Lamento mesmo. Você sabe que teria chegado antes se pudesse. Sabe que...

Sei de tudo isso. Não estou dizendo que fez alguma coisa errada ou que deveria ter agido de outra maneira. Eu compreendo. Mas tente entender de onde estou vindo, eu também, ok?

Assenti com a cabeça e o beijei, mas me senti horrível. Prometi compensar, planejar uma noite especial só para nós dois. Afinal ele realmente tinha aguentado muito.

– Então, não vai passar a noite comigo? – perguntei esperançosa.

– Não, a menos que precise de ajuda com Lily. Preciso mesmo ir para casa e trabalhar. – Abraçou-me se despedindo, beijou Lily na bochecha e se dirigiu à porta. – Ligue, se precisar – disse ao sair.

– Ei, por que Alex foi embora? – perguntou Lily, embora estivesse ali durante a nossa conversa. – Está chateado com você?

– Provavelmente – eu disse com um suspiro, abraçando minha bolsa. – Tenho aprontado muito com ele, ultimamente. – Fui até o balcão pedir o menu de entradas e, quando voltei, o cara de Wall Street tinha se enroscado no sofá, do lado de Lily. Parecia ter quase 30 anos, mas suas entradas pronunciadas tornavam impossível saber ao certo.

Peguei o seu casaco e joguei para ela.

– Lily, ponha o casaco, estamos indo embora – eu disse olhando para ele. Ele era mais baixo e sua calça cáqui não ajudava a sua figura rechonchuda. E o fato de sua língua estar a 2 centímetros da orelha da minha melhor amiga não fez com que eu gostasse mais dele.

– Ei, por que a pressa? – perguntou com uma voz nasalada. – Sua amiga e eu só estamos querendo nos conhecer. – Lily sorriu e concordou balançando a cabeça, tentando beber um gole de sua bebida, sem se dar conta de que seu copo estava vazio.

– Bem, isso é muito bonito, mas temos de ir. Como se chama?

– Stuart.

– Foi um prazer conhecê-lo, Stuart. Por que não dá o seu número a Lily para que ela possa ligar para você quando estiver se sentindo um pouco melhor, ou não. O que acha? – Lancei-lhe um sorriso.

– Bem, não importa. Sem problemas. Vejo vocês depois. – Estava em pé e foi para o bar tão rápido que Lily nem percebeu que ele tinha ido embora.

– Stuart e eu estamos querendo nos conhecer, não é, Stu? – Virou-se para onde ele estava antes e ficou confusa.

– Stuart teve de correr, Lil. Venha, vamos sair daqui. – Pus seu casaco de lã grossa sobre sua suéter e a puxei para que ficasse em pé. Ela cambaleou até se equilibrar. O ar lá fora estava frio e seco e achei que ajudaria a curar seu porre.

– Não me sinto muito bem – disse Lily.

– Eu sei, querida, eu sei. Vamos pegar um táxi para a sua casa, está bem? Acha que consegue?

Ela assentiu com a cabeça e, então, curvou-se à frente, naturalmente, e vomitou. Em cima de suas botas, espirrando um pouco no seu jeans. *Se as garotas* Runway *vissem a minha melhor amiga agora*, não consegui evitar pensar.

Sentei-a na saliência de uma janela, que parecia não ter nenhum alarme e mandei que não se mexesse. Havia uma loja, aberta 24 horas, do outro lado da rua, e essa garota precisava, com certeza, de água. Quando voltei, ela tinha vomitado de novo – dessa vez sobre si mesma, e suas pálpebras estavam caídas. Eu tinha comprado duas garrafas de Poland Spring, uma para ela e outra para limpá-la, mas agora ela estava pesada demais. Despejei uma sobre seus pés para lavar o vômito, e metade da segunda sobre seu casaco. Era melhor ficar encharcada do que coberta de vômito. Estava tão bêbada que nem notou.

Demorou um pouco para eu convencer um táxi a nos levar, por causa do aspecto de Lily. Mas prometi uma boa gorjeta em cima do que seria uma boa corrida. Estávamos indo do Lower East Side para o extremo Upper West, e eu já estava imaginando como ser reembolsada de uma corrida que certamente daria uns 20 dólares. Talvez pudesse anotar como uma saída para procurar alguma coisa para Miranda. Sim, isso ia funcionar.

Subir até o quarto andar foi ainda menos divertido do que o táxi, mas ela se mostrou mais cooperativa depois da viagem de 25 minutos, conseguindo até se lavar no chuveiro depois de eu despi-la. Coloquei-a na direção de sua cama e observei-a despencar de bruços quando seus joelhos bateram na lateral da cama. Olhei para ela, inconsciente, e, por um momento, senti nostalgia da faculdade, de todas as coisas que tínhamos feito juntas. Era divertido agora, sem dúvida, mas nunca mais seria tão leve como na época.

Pensei se Lily não andava bebendo demais ultimamente. Afinal, ela parecia estar sempre bêbada. Mas quando Alex a trouxera na semana anterior, eu havia lhe assegurado que era porque ela continuava a ser estudante, que ainda não tinha vivido no mundo real com responsabilidades reais, de adulto (como servir Pellegrino!). Quer dizer, não é como se não tivéssemos exagerado na bebida no Señor Frog's, no feriado da primavera, ou bebido três garrafas de vinho tinto celebrando o aniversário do dia em que nos conhecemos. Lily tinha segurado meu cabelo enquanto eu descansava meu rosto na tampa da privada depois do porre após os exames finais e estacionado quatro vezes ao me levar de carro, de volta ao dormitório depois de uma noite que incluíra oito cuba-libres e uma horrível interpretação no karaokê de "Every Rose Has Its Thorn". Eu a tinha arrastado de volta ao meu apartamento na noite de seu aniversário de 21 anos e a deitado na cama, checando a sua respiração a cada dez minutos e, finalmente, caído no sono no chão, do lado dela, depois de ter me certificado de que viveria a noite toda. Ela tinha acordado duas vezes, naquela noite. A primeira para vomitar do lado da cama – fazendo um esforço sincero para que caísse na lata de lixo que eu havia colocado ali, mas se confundindo e vomitando no lado da minha parede – e, mais uma vez, se desculpando sinceramente e dizendo que me amava e que eu era a melhor amiga que alguém podia ter. É isto que fazem as amigas: embebedam-se juntas, fazem coisas idiotas e cuidam uma da outra, certo? Ou isso era apenas farra de faculdade, ritos de passagem que tinham um tempo e lugar? Alex tinha insistido que agora era diferente, que *ela* estava diferente, mas eu não via assim.

Eu sabia que deveria passar a noite com ela, mas eram quase duas da manhã e eu tinha de trabalhar dali a cinco horas. Minhas roupas cheiravam a vômito e não havia como arranjar uma única peça de roupa apropriada para a *Runway* no armário de Lily – especialmente com a minha nova aparência sofisticada. Dei um suspiro e puxei o cobertor sobre ela, pus o despertador para as sete horas, para o caso de, se não estivesse com uma ressaca muito violenta, pudesse ir à aula.

– Tchau, Lil. Estou indo. Você está bem? – Pus o telefone sem fio sobre o travesseiro do lado de sua cabeça.

Ela abriu os olhos, me encarou e sorriu.

– Obrigada – murmurou, as pálpebras tornando a cair. Ela não estava em condições de correr uma maratona, nem provavelmente de operar um cortador de grama, mas estaria bem para dormir.

– Foi um prazer – eu disse, embora essa fosse a primeira vez, em 21 horas, que tivesse parado de correr, buscar, rearrumar, limpar, ou servir de alguma outra maneira. – Ligo amanhã – eu disse, convencendo minhas pernas a não cederem. – Se ainda estivermos vivas. – E finalmente, *finalmente*, fui para casa.

10

— Ei, que bom que a encontrei – ouvi Cara dizer no outro lado da linha. Por que estaria sem fôlego às quinze para as oito da manhã?

– Ahn, uhm. Você nunca ligou tão cedo. O que houve? – Na fração de segundo em que disse essas palavras, meia dúzia de roteiros do que Miranda poderia precisar atravessaram velozmente minha cabeça.

– Não, não é nada disso. Só quis avisar que C-SEM está indo ver você, e ele está particularmente eloquente esta manhã.

– Ah, bem, é uma ótima notícia, com certeza. Já se passou quase uma semana desde a última vez que ele me interrogou sobre cada aspecto da minha vida. Eu já me perguntava por onde andava o meu maior fã. – Acabei de digitar meu memorando e cliquei em "imprimir".

– Você é uma garota de sorte, tenho de admitir. Ele perdeu totalmente o interesse por mim – falou dramaticamente. – Só tem olhos para você. Eu o ouvi dizer que iria aí discutir os detalhes da festa no Met com você.

– Ótimo, isso é ótimo. Mal posso esperar para conhecer esse irmão dele. Até agora só falamos por telefone, mas me pareceu um perfeito idiota. Tem certeza de que veio para cá ou é possível que um espírito caridoso lá de cima me poupe dessa infelicidade hoje?

– Não, não hoje. Ele está a caminho. Miranda tem hora com um quiropodista às oito e meia, então não deve ir com ele.

Chequei a agenda na mesa de Emily rapidamente e confirmei a consulta. Uma manhã livre de Miranda estava realmente programada.

– Fantástico, não consigo imaginar alguém mais maravilhoso com quem bater papo de manhã cedo do que C-SEM. Por que ele fala tanto?

– Isso não sei responder, a não ser apontar o óbvio: ele se casou com ela, logo não é muito bom da cabeça. Ligue, se ele disser algo muito ridículo. Tenho de correr. Caroline acaba de esmagar um dos batons Stila de Miranda no espelho do banheiro sem nenhum motivo aparente.

– Nossas vidas são surpreendentes, não? Somos as garotas mais calmas que existem. De qualquer maneira, obrigada pelo aviso. Falo com você depois.

– Ok. Tchau.

Dei uma lida no memorando enquanto esperava a chegada de C-SEM. Era uma solicitação de Miranda à direção do Metropolitan Museum of Art. Ela pedia autorização para oferecer um jantar em uma das galerias, em março, para o seu cunhado, um homem que posso afirmar que ela desprezava, mas que, infelizmente, era da família. Jack Tomlinson era o irmão mais novo e mais rebelde de C-SEM e que tinha acabado de anunciar que estava abandonando a mulher e os três filhos para se casar com a sua massagista. Embora ele e C-SEM pertencessem à típica aristocracia da Costa Leste, Jack tirou a máscara de Harvard quando tinha 20 e tantos anos e se mudou para a Carolina do Sul, onde, imediatamente, fez fortuna com imóveis. Segundo Emily, ele tinha se transformado em um rapaz sulista de primeira, um verdadeiro caipira que masca palha, cospe tabaco, o que, é claro, estarreceu Miranda, o epítome de classe e sofisticação. C-SEM tinha pedido a Miranda para organizar uma festa de noivado para o seu irmãozinho, e Miranda, cega de amor, não teve outra escolha. E se ela ia fazer alguma coisa, com toda a certeza faria direito. E o direito era no Met.

Prezados e Honrados Membros, blablablá, gostaria de pedir permissão para organizar uma fabulosa pequena *soirée*, blablablá, para a qual seriam contratados os melhores fornecedores, floristas, banda, é claro, blablablá, a sua contribuição será bem-vinda, blablablá. Certificando-me mais uma vez de que não havia erros gritantes, rapidamente imitei sua assinatura e liguei para um mensageiro vir buscar a carta.

A batida na porta da sala – que eu mantinha fechada de manhã cedo, já que ninguém havia chegado ainda – aconteceu quase que imediatamente, e fiquei impressionada com a prontidão do serviço, mas a porta se abriu e revelou C-SEM ostentando um largo sorriso, entusiasmado demais para antes das oito da manhã.

– Andrea – cantou, aproximando-se no mesmo instante da minha mesa e sorrindo tão genuinamente que me fez sentir culpada por não gostar dele.

– Bom dia, Sr. Tomlinson. O que o traz tão cedo? – perguntei. – Lamento dizer que Miranda ainda não chegou.

Ele deu um risinho, seu nariz se contorcendo como o de um roedor.

– Sim, sim, ela só vai chegar depois do almoço, acho. Andy, faz muito tempo desde a última vez que nos falamos. Diga ao Sr. T., diga: como vai tudo?

– Deixe-me pegar isto – eu disse, puxando a bolsa de pano, com o seu monograma, cheia de roupa suja, que Miranda lhe dera para me entregar. Também peguei a bolsa de contas Fendi que tinha ressurgido recentemente. Era uma bolsa exclusiva, feita à mão, com um elaborado bordado com contas de cristal desenhada para Miranda, de Silvia Venturini Fendi, em agradecimento ao seu apoio, e uma das assistentes de moda a tinha avaliado em 10 mil dólares. Mas notei, nesse dia, que uma das alças de couro tinha se soltado de novo, embora o departamento de acessórios a tivesse devolvido à Fendi para costurá-la umas 12 vezes. Era feita para conter uma carteira feminina delicada, talvez acompanhada de óculos escuros ou, talvez, se absolutamente necessário, um pequeno telefone celular. Miranda realmente não ligava para isso. Havia colocado um vidro extragrande do perfume Bulgari, uma sandália com um salto quebrado, que eu, supostamente, deveria consertar, a agenda diária Hermès, que pesava mais do que um laptop, uma coleira de cachorro grande, que achei que pertenceria ou a Madelaine ou seria para uma sessão de fotos, e o Livro que tinha levado para ela na noite anterior. Eu teria penhorado uma bolsa de dez mil dólares e pagado meu aluguel por um ano, mas Miranda preferia usá-la como um receptáculo de bugigangas.

– Obrigado, Andy. Você realmente é de grande ajuda para todo mundo. Por isso o Sr. T. gostaria de ouvir mais sobre a sua vida. O que está acontecendo?

O que está acontecendo? O que está acontecendo? Humm, bem, vamos ver. Não muita coisa na verdade, acho. Passo a maior parte do tempo tentando cumprir o meu prazo do contrato de servidão com sua mulher sádica. Se houver alguns minutos livres durante o dia de trabalho, quando ela não está fazendo alguma exigência humilhante, então, tenho de tentar bloquear a tagarelice da lavagem cerebral que me é imposta por sua assistente sênior. Nas ocasiões, cada vez mais raras, em que me vejo fora dos limites desta revista, fico, geralmente, tentando me convencer de que é realmente normal comer mais de oitocentas calorias por dia e que usar manequim 38 não me inclui na categoria de tamanhos grandes. Por isso, acho que a resposta é não muito.

– Bem, Sr. Tomlinson, não muita coisa. Trabalho muito. E acho que quando não estou trabalhando, saio com a minha melhor amiga ou com o meu namorado. Tento ver minha família. – *Eu costumava ler muito,* quis dizer, *mas me sinto cansada demais para isso agora.* E esportes sempre tinham ocupado uma boa parte da minha vida, mas não havia mais tempo.

– Então, tem 25 anos, certo? – Argumento *non sequitur.* Não consegui imaginar aonde queria chegar.

– Bem, não, tenho 23. Eu me formei só em maio passado.

– Ah-h, ah! 23? – Parecia na dúvida se diria algo ou não. Eu me preparei. – Então diga ao Sr. T, o que se faz aos 23 anos para se divertir nesta cidade? Restaurantes? Boates? Esse tipo de coisa? – Sorriu de novo, e eu me perguntei se ele realmente precisava de atenção como fazia crer: não havia nada sinistro por trás de seu interesse, apenas uma aparente necessidade de *conversar.*

– Bem, todas essas coisas, acho. Eu realmente não vou a boates, mas a bares e restaurantes. Saio para jantar, vou ao cinema.

– Bem, parece muito divertido. Eu também costumava fazer esse tipo de coisa, quando era da sua idade. Agora são só eventos de negócios e para levantar fundos. Aproveite enquanto pode, Andy. – Piscou o olho como um pai esquisitão faria.

– É, estou tentando – eu disse. *Por favor, saia, por favor, saia, por favor, saia,* desejei, olhando com anseio para o *bagel* que só faltava gritar meu nome. Eu tinha três minutos de paz e silêncio por dia, e esse homem os estava roubando de mim.

Ele abriu a boca para dizer alguma coisa, mas as portas se abriram e Emily entrou. Ela estava com os fones de ouvido e se mexendo ao ritmo da música. Vi seu queixo cair ao vê-lo ali.

– Sr. Tomlinson! – exclamou, arrancando os fones dos ouvidos e jogando seu iPod na sua bolsa Gucci. – Tudo bem? Algum problema com Miranda? – Ela pareceu verdadeiramente preocupada. Uma performance esplêndida: sempre a assistente perfeitamente atenta, infalível, cordial.

– Olá, Emily. Nenhum problema. Miranda vai chegar logo mais. O Sr. T. só passou para deixar suas coisas. Como vai?

Emily sorriu radiante, e me perguntei se ela realmente tinha gostado de ele estar ali.

– Bem. Muito obrigada por perguntar. E o senhor? Andrea ajudou-o com tudo?

– Oh, claro que ajudou – disse ele, lançando o seu sorriso número 6 mil na minha direção. – Queria repassar algumas coisas em relação à festa de noivado do meu irmão, mas acho que ainda é um pouco cedo para isso, certo?

Por um momento, pensei que ele tinha dito cedo naquela manhã e quase gritei "Sim!", mas então percebi que ele se referia a cedo no planejamento para discutir os detalhes.

Ele virou-se para Emily e disse:

– Você conseguiu uma assistente júnior e tanto, não acha?

– É claro – disse Emily, embora com os dentes trincados. – Ela é a melhor. – Abriu um enorme sorriso.

Eu também.

O Sr. Tomlinson abriu um enorme sorriso com uma voltagem extra, e me perguntei se ele não sofreria de um desequilíbrio químico, talvez, hipomania.

– Bem, é melhor o Sr. T. ir embora. É sempre adorável conversar com vocês, garotas. Tenham uma boa manhã. Até logo.

– Tchau, Sr. Tomlinson! – gritou Emily quando ele virou no corredor a caminho da recepção. – Por que foi tão rude com ele? – perguntou ela, tirando um leve blazer de couro, revelando uma blusa de chiffon, com decote redondo, mais leve ainda, toda amarrada na frente como um espartilho.

– Tão rude? Ajudei-o com as coisas que trouxe e conversei com ele até você chegar. Isso é ser rude?

– Bem, você não se despediu, para começo de conversa. E ficou com essa cara.

– Essa cara?

– Sim, essa cara que você faz. A que diz a todo mundo como você está acima disso tudo, quanto odeia aqui. Comigo, ainda vá lá, mas não com o Sr. Tomlinson Ele é o *marido* de Miranda, e não pode tratá-lo dessa maneira.

– Em, você não acha que ele é um pouco, sei lá... esquisito? Não para de falar. Como pode ser tão simpático quando ela é uma... não tão simpática? – Observei-a relancear os olhos para a sala de Miranda para ver se eu tinha disposto os jornais corretamente.

– Esquisito? Dificilmente, Andrea. Ele é um dos advogados mais importantes de Manhattan.

Não valia a pena a discussão.

– Não importa, nem sei o que estou dizendo. E você, como vai? Como foi a sua noite?

– Ah, foi boa. Fui fazer compras com Jessica, presentes para as suas damas de honra. Fomos a vários lugares: Scoop, Bergdorf's,

Infinity. E experimentei um monte de coisas pensando em Paris, mas ainda é cedo demais.

– Paris? Você vai a Paris? Isso quer dizer que vai me deixar sozinha com ela? – Eu não tinha tido a intenção de falar a última parte alto, mas escapou.

De novo, olhou-me como se eu fosse louca.

– Sim, irei a Paris com Miranda, em outubro, para os desfiles das coleções primavera *prêt-à-porter*. Todo ano, ela leva sua assistente sênior aos desfiles, para que veja como são. Quer dizer, eu já estive em milhões em Bryant Park,* mas os desfiles europeus são diferentes.

Fiz um cálculo rápido.

– Em outubro. Daqui a sete meses? Está experimentando roupas para uma viagem daqui a sete meses? – Não tive a intenção de ser tão ríspida como fui, e Emily, imediatamente, se pôs na defensiva.

– Sim, bem, quer dizer, obviamente não vou comprar nada. Muitos estilos terão mudado até lá. Mas só quis começar a pensar no assunto. É realmente uma grande viagem, sabe? Ficar em hotéis cinco estrelas, ir às festas mais incríveis. E, meu Deus, verei os desfiles de moda mais badalados, mais exclusivos que existem.

Emily já tinha me dito que Miranda ia à Europa três ou quatro vezes por ano, para assistir a desfiles de moda. Ela sempre pulava Londres, como todo mundo, mas ia a Milão e Paris em outubro para as coleções de primavera do *prêt-à-porter*, em julho, para a coleção de inverno da alta-costura, e em março para as coleções de outono. Às vezes, ela via as coleções de alto-verão, mas nem sempre. Tínhamos trabalhado como loucas para preparar Miranda para os desfiles do fim do mês. Pensei, por um instante, por que ela não planejava levar uma assistente.

– Por que não a leva para todos? – decidi tentar, se bem que a resposta certamente acarretaria uma explicação extensa. Eu estava muito excitada com o fato de Miranda ficar fora do escritório por duas semanas inteiras (passava uma em Milão e uma em Paris) e

*Bryant Park é o local em que acontecem os desfiles de Nova York. *(N. da T.)*

estava tonta com a ideia de me livrar de Emily por uma semana. Imagens de *cheeseburgers* com bacon e jeans rasgados nada adequados ao escritório e sapatos baixos, oh, Deus, talvez até tênis, encheram minha cabeça. – Por que só em outubro?

– Bem, não que ela não precise de ajuda nos outros lugares. A *Runway* francesa e italiana sempre mandam algumas de suas assistentes para Miranda, e, na maior parte do tempo, os próprios editores a ajudam. Mas é no *prêt-à-porter* da primavera que ela organiza uma festa imensa, a festa anual de lançamento, que todo mundo diz que é a maior e a melhor de toda a temporada de desfiles, do ano inteiro. Só irei para a semana em que ela estará em Paris. Portanto, obviamente, ela só confia em *mim* para ajudá-la lá. – Obviamente.

– Humm, parece que será demais. Então, quer dizer que eu ficarei no controle das coisas aqui?

– Sim, na maior parte do tempo. Mas não pense que será moleza. Provavelmente será a semana mais difícil de todas, porque ela precisa de muita assistência quando está fora. Ela vai ligar muito para você.

– Ah, que ótimo – eu disse. Ela revirou os olhos.

Dormi com os olhos abertos, encarando a tela em branco do computador, até o escritório começar a encher e haver outras pessoas a quem observar. Às dez horas, chegaram os primeiros tagarelas. Eles bebericavam silenciosamente o café com leite desnatado, sem creme, para cuidar da ressaca de champanhe da noite anterior. James passou pela minha mesa, como fazia sempre que via que Miranda não estava, e proclamou que tinha conhecido o seu futuro marido no Balthazar, na noite anterior.

– Ele estava sentado ao balcão, usando a jaqueta de couro vermelha mais maravilhosa que já vi. E vou dizer uma coisa: ele podia tirá-la. Devia vê-lo deslizar aquelas ostras na língua... – Gemeu bem alto. – Oh, foi simplesmente magnífico.

– E então ficou com o seu telefone? – perguntei.

– Com o telefone? Fiquei com sua calça. Ele estava com o traseiro nu no meu sofá às onze, e, céus, vou dizer uma coisa...

– Adorável, James. Adorável. Não precisou fingir indiferença para fisgá-lo, não foi? Parece um pouco imoral da sua parte, para ser franca. Estamos na era da AIDS, sabia?

– Querida, até você, a Srta. Arrogante-Namoro-o-Último-Anjo-do-Mundo, até mesmo você ficaria de joelhos sem pensar duas vezes se visse esse cara. Ele é simplesmente surpreendente. Surpreendente!

Por volta das onze, todo mundo já tinha checado todo mundo, tinha reparado em quem tinha conseguido a nova calça Theory "Max" ou a última esgotada Sevens. Uma pausa ao meio-dia, quando a conversa se concentrava em peças de roupas e, geralmente, acontecia do lado das prateleiras alinhadas ao longo das paredes. Toda manhã, Jeffy tirava as araras de vestidos, maiôs, calças, blusas, casacos e sapatos, enfim tudo o que tinha sido pedido como item potencial a ser fotografado para um dos editoriais de moda. Ele alinhava as araras contra a parede, dispondo-as sinuosamente, por todo o andar, de modo que os editores pudessem encontrar o que precisavam sem ter de procurar no Closet. O Closet não era, de fato, um armário. Era mais um pequeno auditório. Em toda a sua extensão havia paredes de sapatos de todos os tamanhos, cores e estilos, uma espécie de fábrica de delícias para ligados em moda, com dezenas de sapatos abertos atrás, saltos finos, sapatilhas de balé, botas de salto alto, sandálias, saltos bordados. Gavetas empilhadas, algumas embutidas, outras pelos cantos, continham todas as configurações concebíveis de meias de náilon, meias soquetes, sutiãs, calcinhas, combinações, corpetes e espartilhos. Precisa na última hora de um sutiã de estampa de leopardo La Perla? Veja no Closet.

Que tal uma meia arrastão cor da pele ou óculos tipo aviador da Dior? No Closet. As prateleiras e gavetas de acessórios ocupavam as duas paredes mais distantes, e a quantidade de mercadorias, sem falar no seu valor, era assombrosa. Canetas-tinteiro. Joias. Roupas de cama. Cachecóis, luvas e gorros. Pijamas. Capas. Xales. Material de papelaria. Flores de seda. Chapéus, muitos chapéus. E bolsas. As bolsas! Havia bolsas grandes e sacolas de viagem, mochilas e baguetes, sacos e minis, sacolonas e carteiras, envelopes e de carteiro, cada uma com uma etiqueta exclusiva e um preço maior do que o valor mensal de uma hipoteca pago pelo americano comum. Então, havia araras e araras de roupas, tão juntas que era impossível passar entre elas, que ocupavam cada milímetro do espaço restante.

Durante o dia, Jeffy tentava tornar o Closet um espaço semiusável, onde as modelos (e assistentes como eu mesma) pudessem experimentar roupas e chegar aos sapatos e bolsas nos fundos empurrando todas as araras no corredor. Ainda estava para ver um único visitante ao andar – escritor, namorado, mensageiro ou estilista – não parar pasmo diante dos corredores repletos de alta-costura. Às vezes, as araras eram dispostas por sessão fotográfica (Sydney, Santa Bárbara) e outras vezes por item (biquínis, saias), mas em geral, pareciam simplesmente uma miscelânea casual de *coisas realmente caras*. E apesar de todo mundo parar, olhar e tocar os *cashmeres* macios e os vestidos longos com bordados intricados, eram os tagarelas que rondavam, possessivamente, "suas" roupas e faziam comentários constantes sobre cada peça.

– Maggie Rizer é a única mulher no *mundo* que pode realmente usar essas calças Capri – declarou alto Hope, uma das assistentes de moda, pesando colossais 53 quilos e medindo 1,85 metro, do lado de fora da nossa sala, segurando uma calça na frente das suas pernas e suspirando. – Elas fariam meu traseiro parecer mais gigantesco do que já é.

– Andrea – chamou sua amiga, uma garota que eu não conhecia muito bem e que trabalhava com os acessórios –, por favor, diga a Hope que ela não está gorda.

– Você não está gorda – eu disse, minha boca no piloto automático. Muitas horas minhas seriam poupadas se eu usasse uma camisa com essas palavras impressas, ou tivesse a frase tatuada na minha testa. Eu era constantemente chamada para assegurar a várias funcionárias da *Runway* de que não estavam gordas. Ó meu Deus, viu minha barriga ultimamente? Estou como um maldito depósito Firestone, pneus para todo lado. Estou enorme! – A gordura estava na cabeça de todo mundo, e não em seus corpos. Emily jurava que as suas coxas tinham "uma circunferência maior do que a de uma sequoia gigantesca". Jessica acreditava que seus "braços flácidos" eram como os de Roseanne Barr. Até mesmo James queixava-se de que o seu traseiro tinha parecido tão grande de manhã, quando saiu do chuveiro, que tinha pensado em "ligar para o trabalho justificando sua falta por estar gordo".

No começo, respondia às miríades de perguntas "estou-gorda"? com o que eu achava palavras extremamente racionais.

– Se você está gorda, Hope, o que diz de mim? Sou cinco centímetros mais baixa do que você e peso mais.

– Oh, Andy, fale sério. *Eu* sou gorda. *Você* é magra e linda!

Naturalmente achei que ela estava mentindo, mas logo percebi que Hope – juntamente com todas as outras garotas anorexicamente magras do escritório, e a maior parte dos rapazes – era capaz de avaliar com exatidão o peso de outras pessoas. Só quando chegava a hora de se olhar no espelho é que via, genuinamente, um gnu encarando-a de volta.

É claro que, por mais que eu tentasse me manter afastada disso, repetir várias vezes para mim mesma que eu era normal e elas não, os comentários constantes sobre gordura tinham deixado uma marca. Estava trabalhando há somente quatro meses, mas a minha cabeça havia sido distorcida o bastante – sem falar na paranoia –, a ponto de, às vezes, achar que esses comentários eram dirigidos intencionalmente a mim. Por exemplo: eu, a assistente de moda alta, linda e esbelta, estou fingindo me achar gorda para que você, a assistente pessoal rechonchuda atarracada se dê conta de que é gorda. Com 1,80 metro e 57,5 quilos (o mesmo peso de quando o meu corpo foi torturado pelos parasitas), sempre me considerei do tipo magro, em relação às garotas da minha idade. Até então, tinha passado a vida me sentindo mais alta do que 90 por cento das mulheres que eu conhecia, e, pelo menos, metade dos rapazes. Só quando comecei a trabalhar nesse lugar delirante foi que percebi como era se sentir baixa e gorda o dia inteiro, todos os dias.

Eu era, tranquilamente, o monstrengo do grupo, a mais atarracada e a mais larga, e usava manequim 38. E se deixasse de pensar nisso por um instante, o papo e as fofocas diárias certamente me lembrariam.

– A Dra. Eisenberg disse que a Zone só funciona se você renunciar solenemente às frutas também – acrescentou Jessica, que se juntou à conversa puxando uma saia Narciso Rodriguez da arara. Noiva recentemente do mais jovem vice-presidente da Goldman Sachs, Jessica sentia a pressão da sociedade sobre o seu casamento em breve. – E ela tem razão. Perdi pelo menos mais cinco quilos desde a última prova das roupas. – Eu a perdoava por passar fome sem ter gordura suficiente para funcionar normalmente, mas não podia perdoá-la por *falar* sobre isso. Eu não conseguia, por mais impressão que os nomes das médicas causassem ou por mais casos bem-sucedidos que ela propagasse, me convencer de *me importar*.

Por volta de uma da tarde, o escritório acelerava o ritmo, pois todo mundo começava a se preparar para o almoço. Não que comer estivesse associado a essa hora, mas era o horário nobre do dia para os convidados. Eu observava preguiçosamente como o grande número de estilistas, colaboradores, freelancers, amigos e amantes passavam para se deleitar e, geralmente, se banhar no glamour que naturalmente acompanhava centenas de milhares de dólares de roupas, dezenas de carinhas lindas, e o que parecia um número ilimitado de pernas realmente, realmente, realmente longas.

Jeffy se aproximou de mim assim que confirmou que Miranda e Emily tinham saído para o almoço e me deu duas sacolas de compras enormes.

– Tome, dê uma olhada. Pode ser um bom começo.

Despejei o conteúdo de uma sacola no chão, do lado da minha mesa, e comecei a separar. Havia calças Joseph camelo e cinza escuro, ambas compridas e finas e de cintura baixa, feitas de uma lã incrivelmente macia. Uma calça de camurça Gucci marrom parecia capaz de transformar qualquer caipira em uma supermodelo, e dois jeans Marc Jacobs, desbotados com perfeição, pareciam cortados para o meu corpo. Havia oito ou nove opções de tops, indo de um suéter bem justo, gola rulê, da Calvin Klein, até uma blusa completamente transparente da Donna Karan. Um maravilhoso vestido transpassado Diane Von Furstenberg estava perfeitamente dobrado sobre um terninho Tahari de veludo azul-marinho. Vi e me apaixonei imediatamente por uma saia de denim pregueada Habitual, que caía bem acima dos joelhos e parecia perfeita com o blazer Katayone Adelie de estampa floral, super *hype*.

– Estas roupas... são todas para mim? – perguntei, querendo parecer empolgada e não ofendida.

– Sim, e não é nada. Só algumas coisinhas que estavam no Closet há muito tempo. Devemos ter usado algumas peças em sessões de fotos, mas nunca retornaram às grifes. De meses em meses eu limpo o Closet e distribuo essas coisas, e pensei que você, bem, que talvez estivesse interessada. Você veste 38, não é?

Fiz que sim com a cabeça, ainda pasma.

– Sim, eu tinha certeza. A maioria delas veste manequim 36 ou menor, por isso você pode ficar com tudo.

Caramba.

– Bárbaro. É bárbaro, Jeffy, não sei como agradecer. É tão incrível!

– Cheque a segunda sacola – disse ele, apontando-a no chão. – Não acha que vai poder usar esse terninho de veludo com essa bolsa de lona que você não larga, acha?

A segunda, ainda mais cheia, continha vários sapatos, bolsas e dois casacos. Havia dois pares de botas Jimmy Choo de salto alto – uma de cano curto e outra de cano longo –, dois pares de sandálias Manolo de salto fino, um par dos clássicos escarpins Prada pretos, e um par de mocassins Tod, que Jeffy imediatamente me lembrou de nunca usar no escritório. Pendurei uma bolsa vermelha de camurça no ombro e logo vi os dois "C" na frente, mas essa não era tão linda quanto a de couro café da Celine que pus no outro braço. Um trench coat, no estilo militar, com os típicos botões enormes Marc Jacobs arrematou tudo.

– Você está brincando – eu disse baixinho, afagando os óculos escuros que ele jogara ali dentro como se tivesse se lembrado depois. – Só pode estar brincando.

Ele pareceu satisfeito com a minha reação e baixou a cabeça.

– Só me faça o favor de usá-los, ok? E não conte a ninguém que eu lhe dei primeiro, porque elas vivem para as limpezas do Closet, entendeu? – Ele saiu rápido da sala ao ouvir a voz de Emily chamar alguém no corredor, e eu empurrei minhas coisas para debaixo da mesa.

Emily voltou do restaurante com o seu almoço de sempre: suco de frutas naturais e um recipiente pequeno com alface, brócolis e vinagre balsâmico. Nada de vinagrete. Vinagre. Miranda estava para chegar a qualquer minuto – Uri tinha acabado de ligar para dizer que a estava deixando –, portanto eu não tinha os meus sete minutos preciosos de sempre para ir em linha reta à mesa de sopa e tragá-la na minha mesa. Os minutos se passavam e eu estava morrendo de fome, mas não tive energia para passar pelos tagarelas, ser examinada pela caixa, e me perguntei se não estaria me causando um mal permanente engolir uma sopa fervendo (e gordurosa!) tão rápido que sentia o calor descendo por meu esôfago. *Não vale a pena*, pensei. *Saltar uma refeição não vai matá-la*, disse a mim mesma. *De fato, segundo todos os seus colegas de trabalho sadios e estáveis, só lhe fará mais forte. E, além disso, calças de 2 mil dólares não ficam tão atraentes em garotas que se empanturram*, pensei. Deixei-me cair na minha cadeira e pensei em como acabara de representar tão bem a revista *Runway*.

11

O telefone celular esganiçou em algum lugar no fundo do meu sonho, mas a consciência se impôs e me perguntei se seria ela. Depois de um processo de orientação espantosamente rápido – *Onde estou? Quem é "ela"? Que dia é hoje?* –, me dei conta de que o telefone tocar às oito da manhã de um sábado não era um bom presságio. Nenhum dos meus amigos acordaria tão cedo, e, após anos me escondendo, meus pais aceitaram, de má vontade, que a sua filha só atenderia depois do meio-dia. Nos sete segundos que levei para compreender tudo isso, também considerei uma razão para atender a essa ligação. As razões de Emily, desde o primeiro dia, me voltaram à mente, e varri o chão com o braço para fora do conforto da minha cama. Consegui abrir o telefone logo antes que parasse de tocar.

– Alô? – Fiquei orgulhosa por minha voz ressoar forte e clara, como se eu tivesse passado as últimas horas trabalhando duro em algo respeitável e não desfalecido em um sono tão profundo, tão intenso, que possivelmente não indicaria coisas boas em relação à minha saúde.

– Bom dia, querida! Que bom que está acordada. Só quero dizer que estamos na altura da 60 e pouco com a Terceira, então, estarei aí em mais ou menos dez minutos, ok? – A voz da minha mãe chegou retumbando. Dia da mudança! Era o dia da mudança! Tinha me esquecido completamente de que meus pais haviam concordado em me ajudar a empacotar minhas coisas e levar ao novo apartamento que Lily e eu tínhamos alugado. Levaríamos as caixas com roupas, CDs e álbuns, enquanto a empresa de mudança transportaria a minha cama.

– Oh, oi, mãe – resmunguei, falando com minha voz cansada. – Pensei que era ela.

– Não, hoje vai ter uma folga. De qualquer jeito, onde estacionamos? Há alguma garagem por perto?

– Sim, debaixo do meu prédio, entrem pela Terceira. Deem o número do apartamento e terão um desconto. Tenho de me vestir. Até já.

– Ok, querida. Espero que esteja pronta para trabalhar hoje.

Caí de volta no travesseiro e considerei minhas opções para poder voltar a dormir. Eles realmente pareciam impiedosos, considerando que tinham vindo de Connecticut para me ajudar a me mudar. Nesse momento, o despertador estrilou a sua música de sempre. Ahan! Então eu *tenho* de lembrar que hoje é o dia da mudança. O lembrete de que eu não estava ficando completamente louca foi um pequeno conforto.

Sair da cama foi, talvez, ainda mais difícil do que nos outros dias, embora algumas horas mais tarde. Meu corpo tinha brevemente se iludido, achando que iria sair do atraso, determinado a reduzir essa infame "dívida de sono" que aprendemos em Psicologia Básica, quando o tirei à força da cama. Havia uma pilha de roupas que eu tinha deixado dobradas fora do armário, as únicas coisas além da escova de dentes, que eu ainda não empacotara. Vesti a calça de corrida Adidas azul, o blusão marrom de capuz, e o tênis cinza sujo New Balance, que tinham me acompanhado pelo mundo. Nem um segundo depois de eu fazer bochecho com o restinho de Listerine, a campainha de baixo tocou.

– Oi, vou abrir, só um segundo.

Bateram à minha porta dois minutos depois, e, ao invés de meus pais, ali estava um Alex com a aparência amarrotada. Estava o máximo, como sempre. Seu jeans desbotado baixo, caindo sobre quadris inexistentes, e camiseta de manga comprida azul-marinho, justa na medida certa. Os óculos minúsculos de armação de metal, que só usava quando não tolerava as lentes de contato, estavam na frente de seus olhos vermelhos, e seu cabelo estava desgrenhado. Não consegui deixar de abraçá-lo ali mesmo. Não o via desde o domingo anterior, quando nos encontramos para um rápido café no meio da tarde. Tínhamos pretendido passar o dia inteiro e a noite juntos, mas Miranda tinha precisado de uma *baby-sitter* de emergência para Cassidy, para que pudesse levar Caroline ao médico, e eu tinha sido recrutada. Voltei para casa tarde demais para passar um tempo com ele, e, recentemente, tinha parado de acampar na minha cama só para ficar um pouco comigo, o que eu entendia. Quisera ficar na noite passada, mas eu ainda estava na fase de fingir para os pais: embora todas as partes envolvidas soubessem que Alex e eu dormíamos juntos, nada podia ser feito, dito ou sugerido para confirmá-lo. E assim, eu não queria que ele estivesse ali quando meus pais chegassem.

– Oi, gata. Achei que talvez precisassem de ajuda hoje. – Levantou uma sacola Bagelry que eu sabia que conteria *bagels* salgados, os meus preferidos, e alguns cafés grandes. – Seus pais ainda não chegaram? Trouxe café para eles também.

– Achei que ia dar aulas particulares hoje – eu disse isso assim que Shanti surgiu de seu quarto vestindo um terninho preto. Baixou a cabeça ao passar por nós e resmungou alguma coisa sobre trabalhar o dia todo, e saiu. A gente se falava tão raramente que pensei se ela teria percebido que era o meu último dia no apartamento.

– E ia, mas liguei para os pais das duas meninas e todos concordaram em passar a aula para amanhã de manhã, portanto, sou todo seu!

– Andy! Alex! – Meu pai apareceu à porta, atrás de Alex, radiante, como se esta fosse a melhor manhã do mundo. Minha mãe parecia tão desperta que me perguntei se não estaria drogada. Fiz um rápido exame da situação e imaginei que eles iriam supor de imediato que Alex acabara de chegar, já que ele ainda estava de sapatos e carregando uma sacola de comida obviamente comprada há pouco. Além disso, a porta continuava aberta. Ufa.

– Andy disse que hoje você não poderia vir – disse meu pai, colocando o que parecia ser uma sacola de *bagels*, também salgados, sem dúvida, e cafés em cima da mesa na sala. Evitou deliberadamente olhá-lo nos olhos. – Você está chegando ou saindo?

Sorri e olhei para Alex, esperando que ele não se arrependesse de ter vindo tão cedo.

– Ah, só passei por aqui, Dr. Sachs – disse Alex resoluto. – Remarquei as aulas particulares, porque achei que precisariam de mais um par de braços.

– Ótimo. Isso é ótimo. Tenho certeza de que será uma grande ajuda. Tome, sirva-se de *bagels*. Alex, desculpe, mas só trouxemos três cafés, não sabíamos que estaria aqui. – Meu pai parecia sinceramente chateado, o que foi comovente. Eu sabia que ele ainda tinha problemas em relação à sua filha caçula ter namorado, mas fazia o possível para não demonstrar.

– Não se preocupe, Dr. S. Também trouxe algumas coisas, por isso acho que vai dar para todo mundo. – E meu pai e meu namorado sentaram-se no colchonete juntos, sem o menor sinal de constrangimento, e dividiram o café da manhã.

Peguei *bagels* salgados na sacola dos dois e pensei em como seria divertido voltar a morar com Lily. Estávamos fora da universidade fazia quase um ano. Tentávamos falar no mínimo uma vez por dia, mas ainda era como se mal nos víssemos. Agora, chegaríamos em casa e reclamaríamos do nosso dia infernal, exatamente como nos velhos tempos. Alex e meu pai conversaram sobre esportes (basquete, acho) e minha mãe e eu etiquetamos as caixas no meu quarto.

Não havia muita coisa: apenas algumas caixas de roupa de cama e travesseiros, outra de álbuns de fotografias e itens sortidos para escrivaninha (embora eu não tivesse mesa), um pouco de maquiagem e artigos de toalete, e um bando de sacolas cheias de roupas da *Runway*. Não justificavam etiquetas; acho que era a assistente em mim que falou.

– Vamos indo – gritou meu pai, da sala.

– Psiuu! Vai acordar Kendra – sussurrei. – São só 9 horas de sábado, você sabe.

Alex sacudiu a cabeça.

– Não a viu sair com Shanti? Pelo menos, acho que era ela. Havia definitivamente duas delas, usando terninhos pretos e parecendo infelizes. Verifique no quarto.

A porta para o quarto que conseguiam dividir com uma cama beliche estava parcialmente aberta, e a empurrei um pouco. As duas camas estavam meticulosamente feitas, travesseiros afofados e cachorros Gund combinando, um sobre cada cama. Só então me dei conta de que nunca tinha entrado no quarto delas – nos poucos meses em que morei com essas garotas, não conversamos mais do que trinta segundos –, percebi que não sabia exatamente o que faziam, aonde iam, ou se tinham amigos além de uma a outra. Estava feliz por ir embora.

Alex e meu pai tinham limpado os restos de comida e estavam tentando elaborar um plano de ação.

– Tem razão, as duas saíram. Acho até que não sabem que estou indo embora hoje.

– Talvez devesse deixar um bilhete – sugeriu minha mãe. – Podia deixar no tabuleiro de Scrabble. – Eu tinha herdado esse vício de meu pai, e a sua teoria era a de que cada casa nova requeria um novo tabuleiro, por isso estava deixando o outro.

Passei os últimos cinco minutos no apartamento compondo com as pedrinhas: "Obrigada por tudo e boa sorte. Um beijo, Andy." Cinquenta e nove pontos. Nada mau.

Levamos um hora para pôr tudo nos dois carros. Na verdade eu não fiz mais do que escorar a porta para a rua e tomar conta dos carros enquanto voltavam a subir. Os contratados para levar a cama, e que estavam cobrando mais do que o preço real do trabalho, estavam atrasados, portanto meu pai e Alex partiram para o Centro. Lily tinha encontrado o novo apartamento em um anúncio no *Village Voice*, e eu ainda não o tinha visto. Ela tinha ligado para mim no trabalho, na metade do dia, gritando:

– Achei! Achei! É perfeito! Tem um banheiro com água corrente, piso de madeira só um pouquinho empenado, e estou aqui há quatro minutos e não vi um único rato nem barata. Pode vir vê-lo agora?

– Está viajando? – sussurrei. – *Ela* está aqui, o que significa que não posso ir a lugar nenhum.

– Você tem de vir *imediatamente.* Sabe como é. Estou com minha pasta e tudo mais.

– Lily, por favor, me entenda. Não posso deixar o escritório, nem que eu precise de um transplante de coração de emergência, sem ser despedida. Como posso ver um apartamento?

– Bem, ele não vai ficar livre daqui a trinta segundos. Há, pelo menos, 25 pessoas aqui, e todas estão preenchendo as fichas. Preciso fazer isso agora.

No mundo obsceno do mercado imobiliário de Manhattan, apartamentos semi-habitáveis eram mais raros – e mais desejáveis – do que rapazes heterossexuais seminormais. Se acrescentamos semiacessível a essa mistura, tornam-se mais difíceis de se alugar do que uma ilha particular na costa sudeste da África. Provavelmente mais ainda. Não importa que a maioria medisse menos de 80 metros quadrados de sujeira e madeira apodrecida, paredes esburacadas e eletrodomésticos pré-históricos. Sem baratas? *Sem* ratos? Esse valia a pena!

– Lily, confio em você, vá em frente. Pode me mandar um e-mail descrevendo-o? – Estava tentando desligar o mais rápido possível, já que Miranda deveria chegar do departamento de arte a qualquer segundo. Se ela me visse em uma ligação pessoal, eu estaria frita.

– Bem, tenho cópias dos recibos de seu salário, que, a propósito, é insatisfatório... E consegui as declarações dos nossos bancos e a impressão do histórico dos nossos extratos e a carta do seu empregador. O único problema é o fiador. Tem de ser residente no estado e ganhar mais de quarenta vezes o aluguel mensal, e a minha avó com certeza não ganha cem mil dólares. Seus pais podem assinar para nós?

– Meu Deus, Lil, não sei. Não lhes perguntei, e não posso ligar agora. Você liga.

– Certo. Eles ganham o suficiente, não?

Eu não tinha certeza, mas a quem mais eu poderia pedir?

– Ligue para eles – mandei. – Explique sobre Miranda. Diga que lamento não ligar eu mesma.

– Farei isso – disse ela. – Mas deixe antes eu me certificar de que teremos o apartamento. Ligo depois – disse ela e desligou. O telefone soou de novo vinte segundos depois, e vi o número do seu celular no identificador de chamadas. Emily tornou a levantar os olhos com aquela expressão de sempre que me via conversando mais uma vez com uma amiga. Peguei o telefone, mas olhei para Emily.

– É importante – falei baixinho para ela. – A minha melhor amiga está tentando alugar um apartamento para mim, por telefone, porque não posso sair para um maldito...

Três vozes me atacaram ao mesmo tempo. A de Emily estava controlada e calma, e tinha um tom de alerta.

– Andrea, por favor – começou no mesmo instante em que Lily falava empolgada.

– Eles vão aceitar, Andy, eles vão aceitar! Está me ouvindo? – Embora as duas claramente falassem comigo, eu não ouvia a nenhuma delas. A única voz clara e alta que me chegou foi a de Miranda.

– Está com algum problema, Ahn-dre-ah? – Incrível, ela disse o meu nome. Ela estava me rondando, parecendo pronta para atacar.

Desliguei imediatamente, esperando que Lily entendesse, e me preparei para o ataque violento.

– Não, Miranda, nenhum problema.

– Ótimo. Então, eu gostaria de um *sundae* e de comê-lo antes que derretesse. Sorvete de baunilha, não iogurte, não leite gelado, e nada de "sem açúcar" ou de "baixo teor de gordura", com calda de chocolate e creme chantili autêntico. Não enlatado, entendeu? O autêntico. Isso é tudo. – Ela voltou com determinação ao departamento de arte, me deixando com a nítida impressão de que tinha vindo só para checar o que eu estava fazendo. Emily sorriu afetadamente. O telefone tocou. Lily de novo. Droga, será que não podia passar um e-mail? Peguei o fone e o pus contra o ouvido, mas não disse nada.

– Ok, sei que não pode falar, por isso eu falo. Seus pais serão os nossos fiadores, o que é ótimo. O apartamento é um grande quarto de dormir, e quando levantarmos uma parede na sala, ainda restará espaço para um sofá de dois lugares e uma cadeira. O banheiro não tem banheira, mas o chuveiro parece ok. Não tem lava-louças, nada, e nenhum ar-condicionado, mas podemos ter duas janelas. Lavanderia no subsolo, porteiro meio expediente, a uma quadra do metrô 6. E mais isto: uma sacada!

Devo ter respirado alto, porque ela ficou ainda mais empolgada.

– Sim! Uma loucura, certo? Parece que o prédio vai cair para um dos lados, mas está lá! E dá para as duas ficarem no apartamento, fumarem um cigarro, e, oh, é simplesmente perfeito!

– Quanto? – perguntei baixo, determinada a que fosse a última palavra que eu diria.

– Tudo nosso pelo total de 2.280 dólares por mês. Acredita que teremos uma sacada por 1.140 dólares cada uma? Este apartamento é o achado do século. Posso fechar o negócio?

Fiquei calada. Queria falar, mas Miranda estava voltando para a sua sala, repreendendo a coordenadora de eventos públicos na frente de todo mundo. Ela estava de péssimo humor e já havia me atingido demais por esse dia. A garota que ela estava insultando tinha abaixado a cabeça de vergonha, as bochechas vermelhas, e rezei, para o seu próprio bem, para que não chorasse.

– Andy! Isso é ridículo. Diga apenas sim ou não! Já foi grave o bastante eu ter matado aula hoje e você não poder deixar o trabalho para vir ver o apartamento, mas não pode nem mesmo se dar o trabalho de dizer sim ou não? O que eu... – Lily tinha chegado ao seu limite e eu entendia perfeitamente, mas não havia nada que eu pudesse fazer, a não ser desligar. Ela estava gritando tão alto que reverberava na sala silenciosa, e Miranda estava a menos de 1,5 metro de distância. Eu me senti tão frustrada que tive vontade de chamar a coordenadora de relações públicas, ir para o banheiro feminino e chorar junto com ela. Ou talvez, se agíssemos juntas, pudéssemos jogar Miranda no compartimento da privada e apertar a echarpe Hermès em volta do seu pescoço magro. Eu a imobilizaria ou puxaria? Talvez fosse mais eficaz simplesmente jogar a maldita coisa por sua goela abaixo e observá-la ficar sem ar e...

– Ahn-dre-ah! – Sua voz estava áspera e dura. – O que lhe pedi há apenas cinco minutos? – Merda! O sundae. Tinha me esquecido do sundae. – Há alguma razão particular para você continuar sentada aí ao invés de fazer seu trabalho? Achou que era brincadeira? Fiz ou disse alguma coisa que indicasse que eu não estava falando sério? Fiz? Disse? – Seus olhos azuis estavam esbugalhados, e embora ainda não tivesse elevado totalmente a voz, é claro, estava bem perto disso. Abri a boca para falar, mas ouvi Emily falar antes.

– Miranda, desculpe. A culpa foi minha. Pedi a Andrea que atendesse o telefone porque achei que poderia ser Caroline ou Cassidy, e eu estava na outra linha, encomendando a blusa Prada que você queria. Andrea estava de saída. Desculpe, não vai acontecer de novo.

Milagre dos milagres! A Operária Padrão tinha falado em minha defesa.

Miranda pareceu, momentaneamente, apaziguada.

– Está bem, então. Vá buscar o meu sundae agora, Andrea. – E entrou na sua sala, pegou o telefone e começou imediatamente a conversar baixinho com C-SEM.

Olhei para Emily, mas ela estava fingindo trabalhar. Mandei-lhe um e-mail com duas palavras. *Por quê?* Escrevi.

Porque não tinha certeza de que ela não ia despedi-la, e não estou nem um pouco a fim de treinar mais alguém, escreveu de volta no mesmo instante. Parti em busca do sundae perfeito e liguei para Lily do meu celular assim que o elevador chegou ao térreo.

– Desculpe, sinto muito mesmo. É que...

– Ouça, não tenho tempo para isso – disse Lily direto. – Acho que você está exagerando um pouquinho. Quer dizer, não pode nem mesmo dizer sim ou não ao telefone?

– É difícil explicar, Lil, é que...

– Esqueça. Tenho de correr. Ligo se conseguirmos o apartamento. Não que você realmente se importe.

Tentei protestar, mas ela desligou. Droga! Não era justo esperar que Lily entendesse quando eu mesma me acharia ridícula há quatro meses. Não era justo que ela corresse toda a Manhattan atrás de um apartamento para dividirmos quando eu nem mesmo podia atender seus telefonemas, mas que outra escolha eu tinha?

Quando atendeu uma das minhas ligações logo depois da meia-noite, disse-me que tínhamos conseguido o apartamento.

– Isso é incrível, Lil. Não sei como agradecer. Juro que vou compensar, prometo! – E então, tive uma ideia. Ser espontânea! Chamar um carro Elias e ir ao Harlem agradecer à minha melhor amiga pessoalmente. Sim, era isso! – Lil, está em casa? Estou chegando para celebrarmos, ok?

Achei que ela ia vibrar, mas ficou em silêncio.

– Não se incomode – disse calmamente. – Comprei uma garrafa de So-Co e Garoto Anel na Língua está aqui. Tenho tudo o que quero.

Ela me magoou, mas entendi. Lily raramente ficava irritada, mas, quando acontecia, ninguém conseguia argumentar com ela até que estivesse bem e disposta. Ouvi um líquido derramando-se em um copo e gelo tilintando, e a escutei dar um longo gole.

– Ok. Mas ligue se precisar de alguma coisa, está bem?

– Por quê? Para que você fique calada do outro lado? Não, obrigada.

– Lil...

– Não se preocupe comigo. Estou bem. – Outro gole. – Falarei com você mais tarde. E parabéns a nós.

– Sim, parabéns a nós – repeti, mas ela já tinha desligado, mais uma vez.

Eu tinha ligado para o celular de Alex para perguntar se podia ir ao seu apartamento, mas ele não pareceu tão deliciado em me ouvir quanto eu esperava.

– Andy, você sabe que adoro ver você, mas saí com Max e amigos. Você nunca está livre durante a semana, por isso combinei de encontrá-los hoje à noite.

– Bem, onde vocês estão, no Brooklyn ou perto daqui? Posso ir encontrá-los? – perguntei, sabendo que evidentemente estavam no Upper East Side, provavelmente bem perto de mim, porque era onde todos os outros rapazes também moravam.

– Ouça, qualquer outra noite vai ser bom demais, mas hoje, com certeza, é uma noite de homens.

– Ah, claro. Eu ia ver Lily para celebrar o novo apartamento, mas nós, bem, meio que brigamos. Ela não entende por que não posso falar no trabalho.

– Bem, Andy, tenho de admitir que eu também, às vezes, não entendo direito. Quer dizer, sei que Miranda é uma mulher durona, pode ter certeza de que sei, mas parece que você leva tudo muito a sério quando tem a ver com ela, entende? – Ele pareceu estar se esforçando ao máximo para manter o tom conciliador e prestativo.

– Talvez seja porque eu leve a sério! – repliquei, furiosa com ele por não querer me ver e não me implorar para sair com seus amigos e por tomar o partido de Lily, embora ela tivesse certa razão e ele também. – É a minha vida, sabe? Minha carreira. Meu *futuro.* O que diabos eu deveria fazer? Tratar tudo como uma piada?

– Andy, você está distorcendo minhas palavras. Sabe que não é isso o que eu quis dizer.

Mas eu já estava gritando de volta, não consegui me controlar. Primeiro Lily, e agora, Alex? Os dois, além de Miranda, o dia todo, todos os dias? Era demais e quis chorar, mas tudo o que consegui foi gritar.

– A porra de uma grande piada, hein? Isso é o que o meu trabalho é para vocês dois! *Oh, Andy, você trabalha em moda, como pode ser difícil?* – Imitei, me odiando mais a cada segundo. – Bem, desculpe se nem todos podem ser filantropos ou candidatos a ph.D.! Desculpe se...

– Ligue quando se acalmar – falou. – Não vou mais escutar isso. – E desligou. Desligou! Esperei que ligasse de volta, mas não ligou, e quando finalmente caí no sono, quase três da manhã, não tinha tido notícias de Alex nem de Lily.

Agora, era o dia da mudança – uma semana inteira depois – e apesar de nenhum dos dois estar visivelmente irritado, tampouco pareciam exatamente os mesmos. Não tinha havido tempo para corrigir erros pessoalmente, já que estávamos no meio de fechar uma nova edição, mas achei que as coisas se ajeitariam quando Lily e eu mudássemos para o novo apartamento. O nosso apartamento, onde tudo voltaria a ser como antes, como quando estávamos na faculdade e a vida era muito mais tolerável.

Os homens da mudança finalmente chegaram às onze e levaram oito minutos para desarmar minha amada cama e jogar os pedaços na parte de trás da van. Mamãe e eu pegamos carona com eles até o meu novo edifício, onde meu pai e Alex estavam conversando com o porteiro – que, estranhamente, era uma cópia do estilista John Galliano –, com minhas caixas empilhadas contra a parede do saguão.

– Andy, que bom que chegou. O Sr. Fisher só abre o apartamento se o inquilino estiver presente – disse meu pai com um enorme sorriso. – O que é muito inteligente de sua parte – acrescentou, piscando para o porteiro.

– Oh, Lily ainda não está aqui? Ela disse que chegaria por volta das dez, dez e meia.

– Não, não a vimos. Ligo para ela? – perguntou Alex.

– Sim, acho que sim. Por que não sobe com o Sr. Fisher, para que possamos começar a levar as coisas? Pergunte se ela precisa de ajuda.

O Sr. Fisher sorriu de uma maneira que só podia ser descrita como devassa.

– Por favor, agora somos como uma família – disse ele olhando para meus seios –, me chame de John.

Quase engasguei com o café, agora frio, que estava segurando, e me perguntei se o homem reverenciado pelo mundo por reviver a grife Dior tinha morrido sem eu saber e reencarnado como meu porteiro.

Alex concordou com a cabeça e limpou os óculos em sua camiseta. Eu adorava quando ele fazia isso.

– Vá com seus pais. Eu ligo.

Eu me perguntei se seria bom meu pai se tornar amigo do meu porteiro-estilista, o homem que, inevitavelmente, saberia cada detalhe da minha vida. O saguão era bonito, se bem que um pouco retrô. Era de uma pedra de cor clara, e havia alguns bancos, que pareciam desconfortáveis, em frente dos elevadores e atrás do espaço para correspondência. O nosso apartamento era o número 8C e dava para o sudoeste, o que, pelo que eu sabia, era uma coisa boa. John abriu a porta com a sua chave mestra e recuou como um pai orgulhoso.

– Aí está – anunciou pomposamente.

Entrei primeiro, esperando me deparar com um cheiro opressivo de enxofre, ou ver alguns morcegos batendo asas pelo nosso teto, mas estava surpreendentemente limpo e claro. A cozinha à direita, uma faixa estreita, era da largura de uma pessoa e tinha um piso de ladrilhos brancos e armários de fórmica razoavelmente brancos. A bancada era de uma espécie de imitação de granito, e havia um micro-ondas embutido em cima do fogão.

– É ótimo – disse minha mãe, abrindo a geladeira. – Já tem fôrmas de gelo. – Os homens da mudança passaram por nós, resmungando enquanto transportavam a cama.

A cozinha dava para a sala, que já havia sido dividida em dois por uma parede provisória, para criar um segundo quarto. É claro que isso fez com que a sala ficasse sem janela nenhuma, mas tudo bem. O quarto era de um tamanho decente – sem dúvida maior do que o que eu acabara de deixar – e a porta de vidro de correr que levava à sacada formava uma parede inteira. O banheiro ficava entre a sala e o quarto original e tinha azulejos cor-de-rosa e era pintado de rosa. Não poderia ser mais *kitsch*. Entrei no quarto original, que era consideravelmente maior do que a sala, e dei uma olhada. Um armário minúsculo, um ventilador de teto, e uma janela pequena e empoeirada que dava diretamente para um apartamento em frente. Lily tinha querido esse e eu tinha concordado feliz. Ela preferia ter mais espaço, já que passava a maior parte do tempo no quarto estudando, mas eu ficaria com a luz e a sacada.

– Obrigada, Lil – sussurrei para mim mesma, sabendo que Lily não poderia escutar.

– O que disse, querida? – perguntou minha mãe, chegando por trás.

– Ah, nada. Mas Lily realmente acertou. Eu não tinha ideia do que esperar, mas é ótimo, não acha?

Ela pareceu estar tentando encontrar uma maneira delicada de dizer alguma coisa.

– Sim, para Nova York é um ótimo apartamento. É que é difícil imaginar pagar tanto e obter tão pouco. Sabe que a sua irmã e Kyle pagam somente 1.400 dólares por mês por seu condomínio, e têm ar-condicionado central, banheiros de mármore, máquina novinha de lavar e secar louças, três quartos e dois banheiros? – salientou como se ela fosse a primeira a perceber isso. Por 2.280 dólares era possível ter uma casa de frente para a praia em Los Angeles, um condomínio de três andares em uma rua arborizada em Chicago, quatro quartos em um apartamento de vários níveis em Miami, ou um incrível castelo com um fosso em Cleveland. Sim, nós sabíamos disso.

– E duas vagas na garagem, acesso à pista de golfe, academia de ginástica e piscina – acrescentei prestativa. – Sim, eu sei. Mas, acredite ou não, este é um grande negócio. Acho que seremos muito felizes aqui.

Ela me abraçou.

– Também acho. Contanto que não trabalhe demais, para aproveitá-lo – disse ela gentilmente.

Meu pai entrou e abriu a bolsa de lona que não largava, e que eu supunha conter suas roupas de raquetebol, para o jogo mais tarde. Mas ele puxou uma caixa cor de telha escura, com a inscrição "Edição Limitada!". Scrabble. A edição da coleção em que o tabuleiro vinha montado sobre seu próprio quadro reversível e os quadrados tinham as bordas elevadas de modo que as letras não escorregassem. Nós o havíamos admirado juntos em lojas especializadas durante os últimos dez anos, mas nunca tinha havido ocasião para comprar um.

– Oh, papai, você não devia! – eu sabia que o tabuleiro custava mais de 200 dólares. – Oh, eu adorei!

– Use-o moderadamente – disse ele me abraçando. – Ou melhor ainda, para acabar com o seu velho pai, como sei que fará. Lembro-me de quando deixava você ganhar. Eu tinha de deixar, senão você ficava emburrada pela casa, mal-humorada a noite toda. E agora, bem, agora, o meu cérebro velho está arruinado e não poderia vencê-la por mais que tentasse. Não que eu não queira – acrescentou.

Estava para lhe dizer que tinha aprendido com o melhor, mas Alex chegou. E não parecia feliz.

– O que houve? – perguntei imediatamente, enquanto ele mexia nervosamente em seus tênis.

– Ah, nada – mentiu relanceando os olhos na direção dos meus pais. Lançou um olhar "espere um pouco" e disse: – Tome, trouxe uma caixa.

– Vamos buscar mais algumas – disse meu pai à minha mãe, dirigindo-se à porta. – Talvez o Sr. Fisher tenha um carrinho ou algo parecido. Assim traríamos várias de uma vez só. Já voltamos.

Olhei para Alex e esperamos até ouvirmos a porta do elevador se abrir e fechar.

– Acabei de falar com Lily – disse ele devagar.

– Ela continua com raiva de mim? Ela passou a semana toda muito esquisita.

– Não, não creio que seja isso.

– Então o que é?

– Bem, ela não estava em casa...

– Onde ela está? No apartamento de algum cara? Não acredito que tenha se atrasado logo no dia da mudança. – Abri uma das janelas no quarto convertido para deixar o ar frio dissipar um pouco o cheiro de tinta.

– Não, na verdade, ela estava em uma delegacia. – Ele olhou para seus sapatos.

– Onde? Ela está bem? Ó meu Deus! Ela foi agredida, estuprada? Tenho de vê-la agora mesmo.

– Andy, ela está bem. Ela foi detida – disse ele calmamente, como se estivesse dando a notícia a um pai de que seu filho não passaria de ano.

– Detida? Ela foi presa? – Tentei ficar calma, mas percebi, tarde demais, que estava gritando. Meu pai entrou, puxando um carrinho gigantesco que parecia prestes a cair com o peso das caixas empilhadas irregularmente.

– Quem foi presa? – perguntou sem pensar. – O Sr. Fisher trouxe tudo para nós.

Eu estava quebrando a cabeça para imaginar uma mentira, mas Alex interferiu antes de eu pensar em algo remotamente plausível.

– Ah, eu estava contando a Andy que vi no VH-1, ontem à noite, que uma das garotas do TLC foi presa acusada de uso de drogas. E ela sempre pareceu uma das mais corretas...

Meu pai sacudiu a cabeça e examinou o quarto, não prestando muita atenção e provavelmente se perguntando quando exatamente Alex ou eu tínhamos nos tornado tão interessados em astros populares a ponto de discutirmos o assunto.

– Acho que o único lugar para a sua cama é com a cabeceira na parede do fundo – disse ele. – Falando nisso, é melhor eu ir ver o que estão fazendo.

Eu literalmente joguei meu corpo na frente de Alex no minuto em que a porta do apartamento se fechou.

– Rápido! Diga o que aconteceu. O que aconteceu?

– Andy, você está gritando. Não é tão grave. Na verdade, é, de certa forma, engraçado. – Formaram-se rugas em volta de seus olhos quando ria e, por um breve segundo, ele se pareceu com Eduardo.

– Alex Fineman, é melhor contar logo o que aconteceu com a minha melhor amiga...

– Está bem, está bem, relaxe. – Era óbvio que ele estava se divertindo com isso. – Ela estava com um cara, na noite passada, a que se referia como Garoto Anel na Língua, sabe quem era esse?

Olhei furiosa para ele.

– Bem, eles saíram para jantar e o Garoto Anel na Língua a estava levando para casa. Mas Lily achou que seria divertido se exibir, ali mesmo na rua, em frente ao restaurante. "Sexy", disse ela, para excitá-lo.

Imaginei Lily desembrulhando uma bala de menta e saindo do restaurante, com o ar casual, depois de um jantar romântico, só para tirar a blusa para um cara que tinha pago para alguém cravar um poste em sua língua. Cristo.

– Oh, não. Ela não...

Alex balançou a cabeça sombriamente, contendo o riso.

– Está dizendo que a minha amiga foi detida por mostrar os seios? Isso é ridículo. Estamos em Nova York. Todo dia vejo mulheres praticamente sem blusa, e no local de trabalho! – Eu estava gritando de novo, mas não consegui evitar.

– Seu traseiro. – Ele estava olhando para seus sapatos de novo, e o seu rosto estava tão vermelho, que eu não sabia se era vergonha ou histeria.

– Seu o quê?

– Não foram os seios. Foi o traseiro. – Um sorriso de orelha a orelha finalmente irrompeu e ele pareceu tão divertido que achei que ia fazer xixi na calça.

– Oh, diga que não é verdade – gemi, perguntando-me em que a minha amiga tinha se metido agora. – E um policial a viu e prendeu?

– Não, na verdade duas crianças viram e apontaram para a mãe...

– Oh, Deus.

– Então, a mãe pediu que ela vestisse a calça e Lily lhe disse, em voz alta, o que podia fazer com as suas opiniões, e então a mulher procurou um policial que estava na rua seguinte.

– Ah, pare. Por favor, pare.

– Tem mais. Quando a mulher e o policial voltaram, Lily e Garoto do Anel na Língua estavam para começar a transar na rua, se gundo ela.

– Quem é essa? A minha amiga Lily Goodwin? A minha melhor amiga, doce e adorável, desde o ginásio, agora fica nua e transa nas esquinas? Com caras que têm anéis na língua?

– Andy, calma. Ela está bem, de verdade. A única razão para o policial tê-la detido foi que ela lhe mostrou o dedo quando ele perguntou se, de fato, tinha abaixado a calça...

– Oh, meu Deus, não quero mais ouvir. É assim que deve se sentir uma mãe.

– Mas eles a deixaram ir com um alerta, e ela está voltando ao apartamento para se recuperar. Ela devia estar muito bêbada. Senão, por que alguém mostraria o dedo a um policial? Por isso, não se preocupe. Vamos acabar sua mudança e, depois, iremos vê-la, se quiser. – Ele se dirigiu ao carrinho que o meu pai tinha deixado no meio da sala e começou a tirar as caixas.

Eu não podia esperar; tinha de ver o que havia acontecido. Ela atendeu no quarto toque antes de cair na secretária eletrônica, como se estivesse pensando se deveria ou não atender.

– Você está bem? – perguntei assim que ouvi sua voz.

– Oi, Andy. Espero não estar estragando a mudança. Não precisa de mim, certo? Desculpe tudo isso.

– Não, isso não me importa, eu me preocupo com você. Está bem? – Tinha acabado de me ocorrer que Lily talvez tivesse passado a noite na delegacia, já que era sábado de manhã e ela estava saindo de lá. – Você passou a noite em *cana*?

– Bem, sim, acho que se pode dizer assim. Não foi tão ruim, nada como na TV ou algo parecido. Simplesmente dormi numa sala com outra garota totalmente inofensiva, que estava ali por um motivo idiota semelhante. O guarda era tranquilo, realmente não foi nada tão grave. Nada de grades ou coisa assim. – Ela riu, mas pareceu falso.

Digeri isso por um momento, tentei aceitar a imagem da doce hippie Lily sendo acuada, em uma cela cheia de urina, por um lésbica possessiva e raivosa.

– Onde diabos estava o Garoto Anel na Língua enquanto tudo isso acontecia? Simplesmente deixou-a apodrecer na cadeia? – Mas antes de ela responder, me ocorreu: "Onde diabos eu estava nisso tudo? Por que Lily não tinha me chamado?"

– Ele realmente foi bárbaro, ele...

– Lily, por que...

– ... se ofereceu para ficar comigo e até chamar o advogado de seus pais...

– Lily, Lily! Pare um segundo. Por que não me ligou? Sabe que eu estaria lá em um segundo e não sairia enquanto eles não a soltassem. Então, por quê? Por que não me chamou?

– Ah, Andy, isso não tem mais importância. Não foi tão ruim, não mesmo, juro. Não acredito em como fui estúpida, e confie em mim, chega de beber. Não vale a pena.

– Por quê? Por que não ligou? Passei a noite toda em casa.

– Não tem importância de verdade. Não liguei porque ou você estaria trabalhando ou estaria muito cansada, e não quis incomodá-la. Especialmente numa sexta à noite.

Pensei no que tinha feito na noite anterior e a única coisa que surgiu na minha cabeça era estar assistindo a *Dirty Dancing* no TNT pela 68ª vez, exatamente. E, além dessas vezes todas, havia tido a primeira em que eu tinha adormecido antes de Johnny anunciar "Ninguém põe Baby contra a parede", e começar a suspendê-la, literalmente, até o Dr. Houseman admitir que sabia que Johnny não era o responsável por ter encrencado Penny. E, depois bater nas suas costas e beijar Baby, que, recentemente, reivindicara o nome de Frances. Eu considerava a cena um fator definidor de minha identidade.

– Trabalhando? Achou que eu estava trabalhando? E o que estar cansada demais tem a ver quando você precisa de ajuda? Lil, não entendi.

– Olha, Andy, deixa isso pra lá, ok? Você trabalha direto. Dia e noite, e muitas e muitas vezes nos fins de semana. E quando não está trabalhando, está se queixando do trabalho. Não que eu não compreenda, porque sei como é duro o que você fez, e sei que trabalha para uma lunática. Mas não seria eu a interromper uma noite de sexta-feira quando você deveria estar relaxando ou com Alex. Quer dizer, ele diz que nunca a vê, e eu não quis tirar isso dele. Se eu precisasse mesmo de você, teria telefonado, e sei que viria correndo. Mas, juro, não foi tão ruim. Por favor, podemos esquecer isso? Estou exausta e preciso de um banho e da minha cama.

Fiquei tão atordoada que não consegui falar, mas Lily entendeu meu silêncio como aquiescência.

– Está aí? – perguntou depois de quase trinta segundos, durante os quais eu tentava desesperadamente encontrar as palavras certas para me desculpar ou me explicar ou sei lá o quê. – Ouça, acabei de chegar em casa. Preciso dormir. Posso ligar depois?

– Humm, ahn, claro – consegui dizer. – Lil, lamento muito. Se cheguei a lhe dar a impressão de que...

– Andy, não. Não há nada errado. Estou bem, estamos bem. Apenas vamos falar mais tarde.

– Está bem. Durma bem. Ligue se eu puder fazer alguma coisa...

– Ligo. Ah, a propósito, o que achou do apartamento?

– É o máximo, Lil, realmente é. Você fez um negócio e tanto. É muito melhor do que eu podia imaginar. Nós vamos adorar. – Minha voz soou falsa aos meus próprios ouvidos, e ficou óbvio que eu falava por falar, só para mantê-la ao telefone para me certificar de que a nossa amizade não tinha mudado de uma maneira inexplicável e permanente.

– Ótimo. Estou feliz que tenha gostado. Tomara que o Garoto Anel na Língua também goste – ela brincou, embora também isso tenha soado falso.

Desligamos e fiquei na sala, olhando o telefone até minha mãe entrar e anunciar que levariam a mim e Alex para almoçar.

– O que foi, Andy? Onde está Lily? Achei que ela ia precisar de ajuda também, mas não vamos nos demorar muito depois das três. Ela está a caminho?

– Não, ela, hum, não passou bem ontem à noite, já acontecia há alguns dias, acho, por isso é provável que só se mude amanhã. Era ela ao telefone.

– Tem certeza de que ela está bem? Acha que devemos passar por lá? Eu sempre sinto tanta pena dessa menina. Sem pais, com apenas essa avó velha e rabugenta. – Ela pôs a mão no meu ombro, como se para reforçar o sofrimento. – Ela tem sorte de ter você como amiga. Senão estaria completamente só no mundo.

A minha voz ficou presa na garganta, mas, depois de alguns segundos, consegui dizer algumas palavras.

– Sim, acho que sim. Mas ela está bem, está muito bem. Precisa apenas dormir um pouco. Vamos comer uns sanduíches? O porteiro disse que tem uma déli excelente a apenas quatro quadras daqui.

– ESCRITÓRIO DE MIRANDA Priestly – respondi, agora na minha voz entediada de sempre, que eu esperava que transmitisse minha infelicidade a qualquer um que se atrevesse a interromper meu tempo de receber e enviar e-mails.

– Oi, é Em-Em-Em-Emily? – perguntou alguém ceceando e gaguejando.

– Não, é Andrea. Sou a nova assistente de Miranda – eu disse, embora já tivesse me apresentado a milhares de curiosos que ligavam.

– Ah, a nova assistente de Miranda – a estranha voz de mulher berrou. – Não é a garota mais sortuda do mu-mu-mundo? O que está achando de seu trabalho com o mal supremo?

Eu me reanimei. Isso era novidade. Em todo esse tempo na *Runway*, nunca tinha encontrado uma única pessoa que ousasse criticar Miranda de maneira tão atrevida. Ela falava sério? Estaria me testando?

– Humm, bem, trabalhar na *Runway* tem sido uma experiência de aprendizado extraordinária – ouvi a mim mesma gaguejar. – É um trabalho pelo qual milhões de garotas dariam a vida. – Eu disse isso?

Houve um momento de silêncio, seguido de um grito semelhante ao da hiena.

– Oh, isso é pe-pe-pe-per-perfeito! – guinchou, com uma espécie de riso asfixiado simultâneo. – Ela trancou você no seu conjugado no West Village e privou-a de todas as coisas G-g-g-gucci até a lavagem cerebral estar completa e você dizer merdas como essa? F-f-f-fantástico! Essa mulher é realmente notável! Bem, Srta. Experiência de Aprendizado, eu soube por via confidencial que Miranda tinha, dessa vez, contratado um l-l-l-lacaio que pensava, mas vejo que a informação confidencial, como sempre, estava errada. Gosta dos twin-in-in se-se-sets Michael Kors e dos casacos de pele da J. Mendel's? Sim, querida, você vai servir perfeitamente. Agora chame essa magricela da sua chefe.

Fiquei confusa. Meu primeiro impulso foi mandá-la se foder, dizer que não me conhecia, que era fácil ver que tentava compensar sua gagueira com uma atitude arrogante. Mais do que isso, eu queria pressionar o telefone em minha boca e sussurrar com urgência: "Sou prisioneira, mais do que pode imaginar. Por favor, oh, por favor, venha me salvar deste inferno doutrinário. Você tem razão, é exatamente como descreveu, só que eu sou diferente!" Mas não tive chance de dizer nada, porque, finalmente, me ocorreu que eu não fazia a menor ideia de a quem pertencia a voz áspera e gaga no outro lado da linha.

Respirei fundo e decidi responder ponto por ponto, menos sobre Miranda.

– Bem, adoro Michael Kors, é claro, mas tenho de confessar que não exatamente por causa dos *twin sets.* As peles da J. Mendel são maravilhosas, sem dúvida, mas uma verdadeira garota *Runway*, isto é, alguém com um gosto apurado e impecável, provavelmente preferiria um *tailleur* da Pologeorgis na rua 29. Ah, e para o futuro, eu preferiria que você usasse o mais informal "funcionária contratada" a algo tão frio e inflexível quanto "lacaio". Agora, é claro, ficarei feliz em corrigir outras suposições incorretas, mas talvez eu devesse perguntar primeiro com quem estou falando?

– *Touché*, nova assistente de Miranda, *touché.* Você e eu se-se-seseremos amigas, afinal. E-e-eu n-n-n-não gosto muito dos robôs que ela contrata, mas é coerente porque eu não gosto muito dela. O meu nome é Judith Mason, e se p-p-por aca-ca-acaso não sabe, escrevo os artigos de viagens todo m-m-m-mêeees. Agora, me diga, já que ainda é relativamente nova no cc-c-cargo: a-aa lua de m-m-m-mel já acabou?

Fiquei em silêncio. O que ela queria dizer? Era como falar com uma bomba-relógio.

– Então? Está na fascinante janela do tempo e-e-em q-q-q-que está aí o bastante para todos saberem seu nome, mas não o bastante para desvendarem e explorarem todas as suas fraquezas. É um sentimento realmente doce qua-aan-quando isso acontece, pode crer. Você está trabalhando em um lugar muito especial.

Mas antes que eu pudesse responder, ela disse:

– Chega de na-na-namoro, minha nova amiga. Não se dê o-o-o-o t-t-tr-trabalho de lhe dizer meu nome, porque ela nunca atende minhas ligações. Acho que a gagueira a irrita. Apenas ponha meu nome no Boletim, para que ela mande alguém me ligar. Obrigada, u-u-u-um-b-b-b-eijo. – Clique.

Desliguei o telefone, estarrecida, e comecei a rir. Emily ergueu os olhos de um dos relatórios de despesas de Miranda e perguntou quem era. Quando eu lhe disse que era Judith, ela revirou os olhos de tal maneira que eles quase não voltaram ao normal e se queixou.

– Ela é uma vaca-mor. Não faço ideia de por que Miranda chega a falar com ela. Mas não atende suas ligações, por isso nem precisa dizer que ela está ao telefone. Apenas a ponha no Boletim e Miranda mandará alguém ligar para ela. – Parece que Judith conhecia o funcionamento interno do escritório melhor do que eu.

Cliquei duas vezes no ícone do meu iMac turquesa chamado "Boletim" e li seu conteúdo até o momento. O Boletim era a *pièce de résistance* do escritório de Miranda Priestly e, até onde percebi, a sua única razão de vida. Desenvolvido muitos anos antes por alguma assistente facilmente excitável e compulsiva, o Boletim era simplesmente um documento do Word que ficava em uma pasta que eu e Emily podíamos acessar. Somente uma de nós podia abri-lo de cada vez e acrescentar uma mensagem, ideia ou pergunta à lista de itens. Em seguida, imprimíamos a versão atualizada e o colocávamos na prancheta de papéis na prateleira acima da minha mesa, retirando os antigos. Miranda examinava-o de minuto em minuto, o dia inteiro, enquanto Emily e eu lutávamos para digitar, imprimir e pô-lo na prateleira logo depois das ligações. Frequentemente pedíamos uma à outra em sussurros, para fechar o Boletim para que a outra pudesse acessá-lo e acrescentar um recado. Imprimíamos simultaneamente na impressora de cada uma e corríamos para a prancheta, sem saber qual era o mais recente até estarmos cara a cara.

– Judith é o último recado no meu – eu disse, exausta com a pressão de tentar concluí-lo antes de Miranda entrar. Eduardo tinha ligado da mesa da segurança lá embaixo para avisar que ela estava subindo. Ainda não tínhamos recebido o chamado de Sophy, mas sabíamos que era questão de segundos.

– Tenho o zelador do Ritz de Paris depois de Judith. – Emily quase gritou triunfante prendendo sua folha na prancheta Lucite. Peguei meu 42º Boletim obsoleto e o li rapidamente. Travessões nos números de telefone não eram permitidos, somente pontos. Nada de vírgulas, só pontos. A hora devia ser arredondada para mais ou menos, o mais próximo do quarto de hora. Números para responder às ligações sempre ocupavam uma linha, para serem distinguidos mais facilmente. Quando alguém passava por lá, a hora era também registrada. A palavra "observação" era algo que Emily ou eu tínhamos a dizer (já que estava fora de questão nós lhe dirigirmos a palavra, toda a informação relevante era registrada no Boletim). "Lembrete" era algo que Miranda tinha deixado nas nossas secretárias eletrônicas entre uma e cinco horas da madrugada anterior, sabendo que, uma vez gravado para nós, estava praticamente feito. Referíamos a nós mesmas na terceira pessoa, se fosse absolutamente crucial nos referirmos a nós mesmas.

Ela pedia frequentemente para descobrirmos exatamente quando e em que número uma pessoa em particular estaria disponível. Nesse caso, não se sabia se iria para "Observação" ou "Lembrete". Lembro-me de uma vez ter pensando que o Boletim informaria quem é quem na equipe Prada, mas os nomes dos magnatas, papas da alta moda, que mais causavam sensação, tinham cessado de ser registrados como "especiais" em meu cérebro insensibilizado. Na minha nova realidade *Runway*, a secretária social da Casa Branca tinha pouco mais interesse do que o veterinário que precisava falar com Miranda sobre a vacina dos cachorrinhos (sem chances de receber uma ligação de volta!).

Quinta-feira, 8 de abril

7h30: Simone ligou do escritório de Paris. Marcou alguns encontros com o Sr. Testino para as fotos no Rio e também confirmou com o agente de Gisele, mas precisa discutir a moda com você. Por favor, ligar para ela.
011.33.1.55.91.30.65

8h15: Sr. Tomlinson ligou. Está no celular. Por favor ligar para ele.

Observação: Andrea falou com Bruce. Ele disse que está faltando uma peça decorativa de gesso no canto superior esquerdo do espelho grande em seu *foyer*. Ele localizou um idêntico em um antiquário em Bordeaux. Quer que o encomende?

8h30: Jonathan Cole ligou. Está partindo para Melbourne no sábado e gostaria de esclarecer a designação antes de viajar. Por favor, ligar para ele.
555.7700

Lembrete: Ligar para Karl Lagerfeld sobre a festa da Modelo do Ano. Ele estará acessível em sua casa, em Biarritz, hoje à noite das 20 horas às 20h30.
011.33.1.55.22.06.78: casa
011.33.1.55.22.58.29: estúdio em casa
011.33.1.55.22.92.64: motorista
011.33.1.55.66.76.33: número da assistente em Paris, no caso de não encontrá-lo.
555.9887

9 horas Ingrid Sischy ligou para parabenizá-la pela revista de abril. Disse que a capa estava "espetacular, como sempre", e quer saber quem produziu o encarte de beleza. Por favor, ligue para ela.
555.6246: escritório
555.8833: casa

Observação: Miho Kosudo ligou se desculpando por não ter podido entregar o arranjo de flores de Damien Hirst. Disseram que esperaram do lado de fora de seu edifício durante quatro horas, mas, como não havia porteiro, tiveram de ir embora. Tentarão amanhã de novo.

9h15: Sr. Samuels ligou. Estará inacessível até depois do almoço, mas quer lembrá-la do encontro de pais e professores hoje à noite no Horace Mann. Ele gostaria de discutir o projeto do histórico de Caroline com você antecipadamente. Por favor ligar para ele depois das 14 horas, mas antes das 16 horas.
555.5032

9h15: Sr. Tomlinson ligou de novo. Pediu a Andrea para fazer reservas para o jantar de hoje à noite depois do encontro de pais e professores. Por favor ligar para ele. Está no celular.

Observação: Andrea fez reservas para você e o Sr. Tomlinson para hoje à noite, às 20 horas, no La Caravelle. Rita Jammet disse estar ansiosa para revê-la e está feliz por ter escolhido o seu restaurante.

9h30: Donatella Versace ligou. Disse que foi tudo confirmado para a sua visita. Vai precisar de pessoal, além de motorista, um chef, um *trainer*, alguém para o cabelo e maquiagem, uma assistente pessoal, três criadas e um capitão de iate? Se sim, por favor informá-la antes que ela parta para Miami. Ela também fornecerá telefones celulares, mas não poderá estar com você, já que estará se preparando para os desfiles.
011.3901.55.27.55.61

9h45: Judith Mason ligou. Por favor ligar para ela.
555.6834

Amassei a folha e a joguei na cesta debaixo da minha mesa, onde imediatamente se empapou de gordura dos restos do terceiro café da manhã de Miranda jogado fora. Até agora, um dia relativamente normal no que dizia respeito ao Boletim. Eu estava para clicar em "inbox" na minha conta do Hotmail, para ver se havia alguma mensagem, quando ela entrou. Maldita Sophy! Tinha se esquecido de novo de ligar avisando.

– Espero que o Boletim esteja atualizado – disse ela num tom gélido, sem me olhar ou admitir minha presença.

– Está, Miranda – repliquei, erguendo-o para ela, de modo que só precisasse estender o braço para tê-lo. *Três palavras e contar*, pensei cá comigo, predizendo e torcendo para que não fossem mais de 75 palavras por dia de minha parte. Ela tirou seu casaco de vison, comprimento até a cintura, tão felpudo que tive de me controlar para não enfiar a cara nele na hora, e jogou-o sobre a minha mesa. Quando eu ia pendurar esse magnífico animal morto no armário, tentando passar minha bochecha, discretamente, nele, senti um rápido choque frio e úmido: havia pequeninos pedaços de neve ainda congelada presos na pele. Fabulosamente oportunos.

Puxando a tampa de um café com leite morno, dispus, cuidadosamente, a pilha gordurosa de bacon, salsicha e pastel de queijo em um prato imundo. Entrei em sua sala na ponta dos pés e coloquei tudo com cuidado, discretamente, em um canto de sua mesa. Ela estava concentrada escrevendo um bilhete sobre seu papel de carta Dempsey and Carroll e falou tão baixinho que eu quase não escutei.

– Ahn-dre-ah, preciso discutir a festa de noivado com você. Pegue a agenda.

Balancei a cabeça, percebendo, ao mesmo tempo, que balançar a cabeça não conta como palavra. Essa festa de noivado já tinha se tornado o veneno da minha existência e ainda faltava mais de um mês, porém como Miranda partiria em breve para os desfiles europeus, e ficaria fora por duas semanas, planejá-la tinha ocupado a maior parte dos nossos últimos dias de trabalho. Retornei à sua sala com um bloco e uma caneta, me preparando para não entender uma única palavra do que ela diria. Pensei em me sentar por um momento, já que isso tornaria o ditado muito mais confortável, mas, pensando bem, resisti.

Ela deu um suspiro como se isso fosse tão exaustivo que não estivesse certa se conseguiria e puxou a echarpe Hermès branca que tinha enrolado como uma pulseira em volta do pulso.

– Encontre Natalie, da Glorious Foods, e diga-lhe que prefiro compota de ruibarbo. Não a deixe convencê-la de que precisa falar comigo pessoalmente, porque não precisa. Fale também com Miho e se certifique de que compreenderam minhas ordens para as flores. Ligue para Robert Isabell, antes do almoço, para revermos toalhas de mesa, cartões com os lugares marcados e travessas. E também aquela garota do Met, para ver quando eu posso ir lá para ter certeza de que tudo está arranjado adequadamente, e mande-a passar um fax sobre as configurações das mesas, para que eu possa fazer o mapa dos lugares. Isso é tudo por enquanto.

Tinha me ditado essa lista sem fazer uma única pausa na escrita de seu bilhete, e quando parou de falar, deu-me o recado que acabara de escrever à mão para que fosse enviado. Acabei de escrever em meu bloco, esperando ter compreendido tudo corretamente, o que, considerando-se o sotaque e a cadência acelerada, nem sempre era fácil.

– Ok – murmurei e me virei para sair, somando meu Total de Palavras a Miranda em três. *Talvez eu não passe de cinquenta*, pensei. Senti seus olhos examinando o tamanho do meu traseiro enquanto eu voltava para a minha mesa, e, por um breve momento, pensei em dar a volta e andar de costas como um judeu religioso faria ao deixar o Muro das Lamentações. Ao invés disso, procurei deslizar em direção à segurança da minha mesa, imaginando milhares e milhares de hashimitas de preto Prada, andando em círculos em volta de Miranda Priestly.

12

O bendito dia esperado, sonhado, finalmente chegou. Miranda não só tinha saído do escritório, mas do país também. Tinha pulado para seu assento no Concorde menos de uma hora antes de se encontrar com alguns estilistas europeus, fazendo de mim, naquele momento, incontestavelmente a garota mais feliz do planeta. Emily continuou tentando me convencer de que Miranda era ainda mais exigente quando estava no exterior, mas eu não entrei nessa. Eu estava planejando minuciosamente como passar cada momento de êxtase das duas próximas semanas, quando chegou um e-mail de Alex.

> Oi, gata, como vai? Espero que o seu dia tenha sido no mínimo tranquilo. Deve estar adorando ela ter viajado, não? Aproveite. Só queria saber se você vai poder me ligar hoje por volta das 15h30. Terei uma hora livre antes do programa de leitura começar e preciso falar com você. Nada importante, mas gostaria de falar. Amor, A.

Fiquei preocupada e escrevi imediatamente perguntando se estava tudo bem, mas ele devia ter desligado logo em seguida, porque não respondeu. Anotei mentalmente ligar para ele exatamente às três e meia, adorando a sensação de liberdade provocada por saber que *Ela* não estaria por perto para estragar tudo. Mas, por via das dúvidas, peguei uma folha de papel *Runway* e escrevi LIGAR A., TRÊS E MEIA, HOJE, e colei do lado do meu monitor. Assim que ia retornar a ligação de uma amiga de escola que havia deixado um recado na secretária eletrônica da minha casa uma semana antes, o telefone tocou.

– Escritório de Miranda Priestly – dei um suspiro, pensando que não havia uma única pessoa no mundo com quem eu gostaria de falar nesse momento.

– Emily? É você? Emily? – a voz inconfundível ocupou a linha e pareceu filtrar-se no ar do escritório. Embora fosse impossível ela escutar do outro lado da sala, Emily ergueu os olhos para mim.

– Alô, Miranda. É Andrea. Posso ajudar? – Como era possível essa mulher estar ligando? Rapidamente chequei o itinerário que Emily tinha digitado para todos, enquanto Miranda estivesse na Europa, e vi que o seu voo deveria ter decolado há apenas seis minutos. Ela já estava ligando de seu assento.

– Espero que sim. Examinei o meu itinerário e acabo de ver que cabelo e maquiagem na quinta-feira antes do jantar não estão confirmados.

– Hum, bem, Miranda, é porque *monsieur* Renaud não conseguiu uma confirmação absoluta de sua equipe e clientes quinta-feira, mas ele disse que havia 99 por cento de chance de que pudessem...

– Ahn-dre-ah, responda-me: 99 por cento é o mesmo que 100 por cento? É o mesmo que *confirmado*? – Mas antes que eu pudesse responder, ouvi-a dizer a alguém, provavelmente à aeromoça, que não estava "particularmente interessada nas normas e nos regulamentos relacionados ao uso de aparelhos eletrônicos" e para "por favor, aborrecer outra pessoa com esse tipo de coisa".

– Mas, senhora, é contra as regras, e vou ter de pedir que desligue até termos alcançado uma altitude de cruzeiro. Simplesmente não é seguro – disse ela, em tom de súplica.

– Ahn-dre-ah, está me ouvindo? Está ouvindo...

– Senhora, terei de insistir. Por favor, desligue o telefone. – Minha boca estava começando a doer do sorriso largo. Imaginei como Miranda estaria odiando ser tratada de "senhora", o que, como todo mundo sabe, tem a conotação de velha.

– Ahn-dre-ah, a *aeromoça* está me obrigando a encerrar a ligação. Ligarei de volta, quando a *aeromoça* me permitir. Nesse meio-

tempo, quero cabelo e maquiagem confirmados, e gostaria que você começasse a entrevistar as garotas para o cargo de babá. Isso é tudo.
– Desliguei, mas não antes de ouvir a aeromoça chamá-la de "senhora" uma última vez.

– O que ela queria? – perguntou Emily, a testa vincada de tanta preocupação.

– Ela me chamou pelo meu nome três vezes seguidas – falei com maliciosa satisfação, feliz em prolongar a sua ansiedade. – Três vezes, acredita? Acho que isso significa que somos amigas íntimas, não é? Quem diria? Andrea Sachs e Miranda Priestly, melhores amigas.

– Andrea, o que ela disse?

– Bem, quer que o cabelo e a maquiagem de quinta-feira sejam confirmados porque sem dúvida 99 por cento não é tranquilizador o suficiente. Ah, e disse alguma coisa sobre entrevistas para uma nova babá. Não devo ter entendido direito. De qualquer maneira, ela vai ligar de novo daqui a trinta segundos.

Emily respirou fundo e se conteve para suportar minha estupidez com graça e elegância. Obviamente não era fácil para ela.

– Não, acho que não entendeu errado. Cara não está mais com Miranda, de modo que, evidentemente, ela precisa de uma nova babá.

– O quê? O que quer dizer com não está mais "com Miranda"? Se ela não está mais "com Miranda", onde diabos ela está? É difícil acreditar que Cara não tenha me dito nada sobre sua partida repentina.

– Miranda achou que Cara seria mais feliz trabalhando para outra pessoa – disse Emily, expressando-se, eu acho, de uma maneira muito mais diplomática do que faria Miranda. Como se Miranda se preocupasse com a felicidade dos outros!

– Emily, por favor. Por favor, conte o que realmente aconteceu.

– Eu soube por Caroline que Cara pôs as meninas de castigo, cada uma em seu quarto, depois de lhe responderem. Miranda não achou que fosse apropriado Cara tomar esse tipo de decisão. E eu concordo. Quer dizer, Cara não é a mãe das crianças, entende?

Então Cara tinha sido despedida porque tinha posto duas meninas de castigo em seus quartos depois de certamente terem merecido?

– Sim, entendo o que diz. Não cabe a uma babá ter cuidado com o bem-estar das meninas de quem toma conta – eu disse, balançando a cabeça solenemente. – Cara não agiu de acordo nesse ponto.

Emily não somente não reagiu ao meu sarcasmo como pareceu não detectar nem um indício dele.

– Exatamente. E, além disso, Miranda nunca gostou de Cara não falar francês. Como as meninas aprenderão a falar sem o sotaque americano?

Oh, não sei. Talvez em uma de suas escolas particulares de 18 mil dólares ao ano, onde o francês é requerido e todos os três professores de francês são nativos. Ou talvez com sua mãe, que é fluente nesse idioma, que viveu na França, e continua visitando o país meia dúzia de vezes por ano e pode ler, escrever e falar a língua com uma pronúncia perfeita. Mas, em vez disso, eu disse:

– Você tem razão. Sem francês, nada de babá. Concordo.

– Bem, de qualquer maneira, é sua a responsabilidade de encontrar uma nova babá para as meninas. Aqui está o número da agência com que trabalhamos – disse ela, enviando-me o telefone por e-mail. – Eles sabem como Miranda é minuciosa, e justa, é claro, então, geralmente, nos enviam boas pessoas.

Olhei para ela desconfiada e me perguntei como teria sido a sua vida antes de Miranda Priestly. Consegui dormir com os olhos abertos por algum tempo até o telefone tocar de novo. Graças a Deus, Emily atendeu.

– Alô, Miranda. Sim, sim, posso ouvi-la. Não, nenhum problema. Sim, confirmei cabelo e maquiagem para quinta-feira. E sim, Andrea já começou a procurar novas babás. Teremos três boas candidatas para você entrevistar assim que voltar. – Empinou a cabeça para o lado e tocou os lábios com a caneta. – Hum, sim. Sim, está confirmado. Não, não é 99 por cento, é 100 por cento. Com certeza. Sim, Miranda. Sim, confirmei eu mesma, e estou tranquila. Estão esperando ansiosos. Ok. Tenha uma boa viagem. Sim, está confirmado. Passarei um fax imediatamente. Ok. Até logo.

Desligou e pareceu estar tremendo.

– Por que essa mulher não entende? Eu disse que o cabelo e a maquiagem estavam confirmados. Depois, repeti. Por que tenho de dizer cinquenta vezes? E sabe o que ela disse? – Fiz que não, sacudindo a cabeça. – Sabe o que ela disse? Disse que, como isso tinha sido uma dor de cabeça para ela, gostaria que eu refizesse o itinerário mostrando que o cabelo e a maquiagem estavam agora confirmados e que passasse um fax ao Ritz para que ela recebesse o correto ao chegar lá. Faço tudo por essa mulher, eu lhe dou a minha *vida*, e, em troca, é assim que ela fala comigo? – Parecia que ia chorar. Eu estava empolgada com a rara oportunidade de ver Emily criticar Miranda, mas sabia que uma Virada Paranoica *Runway* era iminente, de modo que eu tinha de proceder com cautela. O toque certo de simpatia e indiferença.

– Não é você, Em, juro. Ela sabe como trabalha duro. Você é uma assistente incrível. Se ela não achasse que você trabalha tão bem já a teria dispensado. Ela não teria exatamente medo de fazer isso, entende o que quero dizer?

Emily tinha parado de chorar e se aproximava da zona desafiadora em que, embora concordasse comigo, defenderia Miranda se eu dissesse algo ultrajante demais. Eu tinha estudado a síndrome de Estocolmo em psicologia, na qual as vítimas se identificam com seus sequestradores, mas não tinha entendido direito como tudo terminava. Talvez eu gravasse uma das pequenas sessões entre mim e Emily e enviasse ao professor para que os calouros do próximo ano pudessem ver como a síndrome se manifestava. Todos os esforços para proceder com cuidado começaram a parecer sobre-humanos, fazendo com que eu respirasse fundo, falando direto.

– Ela é maluca, Emily – eu disse baixinho e devagar, querendo que concordasse comigo. – Não é você, é ela. É uma mulher vazia, fútil, amarga, que tem toneladas e toneladas de roupas lindas e não muito mais.

Emily contraiu o rosto, a pele de seu pescoço e em volta das bochechas se retesou e suas mãos pararam de tremer. Eu sabia que ela ia me intimidar a qualquer momento, mas não consegui parar.

– Já reparou que ela não tem amigos, Emily? Já? É claro, seu telefone não para de tocar dia e noite, as pessoas mais *cool* do mundo ligam para ela, mas não estão ligando para falar de seus filhos ou trabalho, ou casamento, estão? Estão ligando porque precisam de alguma coisa dela. Isso pode parecer maravilhoso, mas imagine se a única razão para alguém ligar para você seja...

– Pare! – gritou ela, as lágrimas correndo de novo pela face. – Cale a droga da sua boca! Nem bem chega ao escritório, acha que entende tudo. Pequena Srta. Sou Tão Sarcástica e Estou Tão Acima de Tudo Isso! Você não entende nada. Nada!

– Em...

– Não me chame de Em, Andy. Deixa eu terminar. Sei que Miranda é difícil. Sei que, às vezes, ela parece louca. Sei o que é nunca dormir e estar sempre com medo de ela ligar e nenhum dos seus amigos entenderem. Sei tudo isso! Mas se você odeia tanto tudo isso, se não consegue fazer outra coisa a não ser se queixar do trabalho e dela, e de todo mundo, o tempo todo, então, por que não vai embora? Porque a sua atitude é realmente um problema. E dizer que Miranda é maluca, bem, acho que tem muita, mas muita gente que acha que ela é talentosa e linda, e que acharia que a maluca é você por não fazer tudo o que pode para ajudar alguém tão surpreendente. Porque ela é surpreendente, Andy... ela realmente é!

Considerei o que disse por um instante e decidi que tinha razão. Miranda, até onde eu sabia, era uma profissional realmente fantástica. Nem uma única palavra na revista era impressa sem a sua aprovação explícita, exigente, e ela não tinha medo de descartar algo e começar tudo de novo, por mais inconveniente ou por mais que fizesse alguém infeliz. Apesar de os diversos editores de moda fazerem consultas sobre que roupas seriam fotografadas, Miranda selecionava sozinha que modelos queria e que roupas cada uma delas vestiria; os editores que participavam das sessões de fotos estavam simplesmente executando as instruções específicas, incrivelmente detalhadas, de Miranda. Ela tinha a última – e frequentemente a primeira também – palavra sobre cada pulseira, bolsa, sapato, traje, cabelo, matéria, entrevista, escritor, foto, modelo, locação e fotografia, em cada edição, e isso a tornava, na minha cabeça, a principal razão do sucesso espantoso da revista. *Runway* não seria *Runway* – raios, não seria absolutamente nada – sem Miranda Priestly. Eu sabia disso, todo mundo sabia. O que ainda não tinha conseguido era me convencer de que isso lhe dava o direito de tratar as pessoas como ela tratava. Por que a capacidade de juntar um longo Balmain com uma garota asiática, de pernas compridas e expressão introspectiva, em uma rua lateral em San Sebastián, era tão reverenciada a ponto de Miranda não ser responsabilizada por seu comportamento? Eu ainda não conseguia estabelecer a relação, mas o que diabos eu sabia? Emily, obviamente, sabia.

– Emily, o que estou dizendo é apenas que você é uma grande assistente, e que ela tem sorte de ter alguém que trabalhe com tanto afinco como você, alguém que esteja sempre tão envolvido com o trabalho. Eu só quero que perceba que a culpa não é sua se ela está infeliz com alguma coisa. Ela é simplesmente uma pessoa infeliz. Não há nada mais que você possa fazer.

– Eu sei disso. Sei mesmo. Mas você não lhe dá crédito, Andy. Pense nisso. Isto é, pense realmente sobre isso. Ela é extraordinariamente competente e teve de sacrificar muita coisa para chegar lá, mas não se pode afirmar o mesmo das pessoas muito bem-sucedidas em todas as áreas? Diga-me, quantos diretores executivos ou administradores ou diretores de cinema não têm de ser duros às vezes? É iminente cargo.

Estava claro que não entraríamos em acordo a esse respeito. Estava claro que Emily tinha se envolvido profundamente com Miranda, com a *Runway*, com tudo isso, mas eu não conseguia entender por quê. Ela não era em nada diferente das centenas de outras assistentes pessoais e assistentes editoriais e editores assistentes e editores associados e editores sêniores e editores-chefes, de revistas de moda. Eu simplesmente não conseguia entender por quê. De tudo o que eu tinha visto até agora, todos eram humilhados, degradados e, geralmente, insultados por seus superiores diretos, somente para, no segundo em que fossem promovidos, fazerem o mesmo com seus subalternos. E tudo isso para que pudessem dizer, no fim de uma longa e exaustiva escalada, que tinham conseguido se sentar na fila da frente do desfile de Yves Saint-Laurent e obter algumas bolsas Prada grátis ao longo do caminho?

Hora de simplesmente concordar.

– Eu sei – falei com um suspiro, rendendo-me à sua insistência. – Espero que saiba que é você que está lhe prestando um favor aguentando a merda que ela faz, não o contrário.

Esperei um rápido contra-ataque, mas Emily sorriu.

– Sabe quando lhe disse umas cem vezes que o cabelo e a maquiagem da quinta-feira estavam confirmados? – Balancei a cabeça, assentindo. Ela pareceu muito atordoada. – Eu estava mentindo. Não liguei para ninguém para confirmar nada! – Ela praticamente cantou a última parte.

– Emily! Fala sério? O que vai fazer agora? Acaba de jurar que tinha confirmado tudo pessoalmente. – Pela primeira vez desde que eu começara o trabalho, quis abraçar essa garota.

– Andy, pense bem. Acha francamente que alguma pessoa sã seria capaz de recusar fazer cabelo e maquiagem de Miranda? Isso poderia acabar com a sua carreira. Estariam loucos se a recusassem. Estou certa de que o homem estava planejando fazer isso o tempo todo. Não preciso confirmar com ele pessoalmente porque tenho certeza absoluta de que fará. Como poderia *não* fazer? Ela é Miranda Priestly!

Achei que ia chorar, mas disse apenas:

– Então, o que preciso saber para contratar a nova babá? Acho que devo começar agora mesmo.

– Sim – concordou ela, ainda parecendo deliciada com a sua própria perspicácia. – Esta é, provavelmente, uma boa ideia.

A PRIMEIRA GAROTA que entrevistei para o cargo de babá pareceu atônita.

– Oh, meu Deus! – gritou quando lhe perguntei, ao telefone, se ela poderia vir ao escritório encontrar-se comigo. – Oh, meu Deus! Fala sério? Oh, meu Deus!

– Hum, isso é um sim ou um não?

– Deus, sim. Sim, sim, sim! Na *Runway*? Oh, meu Deus. Espere só até eu contar para as minhas amigas. Vão morrer de inveja. Apenas me diga onde e quando.

– Você sabe que Miranda não está, por isso não se encontrará com ela, certo?

– Sim. Claro.

– E também sabe que a entrevista é para selecionar a babá das duas filhas de Miranda, certo? Que não vai ter nenhuma relação com a *Runway*?

Ela deu um suspiro como se estivesse se resignando com o fato triste, infeliz.

– Sim, é claro, babá, entendi.

Bem, ela realmente não tinha entendido, porque embora tivesse a aparência de acordo com o padrão de Miranda (alta, impecavelmente arrumada, razoavelmente bem-vestida e gravemente mal nutrida), continuou a perguntar que partes do trabalho exigiriam que ela fosse ao escritório.

Lancei-lhe um olhar reprovador, mas parece que ela não notou.

– Hum, nenhuma. Lembra-se de que falamos sobre isso? Eu estou fazendo uma pré-seleção para Miranda, por acaso, aqui, no escritório. Mas só isso. As gêmeas não vivem aqui, sabe?

– Certo, claro – concordou, mas eu já a tinha eliminado.

As três seguintes, que a agência enviara e estavam esperando na recepção, não eram muito melhores. Fisicamente, todas se ajustavam ao perfil de Miranda – eles sabiam exatamente o que ela queria –, mas nenhuma candidata tinha o que eu procuraria em uma babá que fosse tomar conta da minha futura sobrinha, ou sobrinho, o padrão que eu tinha estabelecido para o processo. Uma tinha mestrado em desenvolvimento infantil, em Cornell, mas gelou quando tentei descrever as maneiras sutis como esse trabalho poderia ser diferente dos outros que ela realizara. Outra tinha namorado um famoso jogador da National Basketball Association, o que ela sentia ter-lhe dado um "insight sobre a celebridade". Mas quando lhe perguntei se já tinha trabalhado com filhos de celebridade, ela instintivamente franziu o nariz e me informou que "crianças de pessoas famosas sempre tinham, como dizer, problemas graves". Eliminada. A terceira, e mais promissora, fora criada em Manhattan, acabara de se formar na Middlebury e queria passar um ano como babá para economizar dinheiro para uma viagem a Paris. Quando perguntei se isso queria dizer que ela falava francês, ela balançou a cabeça confirmando. O único problema era ela ser uma garota da cidade em todos os aspectos e, portanto, não tinha carteira de motorista. Estava disposta a aprender a dirigir? Perguntei. Não, respondeu. Achava que as ruas não precisavam de mais um carro para as atravancarem. Eliminada a número três. Passei o resto do dia tentando imaginar uma maneira diplomática de dizer a Miranda que se uma garota é atraente, atlética, familiarizada com celebridades, mora em Manhattan, tem carteira de motorista, sabe nadar, é instruída, fala francês e é inteiramente flexível com o seu tempo, as chances são de que não queira ser babá.

Ela deve ter lido a minha mente, pois o telefone tocou imediatamente. Fiz alguns cálculos e percebi que Miranda devia ter acabado de aterrissar no De Gaulle, e uma olhada rápida no itinerário segundo a segundo, que Emily tinha elaborado tão meticulosamente, mostrou que ela agora deveria estar no carro a caminho do Ritz.

– Escritório de Miranda Pri...

– Emily! – praticamente grunhiu. Sensatamente, decidi que não era hora de corrigi-la. – Emily! O motorista não me deu o telefone de sempre, e, consequentemente, não tenho o número de ninguém. Isso é inaceitável. Totalmente inaceitável. Como posso conduzir os negócios sem os números dos telefones? Ligue-me imediatamente com o Sr. Lagerfeld.

– Sim, Miranda, por favor, só um momento. – Pressionei o botão de espera e pedi ajuda a Emily, embora eu tivesse tido mais sorte simplesmente comendo o telefone todo do que realmente localizando Karl Lagerfeld em menos tempo do que Miranda levaria para se aborrecer e arrebentar o telefone, gritando: "Onde diabos ele está? Por que não consegue encontrá-lo? Não sabe como se usa um telefone?"

– Ela quer falar com Karl – falei para Emily. O nome fez com que ela voasse, correndo para procurar, espalhando papéis sobre a mesa.

– Ok. Ouça, temos de vinte a trinta segundos. Você pega Biarritz e o motorista, e eu Paris e a assistente – gritou, os dedos já deslizando rapidamente sobre o teclado. Cliquei duas vezes na lista de contatos, com mais de mil nomes, que partilhávamos em nossos discos rígidos, e encontrei exatamente cinco números para chamar: Biarritz I, Biarritz II, Biarritz estúdio, Biarritz piscina e Biarritz motorista. Uma olhada rápida nas outras listagens para Karl Lagerfeld indicavam que Emily tinha um total de sete, e havia ainda mais números de Nova York e Milão. Estávamos fritas antes de começar.

Tentei Biarritz I e estava discando para Biarritz II, quando vi que a luz vermelha tinha parado de piscar. Emily comunicou que Miranda tinha desligado, no caso de eu não ter reparado. Só tinham se passado dez ou 15 segundos – ela estava particularmente impaciente nesse dia. Naturalmente, o telefone tocou de novo logo em seguida, e Emily respondeu ao meu olhar de súplica e atendeu. Não estava nem na metade da saudação automática e já começou a balançar a cabeça gravemente, e tranquilizar Miranda. Eu continuava a discar e, milagrosamente, tinha conseguido a piscina em Biarritz, e estava falando com uma mulher que não falava uma única palavra de inglês. Seria a obsessão de falar francês?

– Sim, sim, Miranda. Andrea e eu estamos ligando neste exato instante. Só preciso de mais alguns segundos. Sim, compreendo. Não, sei que é frustrante. Se você permitir que a deixe na espera por apenas alguns segundos a mais, tenho certeza de que o terá na linha. Ok? – Ela apertou "espera" e continuou a tentar números. Eu a ouvi tentando, no que soou como um francês capenga horrível, carregado de sotaque, a falar com alguém que parecia desconhecer o nome Karl Lagerfeld. Estávamos fritas. Mortas. Eu estava pronta a desligar na cara da maluca francesa, que guinchava ao telefone, quando vi a luz vermelha apagar-se de novo. Emily continuava a discar freneticamente.

– Ela se foi! – gritei com a urgência de um enfermeiro de pronto-socorro realizando a ressuscitação.

– É a sua vez de atender! – gritou ela, os dedos descontrolados, e, é claro, o telefone tocou.

Atendi e nem mesmo tentei dizer alguma coisa, já que sabia que a voz do outro lado começaria a falar imediatamente. Começou.

– Ahn-dre-ah! Emily! Com quem quer que eu esteja falando... por que estou falando com vocês e não com o Sr. Lagerfeld? Por quê?

Meu primeiro impulso foi permanecer em silêncio, já que o bombardeio verbal parecia não ter-se encerrado, mas, como sempre, meus impulsos eram errados.

– Alôoo-oo? Tem alguém aí? O processo de conectar uma ligação com outra é tão difícil assim para as minhas *duas* assistentes?

– Não, Miranda, é claro que não. Lamento – minha voz estava tremendo um pouco, mas não consegui controlá-la –, mas é que não conseguimos encontrar o Sr. Lagerfeld. Já tentamos no mínimo oito...

– *Não conseguimos encontrá-lo?* – imitou com a voz aguda. – O que quer dizer com "não conseguimos encontrá-lo"?

Que parte dessa frase de três palavras ela não compreendia? Não. Conseguimos. Encontrá-lo. Parecia clara e precisa: não conseguimos encontrá-lo, porra! É por isso que não está falando com ele. Se *você* puder encontrá-lo, então *você* poderá falar com ele. Um milhão de respostas mordazes passaram pela minha cabeça, mas só consegui falar de maneira atrapalhada, da mesma maneira que uma menina repreendida pela professora por estar conversando em aula.

– Hum, bem, Miranda, ligamos para todos os números que temos listados, e parece que não está em nenhum deles – consegui dizer.

– É claro que não! – quase gritou, a frieza e o controle estavam prestes a ruir. Respirou exageradamente fundo e disse calmamente: – Ahn-dre-ah. Está sabendo que o Sr. Lagerfeld está em Paris esta semana? – Eu me senti como se estivéssemos tendo aulas de inglês como segunda língua.

– É claro, Miranda. Emily tentou todos os números na...

– E sabe que o Sr. Lagerfeld disse que estaria no seu celular enquanto estivesse em Paris? – Cada músculo em sua garganta se retesou para manter sua voz regular e calma.

– Bem, não, não temos o seu celular listado no diretório, por isso não sabíamos nem mesmo que o Sr. Lagerfeld tinha um celular. Mas Emily está ao telefone com a sua assistente neste exato instante, e estou certa de que ela terá esse número em um minuto. – Emily ergueu o polegar antes de anotar alguma coisa e exclamou: "*Merci*, oh, sim, obrigada, quer dizer, *merci*", várias vezes.

– Miranda, estou com o número. Quer que a conecte agora? – Senti meu peito inflar de confiança e orgulho. Um trabalho benfeito! Uma realização superior sob condições de pressão excessiva. Não tinha importância que a minha blusa, realmente bonitinha, que tinha sido elogiada por duas – não uma, mas duas – assistentes de moda, estivesse agora ostentando manchas de suor debaixo dos braços. Quem se importava? Eu me livrara dessa lunática furiosa na ligação internacional, e eu estava empolgada.

– Ahn-dre-ah? – Pareceu uma pergunta, mas eu estava me concentrando em imaginar um padrão para as misturas indiscriminadas de nomes. Primeiro, pensei que fazia isso deliberadamente, na tentativa de nos diminuir e humilhar ainda mais, mas, então, achei que, provavelmente, ela estaria satisfeita com os níveis de diminuição e humilhação que sofríamos e, portanto, fazia isso só porque não podia se incomodar com detalhes tão fúteis quanto o nome de suas assistentes. Emily tinha confirmado isso dizendo que era chamada de Emily a metade das vezes e a outra metade de uma mistura de Andrea e Allison, a assistente anterior a ela. Eu me senti melhor.

– Sim? – guinchando de novo. Droga! Era impossível para mim ter um pingo de dignidade com essa mulher?

– Ahn-dre-ah, não sei por que todo esse problema para encontrar o número do celular do Sr. Lagerfeld, quando eu o tenho aqui comigo. Ele me deu há cinco minutos, mas a ligação caiu e eu não consigo discar corretamente. – Proferiu a última parte como se o mundo inteiro fosse culpado dessa irritação e inconveniência, exceto ela própria.

– Ah. Você, hum, você tinha o número? E sabia que ele estava nesse número o tempo todo? – dizia isso para ajudar Emily, mas só serviu para irritar Miranda ainda mais.

– Não estou sendo perfeitamente clara? Preciso que me conecte com 03.55.23.56.67.89. Imediatamente. Ou é difícil demais?

Emily sacudia a cabeça devagar, sem acreditar, enquanto amassava o número que nós duas tínhamos lutado tanto para conseguir.

– Não, não, Miranda, é claro que não é difícil demais. Vou conectá-la imediatamente. Só um minuto. – Apertei "*conference*", disquei os números, ouvi a voz de um velho gritar "Alô!", e apertei *"conference"* de novo. – Sr. Lagerfeld, Miranda Priestly, estão conectados – declarei como uma dessas telefonistas manuais da época de *Os pioneiros*. E em vez de pôr a ligação no *mute* e apertar o *speaker*, para Emily e eu escutarmos a conversa, simplesmente desliguei. Ficamos em silêncio por alguns minutos e tentei me abster de criticar Miranda imediatamente. Em vez disso, enxuguei o suor da testa e respirei profunda e longamente. Ela falou primeiro.

– Vamos ver se entendi direito. Ela tinha o número dele o tempo todo, mas não sabia como discá-lo?

– Ou talvez não estivesse a fim de discá-lo – acrescentei esperançosa, sempre entusiasmada com a chance de nos unirmos contra Miranda, especialmente sendo tão raras as oportunidades com Emily.

– Eu já devia saber – disse ela, sacudindo a cabeça como se estivesse terrivelmente decepcionada com ela mesma. – Eu devia saber disso. Ela sempre me liga para conectá-la com gente que está na sala do lado, ou em um hotel a duas ruas. Lembro-me de ter achado a coisa mais esquisita, ligar de Paris para Nova York para se conectar com alguém em Paris. Agora, parece normal, é claro, mas não acredito que não percebi dessa vez.

Eu estava quase saindo para ir até o restaurante almoçar, mas o telefone tocou de novo.

– Escritório de Miranda Priestly.

– Emily! Estou debaixo da chuva na rue Rivoli e o meu motorista desapareceu. Desapareceu! Está entendendo? Desapareceu! Encontre-o imediatamente! – Estava histérica, a primeira vez que a ouvia assim, e não me surpreenderia se fosse a única vez.

– Miranda, um momento. Tenho o seu número logo aqui. – Busquei o itinerário que havia colocado um momento antes em minha mesa, mas só vi papéis, Boletins antigos, pilhas de números antigos. Somente três ou quatro segundos tinham-se passado, mas eu me senti em pé do lado dela, observando a chuva cair a cântaros sobre seu casaco de pele Fendi e desmanchar a sua maquiagem. Como se ela pudesse estender a mão e me esbofetear, dizer que eu era uma inútil sem nenhum talento, nenhuma habilidade, uma completa e perfeita perdedora. Não havia tempo para falar comigo mesma, me lembrar de que era meramente um ser humano (teoricamente), que não estava satisfeito de estar em pé na chuva e que estava descontando em sua assistente a 5.400 quilômetros de distância. Não é minha culpa. Não é minha culpa. Não é minha culpa.

– Ahn-dre-ah! Os meus sapatos estão *arruinados*. Está me ouvindo? Está me escutando? Encontre o meu motorista *já*!

Eu corria o risco de uma emoção inadequada – sentia o nó na garganta, o retesamento dos músculos na nuca, mas era cedo demais para dizer se eu ia rir ou chorar. Nenhum dos dois era conveniente. Emily devia ter sentido o mesmo, pois pulou de sua cadeira e me deu a sua cópia do itinerário. Tinha até mesmo grifado os números dos motoristas, três ao todo, o do carro, do seu celular e da sua casa. Naturalmente.

– Miranda, vou precisar pôr você na espera enquanto ligo para ele. Posso colocá-la na espera? – Não esperei resposta, o que, eu sabia, a deixaria furiosa. Disquei de novo para Paris. A boa notícia foi que o motorista atendeu ao primeiro toque do primeiro número que tentei. A má notícia foi que ele não falava inglês. Embora eu nunca tivesse sido autodestrutiva antes, não consegui evitar bater a testa no tampo da mesa. Bati três vezes, até Emily pegar a linha em sua mesa. Ela tinha recorrido aos gritos, não somente na tentativa de fazer o chofer entender o seu francês, como simplesmente porque estava tentando passar para ele a urgência da situação. Novos motoristas sempre fazem uma pequena pausa, geralmente porque tolamente acreditam que se Mirandas esperarem de 45 segundos a um minuto, estarão bem. Essa era precisamente a noção que Emily e eu tínhamos de corrigir.

Nós duas baixamos a cabeça na mesa alguns minutos mais tarde, depois de Emily ter conseguido insultar o motorista o suficiente para que voltasse rápido ao lugar em que deixara Miranda três ou quatro minutos antes. Eu não estava mais faminta, um fenômeno que me deixava nervosa. A *Runway* estava me tirando a fome? Ou seria apenas a adrenalina e os nervos descontrolados que impediam o apetite? Era isso! A fome endêmica na *Runway* não era, de fato, autoinduzida. Era meramente a resposta fisiológica de corpos que estavam tão consistentemente aterrorizados e tiranizados pela ansiedade à volta que não sentiam fome. Prometi examinar isso um pouco mais e, talvez, explorar a possibilidade de Miranda ser mais esperta do que todos e ter deliberadamente criado uma persona tão ofensiva em todos os níveis que, literalmente, amedrontava as pessoas esqueléticas.

– Senhoras, senhoras, senhoras! Levantem a cabeça da mesa! Já imaginaram se Miranda as visse? Não ficaria nada satisfeita! – James cantou da porta. Havia alisado o cabelo para trás usando uma coisa gordurosa, lustrosa, chamada Bed Head ("Nome excitante – como resistir?"), e estava usando um tipo de camisa de futebol de malha aderente ao corpo, com o número 69 na frente e nas costas. Como sempre, uma imagem de sutileza e insinuação.

Nenhuma de nós fez mais que olhá-lo de relance. O relógio dizia que eram apenas quatro horas, mas parecia meia-noite.

– Ok, vou adivinhar. Mama não para de ligar porque perdeu um brinco em algum lugar entre o Ritz e o Alain Ducasse, e quer que o encontrem, embora esteja em Paris e vocês em Nova York.

Ri com desdém.

– Você acha que isso nos deixaria assim? Esse é o nosso *trabalho.* Fazemos isso todo dia. Dê-nos algo difícil.

Até Emily riu.

– Sério, James, não é difícil o bastante. Eu seria capaz de achar um brinco em dez minutos em qualquer cidade do mundo – disse ela, de repente inspirada a participar por razões que não compreendi. – Só seria um desafio se ela não nos dissesse em que cidade o tinha perdido. Mas aposto que, mesmo assim, nós o encontraríamos.

James estava saindo da sala, fingindo uma cara de horror.

– Tudo bem, então, senhoras, tenham um excelente dia, ouviram? Pelo menos ela não fodeu com vocês para sempre. Verdade, graças a Deus, certo? As duas estão tooootaaalmente sãs. Sim, bem, tenham um excelente dia...

– NÃO TENHA TANTA PRESSA, SEU MARICAS! – estrilou alguém muito alto e em tom agudo. – QUERO QUE VOLTE LÁ E DIGA ÀS GAROTAS

O QUE ESTAVA PENSANDO QUANDO VESTIU ESSA *SHMATA** HOJE DE MANHÃ! – Nigel pegou James pela orelha esquerda e o arrastou para a área entre as nossas mesas.

– Oh, deixa disso, Nigel! – queixou-se James, fingindo estar aborrecido, mas obviamente deliciado por Nigel estar tocando nele. – Você sabe que adora esta camisa!

– ADORO ESTA CAMISA? ACHA QUE ADORO ESTA APARÊNCIA DE FRATERNIDADE, DE ATLETA GAY UNIVERSITÁRIO QUE ESTÁ OSTENTANDO? JAMES, VOCÊ PRECISA REFORMULAR SEU VISUAL, OK? OK?

– O que tem de errado com uma camisa de futebol justa? Eu acho sexy. – Emily e eu concordamos com a cabeça, em uma aliança tácita com James. Podia não ser exatamente de bom gosto, mas ele estava incrivelmente elegante. Além do mais, era meio duro receber conselho de um homem que, nesse preciso momento, estava usando um jeans de cintura baixa, com estampa de zebra e uma suéter preta, decote em V, com uma abertura em forma de fechadura nas costas, revelando músculos definidos. O todo culminava com um chapéu de palha mole e um toque (sutil, tiro o chapéu para ele!) de delineador preto.

– GAROTO, MODA NÃO É PARA ANUNCIAR SEUS ATOS SEXUAIS PREFERIDOS EM SUA CAMISETA. NÃO É NÃO! QUER EXIBIR UM POUCO DA PELE? ISSO É SEXY! QUER MOSTRAR ALGUMAS DESSAS SUAS CURVAS RIJAS E JOVENS? ISSO É SEXY. ROUPA NÃO É PARA CONTAR AO MUNDO QUE POSIÇÃO VOCÊ PREFERE, AMIGO. ENTENDEU AGORA?

– Mas, Nigel! – Uma cara de derrota pensada cuidadosamente para disfarçar como estava gostando de ser o centro das atenções de Nigel.

– NADA DE "NIGEL", QUERIDO. VÁ FALAR COM JEFFY. DIGA QUE FUI EU QUE MANDOU. DIGA-LHE PARA LHE DAR A NOVA CAMISETA SEM MANGAS DA CALVIN QUE PEDIMOS PARA AS FOTOS EM MIAMI. A QUE AQUELE MODELO NEGRO MARAVILHOSO, OH, NOSSA!, TÃO GOSTOSO QUANTO UM MILKSHAKE DE CHOCOLATE, VESTIU. AGORA, VÁ, XÔ, XÔ. MAS VOLTE E ME MOSTRE COMO FICOU!

*Vestido largo e despojado, usado geralmente em casa. (*N. do E.*)

James saiu rápido, como um coelhinho que acabou de ser alimentado, e Nigel virou-se para nós.

– Já fizeram o pedido dela? – perguntou a nenhuma de nós em particular.

– Não, ela só vai escolher quando estiver com os *books* – respondeu Emily, parecendo entediada. – Ela disse que faria isso ao voltar.

– BEM, NÃO SE ESQUEÇAM DE ME AVISAR COM ANTECEDÊNCIA PARA QUE EU RESERVE TEMPO NA MINHA AGENDA PARA ESSA FESTA! – Partiu em direção ao Closet, provavelmente para tentar dar uma olhada em James se trocando.

Eu já tinha sobrevivido a uma seleção do armário, por Miranda, e não tinha sido nada bom. Nos desfiles, quando ela ia de uma passarela à outra, o caderno de esboços na mão, preparando-se para retornar aos Estados Unidos e dizer à sociedade de Nova York o que usariam – e à América Central, o que gostariam de usar –, por meio da única passarela que realmente importava. Eu não sabia que Miranda também estava prestando uma atenção particular às roupas que cruzavam as passarelas, porque era o seu primeiro vislumbre do que ela própria usaria nos próximos meses.

Umas duas semanas depois de retornar ao escritório, Miranda tinha dado a Emily uma lista de designers cujos *books* gostaria de ver. Como os suspeitos de sempre correram a organizar seus *books* para ela – as fotografias na passarela muitas vezes ainda nem mesmo tinham sido ampliadas, retocadas e reunidas, e ela já pedia para vê-las –, todos na *Runway* ficavam de prontidão, esperando os *books*. Nigel precisaria estar preparado, é claro, para ajudá-la a olhá-las e selecionar suas roupas pessoais. Um editor de acessórios estaria disponível para escolher bolsas e sapatos, e, talvez, um editor de moda extra para assegurar que todos estavam de acordo – especialmente se a encomenda incluísse algo grande, como um casaco de pele ou um longo. Quando as diversas casas tivessem, finalmente, reunido os diferentes itens pedidos por ela, o costureiro pessoal de Miranda viria à *Runway* por alguns dias, para ela experimentar tudo. Jeffy esvaziaria completamente o Closet, e ninguém poderia fazer nenhum trabalho, já que Miranda e seu costureiro ficariam escondidos lá durante horas. Na primeira rodada de roupas, passei pelo Closet a tempo de escutar Nigel gritar: "MIRANDA PRIESTLY! TIRE ESTE TRAPO JÁ! ESTE VESTIDO FAZ COM QUE PAREÇA UMA VADIA! UMA PROSTITUTA COMUM!" Fiquei do lado de fora, o ouvido contra a porta – arriscando, literalmente, a minha vida se esta fosse aberta –, e esperei que ela o repreendesse da sua maneira especial, porém tudo o que ouvi foi um murmúrio concordando e o farfalhar do tecido enquanto o tirava.

Agora que já estava lá há tempo suficiente, parece que a honra de fazer os pedidos de Miranda caberia a mim. Quatro vezes por ano, regularmente, ela folheava *books* como se fossem seu próprio catálogo pessoal e selecionava *tailleurs* Alexander McQueen e calças Balenciaga como se fossem camisetas da L. L. Bean. Um adesivo amarelo sobre essa calça Fendi, outro na blusa de seda. Vira a página, cola, vira outra, cola, e assim sucessivamente até ter selecionado um armário completo da estação diretamente da passarela, roupas que, em sua maioria, ainda não tinham nem mesmo sido confeccionadas.

Eu tinha observado Emily enviar faxes das escolhas de Miranda aos vários *designers*, omitindo tamanho ou preferência de cor, já que qualquer um que valesse os Manolos que usasse saberia o que convinria a Miranda Priestly. É claro, meramente acertar o tamanho não bastava – quando as roupas chegassem à revista, precisariam ser cortadas e ajustadas de modo a parecerem feitas sob medida. Somente quando o armário todo fosse completamente encomendado, despachado, cortado e levado expressamente ao closet de seu quarto por uma limusine, Miranda se livraria das roupas da estação anterior, e pilhas de Yves e Celine e Helmut Lang retornariam – em sacolas de lixo – ao escritório. A maioria era de apenas quatro ou seis meses atrás, coisas que tinham sido usadas uma ou duas vezes ou, mais frequentemente, nunca. Tudo continuava tão incrivelmente elegante, tão absurdamente na moda, que ainda não estavam disponíveis na maioria das lojas, mas uma vez sendo da estação passada, era tão provável que aparecesse usando-as quanto uma calça da nova linha Massimo da Target.

Ocasionalmente, eu acharia uma blusa ou uma jaqueta de modelagem ampla para mim, mas o fato de tudo ser no tamanho 34 era um problema. Geralmente, distribuíamos as roupas a qualquer um com filhas pré-adolescentes, as únicas a terem uma chance de caberem nelas. Eu imaginava meninas com corpos de meninos exibindo saias estampadas da Prada e vestidos Dolce & Gabbana de alças finas. Se havia algo realmente maravilhoso, realmente caro, eu o tirava da sacola de lixo e o enfiava debaixo da minha mesa até poder levá-lo para casa em segurança. Alguns cliques em eBay ou, talvez, uma rápida visita a uma das lojas de peças em consignação para a classe alta, na Avenida Madison, e o meu salário, de repente, não pareceria tão deprimente. Não estou roubando, racionalizei, simplesmente utilizando o que estava disponível para mim.

Miranda ligou mais seis vezes entre seis e nove da noite – meia-noite às três da manhã em Paris – para que conectássemos várias pessoas que já estavam em Paris. Agi apaticamente, com total indiferença, até juntar minhas coisas e tentar escapulir para a noite antes de o telefone tocar de novo. Só quando, exausta, eu estava vestindo meu casaco percebi de relance o lembrete preso ao meu monitor: LIGAR PARA A., 15h30 HOJE. Minha cabeça parecia estar nadando, minhas lentes de contato tinham ressecado há muito, tornando-se cacos minúsculos, sólidos, cobrindo meus olhos e, nesse ponto, minha cabeça começou a latejar. Nenhuma dor aguda, somente uma dor nebulosa, vaga, em que não se consegue localizar o centro, mas se sabe que aumentará lentamente, sua intensidade queimando, até você desmaiar ou a cabeça explodir. No frenesi das ligações que haviam gerado tal ansiedade, tal pânico, feitas do outro lado do oceano, eu tinha me esquecido de reservar trinta segundos do meu dia para ligar para Alex, quando ele tinha me pedido. Simplesmente tinha me esquecido de fazer algo tão simples para alguém que nunca parecia precisar nada de mim.

Sentei-me na sala, agora escura e silenciosa, peguei o telefone, que continuava ligeiramente úmido do suor de minhas mãos durante a última ligação de Miranda, minutos antes. O telefone em sua casa tocou e tocou até a secretária eletrônica atender, mas ele atendeu ao primeiro toque quando liguei para o seu celular.

– Oi – disse ele, sabendo, pelo identificador de chamadas, que era eu. – Como foi o seu dia?

– O de sempre. Alex, desculpe, não liguei às três e meia. Nem mesmo foi possível... é que foi tudo uma loucura, ela ficou ligando e...

– Esquece. Não é tão grave. Ouça, agora não é uma boa hora para mim. Posso ligar amanhã? – Ele pareceu distraído, a voz assumindo aquela qualidade distante de alguém falando de um telefone público, na praia de um povoado no outro lado do mundo.

– Hum, claro. Mas está tudo bem? Pode falar rapidamente o que queria me dizer antes? Eu fiquei realmente preocupada que estivesse com algum problema.

Ele ficou em silêncio por um instante e, então, disse:

– Bem, não parece que estivesse tão preocupada. Pedi que me ligasse a uma hora que seria conveniente para mim, sem falar que a sua chefe nem mesmo está no país, e você só pôde ligar seis horas depois do combinado. Não é nenhum sinal de que estivesse realmente preocupada, sabe? – Falou tudo isso sem nenhum sarcasmo, nem crítica, simplesmente constatando os fatos.

Eu girei o fio do telefone nos meus dedos até prender totalmente a circulação, fazendo a junta inchar e a ponta ficar branca; também senti um gosto breve e metálico de sangue na boca, a primeira consciência de que estava mordendo a parte interna do lábio inferior.

– Alex, não me esqueci de ligar – menti abertamente, tentando me livrar de sua acusação subjetiva. – É que não tive sequer um segundo livre, e como parecia algo sério, não quis ligar só para ter de desligar rápido. Ela deve ter me ligado umas trinta vezes à tarde, e cada uma era uma emergência. Emily saiu às cinco e me deixou sozinha com o telefone, e Miranda não parou. Ficou ligando sem parar, e toda vez que eu ia ligar para você, lá estava ela de novo na outra linha. Eu, bem... entende?

A minha lista relâmpago de justificativas soou patética até mesmo para mim, mas não consegui me deter. Ele sabia que eu tinha simplesmente me esquecido, e eu também. Não porque não me importasse nem estivesse preocupada, mas porque tudo o que não fosse Miranda tinha, de certa forma, cessado de ser relevante no momento em que eu chegava ao trabalho. De certa maneira, eu ainda não entendia e, certamente, não podia explicar – nem pedir que outras pessoas entendessem – como o mundo exterior havia se fundido na não-existência, que a única coisa que havia permanecido quando tudo o mais desaparecera era a *Runway*. Era especialmente difícil explicar esse fenômeno sendo a única coisa em minha vida que eu desprezava. E, ainda assim, era a única que tinha importância.

– Ouça, tenho de ver Joey. Ele convidou dois amigos e, a essa altura, já devem ter partido a casa em duas.

– Joey? Você está em Larchmont? Geralmente não os vê às quartas. Está tudo bem? – Queria desviá-lo do fato óbvio de eu ter ficado envolvida demais no trabalho por seis horas seguidas, e esse me pareceu o melhor caminho. Ele me diria que a sua mãe ficara presa no trabalho ou talvez tivesse precisado comparecer a uma conferência do professor de Joey nessa noite, e a *baby-sitter* não podia ter ido. Ele nunca se queixava, é claro, não era o seu jeito, mas, pelo menos, me diria o que estava acontecendo.

– Sim, sim, está tudo bem. Minha mãe teve um encontro de emergência com um cliente hoje à noite. Andy, não posso realmente falar sobre isso agora. E liguei antes com boas notícias. Mas você não me ligou de volta – disse categoricamente.

Envolvi o fio do telefone, que tinha começado a se desenrolar lentamente, tão apertado em volta do indicador e do dedo médio que começaram a latejar.

– Desculpe – foi tudo o que consegui dizer, porque, embora soubesse que ele tinha razão, que eu tinha sido insensível não ligando, eu estava exausta demais para apresentar uma defesa convincente. – Alex, por favor. Por favor, não me castigue não me contando algo bom. Sabe há quanto tempo ninguém me liga com boas notícias? Por favor. Conte-me essa, pelo menos. – Eu sabia que ele responderia ao meu argumento racional, e respondeu.

– Ouça, não é tão empolgante. Eu simplesmente me adiantei e tomei as providências para irmos juntos ao primeiro reencontro da nossa turma.

– Verdade? Mesmo? Nós vamos? – Eu havia tocado nesse assunto algumas vezes antes, de uma maneira que eu acreditava ter sido sem pensar, casual, mas, decididamente, de uma maneira não-Alex, ele tinha evitado se comprometer a irmos juntos. Era realmente cedo para planejar isso, mas os hotéis e os restaurantes em Providence tinham de ser reservados com meses de antecedência. Eu havia passado por lá há algumas semanas, achando que descobriríamos um lugar onde ficar. Mas, de alguma forma, evidentemente, ele tinha percebido como eu queria ir com ele, e tinha planejado tudo.

– Sim, está feito. Temos um carro alugado, na verdade, um jipe, e reservei um quarto no Biltmore.

– No Biltmore? Fala sério? Conseguiu um quarto lá? É demais.

– Sim, bem, você sempre falou que gostaria de ficar lá, portanto imaginei que poderíamos tentar. Fiz até uma reserva para o *brunch* no domingo, no Al Forno, para dez pessoas, para que possamos reunir a tropa e ter todo mundo em um mesmo lugar e na mesma hora.

– Não é possível. Já fez tudo isso?

– Claro. Achei que provavelmente você gostaria de saber. Por isso estava ansioso para lhe contar. Mas, evidentemente, você estava ocupada demais para ligar de volta.

– Alex, estou vibrando. Não pode imaginar como estou, e não acredito que já fez tudo isso. Sinto muito pelo que aconteceu antes, mas mal posso esperar outubro. Vai ser maravilhoso, e graças a você.

Conversamos mais alguns minutos. Quando desliguei, ele não parecia mais irritado, mas eu mal conseguia me mexer. O esforço para agradá-lo, para encontrar as palavras certas, não somente para convencê-lo de que não o havia negligenciado, mas também para demonstrar que estava grata e entusiasmada, tinha consumido minhas últimas reservas de energia. Não me lembro de entrar no carro, ir para casa, ou de ter ou não cumprimentado John Fisher-Galliano no *hall* do meu edifício. Além de uma exaustão profunda que machucava tanto que quase me amortecia, a única coisa de que me lembro ter sentido foi alívio ao ver a porta de Lily fechada e nenhuma luz por baixo. Pensei em pedir algo para comer, mas o mero pensamento de localizar um menu e o telefone foi excessivo – mais uma refeição que simplesmente não aconteceria.

Em vez disso, sentei-me no concreto se esfacelando na minha sacada sem móveis e, vagarosamente, dei uma tragada em um cigarro. Sem energia para expelir a fumaça, deixei-a filtrar-se por meus lábios e pairar no ar à minha volta. A certa altura, ouvi a porta de Lily se abrir, seus passos pelo corredor, mas rapidamente apaguei as luzes e fiquei em silêncio. Haviam sido 15 horas seguidas falando, não conseguiria falar mais.

13

— Contrate-a – decretou Miranda quando conheceu Annabelle, a 12ª garota que eu tinha entrevistado e uma das duas que decidi que poderiam conhecê-la. Annabelle era uma francesa (ela, na verdade, falava tão pouco inglês que precisei que as gêmeas me servissem de intérpretes), graduada na Sorbonne e dona de um corpo comprido, rijo, com um cabelo castanho lindo. Ela era elegante. Não receava usar salto fino no trabalho e parecia não se incomodar com as maneiras bruscas de Miranda. De fato, era arrogante e, ela própria, brusca, e parecia nunca encarar ninguém. Tinha sempre o ar entediado, um tanto desinteressado e extremamente confiante. Fiquei animada quando Miranda a escolheu, tanto porque me poupava semanas de encontros com pretensas babás, quanto porque indicava, de uma maneira muito, mas muito sutil, que eu estava começando a entender.

Entender o que exatamente eu não sabia, mas as coisas estavam sendo tranquilas nesse ponto. Eu tinha executado a encomenda das roupas com apenas alguns tropeções. Ela não tinha ficado exatamente entusiasmada quando lhe mostrei tudo o que tinha encomendado da Givenchy e, acidentalmente, pronunciei como lia em inglês – Gui-ven-tchi. Depois de muitos olhares fulgurantes e alguns comentários sarcásticos, fui informada da pronúncia correta, e tudo correu razoavelmente bem, até ela saber que os vestidos Roberto Cavalli que tinha pedido ainda não tinham sido feitos e só ficariam prontos dali a três semanas. Mas cuidei disso e consegui coordenar provas no Closet com o seu costureiro, e organizar quase tudo no closet de sua residência, um espaço do tamanho aproximado de um conjugado.

O planejamento da festa tinha prosseguido durante a ausência de Miranda e sido retomado com prioridade máxima quando ela voltou, mas havia, surpreendentemente, pouco pânico – parecia que estava tudo em ordem, que a sexta-feira seguinte aconteceria sem atrasos. Chanel tinha mandado entregar um vestido longo vermelho, bordado de contas, enquanto Miranda estava na Europa, e eu, imediatamente, enviei-o à tinturaria para ser checado. Tinha visto um parecido em preto na W, no mês anterior, e quando disse isso a Emily, ela balançou a cabeça melancolicamente.

– Quarenta mil dólares – disse ela, levantando e abaixando a cabeça, várias vezes. Ela clicou duas vezes em uma calça preta no style.com onde passara meses pesquisando ideias para a sua viagem à Europa com Miranda.

– Quarenta mil O QUÊ?

– O vestido dela. O vermelho Chanel. Custa 40 mil dólares, se comprá-lo no varejo. É claro que Miranda não está pagando o preço total, mas tampouco o ganhou. Não é uma loucura?

– Quarenta mil DÓLARES? – perguntei de novo, ainda sem acreditar que tinha pegado em algo que valesse tanto dinheiro há apenas algumas horas. Não consegui evitar uma rápida noção do que valiam 40 mil dólares: dois anos completos de instrução universitária, sinal na compra de uma casa, um salário *anual* de uma família americana mediana de quatro pessoas. Ou, no mínimo, um lote de bolsas Prada. Mas um vestido? Pensei ter visto tudo a esta altura, mas eu ainda teria outro impacto quando o vestido retornasse da tinturaria com um envelope em que estava escrito à mão *Sra. Miranda Priestly.* Dentro havia uma fatura manuscrita em um papel cor creme:

Tipo de roupa: *vestido toalete.* Designer: *Chanel.* Comprimento: *Tornozelo.* Cor: *Vermelho.* Tamanho: *Zero.* Descrição: *Bordado à mão, sem mangas, com um ligeiro decote redondo, zíper lateral invisível, xantungue de seda.* Serviço: *Básico, primeira lavagem.* Preço: *US$ 670.*

Havia um bilhete complementar sob a fatura, da parte da dona da tinturaria, uma mulher que eu tinha certeza de que pagava o aluguel de sua loja e da sua casa com o dinheiro recebido do Elias pela mania de lavagem a seco de Miranda.

Tivemos um grande prazer em trabalhar um vestido tão lindo e esperamos que goste de usá-lo na sua festa no Metropolitan Museum of Art. Como fomos instruídos, pegaremos o vestido na segunda-feira, 24 de maio, para a sua limpeza pós-festa. Por favor, informe-nos se precisar de um serviço adicional. Atenciosamente, Colette.

De qualquer jeito, era só quinta-feira e Miranda tinha um vestido novinho em folha, recém-lavado a seco, em seu closet, e Emily tinha localizado as sandálias Jimmy Choo prateadas que ela tinha pedido. O cabeleireiro estaria em sua casa às cinco e meia na sexta-feira, o maquiador às quinze para a seis e Uri estaria de prontidão para, exatamente às seis e quinze, levar Miranda e o Sr. Tomlinson ao museu.

Miranda já tinha saído para assistir à reunião de ginástica de Cassidy, e eu estava esperando sair cedo para fazer uma surpresa a Lily. Ela tinha feito o seu último exame do ano e eu queria sair com ela para comemorar.

– Em, acha que eu poderia sair por volta das seis e meia, sete horas hoje? Miranda disse que não precisa do Livro porque não há nada realmente novo – acrescentei rapidamente, irritada por ter de pedir a uma pessoa igual a mim, do mesmo nível hierárquico, permissão para largar o trabalho depois de meio-dia, em vez de duas da tarde.

– Claro. Bem, de qualquer jeito, estou saindo agora. – Ela checou a sua tela de computador e viu que passava um pouco das cinco. – Fique mais duas horas e pode ir. Ela vai ficar com as gêmeas hoje à noite, por isso acho que não vai ligar muito. – Emily tinha um encontro nessa noite com o homem que tinha conhecido em Los

Angeles, no Ano-Novo. Ele tinha, finalmente, ido a Nova York e, surpresa de todas as surpresas, tinha ligado. Iam ao Craftbar para beber algo. Depois ela lhe ofereceria o jantar no Nobu, se ele estivesse se comportando bem. Ela tinha feito as reservas cinco semanas antes, quando ele passara um e-mail contando que talvez viesse a Nova York, mas Emily ainda teve de usar o nome de Miranda para conseguir horário.

– Bem, o que vai fazer quando chegar, se não é Miranda Priestly? – perguntei de maneira idiota.

Como sempre, ela me dirigiu a combinação habitual de "girar os olhos e dar um profundo suspiro.

– Simplesmente lhes direi que Miranda teve de se ausentar da cidade inesperadamente, mostrarei meu cartão de visitas, e que ela quis que eu usasse a reserva. Nada tão complicado.

Miranda ligou só uma vez depois de Emily sair para me dizer que só voltaria ao escritório no dia seguinte ao meio-dia, mas que gostaria de uma cópia da resenha de restaurantes que tinha lido hoje "no jornal". Tive a presença de espírito de perguntar se ela se lembrava do nome do restaurante ou do jornal em que tinha lido a resenha, mas isso a aborreceu enormemente.

– Ahn-dre-ah, já estou atrasada para a reunião. Não me faça perguntas. Era uma mistura de restaurante asiático e foi no jornal de hoje. Isso é tudo. – Com isso, ela fechou seu Motorola V60. Esperei, como sempre fazia quando ela me interrompia no meio da frase, que nesse dia o celular simplesmente se prendesse em seus dedos e os engolisse, levando um certo tempo fazendo em pedacinhos as unhas vermelhas impecavelmente pintadas. Mas não tive sorte.

Anotei, para mim mesma, procurar o restaurante assim que chegasse ao escritório no dia seguinte, no caderno em que eu guardava todos os pedidos de Miranda, e corri para pegar um carro. Liguei para Lily do meu celular e ela atendeu assim que eu ia saltar e subir para o apartamento. Acenei para John Fisher-Galliano (que tinha deixado o cabelo crescer um pouco e enfeitado o uniforme com algumas correntes, e se parecia cada vez mais com o *designer*), mas não me movi.

– Oi, o que houve? Sou eu.

– Oiiiiii! – cantou ela mais feliz do que se mostrava havia semanas, talvez meses. – Acabou. Acabei! Nada de aulas no começo do verão, nada além de uma pequena, insignificante proposta para uma tese de mestrado que posso mudar dez vezes, se quiser. Portanto, nada até meados de julho. Dá para acreditar? – Ela pareceu radiante.

– Sei, estou tão feliz por você! Está a fim de um jantar para comemorar? Onde você quiser, por conta da *Runway*.

– Verdade? Em qualquer lugar?

– Em qualquer lugar. Estou aqui embaixo e de carro. Desça, vamos a algum lugar bacana.

Ela gritou.

– Maravilha! Estava louca para contar tudo sobre o Garoto Freudiano. Ele é lindo! Espere só um segundo. Vou vestir um jeans e já desço.

Apareceu cinco minutos depois, bem-vestida e feliz como há muito tempo não a via. Estava com um jeans desbotado baixo que aumentava seus quadris, e uma blusa bufante de mangas compridas, branca. Sandálias de dedo que eu nunca tinha visto antes – tiras de couro marrom com contas turquesas – completavam o traje. Estava até maquiada, e seus cachos pareciam ter visto um secador em algum momento nas últimas 24 horas.

– Você está o máximo – eu disse quando ela entrou no carro. – Qual é o segredo?

– Garoto Freudiano, é claro. Ele é incrível. Acho que estou apaixonada. Até agora, ele está em nove décimos. Dá para acreditar?

– Primeiro, vamos decidir aonde ir. Não fiz reserva em lugar nenhum, mas posso ligar e usar o nome de Miranda. Você escolhe.

Ela estava passando um brilho nos lábios e se olhando no espelho retrovisor.

– Qualquer lugar? – disse, distraída.

– Qualquer lugar. Talvez Chicama para aqueles mojitos – sugeri, sabendo que a maneira de atraí-la para um restaurante era anunciar seus drinques, não sua comida. – Ou aqueles surpreendentes do Cosmos at Meet. Ou o Hudson Hotel, quem sabe conseguimos sentar do lado de fora? Se quiser vinho, no entanto, eu gostaria de experimentar...

– Andy, podemos ir ao Benihana? Sempre morri de vontade de ir lá. – Ela pareceu envergonhada.

– Benihana? Quer ir ao *Benihana*? A cadeia de restaurantes com um monte de turistas que têm um bando de filhos que choramingam e em que atores asiáticos desempregados preparam a comida na sua mesa? *Esse* Benihana?

Ela assentiu balançando a cabeça com entusiasmo. Eu não tinha outra escolha a não ser ligar para perguntar o endereço.

– Não, não, eu tenho aqui. Rua 56 entre rua 50 e Sexta Avenida, lado norte – falou para o chofer.

Minha amiga estranhamente empolgada não pareceu notar que eu estava olhando. Ao invés disso, se pôs a tagarelar feliz sobre o Garoto Freudiano, assim chamado porque estava no último ano de um programa de doutorado em psicologia. Tinham-se conhecido no saguão do subsolo na Low Library. Tive de ouvir um resumo detalhado de todas as suas qualificações: 21 anos ("Muito maduro, mas não velho demais"), de Montreal ("Um sotaque gracinha, mas totalmente americanizado"), cabelo comprido ("Mas não para rabo de cavalo"), e a quantidade certa de barba cerrada ("Parece Antonio Banderas quando não faz barba por três dias").

Os *chefs* atores samurais faziam seu trabalho, fatiando, cortando em cubos e dando batidinhas na carne por todo o restaurante, enquanto Lily ria e batia palmas como uma menininha assistindo ao circo pela primeira vez. Apesar de ser impossível acreditar que Lily gostasse realmente de um cara, essa parecia ser a única explicação lógica para a sua alegria óbvia. Ainda mais impossível acreditar na sua afirmação de que ainda não tinha dormido com ele ("duas semanas e meia inteiras juntos na escola e nada! Não está orgulhosa de mim?"). Quando perguntei por que eu não o tinha visto pelo apartamento, ela sorriu, orgulhosa, e respondeu:

– Ainda não foi convidado a subir. Estamos levando a coisa devagar.

Estávamos sentadas do lado de fora do restaurante, ela me regalando com todas as histórias engraçadas que ele tinha contado, quando Christian Collinsworth apareceu à minha frente.

– Andrea. Adorável Andrea. Tenho de admitir que estou surpreso de descobrir que é fã do Benihana... O que Miranda acharia? – perguntou provocando e deslizando o braço em volta do meu ombro.

– Eu, ahn, bem... – A gagueira me dominou imediatamente. Não havia espaço para palavras, quando os pensamentos quicavam na minha cabeça, zunindo nos meus ouvidos. *Comer no Benihana. Christian conhece o lugar! Miranda no Benihana! Está tão lindo com a jaqueta de couro! Deve estar sentindo o cheiro do Benihana em mim! Não o beije na bochecha! Beije-o na bochecha!* – Bem, não é bem que...

– Estávamos justamente discutindo aonde ir agora – declarou Lily com firmeza, estendendo sua mão a Christian que, finalmente me ocorreu, estava sozinho. – Temos tanto assunto para pôr em dia que nem mesmo percebemos que paramos no meio da rua! Ha, ha! não é, Andy? O meu nome é Lily – disse ela a Christian, que apertou sua mão e, em seguida, afastou o cabelo do olho, exatamente como tinha feito tantas vezes na festa. Mais uma vez, tive a sensação estranha de que poderia ficar extasiada por horas, talvez dias, só o observando afastar esse único e adorável cacho do rosto perfeito.

Olhei para ela e para ele e fiquei vagamente ciente de que devia dizer alguma coisa, mas os dois pareciam estar se dando bem sozinhos.

– Lily. – Christian rolou o nome na sua língua. – *Lily.* Grande nome. Quase tão grande quanto *Andrea.* – Tive a presença de espírito de, pelo menos, olhar para eles, e notei que Lily estava radiante. Ela estava pensando que, além de ser mais velho, esse cara era sexy e charmoso. Eu podia sentir sua cabeça dando voltas, especulando se eu estaria interessada nele, se eu faria realmente alguma coisa independente de Alex, e, se sim, se havia algo que ela pudesse fazer para acelerar. Ela adorava Alex porque era impossível não adorá-lo, mas se recusava a entender como duas pessoas tão jovens poderiam passar tanto tempo juntos, ou, pelo menos, era o que alegava, apesar de eu saber que era o aspecto monogâmico que realmente a intrigava.

Se havia uma única centelha de chance de um romance entre mim e Christian, Lily abanaria o fogo.

– Lily, é um prazer conhecê-la. Sou Christian, amigo de Andrea. Sempre param em frente do Benihana para conversar? – O seu sorriso provocou uma sensação de soco no estômago.

Lily jogou para trás seus cachos castanhos com as costas das mãos e disse:

– É claro que não, Christian! Acabamos de jantar no Town e estávamos pensando onde poderíamos tomar um drinque. Alguma sugestão?

Town! Era um dos restaurantes mais badalados e caros da cidade. Miranda o frequentava. Jessica e seu noivo o frequentavam. Emily falava obsessivamente em ir lá. Mas Lily?

– Bem, é estranho – disse Christian, obviamente acreditando –, acabo de jantar lá com o meu agente. Estranho não ter visto vocês duas...

– Estávamos no fundo, meio escondidas atrás do bar – eu disse rapidamente, recuperando certa compostura. Ainda bem que tinha prestado atenção quando Emily havia me mostrado a foto minúscula do bar do restaurante listado no citysearch.com, quando ela tentava decidir se seria um bom lugar para namorar.

– Hum – balançou a cabeça, parecendo um pouco distraído e mais bonito do que nunca. – E estão querendo tomar um drinque?

Senti uma necessidade premente de lavar o cheiro do Benihana nas minhas roupas e meu cabelo, mas Lily não estava me dando oportunidade. Eu me perguntei por um instante se estava óbvio para Christian, como estava para mim, que eu estava sendo oferecida, mas ele era atraente e ela estava determinada, de modo que mantive a boca fechada.

– Sim, estávamos justamente falando sobre isso. Alguma sugestão? Adoraríamos que fosse conosco – declarou Lily, puxando seu braço de brincadeira. – De onde você gosta, perto daqui?

– Bem, esta parte da cidade não é exatamente conhecida por seus bares, mas vou encontrar meu agente no Au Bar, se quiserem vir comigo. Ele voltou ao escritório para pegar alguns papéis, mas deve chegar lá daqui a pouco. Andy, talvez você goste de conhecê-lo. Nunca se sabe quando se precisará de um agente. Então, Au Bar, o que acham?

Lily lançou-me um olhar encorajador, um olhar que escancarava *Ele é lindo, Andy! Lindo! Posso não saber quem diabos é, mas ele quer você, por isso se recomponha e lhe diga que adora Au Bar!*

– Adoro o Au Bar – eu disse, de certa forma, convincentemente, embora nunca tivesse ido lá. – Acho que é perfeito.

Lily sorriu, e Christian sorriu, e saímos juntos para o Au Bar. Christian Collinsworth e eu tomaríamos um drinque juntos. Isso tornava o encontro um flerte? *É claro que não, não seja ridícula*, repreendi a mim mesma. *Alex, Alex, Alex*, cantei em silêncio, determinada a não me esquecer de que tinha um namorado querido e também decepcionada comigo mesma por precisar me forçar a lembrar que tinha um namorado muito querido.

Embora fosse uma noite comum de quinta-feira, o policiamento do cordão de veludo na entrada estava em plena ação, e, apesar de não hesitarem em liberar nós três, ninguém estava oferecendo desconto: 20 dólares só para entrar.

Mas antes de eu poder dar o dinheiro, Christian, habilmente, pegou três notas de vinte de um bolo enorme de notas que tirou de seu bolso e pagou sem dizer uma palavra.

Tentei protestar, mas Christian pôs dois dedos nos meus lábios.

– Querida Andy, não esquente essa cabecinha linda com isso. – Antes de eu poder afastar a boca do seu toque, ele pôs a outra mão atrás da minha cabeça e pegou meu rosto com as duas mãos. Em alguma parte nos recessos do meu cérebro completamente confuso, as sinapses detonadas me alertavam que ele ia me beijar. Eu sabia, sentia, mas não consegui me mexer. Ele aproveitou a fração de segundo da minha hesitação para se afastar, curvar-se e tocar seus lábios em meu pescoço. Apenas roçou rapidamente, talvez com a língua, logo debaixo do meu queixo e do lado da orelha, mas, ainda assim, no pescoço, e, então, pegou minha mão e puxou-me para dentro.

– Christian, espere! Eu, bem, preciso lhe dizer uma coisa – comecei, sem saber se um beijo não pedido, não nos lábios, com um leve toque da língua, realmente demandava uma explicação longa sobre ter um namorado e não querer passar uma impressão errada. Aparentemente, Christian não achava isso necessário, pois me levou a um sofá num canto escuro e mandou eu me sentar. Eu obedeci.

– Vou buscar uns drinques, ok? Não se preocupe tanto. Não mordo. – Ele riu, e senti que corei. – Ou, se mordo, prometo que gostará. – Virou-se e foi para o balcão.

Para evitar desmaiar ou ter de realmente considerar o que tinha acabado de acontecer, procurei Lily no espaço escuro e cavernoso. Estávamos ali há menos de três minutos e ela já estava conversando com um negro alto, prestando total atenção a cada palavra dele e jogando a cabeça para trás, encantada. Atravessei a multidão de clientes internacionais. Como sabiam que esse era o lugar aonde ir se não tivesse passaporte americano? Passei por um grupo de homens na faixa dos 30, gritando em, acho eu, japonês, duas mulheres batendo as mãos e conversando empolgadíssimas em árabe, e um casal que parecia infeliz e sussurrava com raiva no que parecia ser espanhol, mas que talvez fosse português. O cara de Lily já estava com a mão na cintura dela e parecia encantado. Não havia tempo para gentilezas, decidi. Christian Collinsworth tinha acabado de massagear o meu pescoço com a sua boca. Ignorando o homem, pus minha mão no braço direito de Lily e me virei para arrastá-la para o sofá.

– Andy! Pare – disse ela, puxando o braço, mas se lembrando de sorrir para o homem. – Está sendo grosseira. Gostaria de apresentá-la ao meu amigo. William, esta é a minha melhor amiga, Andrea, que geralmente não age dessa maneira. Andy, este é William. – Ela sorriu benevolente enquanto apertávamos as mãos.

– Posso perguntar por que está roubando a sua amiga de mim, Ahn-dre-ah? – perguntou William com a voz grossa que quase ecoava no espaço subterrâneo. Talvez em outro lugar, outra hora, ou com outra pessoa eu teria notado o sorriso afetuoso ou a maneira cortês com que ele, imediatamente, se levantou e me ofereceu seu lugar quando me aproximei, mas a única coisa em que consegui me concentrar foi no seu sotaque britânico. Não importava que fosse um homem, um homem negro grande, que não se parecia exatamente com Miranda Priestly em nenhum aspecto. Simplesmente escutar o sotaque, a maneira como pronunciou o meu nome *exatamente como ela fazia*, foi o bastante para fazer o meu coração bater, literalmente, mais rápido.

– William, desculpe, não é nada pessoal. É que estou com um pequeno problema e gostaria de falar com Lily em particular. Já a trago de volta. – E com isso, agarrei seu braço, dessa vez com mais firmeza, e a empurrei. Chega: eu precisava da minha amiga.

Quando nos instalamos no sofá em que Christian tinha me colocado e depois de eu checar se ele continuava tentando conseguir a atenção do *barman* (como era um heterossexual no balcão, talvez passasse a noite toda ali), respirei fundo.

– Christian me beijou.

– E qual é o problema? Beija mal? Oh, foi isso, não foi? Não há maneira mais rápida de arruinar um bom início de qualquer...

– Lily! Bem, mal, qual a diferença?

Suas sobrancelhas se ergueram até a testa e ela abriu a boca para falar, mas eu continuei.

– Não que isso tenha relevância, mas ele beijou o meu pescoço. O problema não é *como* ele beijou, e sim que aconteceu. E Alex? Eu não saio por aí beijando outros caras, você sabe.

– Nem eu – murmurou baixinho antes de falar alto. – Andy, você está sendo ridícula. Você ama Alex e ele ama você, mas é perfeitamente normal você sentir vontade de beijar outro cara de vez em quando. Tem 23 anos, pelo amor de Deus! Relaxe um pouco!

– Mas eu não o beijei... Ele me beijou!

– Antes de mais nada, vamos deixar claro uma coisa. Lembra-se de quando Monica beijou Bill e o país inteiro, nossos pais e Ken Starr chamaram aquilo de sexo? Não foi sexo. Da mesma maneira, um cara que provavelmente queria beijar seu rosto e beijou seu pescoço não pode ser qualificado como "beijando alguém".

– Mas...

– Cale a boca e me deixe terminar. Mais importante do que o que realmente aconteceu é que você quis que acontecesse. Admita, Andy.

Você quis beijar Christian independentemente de se era "certo" ou "errado" ou "contra as regras". E se não admitir, estará mentindo.

– Lily, falando sério, não acho que seja justo...

– Eu a conheço há nove anos, Andy. Acha que não vejo escrito na sua cara que o venera? Você sabe que não devia, que ele não joga seguindo as suas regras, joga? Mas provavelmente é exatamente por isso que gosta dele. Simplesmente vá em frente, desfrute a situação. Se Alex é o homem certo para você, sempre será. E agora, com licença, porque encontrei alguém que é certo para mim... neste exato instante. – Ela pulou do sofá e voltou para William, que pareceu inegavelmente feliz em vê-la.

Eu me senti à vontade no enorme sofá de veludo, sozinha, e olhei em volta procurando Christian, mas ele não estava mais no balcão. É preciso mais um pouco de tempo, decidi. Tudo se arranjaria se eu parasse de me preocupar tanto. Talvez Lily tivesse razão e eu gostasse de Christian – o que havia de errado nisso? Ele é inteligente e inegavelmente lindo, e a sua confiança assumida era incrivelmente sexy. Sair com alguém que por acaso era sexy não queria necessariamente dizer trair. Tenho certeza de que houve situações, ao longo dos anos, em que Alex tinha conhecido, trabalhado ou estudado com uma garota descolada, bonita, e que devia ter-se sentido atraído. Isso o tornava infiel? É claro que não. Com a confiança renovada (e agora com uma vontade desesperada de ver, observar, ouvir, estar novamente perto de Christian), comecei a andar pelo bar.

Encontrei-o conversando atentamente com um homem mais velho, provavelmente na faixa dos 40 e tantos anos, que estava usando um elegante terno de três peças. Christian gesticulava muito, as mãos se agitando, com uma expressão no rosto que transmitia algo entre divertido e extremamente entediado, enquanto o homem com o cabelo grisalho olhava para ele sério. Eu ainda estava distante demais para escutar o que estavam discutindo, mas devia estar olhando fixamente, pois o homem olhou nos meus olhos e sorriu. Christian recuou um pouco, seguiu seu olhar e me viu olhando para os dois.

– Andy, querida – disse ele, o tom de voz inteiramente diferente do que tinha sido alguns minutos antes. Notei que fazia a transição de sedutor para amigo de seu pai com tranquilidade. – Venha cá, quero que conheça um amigo meu. Este é Gabriel Brooks, meu agente, administrador e herói versátil. Gabriel, esta é Andrea Sachs, atualmente na revista *Runway*.

– Andrea, é um prazer conhecê-la – disse Gabriel, estendendo a mão e pegando a minha em um desses chatos delicados não-estou-apertando-sua-mão-como-faria-com-um-homem-porque-estou-certo-de-que-simplesmente-estalaria-seus-ossinhos-femininos-em-pedacinhos. – Christian falou muito de você.

– Mesmo? – eu disse, apertando um pouco mais, o que só fez ele afrouxar ainda mais seu aperto fraco. – Bem, espero?

– É claro. Disse que você pretende ser escritora, como o nosso amigo aqui. – Sorriu.

Fiquei surpresa ao saber que tinha ouvido falar de mim por Christian, já que a nossa conversa sobre escrever tinha sido apenas casual.

– É, bem, gosto de escrever, por isso, quem sabe um dia...

– Bem, se você for metade tão boa quanto as pessoas que ele me encaminha, já ficarei ansioso para ler o seu trabalho. – Pôs a mão dentro de um bolso interno e tirou um estojo de couro, do qual puxou um cartão. – Sei que ainda não está pronta, mas quando chegar a hora de mostrar o que produziu para alguém, espero que se lembre de mim.

Foi preciso cada fração de força e de determinação para continuar ereta, para impedir que minha boca ficasse aberta ou meus joelhos cedessem. *Espero que se lembre de mim?* O homem que representava Christian Collinsworth, o menino prodígio da literatura, tinha acabado de pedir para eu não me esquecer dele. Era loucura.

– Obrigada – falei com a voz rouca, enfiando o cartão na minha bolsa, de onde eu sabia que o puxaria e examinaria cada polegada na primeira oportunidade. Os dois sorriram para mim, e levei um minuto para perceber que era uma dica para eu ir embora. – Bem, Sr. Brooks, hum, Gabriel, foi realmente um prazer conhecê-lo. Agora tenho de ir, mas espero revê-lo em breve.

– O prazer foi meu, Andrea. Parabéns de novo por conseguir um trabalho tão fantástico. Saiu direto da faculdade para trabalhar na *Runway.* Impressionante.

– Eu a acompanho à porta – disse Christian, pondo uma mão no meu cotovelo e fazendo um sinal a Gabriel de que voltaria logo.

Paramos no balcão para eu dizer a Lily que estava indo para casa e ela, desnecessariamente, me dizer – entre carinhos de William –, que não iria comigo. Ao pé da escada que dava no nível da rua, Christian me beijou no rosto.

– Foi muito bom encontrá-la hoje. E tenho um pressentimento de que vou ter de ouvir Gabriel falar como você é fantástica. – Sorriu largo.

– Mal trocamos duas palavras – salientei, perguntando-me por que todo mundo estava sendo tão lisonjeiro.

– Sim, Andy, mas o que você parece não perceber é que o mundo da escrita é pequeno. Quer escreva livro policial, ou roteiros, ou artigos para jornais, todo mundo conhece todo mundo. Gabriel não precisa saber muito sobre você para saber que tem potencial; foi boa o bastante para conseguir um trabalho na *Runway*, parece brilhante e articulada quando fala e, diabos, é amiga minha. Ele não tem nada a perder dando-lhe o seu cartão. O que ele sabe? Pode ter acabado de descobrir a próxima autora best-seller. E acredite, Gabriel Brooks é um bom homem para você conhecer.

– Hum, acho que tem razão. Bem, de qualquer jeito, tenho que ir para casa, já que tenho que estar no escritório daqui a algumas horas. Obrigada por tudo. Realmente estou agradecida – Inclinei-me para beijá-lo no rosto, meio que esperando que ele o virasse, meio querendo que fizesse isso, mas ele só sorriu.

– É mais do que um prazer, Andrea Sachs. Tenha uma boa noite. – E antes que me ocorresse algo remotamente inteligente para dizer, ele voltou para Gabriel.

Revirei os olhos e fui para a rua chamar um táxi. Tinha começado a chover – nada torrencial, apenas uma garoa leve, regular –, de modo que, é claro, não havia nem um único táxi livre em Manhattan. Liguei para o serviço de limusines do Elias-Clark, dei o meu número

VIP e um carro chegou para me buscar exatamente seis minutos depois. Alex tinha deixado um recado perguntando como tinha sido o meu dia e dizendo que estaria em casa a noite toda redigindo o planejamento das aulas. Fazia muito tempo desde que o surpreendera. Estava na hora de fazer um pequeno esforço e ser espontânea. O motorista concordou em esperar o tempo que eu quisesse, de modo que subi correndo, pulei para o chuveiro, gastei um pouco mais de tempo ajeitando meu cabelo e arrumei uma bolsa com as coisas para ir trabalhar no dia seguinte. Como já passavam das onze da noite, o trânsito estava tranquilo e chegamos ao apartamento de Alex, no Brooklyn, em menos de 15 minutos. Ele pareceu genuinamente feliz em me ver ao abrir a porta, repetindo várias vezes que não acreditava que eu tivesse ido até o Brooklyn tão tarde em um dia de semana e que era a melhor surpresa que eu poderia ter feito. E quando me deitei no meu lugar favorito em seu peito, assistindo a Conan e escutando o som rítmico de sua respiração enquanto ele mexia no meu cabelo, eu não pensei nem um instante em Christian.

– HUM, oi. Posso falar com o seu editor de restaurantes, por favor? Não? Ok, talvez com um assistente editorial, ou alguém que possa me dizer quando a resenha de restaurantes é publicada? – perguntei a uma recepcionista francamente hostil no *New York Times*. Ela atendeu gritando.

– O quê? – e fingiu, ou talvez não, que não falávamos a mesma língua. Mas a persistência compensa e, depois de perguntar seu nome três vezes ("Não podemos dizer nossos nomes, senhora"), ameaçar queixar-me ao seu gerente ("O quê? Acha que ele se importa? Vou chamá-lo agora mesmo"), e, finalmente, jurar enfaticamente que iria pessoalmente ao jornal na Times Square e fazer tudo o que estivesse em meu poder para que a despedissem imediatamente ("Oh, mesmo? Estou tão preocupada"), ela cansou-se de mim e me conectou com outra pessoa.

– Editorial – falou bruscamente outra mulher agressiva. Eu me perguntei se atendia o telefone de Miranda assim, e se não, se aspirava a atender assim. Era de tal modo desagradável ouvir uma voz tão incrivelmente e inegavelmente infeliz que quase dava vontade de simplesmente desligar.

– Oi, queria fazer uma pergunta rápida. – As palavras saíram atrapalhadas em uma tentativa desesperada de ser escutada antes de baterem o telefone. – Publicaram resenhas de restaurantes asiáticos ontem?

Ela suspirou como se eu tivesse acabado de doar um de seus membros à ciência e, então, suspirou de novo.

– Deu uma olhada on-line? – Outro suspiro.

– Sim, sim, é claro, mas não consigo...

– Porque é onde devem estar, se publicamos alguma. Não posso acompanhar cada palavra que sai no jornal, sabe?

Respirei fundo e tentei permanecer calma.

– A sua encantadora recepcionista me pôs em contato com você porque trabalha no departamento de arquivos. Por isso parece, de fato, que o seu trabalho é acompanhar cada palavra.

– Ouça, se eu procurasse cada descrição vaga que as pessoas me pedem diariamente, não poderia fazer mais nada. Você tem mesmo de verificar on-line. – Suspirou mais duas vezes, e eu comecei a me preocupar com que ela começasse a ofegar.

– Não, não, *você* vai ouvir por um minuto – eu disse, sentindo-me preparada e pronta para socar essa garota preguiçosa que tinha um emprego muito melhor do que o meu. – Estou ligando da parte do escritório de Miranda Priestly e acontece que...

– Desculpe, mas disse que está ligando do escritório de Miranda Priestly? – perguntou, e senti seus ouvidos se aguçarem atravessando a linha de telefone. – Miranda Priestly... da revista *Runway*?

– A própria. Por quê? Já ouviu falar nela?

Foi aí que ela se transformou de uma assistente editorial inconveniente a uma escrava da moda efusiva.

– Se ouvi falar nela? É claro! Quem não conhece Miranda Priestly? Na moda, ela é única. O que disse que ela estava procurando?

– Uma resenha. Jornal de ontem. Um restaurante asiático. Não o encontrei on-line, mas talvez não tenha procurado direito. – Era um pouco de mentira. Eu tinha checado on-line e tinha certeza de que não havia resenhas de nenhum restaurante asiático no *New York Times* em nenhum dia da última semana, mas não ia lhe dizer isso. Talvez a Garota Editorial Esquizofrênica conseguisse um milagre.

Até agora, eu tinha ligado para o *Post*, o *Times* e o *Daily News*, mas não tinha achado nada. Pluguei no número do seu cartão de acesso aos arquivos pagos do *Wall Street Journal* e encontrei um anúncio de um novo restaurante tai no Village, mas tive de descartá-lo logo, quando percebi que o preço médio era de 7 dólares e o citysearch.com o classificava com apenas um cifrão.

– Bem, é claro, espere só um segundo. Vou verificar agora mesmo para você. – E de repente a Srta. "Não Posso me Lembrar de Cada Palavra Que Sai no Jornal" estava digitando e cantarolando empolgada.

Minha cabeça doía da confusão da noite anterior. Tinha sido divertido fazer uma surpresa a Alex e incrivelmente relaxante ficar à toa em seu apartamento, mas pela primeira vez em muitos, muitos meses, não consegui dormir. Fiquei sentindo uma agonia de culpa, me lembrando de Christian beijando meu pescoço e eu entrando em um carro para ver Alex, mas sem lhe contar nada. Embora eu tentasse afastar isso da minha mente, retornava o tempo todo, cada vez mais intensamente que antes. Quando, finalmente, consegui dormir, sonhei que Alex tinha sido contratado para ser babá de Miranda e – embora, na realidade, a dela não morasse lá – se mudaria para viver com a família. No meu sonho, sempre que eu queria ver Alex, tinha de dividir um carro para casa com Miranda e visitá-lo em seu apartamento. Ela insistia em me chamar de Emily e me mandava fazer coisas sem sentido, apesar de eu repetir que estava lá para ver o meu namorado. Quando finalmente amanhecia, Alex tinha sido enfeitiçado por Miranda e não conseguia entender por que ela era tão má e, ainda pior, Miranda tinha começado a namorar Christian. Felizmente, meu inferno terminou quando despertei, com um sobressalto, depois de sonhar que Miranda, Christian e Alex sentavam juntos, usando roupões Frette, todo domingo de manhã para ler a *Times*, e riam enquanto eu preparava o café da manhã, e, depois, tirava a mesa. O sono da noite anterior tinha sido tão relaxante quanto descer sozinha uma rua deserta às quatro da manhã, e, agora, a resenha sobre esse restaurante estava destruindo qualquer esperança que eu tivesse de passar uma sexta-feira tranquila.

– Humm, não, não publicamos nada ultimamente sobre um restaurante asiático. Estou tentando pensar se há novos lugares asiáticos. Sabe, lugares a que Miranda realmente pensasse em ir – disse ela, parecendo que faria qualquer coisa para prolongar a conversa.

Ignorei sua transição para a familiaridade do tratamento de Miranda por seu primeiro nome e tratei de fazê-la desligar.

– Ok, bem, foi o que pensei. De qualquer maneira, muito obri gada. Tchau.

– Espere! – gritou, e, embora o telefone já estivesse a caminho da sua base, o seu tom urgente fez com que eu voltasse a escutá-la.

– Sim?

– Ah, bem, humm, eu só queria que soubesse que se tiver algo que eu possa fazer, ou qualquer um de nós aqui, sinta-se à vontade para ligar, entende? Adoramos Miranda e gostaríamos, bem, gostaríamos de ajudar com o que pudermos.

Parecia que a primeira-dama dos Estados Unidos tinha acabado de perguntar à Garota Editorial Esquizofrênica se ela podia localizar um artigo para o presidente, um artigo que incluía informação crucial de uma guerra iminente, não uma resenha anônima em um restaurante anônimo em um jornal anônimo. A parte mais triste de tudo era que eu não estava surpresa: eu sabia que ela concordaria.

– Ok vou passar isso para todos aqui. Muito obrigada mesmo.

Emily ergueu os olhos da contabilidade de despesas e disse:

– Nada lá também?

– Nada. Não faço ideia do que ela está falando, e, aparentemente, ninguém na cidade faz. Falei com cada jornal de Manhattan que ela lê, verifiquei on-line, falei com arquivistas, críticos de restaurantes, chefs. Nem uma única pessoa consegue se lembrar de um restaurante asiático apropriado, inaugurado na semana passada, e não houve matéria nenhuma sobre algum deles nas últimas 24 horas. Com certeza ela perdeu o juízo. E agora? – Caí de volta na minha cadeira e amarrei o cabelo em um rabo de cavalo. Ainda não eram nove da manhã e a dor de cabeça já tinha se irradiado por meu pescoço e ombros.

– Acho – disse ela devagar, lamentando – que não tem outra escolha a não ser pedir que ela explique.

– Ah, não, isso não! Como ela reagirá?

Emily, como sempre, não percebeu meu sarcasmo.

– Ela chegará ao meio-dia. Se eu fosse você, já pensaria antecipadamente no que dirá, porque ela não ficará satisfeita se não conseguir essa resenha. Principalmente por tê-la pedido ontem à noite – apontou ela com um sorriso mal reprimido. Estava obviamente deleitada com o fato de que eu estava prestes a ser insultada.

Não havia muito o que fazer a não ser esperar. Era uma sorte Miranda estar na sessão-maratona de psicoterapia ("Ela simplesmente não tem tempo de ir uma vez por semana", Emily tinha explicado quando perguntei por que ela ficava três horas seguidas), a única fração de tempo durante o dia inteiro ou noite inteira em que ela não ligava para nós e, é claro, a única hora em que eu precisava dela. Uma montanha de correspondência que negligenciei abrir nos últimos dois dias ameaçava desmoronar sobre a mesa, e mais dois dias inteiros de roupa lavada empilhados embaixo, em volta do meu pé. Dei um imenso suspiro para que o mundo soubesse como me sentia infeliz, e disquei para a tinturaria.

– Oi, Mario. Sou eu. Sim, eu sei, dois dias sem ligar. Pode mandar uma picape, por favor? Ótimo. Obrigada. – Desliguei o telefone e me forcei a puxar algumas roupas para o meu colo, começar a organizá-las e registrá-las na lista no computador que eu mantinha para isso. Quando Miranda ligou, às quinze para as dez da noite, e perguntou onde estava o seu *tailleur* Chanel novo, tudo o que fiz foi abrir o documento e dizer que tinha sido enviado no dia anterior e que deveria ser entregue no dia seguinte. Anotei as roupas de hoje (uma blusa Missoni, duas calças idênticas Alberta Ferretti, dois suéteres Jil Sander, duas echarpes Hermès brancas e um trench coat Burberry), joguei-as em uma sacola de compras com o nome *Runway* e chamei um mensageiro para descê-las à área onde a tinturaria as pegaria.

Estava tudo dando certo! Mandar itens para a lavanderia era uma das tarefas mais degradantes, porque independentemente de quantas vezes tivesse de fazer, continuava a sentir repulsa por separar roupas sujas de outra pessoa. Depois de terminar de organizar e colocá-las na sacola todos os dias, eu lavava minhas mãos: o cheiro persistente de Miranda impregnava tudo, e embora consistisse em uma mistura do perfume Bulgari, hidratante, e, ocasionalmente, um leve odor dos cigarros que C-SEM fumava e que não era de todo desagradável, me fazia sentir mal. Sotaque britânico, perfume Bulgari, echarpes de seda brancas – apenas alguns dos prazeres mais simples da vida foram arruinados para sempre, para mim.

A correspondência era a de sempre, 99 por cento de lixo que Miranda nunca veria. Tudo o que estava etiquetado "editor-chefe" ia diretamente para as pessoas que editavam as páginas Cartas, mas muitas das leitoras tinham se tornado mais práticas e endereçavam sua correspondência diretamente para Miranda. Precisei de cerca de quatro segundos para passar os olhos em uma e ver que era uma carta à diretora e não um convite a um baile de caridade ou um bilhete rápido de uma amiga há muito perdida, e essas eu simplesmente punha de lado. Hoje havia toneladas. Bilhetes entusiasmados de adolescentes, donas de casa, e até de alguns homens gays (ou, falando imparcialmente, talvez heterossexuais e, simplesmente, ligados em moda). "Miranda Priestly, você não é apenas a queridinha do mundo da moda, você é a rainha do meu mundo!", entusiasmou-se uma. "Não poderia ser mais perfeita a sua escolha de publicar o artigo sobre o vermelho ser o novo preto na edição de abril – foi ousado, mas genial!", exclamou outra. Algumas cartas vociferavam em relação a um anúncio da Gucci ser sexual demais, já que mostrava duas mulheres de saltos altos finos, meias de náilon e ligas, deitadas juntas em uma cama amarrotada, os corpos abraçados, e algumas outras censuravam as modelos de olhos encovados, desnutridas, a aparência chique de viciadas em heroína, que a *Runway* tinha usado em seu artigo "Saúde Primeiro: Como se Sentir Melhor". Uma era um cartão-postal padrão endereçado, com a letra floreada, a Miranda Priestly, de um lado, e no outro lado lia-se: "Por quê? Por que publica uma revista tão maçante e chata?" Ri alto e enfiei essa em minha bolsa para mais tarde – a minha coleção de cartas e cartões críticos estava aumentando, e logo não haveria mais espaço na geladeira. Lily achava que era baixo-astral levar para casa a hostilidade e os pensamentos negativos de outras pessoas, e sacudiu a cabeça quando insisti que qualquer carma ruim originalmente dirigido a Miranda só podia me fazer feliz.

A última carta da pilha volumosa, antes de eu começar a atacar as duas dúzias de convites que Miranda recebia diariamente, estava redigida na letra redonda e feminina de uma adolescente, cheia de "is" com pingos em forma de coração e carinhas sorrindo do lado de pensamentos felizes. Pretendia dar apenas uma rápida olhada, mas ela se impôs: era triste e sincera demais – sangrava, suplicava, implorava, por toda a página. Os primeiros quatro segundos se passaram e eu continuei a ler.

Querida Miranda,

Meu nome é Anita, tenho 17 anos e sou estudante do último ano do segundo grau na Barringer H. S., em Newark, NJ. Tenho muita vergonha do meu corpo, embora todos me digam que não sou gorda. Quero me parecer com as modelos de sua revista. Todo mês espero a *Runway* chegar pelo correio, apesar de minha mãe dizer que é bobagem eu gastar minha mesada com a assinatura de uma revista de moda. Mas ela não entende que tenho um sonho, mas você entende, não? Tem sido o meu sonho desde que eu era pequena, mas não acho que vá se realizar. Por quê, você pergunta. Meus seios são muito chatos e meu traseiro é maior do que os das suas modelos, e isso me deixa muito envergonhada. Pergunto a mim mesma se essa é a maneira como quero viver e respondo NÃO!!! porque quero mudar, parecer e me sentir melhor e por isso estou pedindo a sua ajuda. Quero uma mudança radical e me olhar no espelho e gostar dos meus seios e meu traseiro porque se parecem com os que estão na melhor revista do mundo!!!

Miranda, sei que é uma pessoa e uma diretora de moda maravilhosa e que pode me transformar em uma outra pessoa, e, acredite, serei grata para sempre. Mas se não puder me transformar em uma nova pessoa, poderia me conseguir um vestido realmente bonito para ocasiões especiais? Nunca namorei, mas mamãe diz que tudo bem garotas saírem sozinhas, por isso vou sair. Tenho um vestido antigo, mas não é um vestido de grife ou qualquer coisa que você mostraria na *Runway*. Meus designers favoritos são Prada (nº 1), Versace (nº 2), Jean Paul Gaultier (nº 3). Tenho vários favoritos, mas esses são os três de que mais gosto. Não tenho nenhuma roupa de nenhum deles, e nunca as vi em uma loja (acho que em Newark não vendem esses designers, mas se souber de alguma, por favor, me informe para que eu possa ir olhá-las e ver como são de perto), mas eu as vi na *Runway* e tenho de dizer que realmente as adoro.

Agora, vou parar de aborrecê-la, mas quero que saiba que mesmo que jogue esta carta no lixo, continuarei uma grande fã de sua revista porque amo as modelos e as roupas e tudo, e, é claro, também amo você.

Atenciosamente,

Anita Alvarez

PS.: O número do meu telefone é 973-555-3948. Pode escrever ou ligar, mas, por favor, faça isso antes da semana de 4 de julho porque realmente preciso de um vestido bonito antes disso. TE AMO!! Obrigada!!!!

A carta cheirava a Jean Naté, essa água-de-colônia de cheiro acre preferida pelas pré-adolescentes do país. Mas não era isso que causava um aperto no meu peito, a compressão da minha garganta. Quantas Anitas havia lá fora? Meninas com tão pouco em suas vidas que mediam seu valor, sua confiança, toda a sua existência em função das roupas e das modelos que viam na *Runway*. Quantas outras tinham decidido amar incondicionalmente a mulher que reunia tudo isso todo mês – a organizadora de uma fantasia tão sedutora –, embora ela não merecesse um único segundo da sua adoração? Quantas meninas não faziam ideia de que o objeto da sua adoração era uma mulher solitária, profundamente infeliz e, muitas vezes, cruel, que não merecia o instante mais breve de seu afeto e sua atenção inocentes?

Eu queria chorar, por Anita e todas as suas amigas que gastavam tanta energia tentando se transformar em modelos como Shalom ou Stella ou Carmen, tentando impressionar, agradar e bajular a mulher que pegaria suas cartas e reviraria os olhos, daria de ombros e as jogaria fora sem pensar na garota que havia escrito ali um pedaço de si mesma. Em vez disso, pus a carta na primeira gaveta de minha mesa e jurei arrumar um jeito de ajudar Anita. Fla parecia ainda mais desesperada do que as outras que escreviam, e não havia motivo para eu, com todas aquelas roupas por ali, não encontrar um vestido decente para uma saída com um rapaz que, se Deus quisesse, ela conheceria em breve.

– Em, vou dar uma descida até a banca e ver se já chegou *Women's Wear.* Não acredito como está atrasada. Quer alguma coisa?

– Pode me trazer uma Coca Light? – perguntou.

– Claro. Só um instante – respondi, atravessando rapidamente por entre as araras até o elevador de serviço, onde escutei Jessica e James dividindo um cigarro e se perguntando quem estaria na festa de Miranda, no Met naquela noite. Ahmed, finalmente, conseguiu produzir uma cópia de um exemplar de *Women's Wear Daily*, o que foi um alívio, e peguei uma Coca Light para Emily e uma Pepsi para mim, mas, pensando bem, troquei por uma Light para mim também. A diferença no gosto e o prazer não valiam os olhares e/ou comentários reprovadores que eu certamente receberia no caminho da recepção à minha mesa.

Eu estava tão ocupada examinando a foto colorida de Tommy Hilfiger na capa que nem mesmo notei que um dos elevadores estava disponível. Pelo canto do olho, tive o vislumbre de verde, de um verde muito distinto. Particularmente digno de nota porque Miranda tinha um *tailleur* Chanel exatamente nesse tom, de *tweed*, uma cor que eu nunca tinha visto antes, mas de que gostava muito. E apesar de minha mente estar bem treinada, não conseguiu impedir que os meus olhos se erguessem e olhassem para dentro do elevador, onde, de certa forma, não se surpreenderam de se deparar com Miranda olhando de volta. Ela permaneceu ereta, o cabelo austeramente afastado do rosto, como sempre, seus olhos fitando atentamente o meu rosto em choque. Não havia nenhuma outra alternativa a não ser entrar no elevador.

– Hum, bom dia, Miranda – eu disse, mas saiu como um sussurro. As portas se fecharam: seríamos só nós duas subindo 17 andares. Ela não me respondeu nada, mas pegou sua agenda de couro e se pôs a folheá-la. Ficamos lado a lado, o silêncio pesando dez vezes mais a cada segundo sem resposta dela. *Será que ela me reconheceu?*, eu me perguntei. Seria possível que ela estivesse inteiramente inconsciente de que eu era sua assistente há sete meses, ou quem sabe eu não teria falado baixo demais e ela não tinha ouvido? Pensei por que ela não tinha me perguntado imediatamente sobre o restaurante, ou se tinha recebido a sua mensagem sobre a encomenda da nova porcelana, ou se estava tudo pronto para a festa à noite. Em vez disso, agiu como se estivesse sozinha nesse elevador, como se não houvesse nenhum outro ser humano, ou, para ser precisa, ninguém que valesse a pena conhecer, dentro desse pequeno recinto com ela.

Quase um minuto depois foi que notei que não estávamos saindo do lugar. Ó meu Deus! Ela *tinha* me visto e suposto que eu apertaria o botão, mas eu tinha ficado atordoada demais para me mover. Estendi o braço devagar, receosa, apertei o número 17, e, instintivamente, esperei que alguma coisa explodisse. Mas fomos imediatamente levadas para cima, e não tive certeza de se ela havia reparado que não havíamos subido logo.

Cinco, seis, sete... parecia que o elevador levava dez minutos para passar por cada andar, e o silêncio começou a zunir em meus ouvidos. Quando consegui reunir coragem suficiente para relancear os olhos na direção de Miranda, descobri que ela estava me examinando dos pés à cabeça. Seus olhos se moviam sem o menor constrangimento, checando primeiro meus sapatos, depois minha calça e, em seguida, minha blusa, prosseguindo para cima até o meu rosto e cabelo, o tempo todo evitando os meus olhos. A expressão em seu rosto era de uma repulsa passiva, como a dos detetives insensíveis de *Law and Order* quando estão diante de mais um cadáver ensanguentado. Fiz uma rápida revista em mim mesma e me perguntei o que exatamente tinha desencadeado a reação. Mangas curtas, camisa estilo militar, jeans Seven novinho em folha que o departamento de Relações Públicas me enviou grátis, simplesmente para trabalhar na

Runway, e um par de sapatos pretos abertos atrás, e relativamente sem salto (cinco centímetros), que eram as únicas não botas/não tênis/não mocassins que me permitiam fazer mais de quatro viagens ao Starbucks por dia sem deixar meus pés em frangalhos. Geralmente, tentava usar o Jimmy Choo que Jeffy tinha me dado, mas eu precisava de um dia de folga toda semana, mais ou menos, para que os arcos de meus pés parassem de doer. Meu cabelo estava limpo e preso em uma espécie de coque no alto, deliberadamente confuso, que Emily sempre usava sem comentários, e minhas unhas – apesar de não pintadas – estavam compridas e razoavelmente lixadas. Eu tinha raspado debaixo do braço nas últimas 48 horas. Pelo menos até a última vez que eu tinha verificado, não havia erupções no meu rosto. Meu relógio Fossil estava com a face para dentro do meu pulso para o caso de alguém tentar dar uma olhada na marca, e uma verificação rápida com a minha mão direita indicou que nenhuma alça de sutiã estava visível. Então o que era? O que exatamente a fazia me olhar daquele jeito?

Doze, treze, quatorze... o elevador parou e abriu para mais outra área de recepção branca impecável. Uma mulher, de cerca de 35 anos, deu um passo à frente para entrar, mas parou a sessenta centímetros da porta ao ver Miranda.

– Oh, eu, ahn... – gaguejou alto, olhando em volta freneticamente, procurando uma desculpa para não entrar em nosso inferno privado. E embora tivesse sido melhor para mim tê-la a bordo, particularmente torci para ela escapar. – Eu, hum, oh! Eu me esqueci das fotos que preciso levar – conseguiu dizer finalmente, dando meia-volta em seus Manolos especialmente instáveis, voltando rápido para a sua sala. Miranda não pareceu reparar, e as portas, mais uma vez, se fecharam.

Quinze, dezesseis, e finalmente – finalmente! – dezessete, onde as portas se abriram para revelar um grupo de assistentes de moda *Runway* a caminho de pegarem cigarros, Coca Light e salada verde, que constituiriam seu almoço. Cada rosto jovem, belo, pareceu mais em pânico do que o outro, e quase se colidiram tentando sair do caminho de Miranda. Dividiram-se ao meio, três para um lado e duas para o outro, e ela se dignou a passar entre elas. Todas ficaram olhando fixo para ela, em silêncio, enquanto se dirigia à área de recepção, e eu fui deixada sem outra opção a não ser segui-la. Não reparava em nada, imaginei. Tínhamos acabado de passar o que parecia uma semana intolerável trancadas em uma caixa de 1,5 metro por 1 metro, e ela nem mesmo admitia a minha presença. Mas assim que pisei no andar, ela se virou.

– Ahn-dre-ah? – perguntou, a voz cortando o silêncio tenso que ocupava o espaço todo. Não respondi, pois achei que seria impróprio, e esperei.

"Ahn-dre-ah?"

– Sim, Miranda.

– Que sapatos está usando? – Pôs a mão levemente sobre o quadril coberto de *tweed* e me olhou. O elevador tinha ido sem os assistentes, já que estavam absortos demais em verem, e ouvirem!, Miranda Priestly em carne e osso. Senti seis pares de olhos em meus pés que, apesar de há alguns minutos estarem bastante confortáveis, começaram a arder e coçar sob o escrutínio intenso de cinco assistentes de moda e um guru da moda.

A ansiedade da inesperada subida de elevador com ela (a primeira) e os olhares imóveis de todas essas pessoas confundiram minha cabeça. Assim, quando Miranda perguntou que sapatos eu estava usando, pensei que talvez achasse que não estava usando os meus próprios.

– Hum, os meus? – eu disse, sem perceber, até as palavras serem proferidas, que isso soava não apenas desrespeitoso, como também completamente ofensivo. O bando de tagarelas começou a se alvoroçar, até que a raiva de Miranda voltou-se contra elas.

– Eu me pergunto por que a vasta maioria de minhas assistentes de moda parecem não ter nada melhor a fazer a não ser fofocar como menininhas. – Começou a apontar cada uma, já que não seria capaz de dizer o nome de nenhuma nem mesmo com uma arma apontada para a sua cabeça.

– Você! – disse incisiva à garota espevitada que provavelmente estava vendo Miranda pela primeira vez. – Nós a contratamos para isso ou para pedir as roupas para a sessão de fotos? – a garota baixou a cabeça e abriu a boca para pedir desculpas, mas Miranda prosseguiu.

– E você! – disse ela, aproximando-se e ficando em frente de Jocelyn, a de posição superior entre elas, e a preferida dos editores. – Acha que não há milhões de garotas que querem o seu cargo e que entendem de alta-costura tanto quanto você? – Ela recuou, moveu os olhos lentamente para cima e para baixo de seus corpos, demorando-se o tempo justo para que cada uma se sentisse gorda, feia, e inadequadamente vestida, e mandou que todas voltassem a suas salas. Concordaram, balançando as cabeças furiosamente, sem deixarem de curvá-las. Algumas desculpas sentidas foram murmuradas enquanto voltavam rapidamente para os seus departamentos. Só quando todas saíram, me dei conta de que estávamos a sós. De novo. – Ahn-dre-ah? Não vou tolerar que minha assistente fale comigo dessa maneira – declarou, dirigindo-se à porta que nos levaria ao corredor. Eu não sabia bem se devia acompanhá-la ou não, e esperei, por um instante, que Eduardo ou Sophy ou uma das garotas do departamento de moda tivesse avisado Emily que Miranda estava a caminho.

– Miranda, eu...

– Chega. – Fez uma pausa à porta e olhou para mim. – Que sapatos está usando? – perguntou de novo com uma voz nada agradável.

Chequei meus sapatos abertos atrás novamente e me perguntei como dizer à mulher mais elegante do hemisfério ocidental que estava usando sapatos que tinha comprado na Ann Taylor Loft. Outro olhar de relance para o seu rosto e eu soube que não podia.

– Comprei-os na Espanha – respondi rapidamente, desviando meus olhos. – Em uma loja adorável em Barcelona, perto de Las Ramblas, que vendia essa nova linha de um designer espanhol. – De onde, diabos, eu tinha tirado isso?

Vi James aproximando-se da porta de vidro, pelo outro lado, mas, assim que viu Miranda, virou-se e fugiu.

– Ahn-dre-ah, eles são inaceitáveis. Minhas garotas precisam representar a revista *Runway*, e esses sapatos não são a mensagem que procuro transmitir. Procure algo decente no do Closet. E traga-me um café. – Ela olhou para mim, e compreendi que tinha de estender o braço e abrir a porta paia ela, o que eu fiz. Passou sem dizer obrigada e seguiu para a sua sala. Eu precisava de dinheiro e de meus cigarros para a corrida ao café, mas nenhum dos dois valia andar atrás dela como um patinho maltratado, mas leal, portanto voltei ao elevador. Eduardo poderia me dar 5 dólares para o café com leite, e Ahmed poria um maço de cigarros na conta da *Runway*, como fazia há meses. Eu não tinha contado com ela notar, mas sua voz atingiu a minha nuca como uma pá.

– Ahn-dre-ah!

– Sim, Miranda? – parei onde estava e me virei para encará-la.

– Espero que a resenha do restaurante que lhe pedi esteja na minha mesa.

– Hum, bem, na verdade, tive um pouco de dificuldade em localizá-la. Falei com todos os jornais e parece que nenhum deles publicou a resenha de um restaurante asiático nos últimos dias. Será que, bem, se lembra do nome do restaurante? – Sem me dar conta, eu estava prendendo a respiração e me preparando para o ataque violento.

Parece que a minha explicação não teve muito interesse para ela, pois retomou seu caminho para a sua sala.

– Ahn-dre-ah, eu já lhe disse que foi no *Post*. É tão difícil assim encontrá-la? – E com isso, se foi. *Post?* Eu tinha falado com o autor das resenhas de restaurantes naquela manhã mesmo e ele tinha jurado que não havia nenhuma resenha que se ajustasse à minha descrição: nada digno de nota havia acontecido nessa semana. Ela estava tendo um colapso nervoso, sem dúvida, e seria eu que culpariam.

A corrida ao café levou só alguns minutos, já que era meio-dia, então me senti livre para acrescentar mais dez minutos para ligar para Alex, que almoçava exatamente ao meio-dia e meia. Ainda bem que atendeu o celular, assim não precisei falar com nenhum dos professores de novo.

– Oi, gata, como está sendo o seu dia? – Ele parecia animado, excessivamente, e tive de me conter para não me irritar.

– Maravilhoso, como sempre. Eu realmente adoro isso aqui. Passei as últimas cinco horas pesquisando um artigo imaginário que foi sonhado por uma mulher delirante, que provavelmente prefere acabar com a vida a admitir que errou. E você?

– Bem, eu tive um dia e tanto. Lembra-se de Shauna? – Balancei a cabeça, embora ele não pudesse ver. Shauna era uma das menininhas que nunca tinha proferido uma única palavra em classe, e que por mais que ele ameaçasse, subornasse ou trabalhasse com ela, não conseguia fazer com que falasse. Ele tinha ficado quase histérico a primeira vez que ela aparecera na sua turma, colocada ali por uma assistente social que tinha descoberto que, apesar de ter 9 anos, ela nunca tinha estado em uma escola, e, a partir de então, ele ficara obcecado em ajudá-la. – Bem, parece que não vai se calar nunca! Tudo o que foi preciso foi cantar um pouco. Fiz um amigo cantor vir hoje tocar violão para as crianças, e Shauna cantou. E depois de quebrar o gelo, está falando com todo mundo. Ela sabe inglês. Tem um vocabulário apropriado para a idade. Ela é completamente normal! – Seu entusiasmo óbvio me fez sorrir, e, de repente, comecei a sentir falta dele. Uma saudade do tipo que se sente quando vemos alguém frequente e regularmente, mas não nos envolvemos com essa pessoa de uma maneira significativa. Tinha sido muito bom fazer a surpresa na noite anterior, mas, como sempre, eu estava exausta demais para ser boa companhia. No fundo, nós dois compreendíamos que estávamos esperando o cumprimento da minha sentença, do meu ano de servidão, para tudo voltar a ser como antes. Mas eu ainda sentia falta dele. E continuava a sentir culpa pela situação com Christian.

– Parabéns! Não que precise de um atestado de que é um grande professor, mas, de qualquer jeito, conseguiu! Deve estar emocionado.

– Sim, é empolgante. – Escutei a campainha tocar ao fundo.

– Ouça, o convite para hoje à noite continua de pé, só eu e você? – perguntei, esperando que ele não tivesse feito planos (ainda que, interiormente, tivesse esperanças de que houvesse). De manhã, enquanto eu arrastava o meu corpo exausto e dolorido da cama para o chuveiro, ele gritou que queria alugar um filme, pedir algo para comer, e ficar à toa. Eu murmurei alguma coisa desnecessariamente sarcástica sobre não valer a pena porque eu só chegaria em casa muito tarde e cairia na cama, e que, pelo menos, um de nós deveria viver e aproveitar a noite de sexta-feira. Agora, queria lhe dizer que estava com raiva de Miranda, da *Runway*, de mim mesma, mas não dele, e que não havia nada que eu gostaria mais de fazer do que me enroscar no sofá e dormir por 15 horas seguidas.

– Claro. – Ele pareceu surpreso, mas feliz. – Eu poderia esperar você na sua casa e, então, pensamos no que fazer? Ficarei com Lily até você chegar.

– Parece perfeito. Vai ficar sabendo tudo sobre o Garoto Freudiano.

– Quem?

– Deixa pra lá. Ouça, tenho de correr. A rainha não esperará mais pelo café. Até a noite... mal posso esperar.

Eduardo me deixou passar depois de cantar somente dois refrãos – de minha escolha – de "We Didn't Start the Fire", e Miranda estava conversando animadamente quando coloquei seu café no canto esquerdo da sua mesa. Passei o resto da tarde argumentando com cada assistente e editor que consegui achar no *New York Post*, insistindo que eu conhecia o jornal melhor do que eles e se eu, por favor, poderia ter uma cópia da resenha sobre o restaurante asiático que tinham publicado um dia antes?

– Senhora, já disse uma dezena de vezes e vou repetir mais uma: *não resenhamos nenhum restaurante desse tipo.* Sei que a Sra. Priestly é uma mulher maluca e não duvido de que ela esteja transformando a sua vida em um inferno, mas simplesmente não posso apresentar um artigo que não existe. Entendeu? – Isso tinha sido dito, finalmente, por um associado que, embora trabalhasse no *Page Six*, tinha sido designado para procurar o meu artigo e me calar. Tinha sido paciente e prestativo, mas chegara ao fim de sua obra de caridade. Emily estava na outra linha com um de seus críticos de restaurantes freelancers, e eu tinha obrigado James a ligar para um de seus ex-namorados que trabalhava no departamento de publicidade, para que visse se havia alguma coisa, qualquer coisa, que ele pudesse fazer. Já eram 15 horas do dia *seguinte* a que ela tinha pedido alguma coisa, e essa era a primeira vez que eu não tinha conseguido imediatamente.

– Emily! – gritou Miranda de sua sala ilusoriamente iluminada.

– Sim, Miranda? – respondemos nós duas, dando um pulo para ver qual das duas ela tinha chamado.

– Emily, acabou de falar com o pessoal do *Post*? – perguntou ela, dirigindo a atenção na minha direção. A verdadeira Emily pareceu aliviada e se sentou.

– Sim, Miranda, acabo de desligar. Falei com três pessoas diferentes e todas as três insistem que não resenharam um único restaurante asiático em Manhattan em momento algum na última semana. Não terá sido antes? – Eu estava cambaleando em frente à sua mesa, com a cabeça baixa o suficiente para olhar o sapato preto Jimmy Choo aberto atrás, salto de dez centímetros, que Jeffy tinha me fornecido complacentemente.

– Manhattan? – Ela pareceu confusa e fula ao mesmo tempo. – Quem falou em Manhattan?

Foi a minha vez de ficar confusa.

– Ahn-dre-ah, eu lhe disse pelo menos cinco vezes que a resenha foi escrita sobre um novo restaurante em *Washington*. Como estarei lá na semana que vem, preciso que faça uma reserva. – Empertigou a cabeça e fez com os lábios o que só poderia ser descrito como um sorriso perverso. – O que exatamente nesse projeto você acha tão desafiador?

Washington? Ela tinha me dito cinco vezes que o restaurante era em *Washington*? Acho que não. Ela estava com certeza perdendo o juízo ou tendo um prazer sádico em me observar perdendo o meu. Mas sendo a idiota por quem ela me tomava, falei novamente sem pensar.

– Oh, Miranda, tenho certeza de que o *New York Post* não faz resenhas de restaurantes de Washington. Parece que só visitam e resenham lugares novos em Nova York.

– É para ser engraçado, Ahn-dre-ah? Essa é a sua ideia de senso de humor? – Seu sorriso tinha desaparecido e ela estava inclinada à frente, parecendo um abutre faminto circundando, impacientemente, sua presa.

– Não, Miranda. Só achei que...

– Ahn-dre-ah, como já deixei claro *uma dezena de vezes*, a resenha que procuro saiu no *Washington Post*. Já ouviu falar nesse pequeno jornal, não? Assim como Nova York tem o *New York Post*, Washington, D.C., tem o seu próprio jornal. Viu como funciona? – Sua voz estava além do escárnio: ela estava me tratando de modo tão condescendente que faltava pouco para falar comigo como com um bebezinho.

– Vou conseguir agora mesmo – declarei tão calmamente quanto possível, e saí em silêncio.

– Oh, Ahn-dre-ah? – Meu coração cambaleou e o meu estômago se perguntou se suportaria mais uma "surpresa". – Espero que compareça à festa hoje à noite para receber os convidados. Isso é tudo.

Olhei para Emily, que pareceu completamente desconcertada, sua testa enrugada fazendo com que parecesse tão estarrecida quanto eu.

– Ouvi direito? – sussurrei para Emily, que só conseguiu balançar a cabeça confirmando e fazendo um gesto para que eu me aproximasse.

– Eu receava que isso acontecesse – cochichou com gravidade, como um cirurgião contando a um membro da família do paciente que descobriu algo horrível ao abrir seu tórax.

– Ela não pode estar falando sério. São quatro horas da tarde de sexta-feira. A festa começa às sete. É a rigor, pelo amor de Deus, ela não pode, de jeito nenhum, esperar que eu vá. – Consultei de novo meu relógio sem acreditar e tentei relembrar suas palavras exatas.

– Oh, ela falou muito sério – disse Emily, atendendo o telefone. – Vou ajudá-la, ok? Vá descobrir a resenha no *Washington Post* e leve uma cópia para ela antes que saia. Uri está vindo para levá-la para casa para fazer o cabelo e maquiagem. Vou lhe conseguir um vestido e tudo o mais que vai precisar para hoje à noite. Não se preocupe. Vamos dar um jeito.

Pôs-se a discar rápido e sussurrar instruções urgentes ao telefone. Fiquei ali olhando, mas ela fez um gesto com a mão sem erguer os olhos e eu voltei à realidade.

– Vá – sussurrou, olhando para mim com um raro indício de simpatia. E fui.

14

— Não pode aparecer de táxi – disse Lily enquanto eu passava desajeitadamente em meus olhos o rímel, novinho, Maybelline Great Lash. – É black-tie. Peça um carro, pelo amor de Deus. – Ela observou por mais um minuto e, então, tirou o rímel da minha mão e fechou minhas pálpebras.

– Acho que tem razão – falei com um suspiro, ainda recusando aceitar que a noite de minha sexta-feira seria passada em um vestido toalete formal no Met, recebendo ricos-mas-ainda-assim-matutos da Geórgia, da Carolina do Sul e do Norte, ostentando um sorriso falso atrás do outro em meu rosto mal maquiado. O comunicado tinha me deixado com apenas três horas para achar um vestido, comprar maquiagem, me aprontar, e refazer todos os meus planos para o fim de semana, e, na loucura da situação, tinha me esquecido de providenciar o transporte.

Felizmente, trabalhar em uma das maiores revistas de moda do país (o trabalho pelo qual um milhão de garotas dariam a vida!) tinha suas vantagens, e por volta das quatro e quarenta da tarde, eu usava, orgulhosamente, um atraente Oscar de la Renta longo, preto, fornecido gentilmente por Jeffy, especialista no Closet e amante de todas as coisas femininas ("Garota, você vai black-tie, vai de Oscar, e pronto. Não se retraia, tire essa calça e experimente isto aqui para Jeffy." Comecei a me desabotoar e ele tremeu. Perguntei se ele achava meu corpo seminu tão repulsivo, e ele respondeu que claro que não. Eram apenas as minhas calcinhas fio-dental que ele achava tão repelentes). Os assistentes de moda já tinham pedido um par de sandálias Manolo prateadas do meu tamanho e alguém nos acessórios tinha escolhido uma bolsa de noite Judith Leiber prateada com uma corrente comprida. Eu tinha expressado interesse em uma carteira Calvin Klein discreta, mas ela tinha rido com desdém e me dado uma Judith. Stef estava na dúvida se eu deveria usar uma gargantilha ou um colar com pingente, e Allison, a recentemente promovida a editora de beleza, estava ao telefone com a manicure, que atendia o escritório.

– Ela vai encontrá-la na sala de conferências às quatro e cinco – disse Allison, quando atendi meu ramal. – Você vai usar preto, certo? Insista em que seja Chanel Ruby Red. E diga-lhe para nos mandar a conta.

O escritório todo se agitou em um frenesi quase histérico, tentando tornar a minha aparência apropriada para a noite de gala. Certamente não foi porque me adoravam e eram capazes de dar a vida para me ajudar. Na verdade, sabiam que Miranda tinha ordenado a mudança de imagem e eles estavam ansiosos por provar para ela o alto nível de seu gosto e classe.

Lily terminou a aula caridosa de maquiagem, e me perguntei, por um breve momento, se não estaria ridícula usando um longo Oscar de la Renta com uma maquiagem fuleira. Provavelmente, mas eu tinha rejeitado todas as ofertas de enviarem um maquiador profissional ao apartamento. Todos do *staff* insistiram, e nenhum sutilmente, mas recusei inflexivelmente. Até eu tinha limites.

Manquei para dentro do quarto em meus saltos finos Manolo de 10 centímetros e beijei Alex na testa. Ele mal ergueu os olhos da revista que estava lendo.

– Estarei de volta mais ou menos às onze, e poderemos jantar ou beber alguma coisa, está bem? Desculpe, eu tenho de fazer isso, tenho mesmo. Se decidir sair com os rapazes me ligue e vou encontrá-los, ok? – Ele tinha, como prometido, vindo diretamente da escola para passarmos a noite juntos, e não tinha ficado muito feliz quando cheguei com a notícia de que poderia ter uma noite relaxante em casa, mas que eu não participaria de seus planos. Ele estava sentado na sacada no meu quarto, lendo um número antigo de *Vanity Fair* e bebendo uma das cervejas que Lily deixava na geladeira para convidados. Só depois que expliquei que tinha de trabalhar naquela noite é que reparei que ele e Lily não estavam juntos.

– Onde ela está? – perguntei. – Não tem aulas e sei que não vai trabalhar às sextas durante todo o verão.

Alex tomou um gole da sua Pale Ale e deu de ombros.

– Acho que está aqui. A porta do quarto dela está fechada, e vi um cara andando pela casa antes.

– Um cara? Pode ser um pouco mais detalhista? Que cara? – Eu me perguntei se alguém tinha entrado sem ser convidado, ou talvez o Garoto Freudiano tivesse sido finalmente convidado a subir.

– Não sei, mas tem uma aparência assustadora. Tatuagens, *piercings*, camiseta justa, tudo. Não imagino onde possa tê-lo conhecido. – Tomou outro gole, indiferente.

Eu tampouco podia imaginar onde ela o tinha encontrado, considerando-se que a deixei às onze da noite anterior na companhia de um sujeito muito educado chamado William que, até onde percebi, não era do tipo de usar camiseta justa nem tatuagens.

– Alex, fale sério! Está me dizendo que um vagabundo anda pelo apartamento, um bandido que pode ou não ter sido convidado, e você não liga? Isso é um absurdo! Temos de fazer alguma coisa – eu disse, levantando-me da cadeira e pensando, como sempre, se a mudança de peso não faria a sacada despencar do edifício.

– Andy, relaxe. Ele *não* é um bandido. – Virou mais uma página. – Pode ser um *punk-grunge-freak*, mas não é um bandido.

– Ótimo, estou muito aliviada. Agora, você vai ver o que está acontecendo, ou vai ficar a noite toda sentado aí? – Ele continuava se recusando a olhar para mim, e, por fim, entendi como estava chateado com a noite. Compreensível, sem dúvida, mas eu estava tão irritada por ter de trabalhar, e não havia uma maldita coisa que eu pudesse fazer a respeito.

– Por que não me chama, se precisar de mim?

– Ótimo – falei com raiva e fiz um dramalhão. – Não se sinta culpado ao encontrar meu corpo desmembrado no chão do banheiro. Realmente, não é tão grave...

Fiquei andando pesado pelo apartamento durante algum tempo, buscando evidências da presença do tal sujeito. A única coisa que parecia fora do lugar era uma garrafa de Ketel One na pia. Ela já tinha conseguido comprar, abrir e beber uma garrafa inteira de vodca em alguma hora depois da meia-noite de ontem? Bati na sua porta.

Nenhuma resposta. Bati com um pouco mais de insistência e ouvi a voz de um cara declarar o fato óbvio de que alguém estava batendo na porta. Como ninguém respondeu, girei a maçaneta.

– Oi, tem alguém aí? – gritei, tentando não olhar dentro do quarto, mas só conseguindo resistir por cinco segundos. Meus olhos pularam sobre duas calças jeans emaranhadas no chão, um sutiã pendurado na cadeira e o cinzeiro cheio, que fazia o quarto feder a alojamento de estudantes. Fui diretamente para a cama, onde a minha melhor amiga estava espichada de lado, de costas para mim, completamente nua. Olhei para o rapaz de aparência doentia com uma linha de suor sobre o lábio e cabelos oleosos esparramados nos lençóis de Lily: suas dezenas de tatuagens de serpentes sinuosas, assustadoras, agiam como a camuflagem perfeita no edredom xadrez verde e azul. Havia uma argola de ouro em sua sobrancelha, metais brilhantes em cada orelha, e dois ferrões redondos se projetando de seu queixo. Ainda bem que estava usando ceroulas até os joelhos, mas estavam tão sujas, encardidas e velhas que eu quase, quase, desejei que não as estivesse usando. Ele tragou seu cigarro, exalando lentamente e de maneira significativa, e depois balançou a cabeça na minha direção.

– Cê aí – disse ele, agitando o cigarro para mim. – Importa-se de fechar a porta, minh'amiga?

O quê? "Minh'amiga?" Esse australiano de aparência suja estava realmente *me* dando uma ordem?

– Está fumando *crack*? – perguntei, não mais interessada nas suas maneiras, e nem um pouco assustada. Ele era mais baixo do que eu e não devia pesar mais de 65kg, até onde eu percebia, e a pior coisa que poderia me fazer, a essa altura, era tocar em mim. Encolhi os ombros ao pensar na quantidade de maneiras como provavelmente tocara em Lily, que continuava a dormir profundamente sob seu corpo protetor. – Quem você pensa que é? Este é o *meu* apartamento e gostaria que você saísse. Agora! – acrescentei, a coragem incitada pela exigência do tempo. Eu tinha exatamente uma hora para me preparar para a noite mais estressante de minha carreira, e lidar com esse drogado não fazia parte da estratégia.

– Caaaaraaaaa, fica fria – respirou e inalou de novo. – Não acho que a sua amiguinha aqui queira que eu vá embora...

– Ela ia querer sim que fosse embora se POR ACASO ESTIVESSE CONSCIENTE, SEU BABACA! – gritei horrorizada com o fato de Lily ter, como era mais do que provável, feito sexo com esse tipo. – Garanto que falo por nós duas quando digo CAI FORA DO NOSSO APARTAMENTO!

Senti uma mão em meu ombro e me virei rápido dando com Alex, parecendo preocupado, avaliando a situação.

– Andy, por que não vai tomar um banho? E deixa que eu cuido disso, ok? – Embora ninguém pudesse chamá-lo de um cara grande, parecia um lutador profissional em comparação àquela coisa emaciada que, no momento, passava o rosto nas costas nuas de minha melhor amiga.

– QUERO QUE ELE – apontei para que não houvesse dúvidas – SAIA DO MEU APARTAMENTO.

– Sei que quer, e acho que ele está quase pronto para sair, não é, amigão? – Alex falou com a voz tranquilizadora que usamos com um cão raivoso.

– *Caaaaraaaaa*, não vamos brigar. Só estava me divertindo um pouco com Lily, só isso. Ela se jogou pra mim ontem à noite, no Au Bar. Pode perguntar para qualquer um que estava lá. Ela implorou para que eu viesse com ela.

– Não duvido – disse Alex, calmo. – Ela é uma garota muito afável quando quer, mas, às vezes, bebe demais e não sabe o que está fazendo. Portanto, assim como a sua amiga, vou ter de pedir que vá embora já.

O maluco amassou seu cigarro e fez um show, levantando as mãos como se estivesse se rendendo.

– Cara, sem problemas. Só vou tomar uma chuveirada rápida e me despedir direito da minha Lily, e vou embora. – Balançou as pernas para fora da cama e estendeu a mão para pegar a toalha pendurada do lado da mesa.

Alex avançou rapidamente, tirou a toalha de suas mãos e o encarou.

– Não, acho que deve sair agora. Neste instante. – E de uma maneira como nunca o tinha visto fazer em quase três anos, colocou-se na frente do Freak Boy* e usou de sua altura para tornar a ameaça patente.

– Amigo, não se preocupe. Já estou saindo – falou baixinho, depois de perceber que, para olhar para Alex, tinha de empinar o pescoço. – Só vou me vestir e caio fora. – Pegou seu jeans no chão, localizou sua camiseta rasgada debaixo do corpo ainda exposto de Lily. Ela se mexeu quando ele a puxou de debaixo dela, e alguns segundos depois, seus olhos conseguiram se abrir.

– Cubra-a! – mandou Alex com grosseria, sem dúvida gostando de seu novo papel de homem-responsável-ameaçador. E sem fazer nenhum comentário, Freak Boy puxou o lençol até seus ombros e só um emaranhado de cachos pretos ficou visível.

– O que está acontecendo? – falou Lily, rouca, fazendo força para manter os olhos abertos. Virou-se para me ver tremendo de raiva à sua porta, Alex fazendo desajeitadamente poses viris, e o Freak Boy se apressando a calçar e a amarrar de qualquer maneira seus tênis Diadora azul e amarelo canário e dar o fora dali antes que as coisas ficassem realmente feias. Tarde demais. O olhar dela deteve o Freak Boy.

– Quem diabos é você? – perguntou ela, sentando-se rápido, sem se dar conta de que estava completamente nua. Alex e eu nos viramos instintivamente, enquanto ela puxava os lençóis, parecendo chocada, mas o Freak Boy sorriu de maneira libertina e olhando com desejo seus seios.

– Baby, está dizendo que não se lembra de quem eu sou? – perguntou ele, o sotaque australiano carregado se tornando menos adorável a cada segundo. – Você com certeza sabia quem eu era na noite passada. – Aproximou-se dela e parecia que ia se sentar na cama, mas Alex já tinha agarrado seu braço e o erguido.

– Fora. Já. Ou terei de levá-lo eu mesmo – ordenou, parecendo durão e muito bonitinho e nem um pouco orgulhoso de si mesmo.

---

*Garoto esquisito. (*N. do E.*)

O Freak Boy ergueu as mãos e cacarejou.

– Estou saindo. Liga pra mim, um dia desses, Lily. Você foi maravilhosa ontem à noite. – Atravessou rápido o quarto indo para a sala com Alex atrás. – Cara, ela é realmente danada – ouvi-o dizer a Alex logo antes de a porta da frente bater, mas parece que Lily não escutou. Ela tinha vestido uma camiseta e conseguido sair da cama.

– Lily, quem diabos era esse? Nunca vi um ser mais babaca, para não dizer *nojento*.

Ela sacudiu a cabeça devagar e pareceu se esforçar para se concentrar e se lembrar de quando e onde ele entrara em sua vida.

– Nojento. Tem razão, é absolutamente nojento, e não faço a menor ideia do que aconteceu. Lembro-me de você indo embora ontem à noite e de estar conversando com um cara realmente simpático de terno... estávamos tomando Jaeger por alguma razão... e é isso.

– Lily, imagine como estava bêbada para, além de concordar em fazer sexo com alguém com essa aparência, trazê-lo para o nosso apartamento! – Achei que estava dizendo o óbvio, mas seus olhos se escancararam surpresos.

– Acha que fiz sexo com ele? – perguntou baixinho, recusandose a aceitar o que parecia incontestável.

As palavras de Alex, alguns meses antes, me voltaram à mente: Lily bebia mais do que o normal – ali estavam todos os sinais. Faltava a aulas regularmente, tinha sido presa e, agora, levava para casa o mutante mais assustador, um cara que nunca tinha visto antes. Lembrei-me também da mensagem que um dos seus professores tinha deixado em nossa secretária logo depois dos exames finais, algo que, resumindo, dizia que, apesar de o seu exame escrito final ter sido excelente, ela tinha faltado a muitas aulas e atrasado demais para entregar os trabalhos para receber o "A" que merecia. Decidi ir com cuidado.

– Lil, querida, não acho que o problema seja o rapaz. Acho que é a bebida que está causando isso.

Ela tinha começado a escovar o cabelo, e só então percebi que já eram seis horas da tarde de sexta-feira e que ela acabava de se levantar da cama. Ela não protestou, por isso continuei.

– Não que eu tenha alguma coisa contra beber – eu disse, tentando manter a conversa relativamente tranquila. – É claro, não sou contra a bebida. Só me pergunto se você não tem perdido um pouco do controle ultimamente, entende? Está tudo bem na escola?

Ela abriu a boca para dizer alguma coisa, mas Alex enfiou a cabeça pela porta e me entregou o meu celular estridente.

– É ela – disse ele e tornou a sair. *Urghhh!* A mulher tinha o dom especial de estragar a minha vida.

– Desculpe – eu disse a Lily, olhando para o telefone cautelosamente quando a telinha mostrara CELULAR MP repetidamente. – Geralmente, ela só leva um segundo me humilhando e repreendendo, por isso logo continuaremos. – Lily abaixou a escova e me observou responder.

– Escrit... – Novamente, eu quase tinha atendido como se fosse ela própria. – Aqui é Andrea – corrigi, me preparando para o bombardeio.

– Andrea, sabe que a espero lá às seis e meia, não sabe? – gritou sem uma saudação e sem se identificar.

– Ah, humm, você tinha dito antes às sete. Eu ainda tenho de...

– Eu disse seis e meia antes e estou dizendo agora de novo. Entendeu? – Clique. Tinha desligado. Consultei o relógio: seis horas e cinco minutos. Isso era um problema.

– Ela me quer lá em 25 minutos – declarei alto a ninguém em particular.

Lily pareceu aliviada com o desvio da atenção.

– Então, tem de se apressar, certo?

– Estávamos no meio de uma conversa importante. O que ia dizer? – As palavras estavam certas, mas nós duas sabíamos que a cabeça já estava a milhas de distância. Decidi que não havia tempo para um banho, já que tinha 15 minutos para pôr o vestido e entrar no carro.

– Sério, Andy, tem de correr. Vá se vestir... conversaremos depois.

E mais uma vez fiquei sem escolha, a não ser me apressar, o coração disparando, entrando no vestido, escovando o cabelo, tentando combinar alguns dos nomes com as imagens dos convidados da noite que Emily, prestativa, havia impresso mais cedo. Lily observava tudo divertida, mas eu sabia que ela estava preocupada com o incidente com o Freak Boy. E eu me sentia péssima por não poder lidar com aquilo naquele mesmo instante. Alex estava ao telefone com o irmão mais novo, tentando convencê-lo de que era jovem demais para ir ao cinema às nove da noite e de que a sua mãe não era cruel ao proibi-lo.

Beijei-o na bochecha quando ele assobiou e me disse que provavelmente tinha encontrado com quem jantar, mas para eu ligar mais tarde se quisesse encontrá-lo, e corri o mais rápido que pude de volta à sala, onde Lily estava segurando uma bela peça de seda preta. Olhei para ela sem entender.

– Um xale para a sua grande noite – disse, sacudindo-o como um lençol. – Quero que a minha Andy pareça tão sofisticada quanto todos os ricaços caipiras da Carolina do Norte a quem ela servirá hoje à noite como uma simples garçonete. Minha avó comprou para mim muitos anos atrás, para usar no casamento de Eric. Não consigo decidir se é maravilhoso ou horroroso, mas é black-tie o bastante, e é Chanel.

Abracei-a.

– Apenas prometa que se Miranda me matar por dizer a coisa errada, queimará este vestido e me enterrará com meu moletom da Brown. Prometa! – Ela pegou o rímel que eu agitava e começou a passá-lo nos meus cílios.

– Você está o máximo, Andy, de verdade. Nunca pensei que a veria em um longo Oscar indo a uma das festas de Miranda Priestly, mas você está perfeita. Agora vá.

Ela me deu a bolsinha Judith Leiber bamboleante e detestavelmente brilhante e segurou a porta quando passei.

– Divirta-se!

O carro estava esperando em frente ao edifício, e John – que estava virando um pervertido de primeira linha – assobiou quando o motorista abriu a porta para mim.

– Acabe com eles, gostosa – gritou, piscando exagerado. – Vejo você de madrugada. – Ele não tinha ideia de onde eu estava indo, é claro, mas era confortante que ele achasse que eu voltaria para casa. *Talvez não seja tão ruim*, pensei ao me instalar no banco traseiro da limusine. Mas, então, meu vestido subiu até meus joelhos e minhas pernas tocaram o couro gelado do assento, e cambaleei para a frente. *Ou, talvez, será tão chato quanto acho que será?*

O MOTORISTA SAIU e correu para dar a volta e abrir a porta para mim, mas eu já estava na calçada quando ele chegou. Eu tinha estado no Met uma vez, em uma excursão de um dia a Nova York com minha mãe e Jill, para conhecer alguns dos pontos turísticos. Não me lembro de nenhuma das exposições que vimos naquele dia – somente de como meus pés doíam quando chegamos –, mas me lembro da escada branca sem fim em frente e da sensação de que poderia ficar subindo aqueles degraus para sempre.

A escada estava onde eu me lembrava, mas parecia diferente na névoa do cair da noite. Ainda habituada aos dias curtos e infelizes do inverno, pareceu-me estranho o céu estar escurecendo às seis e meia. Nesse entardecer, a escada pareceu realmente suntuosa. Era mais bonita do que a escadaria da praça de Espanha ou daquela em frente à biblioteca da Columbia, ou até da admirável escadaria no edifício do Capitólio em Washington, D.C. Só quando estava no décimo degrau dessa beldade branca, comecei a detestá-la. Que sádico cruel faria uma mulher de vestido longo justo e saltos altos finos subir tal colina do inferno? Na medida em que não podia odiar o arquiteto nem mesmo o funcionário do museu que o contratara, fui obrigada a odiar Miranda, que geralmente era acusada de, direta ou indiretamente, causar toda a infelicidade e coisa ruim na minha vida.

O alto parecia a uma milha de distância, e recordei as aulas de spinning que eu costumava frequentar quando ainda tinha tempo para ir à academia. Uma instrutora nazista sentava-se em sua pequena bicicleta e gritava ordens em um perfeito *staccato* militar:

– Bombear, bombear, e respirar, respirar! Subam, gente, subam esta colina. Estão quase no alto! Não desistam agora! Subam! – Fechei os olhos e tentei me imaginar pedalando, o vento no meu cabelo, atropelando a instrutora, mas subindo, continuando a subir. Oh, qualquer coisa para esquecer a dor cruel que ia do mindinho ao calcanhar, e do calcanhar ao mindinho. Mais dez degraus, era tudo o que restava, só mais dez, oh, Deus, a umidade em meus pés era sangue? Teria de andar até Miranda com um longo Oscar suado e sangue nos pés? Por favor, oh, por favor, diga que estou quase lá e... cheguei! O topo. A sensação de vitória não foi menos intensa do que a de um velocista de categoria mundial que acaba de ganhar a sua primeira medalha de ouro. Inalei com força, apertei os dedos para rechaçar a urgência de um cigarro da vitória e reapliquei meu batom vagabundo. Estava na hora de ser uma *lady*.

O guarda abriu a porta para mim, curvou-se ligeiramente, e sorriu. Provavelmente pensou que eu era uma convidada.

– Olá, senhorita, deve ser Andrea. Ilana disse para se sentar logo ali que ela estará aqui em um minuto. – Virou-se e falou discretamente em um microfone em sua manga, e balançou a cabeça ao escutar a resposta. – Sim, logo ali, senhorita. Ela virá assim que puder.

Olhei em volta a enorme entrada, mas não estava a fim de passar pelo incômodo de ajeitar o vestido ao me sentar. Além disso, quando teria outra chance de estar no Metropolitan Museum of Art, depois do horário de funcionamento, aparentemente sem ninguém? As bilheterias estavam vazias e as galerias do térreo estavam escuras, mas a sensação de história, de cultura, era impressionante. O silêncio era ensurdecedor.

Depois de quase 15 minutos olhando em volta, tomando cuidado para não me afastar demais do aspirante a agente do Serviço Secreto, uma garota de aparência comum, usando um longo azul-marinho, atravessou o *foyer* e veio em minha direção. Fiquei surpresa como alguém com um cargo tão glamouroso quanto o dela (trabalhando no departamento de eventos especiais do museu) pudesse ser tão simples, e me senti, instantaneamente, ridícula, como uma garota do interior tentando se vestir para um evento black-tie em uma cidade grande – o que, ironicamente, correspondia exatamente ao que eu era. Ilana, por outro lado, parecia nem ter-se dado o trabalho de trocar a roupa de trabalho, e, mais tarde, soube que realmente foi assim.

– Por que me incomodar com isso? – ela tinha rido. – Essas pessoas não estão aqui para olhar para mim. – Seu cabelo castanho era liso e sedoso, mas faltava-lhe um corte, e seus sapatos baixos marrons eram terrivelmente antiquados. Mas seus olhos azuis eram brilhantes e gentis, e eu soube, no mesmo instante, que gostaria dela.

– Você deve ser Ilana – eu disse, sentindo que, de alguma maneira, eu tinha precedência na situação e deveria assumir o controle. – Sou Andrea. Sou a assistente de Miranda, e estou aqui para ajudar no que puder.

Ela pareceu tão aliviada que eu imediatamente me perguntei o que Miranda lhe havia dito. As possibilidades eram infinitas, mas imaginei que tivesse a ver com o traje *Ladies' Home Journal* de Ilana. Estremeci ao pensar na coisa perversa que ela teria dito a uma criatura tão doce e rezei para que não tivesse chorado. Em vez disso, ela se virou para mim com aqueles grandes olhos inocentes, inclinou-se à frente e declarou, nem um pouco serena:

– A sua chefe é uma puta de primeira classe.

Olhei-a chocada durante um momento até me recuperar.

– É, não é? – eu disse, e nós duas rimos. – O que precisa que eu faça? Miranda vai sentir que estou aqui em mais ou menos dez segundos, de modo que devo parecer estar fazendo algo.

– Venha, vou mostrar a mesa – disse ela, descendo um corredor obscuro, na direção da exposição de arte egípcia. – Está fantástica.

Chegamos a uma galeria menor, talvez do tamanho de uma quadra de tênis com uma mesa retangular de 24 lugares no meio. Robert Isabell merecia a fama. Era o planejador de festas de Nova York, o único em quem se podia confiar para acertar o tom com uma atenção espantosa ao detalhe: elegante sem obedecer a modismos; luxuosa, mas sem ostentação; exclusiva sem extrapolar. Miranda insistiu que Robert fizesse tudo. A única vez que eu vira um trabalho seu tinha sido na festa de aniversário de Cassidy e Caroline. Eu sabia que ele conseguiria transformar a sala de estar de Miranda, estilo colonial, em um bar chique do Centro (completo, com balcão de refrigerantes – em copos de martíni, é claro –, de camurça, com bancos embutidos, e uma sacada aquecida, coberta por um toldo com o tema marroquino) para crianças de dez anos, mas essa estava realmente espetacular.

Tudo brilhava em branco. Luz branca, branco suave, branco luminoso, branco com textura e branco suntuoso. Ramos de peônias brancas pareciam crescer na própria mesa, deliciosamente viçosas, mas de altura suficiente para não atrapalharem as pessoas quando conversassem sobre elas. Porcelana branca (com um padrão xadrez branco) sobre uma toalha de mesa de linho branco, e cadeiras de espaldar alto forradas de exuberante camurça branca (o perigo!), tudo sobre um carpete felpudo branco, especialmente colocado para a noite. Velas votivas brancas em castiçais brancos simples, de porcelana, emitiam uma luz branca suave, destacando (mas não queimando) as peônias e fornecendo uma iluminação sutil, discreta, ao redor da mesa. A única cor na sala toda vinha das telas elaboradas, de vários matizes, penduradas nas paredes circundando a mesa, azuis, verdes e dourados vivos nas representações do começo da vida egípcia. A mesa branca como um contraste deliberado com os quadros inestimáveis, detalhistas, foi engenhoso.

Quando virei minha cabeça para apreender o maravilhoso contraste da cor com o branco ("Esse Robert é realmente um gênio!"), uma figura vermelha vibrante chamou minha atenção. No canto, ereta sob um quadro que se assomava, estava Miranda, usando o Chanel vermelho bordado que havia sido encomendado, cortado, ajustado e lavado só para esta noite. E, embora fosse meio doloroso dizer que valia cada centavo (já que esses centavos somavam dezenas de milhares de dólares), ela realmente estava de tirar o fôlego. Ela própria era um *objet d'art*, o queixo projetado para cima e os músculos perfeitamente retesados, um alto-relevo neoclássico em seda Chanel. Não era bonita – os olhos um pouco redondos demais, o cabelo muito severo e o rosto muito duro –, mas era atraente de uma maneira que eu não compreendia, e independentemente da força que fazia para ficar fria e fingir estar admirando a sala, não conseguia tirar os olhos dela.

Como sempre, o som da sua voz interrompeu o meu devaneio.

– Ahn-dre-ah, sabe os nomes e a aparência de nossos convidados desta noite, não sabe? Presumo que tenha estudado adequadamente seus retratos. Espero que não me humilhe deixando de cumprimentar alguém pelo nome – comunicou olhando para lugar nenhum, somente o meu nome indicando que suas palavras, de alguma maneira, eram dirigidas a mim.

– Humm, sim – respondi, reprimindo o impulso de cumprimentá-la e ainda ciente de que a olhava fixamente. – Tirarei alguns minutos para revê-los e me certificar de que conheço todos. – Ela olhou para mim como se dissesse *É claro que irá, sua idiota*, e me obriguei a desviar os olhos e sair da galeria. Ilana estava bem atrás de mim.

– Do que ela estava falando? – cochichou, inclinando-se para mim. – Retratos? Ela está maluca?

Sentamo-nos em um banco de madeira desconfortável em um corredor meio escuro, nós duas precisando nos esconder.

– Ah, isso. Sim, normalmente eu passaria a última semana tentando descobrir fotos dos convidados desta noite e memorizando-as para poder saudá-los pelo nome – expliquei a uma Ilana horrorizada. Ela me olhava incrédula. – Mas como só hoje ela me disse para vir, só tive alguns minutos no carro para examiná-las. – O quê? – perguntei. – Acha isso estranho? Não importa. É um procedimento padrão para as festas de Miranda.

– Bem, achei que não haveria ninguém famoso aqui hoje à noite – disse ela, referindo-se às outras festas de Miranda no Met. Como ela era uma grande contribuidora, tinha frequentemente garantido o privilégio especial de alugar THE METROPOLITAN MUSEUM OF ART para festas e coquetéis particulares. O Sr. Tomlinson só precisou pedir uma vez, e Miranda se empenhou em tornar a festa de seu cunhado a melhor que o Met já tinha visto. Imaginou que impressionaria os ricos sulistas e suas esposas-troféus jantarem uma noite no Met. Ela tinha razão.

– Sim, não haverá ninguém conhecido, só um bando de bilionários com casas abaixo da linha Mason-Dixon. Geralmente, quando tenho de memorizar os rostos de convidados, encontro-os mais facilmente on-line ou na *Women's Wear Daily* ou algo assim. Quer dizer, geralmente podemos localizar uma imagem da rainha Noor, ou de Michael Bloomberg ou de Yohji Yamamoto, se for preciso. Mas encontrar o Sr. e Sra. Packard em algum subúrbio rico de Charleston ou onde quer que morem, não é tão fácil. A outra assistente de Miranda procurava essas pessoas enquanto todo o restante me arrumava, e ela acabou descobrindo quase todos nas colunas sociais dos jornais de suas cidades ou nos sites das diversas companhias, mas foi realmente muito chato.

Ilana continuou olhando. Acho que, de alguma maneira, eu soava como um robô, mas não conseguia parar. Seu choque só fez com que eu me sentisse pior.

– Só há um casal que ainda não consegui identificar, por isso acho que vou reconhecê-los por eliminação – eu disse.

– Nossa, não sei como faz. Estou chateada por ter de vir para cá em uma sexta à noite, mas não me imagino fazendo o seu trabalho. Como consegue? Como suporta ser tratada dessa maneira?

Levei um momento para perceber que a pergunta me pegava de surpresa: ninguém nunca tinha falado, voluntariamente, nada negativo sobre o meu trabalho. Eu sempre tinha achado que era a única – no meio de milhões de garotas imaginárias que dariam "a vida" pelo meu cargo – que percebia algo remotamente perturbador na minha situação. Foi mais terrível ver o choque em seus olhos do que testemunhar as centenas de coisas ridículas que eu via todo dia no trabalho; a maneira como ela me olhou, com essa pura, genuína piedade, desencadeou algo dentro de mim. Fiz o que não tinha feito em meses de trabalho sob condições desumanas para uma chefe cruel, o que sempre consegui reprimir para uma hora mais apropriada. Comecei a chorar.

Ilana me olhou mais chocada do que nunca.

– Oh, querida, venha cá! Sinto muito! Não quis provocar isso. Você é uma santa por aguentar essa bruxa, está me ouvindo? Venha comigo. – Puxou-me pela mão, e me conduziu por outro corredor escuro, em direção a um escritório nos fundos. – Agora sente-se por um minuto e esqueça tudo a respeito de como essa gente idiota se parece.

Funguei e comecei a me sentir idiota.

– E não se sinta estranha, entendeu? Tenho o pressentimento de que guarda isso dentro de você há muito, muito tempo, e precisa chorar de vez em quando.

Ela remexeu na mesa, procurando alguma coisa, enquanto eu tentava limpar o rímel das minhas bochechas.

– Aqui está – proclamou orgulhosa. – Destruirei isso logo depois de você vê-lo, e se chegar a pensar em contar a alguém, acabarei com a sua vida. Mas, olhe, é incrível. – Ela me deu um envelope de papel pardo selado com uma etiqueta de "Confidencial" e sorriu.

Rasguei a etiqueta e puxei uma pasta verde. Dentro havia uma foto – uma foto colorida, na verdade – de Miranda estendida em um banco comprido e estofado de restaurante. Imediatamente reconheci a foto, tirada por um famoso fotógrafo da sociedade, durante uma festa recente de aniversário para Donna Karan, no Pastis. Ela já tinha aparecido na revista *New York* e estava fadada a continuar a ser mostrada. Na foto, ela estava usando a sua famosa capa de chuva de pele de cobra, marrom e branca, a que eu sempre achei que a fazia parecer uma cobra.

Bem, parece que não era só eu, porque, nessa versão, alguém tinha sutilmente – habilidosamente – prendido um recorte do chocalho de uma cascavel onde seriam suas pernas. O efeito foi uma representação fabulosa de Miranda como serpente: ela apoiava o cotovelo no banco, embalando o queixo esculpido na palma da mão, e estendida no couro, com o chocalho enrolado em um semicírculo e pendendo da beira do banco. Era perfeito.

– Não está bárbaro? – perguntou Ilana, curvando-se sobre o meu ombro. – Linda veio à minha sala, uma tarde. Tinha acabado de passar o dia todo ao telefone com Miranda, selecionando em que galeria seria o jantar. Linda, naturalmente, insistia em uma galeria porque é, de longe, o espaço maior e mais bonito, mas Miranda ordenou que fosse em outra, perto da loja de presentes. Foram de uma para outra durante algum tempo até Linda finalmente, depois de dias de negociações, conseguir a permissão da direção para que acontecesse na galeria que Miranda queria. Mas ao ligar, excitada, para Miranda para lhe dar a grande notícia, adivinha o que aconteceu...

– Ela mudou de ideia, obviamente – eu disse tranquilamente, sentindo a sua irritação. – Ela decidiu fazer exatamente o que Linda tinha sugerido antes, mas só depois de ter certeza de que todo mundo passasse pelo teste.

– Exatamente. Bem, isso me deixou furiosa. Eu nunca tinha visto o museu inteiro virar de cabeça para baixo por alguém. Quer dizer, meu Deus!, o presidente dos Estados Unidos poderia pedir para oferecer um jantar ao Departamento de Estado aqui e eles não autorizariam! E, então, a sua chefe acha que pode chegar e mandar em todo mundo, tornar a nossa vida um inferno por dias seguidos. De qualquer maneira, fiz essa pequena foto como um estimulante para Linda. Sabe o que ela fez com isso? Reduziu-a na copiadora para poder levar uma na carteira! Achei que você ia gostar. Mesmo que seja só para se lembrar de que não está sozinha. Você, com certeza, é a que sofre mais, mas não está sozinha.

Pus a foto de volta no envelope confidencial e a devolvi a Ilana.

– Você é o máximo – eu disse tocando em seu ombro. – Agradeço muito, muito mesmo. Prometo nunca contar a ninguém onde a consegui, mas, por favor, me envie uma? Ela não cabe na bolsa Leiber, mas dou qualquer coisa se enviar uma para a minha casa. Por favor?

Ela sorriu e me disse para escrever o meu endereço, e nos levantamos e caminhamos (eu manquei) de volta ao *foyer* do museu. Eram quase sete horas e os convidados deveriam chegar a qualquer momento. Miranda e C-SEM estavam conversando com seu irmão, o convidado de honra, e noivo, que parecia ter jogado futebol de praia, futebol americano, lacrosse e rúgbi em uma escola sulista – onde ele estava sempre cercado de louras. A loura de 26 anos que iria se tornar a sua noiva estava a seu lado, em silêncio, olhando para ele com veneração. Estava segurando uma bebida, rindo de suas piadas.

Miranda estava de braço dado com C-SEM, com o mais falso dos sorrisos estampado no rosto. Eu não precisava ouvir o que estavam dizendo para saber que ela não estava respondendo no tempo apropriado. Cortesia social não era o seu forte, já que não tinha muita paciência com conversa fiada – mas eu sabia que a sua arrogância estaria no ápice nesta noite. Eu tinha passado a me dar conta de que todos os seus "amigos" se ajustavam a uma de duas categorias. Havia aqueles que ela via como "acima" dela e que deviam ser impressionados. Essa lista era curta, mas, de maneira geral, incluía pessoas como Irv Ravitz, Oscar de la Renta, Hillary Clinton, e todo astro do cinema de primeira classe. Em seguida, havia os "abaixo" dela, que deviam ser tratados com condescendência e subestimados, para que não se esquecessem de seus lugares, e que incluíam, basicamente, todas as outras pessoas: todos os funcionários da *Runway*, todos os membros da família, os pais dos amigos de suas filhas – a menos que, coincidentemente, se ajustassem na categoria número um –, quase todos os designers e os editores de outras revistas, cada pessoa isolada a serviço dessa área, tanto aqui quanto no exterior. Esta noite certamente seria divertida porque pessoas da categoria dois teriam de ser tratadas como de categoria um, simplesmente por causa de sua associação com o Sr. Tomlinson e o seu irmão. Sempre gostei das raras ocasiões em que podia observar Miranda tentar impressionar aqueles à sua volta, principalmente porque ela não se comportava naturalmente de maneira simpática.

Senti os primeiros convidados chegarem antes de vê-los. A tensão na sala era palpável. Apressei-me para abordar o casal e me oferecer para tirar o casaco de pele da mulher.

– Sr. e Sra. Wilkinson, muito obrigada por sua presença nesta noite. Por favor, eu fico com o casaco. E Ilana lhes mostrará o átrio, onde estão servindo os coquetéis.

Esperava não estar sendo vista durante o meu monólogo, mas o espetáculo era realmente ultrajante. Já tinha visto, nas festas de Miranda, mulheres vestidas como prostitutas e homens vestidos de mulher, modelos sem roupa nenhuma, mas nunca gente vestida dessa maneira. Eu sabia que não seria um grupo na última moda de

Nova York, mas esperava que parecessem com alguma coisa saída de *Dallas*; ao invés disso, pareciam uma versão elegante do elenco de *Amargo pesadelo*.

O irmão do Sr. Tomlinson, ele próprio com uma aparência distinta com seu cabelo prateado, cometeu o erro terrível de usar fraque branco – e em maio – com um lenço quadriculado e uma bengala. Sua noiva vestia um pesadelo de tafetá verde-esmeralda. Girava, estufava, juntava e obrigava seu enorme busto a se erguer até o alto do vestido, dando a impressão de que seus seios de silicone iriam sufocá-la. Diamantes do tamanho de taças Dixie pendiam de suas orelhas, e outro ainda maior cintilava na sua mão esquerda. Seu cabelo tinha sido descolorido com água oxigenada, assim como seus dentes, e seus saltos eram tão altos e tão finos que ela andava como se tivesse sido atacante na National Football League durante os últimos 12 anos.

– Queridoss, estou tão feliz por estarem conosco para uma pequena fesssta! Todo mundo gossta de fessstass, não? – Miranda cantou com voz de falsete. A futura Sra. Tomlinson parecia que ia desmaiar. Bem na frente dela estava a excepcional Miranda Priestly! Sua alegria constrangia a nós todos, e o grupo deplorável dirigiu-se ao átrio com Miranda à frente.

O restante da noite foi como o começo. Reconheci o nome de todos os convidados e consegui não dizer nada humilhante demais. O desfile de smokings brancos, chiffon, cabelo comprido, joias enormes e mulheres pós-adolescentes deixaram de me divertir à medida que as horas passavam, mas não me cansei de observar Miranda. Ela era a verdadeira *lady* e alvo de inveja de todas as mulheres no museu, naquela noite. E, embora compreendessem que nem todo dinheiro do mundo poderia lhes dar classe e elegância, nunca deixaram de desejá-lo.

Sorri genuinamente quando ela me dispensou na metade do jantar, como sempre sem um obrigada nem boa-noite. ("Ahn-dre-ah, não precisamos mais de você hoje à noite. Pode ir.") Procurei Ilana, mas ela já tinha escapulido. O carro levou apenas dez minutos para chegar – eu tinha pensado, por um breve momento, em pegar o metrô, mas não sabia como o Oscar ou meus pés se comportariam – e me afundei, exausta, mas calma, no banco de trás.

Quando passei por John a caminho do elevador, ele tirou de debaixo da sua mesa um envelope pardo.

– Chegou há alguns minutos. Está escrito "Urgente". – Agradeci e me sentei em um canto do saguão, imaginando quem me mandaria algo às dez da noite de uma noite de sexta-feira. Abri-o e vi um bilhete:

> Querida Andrea,
>
> foi tão bom conhecê-la hoje! Quer se encontrar comigo na semana que vem para um sushi ou algo assim? Deixei isso quando ia para casa. Achei que poderia usar esse estimulante depois de uma noite como a que tivemos. Aproveite.
>
> Beijinhos,
>
> Ilana.

Dentro estava a foto de Miranda como serpente, só que Ilana a tinha ampliado a um tamanho de 10x13. Olhei-a atentamente por alguns minutos, massageando os pés que, finalmente, tinham sido libertados dos Manolos, e olhei nos olhos de Miranda. Ela parecia intimidadora e vil, exatamente como a desgraçada que eu via todo dia. Mas esta noite ela também parecia triste, e nem um pouco solitária. Acrescentar essa foto à minha coleção e debochar dela com Lily e Alex não faria meus pés doerem menos, nem me devolveria a noite de sexta-feira. Rasguei-a e subi mancando.

15

— Andrea, é Emily. – Ouvi a voz rouca ao telefone. – Está me ouvindo? – Há meses Emily não me ligava de madrugada, por isso soube que se tratava de algo sério.

– Oi, claro. Você parece péssima – eu disse, sentando-me na cama e me perguntando se Miranda havia feito alguma coisa para deixá-la nesse estado. A última vez que Emily tinha ligado tão tarde assim foi quando Miranda ligou para ela às 23 horas de um sábado para que fretasse um jato particular para ela e o Sr. Tomlinson voltarem de Miami, já que o mau tempo tinha cancelado o voo regular. Emily estava se arrumando para ir à festa de seu próprio aniversário quando o telefone tocou e ela me ligou implorando para tratar disso. Mas eu só recebi a mensagem no dia seguinte, e quando respondi, ela ainda chorava.

– Perdi a festa do meu próprio aniversário, Andrea – lamentou-se no instante em que atendeu o telefone. – Faltei à festa do meu aniversário porque tive de fretar um jato para eles!

– Não podiam passar a noite em um hotel e voltar no dia seguinte, como pessoas normais? – perguntei, apontando o óbvio.

– Acha que não pensei nisso? Eu tinha suítes em coberturas reservadas para eles no Shore Club, Albion e Delano, sete minutos após a sua primeira ligação, pensando que ela não podia estar falando sério, quer dizer, meu Deus, era sábado à noite. Raios, como se freta um avião em uma noite de sábado?

– E ela não se interessou por essa ideia? – perguntei calmamente, sentindo-me realmente culpada por não tê-la ajudado e, ao mesmo tempo, aliviada por ter escapado dessa.

– Nem um pouco. Ficou ligando de dez em dez minutos, querendo saber por que eu ainda não tinha providenciado nada, e eu tendo de pôr as pessoas na espera para falar com ela, e quando voltava aos outros, tinham desligado. – Ela arfou. – Foi um pesadelo.

– E o que aconteceu? Chego a ter medo de perguntar.

– O que aconteceu? O que finalmente *não* aconteceu? Liguei para todas as companhias de táxi aéreo no estado da Flórida e, como deve imaginar, não atendiam o telefone à meia-noite de um sábado. Liguei para cada piloto individualmente, para companhias aéreas domésticas para ver se indicavam alguém, consegui até falar com uma espécie de supervisor no Aeroporto Internacional de Miami. Eu disse que precisava de um avião em meia hora para trazer duas pessoas a Nova York.

SABE O QUE ELE FEZ?

– O quê?

– Ele riu. Histericamente. Acusou-me de estar sendo uma agente para terroristas, traficantes de drogas etc. Disse-me que eu tinha mais chances de ser atingida por um raio exatamente vinte vezes do que conseguir um avião e um piloto àquela hora, independentemente de quanto estava disposta a pagar. E que se eu ligasse de novo, ele seria obrigado a dirigir a minha exigência ao FBI. Dá para acreditar? – A essa altura, ela estava gritando. – Você acredita nisso? O FBI?

– E presumo que Miranda tampouco gostou disso, não?

– Sim, ela *adoroooouu.* Passou vinte minutos recusando-se a acreditar que não havia nem um único avião disponível. Eu lhe garanti que não se tratava de estarem todos tomados, mas apenas que era uma hora difícil para se tentar fretar um voo.

– E o que aconteceu em seguida? – Não conseguia ver essa história terminando bem.

– Por volta de uma e meia da manhã, ela, finalmente, aceitou que não voltaria para casa naquela noite. Não que isso tivesse qualquer importância, já que as meninas estavam com o pai e a babá estava à disposição durante todo o domingo, para o caso de precisarem dela. E mandou que eu comprasse as passagens para o primeiro voo de manhã.

Era curioso. Se o seu voo tinha sido cancelado, supus que a companhia aérea a teria registrado no primeiro voo de manhã, principalmente considerando-se seu status de milhagem VIP-plus-ouro-platina-diamante-executivo e o custo original de seus bilhetes de primeira classe. E foi o que eu disse.

– Sim, bem, a Continental os colocou no primeiro voo para Nova York, às seis e cinquenta da manhã. Mas quando Miranda soube que alguém tinha conseguido um voo Delta às seis e trinta e cinco, ficou furiosa. Chamou-me de idiota incompetente, perguntando-me várias vezes para que servia uma assistente se não era capaz de fazer algo tão simples quanto providenciar um avião particular. – Ela fungou e tomou um gole de alguma coisa, provavelmente café.

– Ó meu Deus, sei o que vai dizer. Diga-me que não fez isso.

– Fiz.

– Não fez. Só pode estar brincando. Por 15 minutos?

– Fiz! Que escolha eu tinha? Ela estava realmente insatisfeita comigo. Pelo menos dessa maneira pareceria que eu estava fazendo alguma coisa. Foram mais uns 2 mil dólares, não exatamente muito. Ela estava quase *feliz* quando desligamos. O que mais você pode querer?

A essa altura, nós duas começamos a rir. Eu sabia, sem precisar Emily me contar – e ela sabia que eu sabia –, que ela tinha se adiantado e comprado mais duas passagens na classe *business* no voo Delta só para que Miranda calasse a boca, para fazer as exigências e os insultos constantes cessarem.

Eu quase sufoquei nesse ponto.

– Então, espere aí. Quando você estava providenciando um carro para levá-la ao Delano...

– Eram quase três da manhã e ela tinha me ligado exatamente 22 vezes desde as onze. O motorista esperou eles tomarem banho e se trocarem na suíte na cobertura e, depois, levou-os de volta ao aeroporto a tempo do *primeiro* voo.

– Pare! Por favor, pare – gritei, gargalhando diante dessa série encantadora de eventos. – Isso não pode ter acontecido.

Emily parou de rir e tentou fingir seriedade.

– Mesmo? Acha que já contei tudo? Pois falta a melhor parte.

– Oh, conte, conte logo! – Eu estava alegre por eu e Emily termos, por uma vez, conseguido achar algo engraçado na mesma hora. Era bom se sentir parte de um grupo, uma metade na batalha contra o opressor. E me dei conta pela primeira vez de como o ano teria sido diferente se Emily e eu tivéssemos sido verdadeiramente amigas, se tivéssemos defendido, protegido e confiado uma na outra o bastante para encarar Miranda como uma frente unida. As coisas provavelmente não teriam sido tão insuportáveis, mas, exceto as raras vezes como essa, nós discordávamos a respeito de quase tudo.

– A melhor parte disso tudo? – Ficou em silêncio, prolongando um pouco mais a alegria que sentíamos. – Ela não percebeu, é claro, mas embora o voo Delta decolasse antes, estava programado para aterrissar oito minutos depois do seu voo Continental original!

– Oh, fala sério! – gritei sentindo prazer com esse novo pedaço delicioso de informação. – Você deve estar me gozando!

Quando finalmente desligamos, fiquei surpresa ao constatar que tínhamos conversado por mais de uma hora, exatamente como duas amigas de verdade fariam. É claro que, imediatamente, retrocedemos à hostilidade contida na segunda-feira, mas os meus sentimentos por Emily tornaram-se um pouco mais afetuosos depois desse fim de semana. Até agora, é claro. Com certeza, eu não gostava dela o bastante para ouvir seja lá o que fosse de irritante ou inconveniente que ela estivesse preparando para jogar em cima de mim.

– Verdade, você parece péssima. Está doente? – tentei, valentemente, colocar um toque de simpatia em minha voz, mas a pergunta saiu agressiva e acusatória.

– Oh, sim – falou com a voz rouca, antes de um acesso de tosse seca. – Sim, muito doente.

Eu nunca acreditava quando alguém dizia estar doente: sem um diagnóstico oficial e potencialmente fatal, estávamos, nós da *Runway*, bem o suficiente para trabalhar. De modo que quando Emily parou de tossir seco e reiterou que estava realmente mal, sequer considerei a possibilidade de ela não ir trabalhar na segunda-feira. Afinal, ela viajaria para Paris para se encontrar com Miranda no dia 18 de outubro, dali a pouco mais de uma semana. Além disso, eu tinha conseguido ignorar umas duas infecções de garganta, algumas crises de bronquite, uma terrível gastroenterite por ter comido algo estragado, um pigarro constante de fumante, e resfriado, e não tinha tirado nem um dia por doença em quase um ano de trabalho.

Eu tinha conseguido uma consulta e um médico quando, em uma das infecções de garganta, fiquei desesperada por um antibiótico (entrei no seu consultório e mandei que me examinasse imediatamente, quando Miranda e Emily achavam que eu estava fora, me informando sobre carros para o Sr. Tomlinson), mas nunca houve tempo para um tratamento preventivo. Embora eu tivesse tido à minha disposição uma dezena de sessões de reflexos feitos por Marshall, algumas massagens gratuitas de spas que se sentiam honrados em ter uma assistente de Miranda como convidada, e inúmeras manicures, pedicures e vários tratamentos para melhorar e mudar de imagem, não tinha ido a um dentista ou a um ginecologista em um ano.

– Há alguma coisa que eu possa fazer? – perguntei, tentando parecer natural e quebrando a cabeça para entender por que tinha me ligado para dizer que não estava se sentindo bem. Até onde nós duas sabíamos, isso era completamente irrelevante. Ela trabalharia na segunda se sentindo bem ou não.

Ela tossiu e escutei o catarro roncando em seus pulmões.

– Hum, é isso, verdade. Deus, não acredito que isso esteja acontecendo comigo!

– O quê? O que está acontecendo?

– Não posso ir à Europa com Miranda. Estou com mononucleose infecciosa.

– O quê?

– Você ouviu, não posso ir. O médico ligou hoje com o resultado do exame de sangue, e não posso sair de casa durante as próximas três semanas.

Três semanas! Não podia estar falando sério. Não estava na hora de ela passar mal. Tinha acabado de me dizer que não ia para a Europa, e tinha sido só isso – a ideia de que Miranda e Emily estariam fora da minha vida – que tinha me dado forças nos últimos meses.

– Em, ela vai matar você. Tem de ir! Ela já sabe?

Houve um silêncio agourento no outro lado da linha.

– Hum, sim, ela sabe.

– Você ligou?

– Sim. Fiz o médico ligar para ela, porque ela não considera o fato de eu estar com mononucleose me qualifique como doente, portanto ele teve de lhe dizer que eu poderia infectá-la e a todo mundo, e de qualquer jeito... – A sua frase se arrastou, e o seu tom sugeriu algo muito, mas muito pior.

– De qualquer jeito o quê?

– De qualquer jeito... ela quer que você vá com ela.

– Ela quer que eu vá com ela, hein? Que gentil. O que ela disse exatamente? Não ameaçou despedi-la porque ficou doente, ameaçou?

– Andrea, falo... – uma tosse agora encatarrada fez sua voz tremer e achei, por um momento, que ela poderia morrer naquele mesmo instante, falando comigo ao telefone – sério. Não podia ser mais sério. Ela disse alguma coisa sobre as assistentes que lhe dão lá fora serem idiotas e que ter até mesmo você seria melhor do que elas.

– Ah, bem, se é assim, conte comigo! Nada como um elogio para me convencer a fazer alguma coisa. Falando sério, ela não deve ter dito coisas tão simpáticas. Estou vermelha! – Não sabia se me concentrava no fato de Miranda querer que eu fosse para Paris com ela ou em ela só ter me chamado porque me considerava ligeiramente menos burra do que meus clones franceses anoréxicos, bem...

– Ah, cale a boca já – falou com a voz rouca entre acessos de tosse, agora aborrecidos. – Você é a pessoa mais sortuda do mundo. Esperei dois anos, mais de dois anos, por essa viagem, e agora não posso ir. A ironia disso é dolorosa. Você se dá conta disso, não dá?

– É claro que sim! É um clichê excepcional: essa viagem é a única razão da sua vida e a ruína da minha existência, ainda assim eu vou, e você não. A vida é engraçada, não é? Estou rindo tanto que não consigo parar – falei impassível, não parecendo nem um pouco que estava me divertindo.

– Bem, acho também que é desagradável, mas o que se pode fazer? Já liguei para Jeffy e lhe disse para começar a procurar roupas para você. Vai ter que levar uma tonelada, já que precisará de trajes diferentes para cada desfile, cada jantar e, é claro, para a festa de Miranda no Hotel Costes. Allison vai ajudá-la com a maquiagem. Peça a Stef, dos acessórios, bolsas, sapatos e joias. Você só tem uma semana, por isso comece isso assim que chegar amanhã, ok?

– Ainda não acredito que ela espere que eu faça isso.

– Bem, acredite, porque com certeza ela não estava brincando. Como não poderei ir ao escritório durante a semana inteira, você também vai ter de...

– O quê? Não vai nem mesmo ao *escritório*? – Eu não havia tirado um dia de licença nem passado uma única hora fora do escritório enquanto Miranda estava lá, mas Emily tampouco. A única vez que isso quase aconteceu foi quando o seu avô morreu. Ela tinha conseguido ir para casa, na Filadélfia, comparecido ao funeral, e voltado à sua mesa, sem perder um minuto de trabalho. Era assim que as coisas funcionavam. Ponto final. Exceto por morte (somente parentes mais próximos), desmembramento (o seu próprio) ou guerra nuclear (somente se confirmado pelo governo dos Estados Unidos que atingiria diretamente Manhattan), o funcionário tinha de trabalhar. Esse seria um momento crucial no regime Priestly.

– Andrea, estou com mononucleose. Altamente infecciosa. É sério, verdade. Não posso sair do apartamento nem para um café, muito menos para trabalhar. Miranda entendeu, e por isso você vai ter de segurar a barra. Terá muito o que fazer para aprontar vocês duas para Paris. Miranda vai na quarta para Milão e, então, você parte para encontrá-la em Paris na terça seguinte.

– Ela entendeu isso? Ora, deixa disso! O que foi que ela realmente disse? – Recusei-me a acreditar que ela aceitara algo tão comum quanto mononucleose como desculpa para não estar disponível. – Dê-me esse pequeno prazer. Afinal, a minha vida será um inferno nas próximas semanas.

Emily deu um suspiro, e pude sentir que ela revirava os olhos pelo telefone.

– Bem, ela não ficou muito animada. Na verdade, eu não falei com ela, entende?, mas o meu médico disse que ela ficava perguntando se mononucleose era uma doença "de verdade". Mas quando ele garantiu que era, ela foi muito compreensiva.

Dei uma gargalhada.

– Estou certa que sim, Em, tenho certeza de que foi. Não se preocupe com nada, ok? Concentre-se apenas em ficar boa, e eu cuidarei do restante.

– Vou lhe passar uma lista por e-mail, para que não se esqueça de nada.

– Não vou me esquecer de nada. Ela esteve na Europa quatro vezes no ano passado. Tenho tudo anotado. Vou tirar o dinheiro no banco, trocar os dólares por euros e comprar mais alguns milhares de dólares em cheques de viagem, e confirmar de novo as horas de seu cabelo e maquiagem enquanto ela estiver lá. O que mais? Ah, me certificar de que o Ritz lhe dê o celular certo dessa vez, e falarei antecipadamente com o motorista para garantir que nunca a deixem esperando. Já estou pensando em todas as pessoas que terão necessidade de seu itinerário, que eu digitarei, sem problemas, e providenciarei para que seja distribuído. E, é claro, ela terá um itinerário detalhado no que se refere às aulas, práticas e recreação das gêmeas, e a relação completa do horário de trabalho do *staff* doméstico. Viu? Não precisa se preocupar. Tenho tudo sob controle.

– Não se esqueça do veludo – repreendeu, cantando as duas últimas palavras como se no piloto automático. – Nem das echarpes!

– É claro que não! Já estão na minha lista. – Antes de Miranda fazer as malas, ou melhor, de a sua governanta fazer suas malas, Emily ou eu comprávamos rolos de veludo em uma loja de tecidos e os levávamos ao apartamento de Miranda. Ali, trabalhávamos com a governanta cortando o veludo na forma e no tamanho exatos de cada peça de roupa que ela estivesse planejando levar, e a envolvíamos em seu lado felpudo. Os pacotes de veludo eram, então, empilhados em dezenas de malas Louis Vuitton, com várias peças extras incluídas para quando ela, inevitavelmente, jogasse o primeiro lote fora ao desfazê-las em Paris. Além disso, geralmente metade de uma mala era ocupada por umas vinte e poucas caixas Hermès cor de laranja, cada uma com uma única echarpe branca, esperando ser perdida, esquecida, guardada em um lugar desconhecido, ou simplesmente, descartada.

DESLIGUEI O TELEFONE depois de Emily fazer um grande esforço para parecer sinceramente solidária e encontrei Lily estendida no sofá, fumando um cigarro e bebericando um líquido claro que com certeza não era água, em um copo de coquetel.

– Pensei que não poderíamos fumar aqui – eu disse, caindo do lado dela e pondo, imediatamente, os pés sobre a mesinha de centro de madeira arranhada que meus pais tinham dado. – Não que eu me importe, mas foi uma *regra* sua. – Lily não era uma fumante de tempo integral como eu. Ela fumava, em geral, somente quando bebia, e não era de comprar maços. Um maço novinho de Camel Special Lights projetava-se do bolso da sua camisa folgada. Cutuquei sua coxa com meu chinelo e balancei a cabeça na direção dos cigarros. Ela passou um para mim com o isqueiro.

– Eu sabia que você não se importaria – disse ela, dando uma tragada preguiçosa em seu cigarro. – Estou adiando, e isso ajuda a me concentrar.

– O que tem de fazer? – perguntei, acendendo meu cigarro e devolvendo o isqueiro. Ela estava fazendo 17 créditos neste semestre, em um esforço para melhorar sua média depois do desempenho medíocre na primavera passada. Observei-a dar mais uma tragada e lavá-la com mais um gole saudável de sua bebida que não era água. Não parecia estar no caminho certo.

Ela suspirou profundamente, significativamente, e falou com o cigarro pendendo do lado da boca. Ele ia para cima e para baixo, ameaçando cair a qualquer momento, e o seus cabelos despenteados e sem lavar, combinado com a maquiagem dos olhos borrada, fazia-a, só por um momento, se parecer com uma ré em *Judge Judy* (ou, talvez, uma queixosa, já que sempre eram iguais: sem dentes, cabelos oleosos, olhos opacos e propensão para usar dupla negação).

– Um artigo para um jornal acadêmico totalmente informal, esotérico, que ninguém jamais vai ler, mas ainda assim tenho de escrever, para que possa dizer que já publiquei algo.

– Isso é chato. É para quando?

– Amanhã. – Aparentava total indiferença. Ela parecia completamente descontraída.

– Amanhã? Verdade?

Ela me lançou um olhar de alerta, um lembrete rápido de que eu deveria, supostamente, estar do seu lado.

– Sim. Amanhã. O prazo está estourando, considerando que o Garoto Freudiano foi o designado para editá-la. Ninguém parece se importar com que ele seja aluno de psicologia, não literatura russa. São simplesmente editores amadores, e são os meus. *Não há como* eu lhes enviar a tempo. Que se danem. – De novo, verteu um pouco do líquido garganta abaixo, fazendo um esforço óbvio para não sentir o gosto, e fez uma careta.

– Lil, o que aconteceu? Já faz alguns meses, mas o que ouvi pela última vez era que você estava levando as coisas devagar e que ele era perfeito. É claro que foi antes dessa... dessa coisa que você trouxe para casa, mas...

Outro olhar de alerta, dessa vez seguido por olhos furiosos. Eu tinha tentado falar com ela sobre o incidente do Freak Boy várias vezes, mas parecia que nunca conseguíamos estar a sós, e, ultimamente, nunca tínhamos muito tempo para trocar confidências. Ela mudava imediatamente de assunto sempre que eu insinuava falar sobre isso. Eu sabia que ela estava constrangida; tinha reconhecido que ele era repugnante, mas não discutira nada sobre a bebida excessiva como responsável pelo episódio.

– Sim, bem, aparentemente, em algum momento naquela noite, eu liguei para ele do Au Bar e pedi que fosse se encontrar comigo – disse ela, evitando me encarar, e concentrando-se no controle remoto para trocar de faixa no fúnebre CD Jeff Buckley, que parecia estar tocando sem parar.

– E então? Ele chegou e a viu conversando com, ahn, com outra pessoa? – Tentei não afastá-la criticando-a. Obviamente havia muita coisa passando por sua cabeça, os problemas na escola, a bebida e o aparentemente infinito suprimento de rapazes, e eu queria que ela se abrisse com alguém. Ela nunca tinha escondido nada de mim antes, até mesmo porque só tinha a mim, mas não andava me contando muitas coisas ultimamente. Ocorreu-me como era estranho só estarmos falando sobre isso quatro meses depois de ter acontecido.

– Não, não exatamente – disse ela, amarga. – Ele foi de Morningside Heights até lá só para não me encontrar. Aparentemente, ligou para o meu celular e Kenny atendeu, e não foi muito simpático.

– Kenny?

– Aquela *coisa* que eu trouxe para casa no começo do verão, lembra? – disse sarcasticamente, só que, dessa vez, sorriu.

– Ah. Imagino que o Garoto Freudiano não levou isso numa boa.

– Não. Mas não importa. Assim como veio, assim vai, certo? – Precipitou-se para a cozinha com o copo vazio e a vi se servir de uma garrafa de Ketel One pela metade. Escutei um pequeno ruído de soda sendo derramada e ela estava de volta ao sofá.

Estava para indagar, da maneira mais gentil possível, por que estava se encharcando de vodca quando tinha de escrever um artigo para o dia seguinte, quando tocou o interfone.

– Quem é? – gritei para John apertando o botão.

– O Sr. Fineman está aqui para ver a Srta. Sachs – anunciou formalmente, sempre profissional quando tinha gente por perto.

– Mesmo? Bem, ótimo. Mande-o subir.

Lily olhou para mim e ergueu as sobrancelhas, e percebi que, mais uma vez, não teríamos essa conversa.

– Parece animada – disse ela com um sarcasmo óbvio. – Não está exatamente emocionada com a chegada surpresa do seu namorado, está?

– É claro que estou – eu disse na defensiva, e nós duas sabíamos que eu estava mentindo. As coisas com Alex tinham ficado tensas nas últimas semanas. Realmente tensas. Tínhamos, no entanto, conseguido ficar juntos, apesar de tudo. Depois de quase quatro anos, certamente sabíamos o que o outro queria ouvir ou precisava fazer. Mas ele tinha compensado o tempo que eu passava trabalhando sendo ainda mais dedicado à escola. Oferecia-se como voluntário para técnico, professor particular, orientador e diretor de praticamente qualquer atividade que se pudesse imaginar. E quando estávamos juntos era tão excitante como se já estivéssemos casados há trinta anos. Tínhamos uma compreensão tácita de que esperaríamos até eu completar meu ano de servidão, mas eu não queria pensar como ficaria, então, a relação.

Mas, ainda assim, eram duas pessoas próximas – primeiro Jill (que tinha ligado outra noite para falar sobre a situação) e agora Lily

– que haviam apontado que Alex e eu não estávamos muito encantadores quando juntos ultimamente, e eu tinha de admitir que Lily, à sua maneira embriagada, mas ainda assim, sensata, tinha notado que eu não tinha ficado feliz ao ouvir que ele chegara. Eu estava com medo de lhe dizer que ia para a Europa, temendo a briga inevitável que desencadearia, uma briga que eu teria preferido adiar por mais alguns dias. O ideal seria deixar para quando eu já estivesse lá. Mas não tive essa sorte, ele estava batendo à porta.

– Oi! – eu disse um tanto entusiasmada demais ao abrir a porta e lançar meus braços em volta do seu pescoço. – Que surpresa boa!

– Não se importa de eu ter passado, importa-se? Tomei um drinque com Max aqui perto, e pensei em passar para ver você.

– É claro que não me importo, seu bobo! Adorei. Entre, entre. – Eu sabia que estava parecendo uma maníaca. Mas qualquer psiquiatra teórico facilmente salientaria que o meu entusiasmo exterior pretendia compensar todo o vazio interior.

Ele pegou uma cerveja e beijou Lily no rosto, e sentou-se na poltrona laranja que meus pais haviam guardado da década de 1970, sabendo que, um dia, dariam a uma de suas filhas.

– Então, como vão as coisas? – perguntou, balançando a cabeça na direção do som, onde uma versão realmente triste de "Hallelujah" tocava alto.

Lily encolheu os ombros.

– Adiando. O que mais?

– Bem, tenho algumas novidades – eu disse, tentando parecer entusiasmada e, assim, convencer a mim mesma e Alex de que era, de fato, um acontecimento positivo. Ele tinha estado tão empolgado fazendo planos para o fim de semana do reencontro da nossa turma, e eu tinha sido tão enfática incentivando-o a fazer, que parecia extremamente cruel cancelar a viagem a menos de uma semana e meia de acontecer. Tínhamos passado uma noite inteira pensando sobre quem queríamos convidar para o nosso grande *brunch* de domingo, e até sabíamos exatamente onde e com quem enfileiraríamos o carro na competição Brown-Dartmouth, no sábado.

Os dois olharam para mim, nem um pouco desconfiados, até Alex finalmente dizer:

– É mesmo? O que houve?

– Bem, acabo de receber uma ligação... vou passar uma semana em Paris! – eu disse isso com a exuberância de quem anunciava a um casal estéril que teriam gêmeos.

– Vai aonde? – perguntou Lily, parecendo perplexa e distraída, não totalmente interessada.

– Vai *por quê*? – perguntou Alex ao mesmo tempo, parecendo tão feliz quanto se eu tivesse acabado de comunicar que tinha sífilis.

– Emily acaba de descobrir que está com mononucleose, e Miranda quer que eu a acompanhe aos desfiles. Não é fantástico? – eu disse, com um sorriso animado. Era exaustivo. Estava apavorada de ir, mas era dez vezes pior convencê-lo de que era realmente uma grande oportunidade.

– Não compreendo. Ela não vai a desfiles umas mil vezes por ano? – perguntou ele. Eu assenti balançando a cabeça. – Então, por que, de repente, precisa que vá com ela?

A essa altura, Lily tinha se desligado e parecia envolvida em folhear um número antigo da *The New Yorker.* Eu tinha guardado todos os números durante os últimos cinco anos.

– Ela dá uma festa grande nos desfiles da coleção de primavera em Paris e gosta de ter uma das assistentes americanas com ela. Ela irá primeiro a Milão e eu irei encontrá-la depois em Paris. Para, entendem?, supervisionar tudo.

– E essa assistente americana tem de ser você, o que significa que não vai ao reencontro da turma – disse sem rodeios.

– Bem, é assim que a coisa funciona normalmente. Como é considerado um enorme privilégio, geralmente a assistente sênior é a única que vai, mas como Emily está doente, eu irei. Terei de partir na terça que vem, por isso não poderei ir a Providence neste fim de semana. Sinto muito, muito mesmo. – Fui sentar-me mais perto dele, no sofá, mas ele imediatamente se enrijeceu.

– Então é simples assim, não? Sabe, já paguei pelo quarto para garantir a reserva. Não importa que *eu* tenha refeito todo o *meu* horário para ir com você neste fim de semana. Eu disse à minha mãe para arranjar uma babá porque *você* queria ir. Nada tão grave, certo? Só mais uma obrigação *Runway*. – Em todos esses anos que havíamos passado juntos, eu nunca o tinha visto com tanta raiva. Até Lily ergueu os olhos da revista pelo tempo suficiente para pedir licença e dar o fora da sala antes que a situação virasse uma guerra.

Tentei me aconchegar no seu colo, mas ele cruzou as pernas e agitou a mão.

– Estou falando sério, Andrea. – Ele só me chamava assim quando estava realmente irritado. – Vale a pena mesmo tudo isso? Seja franca comigo por um segundo. Para você, vale a pena?

– Tudo o quê? Se compensa faltar a uma reunião da turma, quando acontecerão dezenas de outras. Se vale a pena eu fazer o que tenho de fazer para o meu trabalho? Um trabalho que abrirá portas para mim, oportunidades que nunca achei possíveis, e mais cedo do que eu esperava? Sim! Vale a pena.

Seu queixo caiu e, por um momento, achei que fosse chorar, mas quando o ergueu de novo, seu rosto só expressava raiva.

– Não acha que prefiro ir com você a ser a escrava de alguém por 24 horas, uma semana inteira? – gritei, esquecendo-me completamente de que Lily estava em casa. – Pode parar por um segundo de pensar na possibilidade de eu não querer ir, e sim em que não tenho escolha?

– Não tem escolha? Você só tem escolhas! Andy, esse trabalho deixou de ser um emprego, caso não tenha notado. Ele está dominando a sua vida! – gritou, o vermelho em seu rosto se espalhando para o pescoço e as orelhas. Normalmente eu achava isso engraçadinho, até mesmo sexy, mas nesta noite eu só queria ir dormir.

– Alex, ouça, sei que...

– Não, é *você* que vai ouvir! Esquecer-se de mim por um segundo não exige muito esforço, mas esquecer que nunca mais nos vimos por causa das horas que trabalha, por causa das suas intermináveis emergências no trabalho? E seus pais? Quando foi a última vez que os viu? E a sua irmã? Você se dá conta de que ela acaba de ter o seu primeiro bebê e você ainda nem conhece seu sobrinho? Isso não significa nada para você? – Baixou a voz e se aproximou. Pensei que talvez fosse pedir desculpas, mas disse: – E Lily? Não notou que a sua melhor amiga se tornou uma alcoólatra? – Devo ter parecido chocada, porque ele prosseguiu. – Não pode nem mesmo pensar em dizer que não percebeu, Andy. É a coisa mais óbvia do mundo.

– Sim, é claro que ela bebe. Mas você também, eu também e todo mundo que conhecemos. Lily é estudante, e é isso que estudantes fazem, Alex. O que tem de tão estranho? – Pareci ainda mais patética ao dizer isso alto, e ele só fez sacudir a cabeça. Ficamos calados por alguns minutos, e então ele falou.

– Você não entende, Andy. Não sei exatamente como aconteceu, mas sinto como se não a conhecesse mais. Acho que precisamos dar um tempo.

– O quê? O que está dizendo? Quer terminar? – perguntei, percebendo tarde demais que ele falava sério. Alex era tão compreensivo, tão doce, tão disponível, que eu começara a achar que sempre estaria por perto para escutar ou me acalmar depois de um dia longo, ou me animar, quando todo mundo só fazia me atacar. O único proble ma era que eu não estava cumprindo a minha parte.

– Não, de jeito nenhum. Não romper, apenas dar um tempo. Acho que ajudará a nós dois reavaliarmos o que está acontecendo. É óbvio que você não parece feliz comigo ultimamente, e eu não posso dizer que tenho adorado estar com você. Talvez um tempo separados seja bom para nós dois.

– Bom para nós dois? Acha que isso vai nos ajudar? – eu queria gritar a banalidade de suas palavras, a sua ideia de que "dar um tempo" fosse realmente nos aproximar. Parecia egoísmo ele estar fazendo isso agora, justo quando eu estava cumprindo o que esperava ser uma sentença de um ano na *Runway*, e dias antes de eu realizar o maior desafio da minha carreira. Qualquer pontada de tristeza ou preocupação de minutos atrás foi rapidamente substituída pela irritação. – Ótimo, então. Vamos "dar um tempo" – eu disse de modo intencionalmente sarcástico. – Uma pausa. Parece uma grande ideia.

Olhou fixo para mim com aqueles grandes olhos castanhos, e uma expressão de surpresa e mágoa esmagadora, e então fechou-os com força, em um esforço de apagar a imagem do meu rosto.

– Ok, Andy. Vou livrá-la de sua óbvia infelicidade, já estou indo. Espero que aproveite Paris, de verdade. Falo com você depois. – E antes mesmo de eu perceber o que estava realmente acontecendo, ele me beijou no rosto, como faria em Lily ou minha mãe, e se dirigiu à porta.

– Alex, não acha que deveríamos falar sobre isso? – eu disse, tentando manter a voz calma, perguntando-me se ele iria mesmo embora agora.

Ele virou-se, deu um sorriso triste, e disse:

– Não vamos falar mais hoje à noite, Andy. Falamos durante meses, durante o *ano*, não resolveremos nada agora. Pense nisso tudo, ok? Ligo daqui a algumas semanas, quando tiver voltado. E boa sorte em Paris. Eu sei que será ótimo. – Abriu a porta, saiu e a fechou calmamente atrás de si.

Corri para o quarto de Lily para que ela me dissesse que ele estava exagerando, que eu tinha de ir a Paris porque era o melhor para o meu futuro, que ela não tinha problema com bebida, que eu não era uma má irmã por sair do país quando Jill acabara de ter o seu primeiro filho. Mas ela estava apagada sobre a cama, completamente vestida, o copo vazio na mesa de cabeceira. O seu laptop Toshiba estava aberto do seu lado e eu pensei se ela teria conseguido escrever uma única palavra. Olhei. Bravo! Tinha preenchido o cabeçalho com o seu nome, número da turma, nome do professor e a versão supostamente provisória do título do artigo: "Os Desdobramentos Psicológicos de se Apaixonar por seu Leitor." Dei uma gargalhada, mas ela não se mexeu. Pus o computador em sua mesa, acertei o despertador para as sete e apaguei as luzes.

Meu celular tocou assim que entrei em meu quarto. Depois da taquicardia durante os cinco segundos iniciais que eu sofria toda vez que tocava, com medo de que fosse Ela, abri-o imediatamente, sabendo que era Alex. Sabia que ele não deixaria as coisas sem concluí-las. Era o mesmo cara que não conseguia dormir sem um beijo de boa noite e sem desejar bons sonhos; não havia como ele simplesmente sair tranquilo com a sugestão de não nos falarmos por algumas semanas.

– Oi, gato – respirei, já sentindo saudades, mas feliz por falar com ele ao telefone e não ter de tratar de tudo pessoalmente naquele exato instante. Minha cabeça doía e os meus ombros pareciam colados às minhas orelhas, e eu só queria escutá-lo dizer que tudo havia sido um erro e que ele me ligaria amanhã. – Estou feliz por ter ligado.

– Gato? Uau! Estamos progredindo, hein, Andy? É melhor tomar cuidado ou vou pensar que está se insinuando para mim – disse Christian baixinho, com um sorriso que eu podia ouvir pelo telefone. – Eu também estou feliz por ter ligado.

– Ah, é você.

– Bem, não é a acolhida mais afetuosa que já recebi! Qual é o problema, Andy? Tem-me evitado ultimamente, não é?

– É claro que não – menti. – É só que tive um dia ruim. Como sempre. O que há de novo?

Ele riu.

– Andy, Andy, Andy. Deixa disso. Não tem motivo para estar tão infeliz. Você está a caminho de grandes oportunidades. Falando nisso, estou ligando para ver se quer ir comigo à cerimônia de entregas de prêmios PEN amanhã à noite. Vai ter um bando de gente interessante, e não a vejo há algum tempo. Puramente profissional, é claro.

Para uma garota que tinha lido tantos artigos "Como Saber se Ele está Pronto para um Compromisso" na *Cosmo*, era de esperar que estivesse mais alerta para perceber isso. E estava – simplesmente escolhi ignorá-los. Tinha sido um dia muito longo e por isso permiti a mim mesma achar – só por alguns minutos – que ele talvez, talvez, TALVEZ realmente fosse sincero. Dane-se. Senti-me bem em falar, por alguns minutos, com um homem que não me criticava, mesmo que se recusasse a aceitar que eu era comprometida. Eu sabia que não aceitaria o seu convite, mas alguns minutos de flerte inocente ao telefone não fariam mal a ninguém.

– Ah, é mesmo? – perguntei afetando timidez. – Fale mais sobre isso.

– Vou listar todas as razões por que acho que deve ir comigo, Andy. A primeira é a mais simples: eu sei o que é bom para você. Ponto final. – Deus, ele era arrogante. Por que eu achava isso tão simpático?

O jogo continuava. Tinha sido dada a largada, e só foram necessários mais alguns minutos para que a viagem a Paris, o desagradável hábito da vodca de Lily, e os olhos tristes de Alex desaparecessem no segundo plano da minha conversa nada-saudável-e-perigosa-emocionalmente-mas-ainda-assim-sexy-e-divertida com Christian.

16

Fora planejado que Miranda estaria na Europa uma semana antes de eu chegar. Ela aceitara usar algumas assistentes locais para os desfiles de Milão – e chegaria a Paris na mesma manhã que eu, para que pudéssemos elaborar os detalhes de sua festa juntas, como velhas amigas. Há! A Delta tinha se recusado a mudar o nome de Emily para o meu na passagem, de modo que, em vez de me sentir mais frustrada e me estressar ainda mais, simplesmente comprei outra. Dois mil e duzentos dólares porque era a semana da moda e eu estava comprando na última hora. Fiz uma pausa de um minuto ridículo antes de dar o número do cartão. *Não importa,* pensei. *Miranda pode gastar isso em uma semana só de cabeleireiro e maquiagem.*

Como assistente júnior de Miranda, eu pertencia à categoria inferior de ser humano na *Runway.* No entanto, se acesso é poder, Emily e eu éramos as duas pessoas mais poderosas no mundo da moda: nós determinávamos quem seria recebido, quando (de manhã cedo era sempre preferido porque a maquiagem estaria fresca e as roupas não estariam amassadas) e que mensagens seriam transmitidas (se o seu nome não estava no Boletim, você não existia).

Portanto, quando uma de nós precisava de ajuda, o restante do *staff* era obrigado a cooperar. Sim, é claro que havia um quê desconcertante na consciência de que se não trabalhássemos para Miranda Priestly, essas mesmas pessoas não sentiriam a menor culpa de passar por cima de nós com seus sedãs com chofer. Seja como for, quando requisitados, corriam a buscar o osso e o devolviam a nós, como cachorrinhos bem treinados.

O trabalho normal desacelerou um pouco, pois todos estavam se concentrando em me despachar para Paris adequadamente preparada. Três tagarelas do departamento de moda reuniram rapidamente um armário que incluía todas as peças que se pudesse imaginar que eu viria a precisar para ir a todo evento que Miranda quisesse que eu comparecesse. Quando saí, Lucia, a diretora de moda, me prometeu que eu teria comigo não somente as roupas apropriadas para qualquer contingência, como também um caderno completo de esboços a carvão profissionais representando toda maneira imaginável de combinar as roupas que levasse, para maximizar a elegância e minimizar qualquer constrangimento. Em outras palavras: não deixar nada para eu mesma selecionar ou combinar, e eu, possivelmente, não teria como não estar apresentável.

Talvez eu precisasse acompanhar Miranda a um bar e ficar, como uma múmia, em um canto, enquanto ela bebericasse uma taça de Bordeaux? Uma calça cinza carvão Theory com um suéter preto de gola rulê da Celine. Ir ao clube de tênis onde ela teria aulas particulares para que eu buscasse água e, se necessário, echarpes brancas no caso de ela ficar suada? Um traje atlético da cabeça aos pés, calça larga, blusão com capuz e zíper na frente (curto para exibir minha barriga, é claro), uma camiseta de 185 dólares para usar por baixo e tênis de camurça – tudo Prada. E se eu – apenas talvez – realmente me sentasse na fila da frente de um desses desfiles como todo mundo jurava que aconteceria? As opções eram ilimitadas. A minha favorita, até então (e ainda era fim de tarde da segunda-feira), era uma saia colegial escocesa da Anna Sui, com uma blusa branca Miu Miu bem transparente e com babados, botas Christian Laboutin de cano alto, que deixava a aparência particularmente atrevida, e em cima de tudo, um blazer de couro Katayone Adeli, que tornava tudo quase obsceno. Meu jeans Express e mocassins Franco Sarto tinham ficado enfiados sob uma camada de pó em meu armário por meses, e tenho de admitir que não senti falta deles.

Também descobri que Allison, a editora de beleza, merecia de fato seu cargo, *sendo*, literalmente, a indústria da beleza. Em 24 horas depois de "ser anunciado" que eu precisaria de maquiagem e mais do que algumas dicas, ela tinha criado o kit-de-maquiagem-para-toda-e-qualquer-situação. No enorme "estojo de toalete" Burberry (na verdade, parecia-se mais com uma mala de rodinhas, ligeiramente maior do que as aceitas pelas companhias aéreas para serem levadas na mão) havia várias opções de sombra, loção, brilho, creme, delineador, enfim, todo tipo de maquiagem. Batons opacos, de alto brilho, de longa duração, e transparentes. Seis tons de rímel – do azul-claro ao "preto petulante" – eram acompanhados de um curvador e duas escovas de cílios para o caso de (ufa!) se grudarem.

Eles pareciam representar a metade de todos os produtos de beleza que eu levaria. Fixavam/acentuavam/pronunciavam/ocultavam as pálpebras, o tom da pele e as maçãs do rosto, tinham um sistema de cores mais complexo e sutil do que a paleta de um pintor: alguns pretendiam bronzear, outros iluminar, e outros projetar os lábios, arredondar o rosto, empalidecer. Eu tinha a escolha de acrescentar esse blush saudável ao meu rosto na forma líquida, sólida ou em pó, ou uma combinação desses. A base era o mais impressionante de tudo: era como se alguém tivesse removido uma amostra da minha pele diretamente do meu rosto e preparado o material. Quer "acrescentasse brilho" ou "cobrisse manchas", cada pequeno frasco isolado combinava com a minha pele melhor do que, bem, a minha própria pele. Em um estojo um pouquinho menor havia: bolas de algodão, quadrados de algodão, cotonetes, esponjas, algo próximo a duas dúzias de aplicadores na forma de pincéis de tamanhos diferentes, lenços de papel, dois tipos diferentes de removedor de maquiagem (hidratante e *oil-free*), e não menos que 12 – DOZE – tipos de hidratantes (facial, para o corpo, com manteiga com FPS 15, cintilante, matizado, perfumado, inodoro, hipoalergênico, com alfa-hidróxido, antibacteriano e – só para o caso desse sol de outubro parisiense me afetar – com Aloe Vera).

Em um bolso lateral do estojo menor havia pedaços de papel ofício com rostos representados em cada um, ampliados para ocuparem a página. Cada rosto ostentava uma maquiagem impressionante: Allison tinha aplicado a maquiagem que incluíra no kit nas faces de papel. Uma face estava rotulada "Glamour Noturno Relaxado", mas tinha um aviso embaixo, em letras grandes e em negrito: NÃO PARA BLACK-TIE!! EXCESSIVAMENTE CASUAL!!! O rosto não formal tinha uma leve camada de base fosca sob uma leve passada de pó bronzeador, uma gota de blush líquido ou "crème", um pouco, mas muito sexy, de delineador escuro e sombras pesadas nas pálpebras, acentuadas pelos cílios com rímel preto e o que parecia ser um natural alto brilho nos lábios. Quando murmurei à meia-voz, a Allison, que seria impossível para mim recriar tudo aquilo, ela pareceu exasperada.

- Bem, espera-se que não precise – disse ela com uma voz que soou tão tensa que achei que teria um colapso diante da minha ignorância.

– Não? Então por que tenho quase duas dezenas de "rostos" sugerindo maneiras diferentes de usar toda essa maquiagem?

Seu olhar intimidador era digno de Miranda.

– Andrea. Fale sério. Isso é somente para emergências, no caso de Miranda lhe pedir para ir com ela a algum lugar na última hora, e não der tempo para que o seu cabeleireiro e maquiador apareçam. Ah, a propósito, vou lhe mostrar o material para o cabelo.

Enquanto Allison demonstrava como usar quatro tipos diferentes de escovas redondas para deixar meu cabelo liso, tentei entender o que ela tinha acabado de dizer. Eu teria um cabeleireiro e um maquiador, também? Eu não tinha providenciado ninguém para mim quando reservei o pessoal para Miranda, então quem tinha? Precisava perguntar.

– O escritório de Paris – replicou Allison com um suspiro. Você representa a *Runway*, entende?, e Miranda é muito sensível a isso. Você comparecerá a alguns dos eventos mais glamourosos do mundo ao lado de Miranda Priestly. Não acha que conseguiria a aparência certa sozinha, acha?

– Não, é claro que não. É sem dúvida melhor eu ter uma ajuda profissional. Obrigada.

Allison me monopolizou por mais duas horas até ficar satisfeita e segura de que se as 14 horas marcadas no cabeleireiro e maquiagem que tinha providenciado durante a semana falhassem, eu não humilharia a nossa chefe borrando o rímel ou raspando as laterais da cabeça e espetando o cabelo no centro como um moicano. Quando acabamos, achei que finalmente teria um momento para descer correndo ao restaurante e pegar uma sopa rica em calorias, mas Allison pegou o ramal de Emily – a sua antiga linha – e discou para Stef no departamento de acessórios.

– Oi, terminei e ela está aqui neste exato momento. Quer vir?

– Espere! Preciso almoçar antes que Miranda volte!

Allison revirou os olhos exatamente como Emily. Eu me perguntei se havia alguma coisa nesse cargo que inspirava tais demonstrações de irritação.

– Está bem. Não, não, estou falando com Andrea – disse ela ao telefone, erguendo as sobrancelhas para mim e, surpresa, surpresa!, exatamente como Emily. – Parece que ela está *com fome*. Eu sei. Sim, sei. Eu lhe disse isso, mas ela parece decidida a... *comer*.

Saí da sala e peguei um prato grande de creme de brócolis com queijo cheddar e retornei em três minutos, só para encontrar Miranda sentada à sua mesa, segurando o telefone afastado de seu rosto, como se estivesse coberto de sanguessugas. Ela devia embarcar à noite para Milão, mas eu não tinha certeza de sobreviver para ver isso acontecer.

– O telefone toca, Andrea, mas quando atendo, porque parece que você não está interessada em fazer isso, ninguém responde. Pode me explicar esse fenômeno? – perguntou.

É claro que eu podia explicar, mas não para ela. Nas raras ocasiões em que Miranda estava sozinha em sua sala, ela, às vezes, atendia o telefone. Naturalmente as pessoas ficavam tão chocadas ao escutar a sua voz no outro lado que desligavam imediatamente. Ninguém estava, de fato, preparado para *falar* com ela, já que a probabilidade de isso acontecer era praticamente nula. Recebi dúzias de e-mails de editores e assistentes me informando – como se eu não soubesse – que

Miranda estava atendendo o telefone de novo. "Onde estão vocês???" As missivas em pânico diziam, uma atrás da outra: "Ela está atendendo seu próprio telefone!!!"

Murmurei alguma coisa sobre como acontecia isso também comigo de vez em quando, mas Miranda já tinha perdido o interesse. Ela estava olhando não para mim, mas para o meu prato de sopa. Um pouco do líquido verde cremoso estava pingando devagarinho pelo lado. Seu olhar transformou-se em um de nojo quando percebi que, além de estar segurando algo de comer, também pretendia consumi-lo.

– Livre-se disso imediatamente! – gritou a cerca de 5 metros de distância. – Só o cheiro já me deixa enjoada.

Joguei a sopa insultada no lixo e olhei com tristeza o alimento perdido, antes de sua voz me trazer de volta à realidade.

– Estou pronta para as revisões – estrilou, instalando-se em sua cadeira mais bem disposta agora que a comida tinha sido descartada. – E, assim que terminarmos, convoque uma reunião de pauta.

Cada palavra provocava mais uma descarga de adrenalina; como eu nunca tinha certeza do que ela exatamente estava requisitando, nunca sabia se conseguiria me sair bem ou não. Como era trabalho de Emily programar as revisões e as reuniões semanais, tive de correr à sua mesa e checar a agenda. No espaço de três horas, ela tinha escrito: *Revisão da sessão de fotos para Sedona, Lucia/Helen.* Liguei para o ramal de Lucia e falei assim que atenderam.

– Ela está pronta – declarei como uma ordem militar. Helen, a assistente de Lucia, desligou sem dizer uma palavra, e eu soube que ela e Lucia já estavam a meio caminho. Se não chegassem em vinte a 25 segundos, eu seria enviada a procurá-las e lembrar-lhes pessoalmente, para o caso de terem se esquecido, de que quando eu tinha ligado trinta segundos antes e dito que Miranda estava pronta, eu queria dizer *naquele instante mesmo*. Geralmente era uma amolação, mais uma razão por que a imposição do sapato de salto fino altíssimo tornava a vida ainda mais miserável. Percorrer o escritório, freneticamente, procurando alguém que provavelmente estava se escondendo de Miranda nunca era divertido, mas era realmente terrível quando a pessoa estava no banheiro. O que quer que se faça no banheiro feminino ou no de homens não era desculpa para não estar disponível no exato momento em que a sua presença é esperada, portanto eu tinha de entrar – às vezes checando por baixo da porta do compartimento um sapato identificável – e pedir, polidamente, independentemente da humilhação, que terminassem e fossem à sala de Miranda. Imediatamente.

Felizmente, para todos os envolvidos, Helen chegou em segundos, empurrando uma arara abarrotada, em más condições, e puxando outra. Hesitou por um breve momento diante da porta de Miranda até esta balançar a cabeça de maneira quase imperceptível. Então, arrastou as araras pelo carpete espesso.

– Isso é tudo? Duas araras? – perguntou Miranda, mal erguendo os olhos da cópia que estava lendo.

Helen ficou visivelmente surpresa por ela ter-lhe falado, já que, como regra, Miranda não falava com as assistentes de outras pessoas. Mas Lucia não tinha aparecido com as suas próprias araras, por isso havia pouco o que escolher.

– Hum, não. Lucia vai chegar a qualquer momento. Ela está com as outras duas. Gostaria que eu, ahn, começasse a mostrar o que pediu? – perguntou Helen, nervosa, puxando sua camiseta para baixo.

– Não.

E então:

– Ahn-dre-ah! Vá procurar Lucia. No meu relógio são três horas. Se ela não estiver preparada, tenho mais o que fazer do que esperar por ela. – O que não era exatamente verdade, já que não tinha parado de ler a cópia e fazia somente 35 segundos desde que eu fizera a chamada inicial. Mas eu não ia dizer isso.

– Não é preciso, Miranda, estou aqui – cantou uma Lucia ofegante, empurrando e puxando araras, passando por mim justo quando eu saía para procurá-la. – Desculpe. Estávamos esperando um último casaco do pessoal YSL.

Ela dispôs as araras, que estavam organizadas segundo o tipo de roupa (camisas, casacos, calças/saias, e vestidos), em um semicírculo em frente à mesa de Miranda e fez um sinal para Helen sair. Miranda e Lucia, então, recapitularam cada item, um por um, e discutiram sobre o seu lugar ou não na sessão de moda que estava para acontecer em Sedona, Arizona. Lucia defendia um *look* "vaqueira urbana chique", que ela acreditava perfeito contra um fundo de montanhas rochosas, mas Miranda insistia em dizer de uma maneira sarcástica que preferia "apenas chique", já que "vaqueira chique" era claramente um paradoxo. Talvez tivesse se fartado de "vaqueiras chiques" na festa do irmão de C-SEM. Consegui me desligar delas até Miranda me chamar, dessa vez me mandando ligar para o pessoal dos acessórios.

Imediatamente, chequei de novo a agenda de Emily, mas foi como eu tinha pensado: nenhuma revisão de acessórios estava marcada. Rezando para que Emily tivesse simplesmente se esquecido de anotar na agenda, liguei para Stef e disse que Miranda estava pronta para a revisão de acessórios para Sedona.

Nem pensar. Não estavam programados a não ser para o fim da tarde do dia seguinte, e, pelo menos, um quarto do que precisavam ainda não tinha sido entregue pelas companhias de relações-públicas.

– Impossível. Não posso fazer isso – Stef comunicou, parecendo muito menos confiante do que suas palavras transmitiam.

– Bem e o que, raios, espera que eu diga a ela? – sussurrei de volta.

– Diga-lhe a verdade: a revisão só deveria acontecer amanhã e grande parte das coisas ainda não chegou. Falo sério! Estamos neste exato instante esperando uma bolsa toalete, uma carteira, três bolsinhas franjadas, quatro pares de sapato, dois colares, três...

– Ok, ok, vou dizer a ela. Mas fique perto do telefone e atenda se eu ligar. E se eu fosse você, me prepararia. Aposto que ela não dá a mínima para o fato de estar ou não marcado.

Stef desligou sem dizer mais nada, me aproximei da porta de Miranda e esperei pacientemente que ela me admitisse. Quando olhou na minha direção e esperou, eu disse:

– Miranda, acabei de falar com Stef e ela disse que, como a revisão estava marcada para amanhã, ainda estão aguardando alguns itens. Mas devem chegar por volta das...

– Ahn-dre-ah, simplesmente não consigo visualizar como as modelos ficarão com estas roupas sem sapatos, bolsas ou joias, e amanhã estarei na Itália. Diga a Stef que quero ver o que quer que ela tenha e que se prepare para me mostrar as fotos do que ainda não está aqui! – Virou-se para Lucia e as duas voltaram às araras.

Transmitir isso a Stef conferiu novo significado à máxima: "não mate o mensageiro". Ela se descontrolou.

– Eu não consigo reunir tudo em trinta segundos, dá para entender? É impossível! Quatro de minhas cinco assistentes não estão aqui, e a única que está é uma perfeita idiota. Andrea, o que é que eu vou fazer? – Ela estava histérica, mas não havia muito espaço para negociação.

– Ok, ótimo – eu disse docemente, olhando Miranda, que tinha uma capacidade especial de escutar tudo. – Direi a Miranda que você já está vindo. – Desliguei antes de ela se desfazer em lágrimas.

Não me surpreendi ao ver Stef chegar dali a dois minutos e meio com a sua ajudante idiota, uma assistente de moda que havia pedido emprestado de outro departamento e James, também vindo da área de beleza, todos parecendo aterrorizados, carregando enormes cestas de vime. Permaneceram encolhidas de medo do lado da minha mesa até ela balançar de novo a cabeça, e todas avançaram para os exercícios de genuflexão. Como Miranda recusava-se, obviamente, a sair de sua sala – sempre –, exigia que todas as araras abarrotadas de roupas, os carrinhos cheios de sapatos e as cestas transbordando acessórios fossem levadas até ela.

Quando o pessoal dos acessórios finalmente conseguiu dispor seus artigos em fileiras sobre o carpete para serem inspecionados, a sala de Miranda transformou-se em um bazar beduíno – que estava mais para Avenida Madison do que para Sharm-el-Sheik. Um editor a estava presenteando com cintos de couro de cobre de 2 mil dólares enquanto outro tentava lhe vender uma grande bolsa Kelly. Um terceiro apregoava um vestido curto Fendi semiformal, enquanto outro tentava lhe vender os méritos do chiffon. Stef tinha conseguido reunir o material para a inspeção de maneira quase perfeita em trinta segundos, mesmo com um monte de itens faltando. Percebi que preencheu lacunas com acessórios de fotos de sessões passadas, explicando a Miranda que os itens que estavam esperando eram semelhantes, mas ainda melhores. Todos eram mestres no que faziam, porém Miranda era definitiva. Era a consumidora sempre arredia, movendo-se, friamente, de uma banca maravilhosa para outra, nunca simulando qualquer demonstração de interesse. Quando, finalmente, felizmente, decidia, apontava e encomendava (igual a um juiz em um desfile de cachorros, "Bob, ela escolheu o Border Collie..."), e os editores balançavam a cabeça obsequiosamente ("Sim, escolha excelente", "Oh, definitivamente perfeita") e embrulhavam seus artigos e voltavam a seus departamentos respectivos antes de ela, inevitavelmente, mudar de ideia.

A tortura infernal levou apenas alguns minutos, mas, ao terminar, estávamos exaustos por causa da ansiedade. Ela já tinha anunciado que sairia cedo, por volta das quatro, para passar algumas horas com as meninas antes da grande viagem, por isso cancelei a reunião de pauta, para alívio do departamento inteiro. Precisamente às 15h58, ela começou a preparar sua bolsa para sair, uma atividade que não precisava de tanto esforço, já que eu levaria tudo pesado ou que tivesse importância ao seu apartamento mais tarde, a tempo do seu voo. Basicamente, o trabalho envolvia jogar sua carteira Gucci e seu celular Motorola na bolsa Fendi que ela continuava enchendo. Nas últimas semanas, a beldade de 10 mil dólares tinha servido de mala de escola de Cassidy, e várias contas e mais uma alça tinham se soltado. Miranda a havia deixado sobre minha mesa, um dia, e ordenado que eu mandasse consertar ou, se fosse impossível consertá-la, simplesmente jogar fora. Resisti, orgulhosamente, a todas as tentações de lhe dizer que era impossível consertá-la, para ficar com ela, mas consegui que um sapateiro a arrumasse para ela por apenas 25 dólares.

Quando, finalmente, ela saiu, instintivamente peguei o telefone para ligar para Alex e me queixar do meu dia. Só quando estava na metade de seu número, me lembrei de que estávamos dando um tempo. Seria o primeiro dia em mais de três anos em que não nos falaríamos. Fiquei com o telefone na mão, olhando para um e-mail enviado no dia anterior, e que estava assinado "amor" e me perguntei se não teria cometido um terrível erro concordando com essa pausa. Disquei de novo, dessa vez disposta a dizer-lhe que tínhamos de conversar sobre tudo o que estava acontecendo, entender onde tínhamos errado, que eu assumia a responsabilidade da minha parte no desgaste lento e regular de nossa relação. Mas antes que começasse a tocar, Stef estava diante da minha mesa com o Plano de Guerra dos Acessórios para a minha viagem a Paris, animada depois da inspeção de Miranda. Havia sapatos, bolsas, cintos, joias, meias e óculos escuros para serem discutidos, portanto, tornei a pôr o fone no gancho e tentei me concentrar em suas instruções.

LOGICAMENTE, um voo de sete horas na classe executiva, vestida com calça de couro colada ao corpo, sandálias altas e um blazer sobre uma camiseta justa de alças poderia ser a mais infernal das experiências. Não foi. As sete horas no avião foram as mais relaxantes de que me lembro. Como Miranda e eu estávamos viajando para Paris na mesma hora, mas em voos diferentes – ela de Milão, eu de Nova York –, acabei topando com uma situação única em que ela não podia me ligar por sete horas seguidas. Por um bendito dia, a minha inacessibilidade não era minha culpa.

Por razões que ainda não compreendia, meus pais não tinham ficado tão emocionados quanto pensei que ficariam quando liguei para falar sobre a viagem.

– Ah, é mesmo? – perguntou minha mãe daquela maneira especial sua, que sugeria muito mais do que as três palavrinhas realmente significavam. – Vai a Paris agora?

– O que quer dizer com "agora"?

– Bem, é que não parece a melhor hora para voar à Europa, só isso – disse ela vagamente, embora eu pudesse afirmar que uma avalanche de culpa de mãe-judia estava prestes a começar a deslizar na minha direção.

– E por que isso? Quando *seria* uma boa hora?

– Não fique chateada, Andy. É que não a vemos há meses. Não que estejamos reclamando, seu pai e eu entendemos como o seu trabalho a absorve, mas não sente vontade de ver seu sobrinho? Ele já tem alguns meses e você ainda não o conhece!

– Mãe! Não faça eu me sentir culpada. Estou louca para ver Isaac, mas você sabe que não posso simplesmente...

– Você sabe que seu pai e eu pagaremos sua passagem a Houston, certo?

– Sim! Já me disse isso umas quatrocentas vezes. Sei disso e agradeço, mas não se trata de dinheiro. Não tenho folga nenhuma e, agora, com Emily doente, não posso viajar... nem mesmo nos fins de semana. Acha que devo voar para o outro lado do país só para ter de voltar se Miranda me ligar no sábado de manhã para pegar as roupas para lavar? Acha?

– É claro que não, Andy. Eu só pensei que... que você poderia visitá-los nessas semanas, porque Miranda estaria fora, e se você fosse até lá, eu e seu pai também iríamos. Mas agora você está indo a Paris.

Disse isso de uma maneira que insinuava o que estava realmente pensando. "Mas agora você vai a Paris" traduzia-se em "Mas agora está voando para a Europa para escapar de todas as suas obrigações com a família".

– Mãe, quero deixar uma coisa bem, mas bem clara aqui. Não estou saindo de férias. Não escolhi ir para Paris em vez de conhecer meu sobrinho que acabou de nascer. Não foi uma decisão minha, como provavelmente deve saber, mas se recusa a aceitar. É realmente muito simples: vou a Paris com Miranda daqui a três dias, por uma semana, ou serei despedida. Vê alguma opção aqui? Porque se vê, eu adoraria escutá-la.

Ela ficou em silêncio por um momento, depois disse:

– Não, é claro que não, querida. Sabe que compreendemos. Eu só espero... bem, só espero que esteja feliz com a maneira como as coisas estão acontecendo.

– O que isso quer dizer? – perguntei sarcástica.

– Nada, nada – apressou-se a responder. – Não significa nada além do que já disse: o seu pai e eu só queremos que seja feliz, e parece que tem estado, bem, hum, tem sido muito pressionada ultimamente. Está tudo bem?

Eu me acalmei um pouco, já que ela estava se esforçando tanto.

– Sim, mãe, está indo tudo bem. Não estou feliz por ir a Paris, como você sabe. Vai ser uma semana de verdadeiro inferno. Mas o meu ano terminará logo e vou poder deixar esse tipo de vida.

– Eu sei, querida, sei que está sendo um ano duro para você. E torço para que, no fim, valha a pena. Só isso.

– Sei. Eu também.

Desligamos bem uma com a outra, mas não consegui afastar a sensação de que meus próprios pais estavam desapontados comigo.

Pegar a bagagem no Charles de Gaulle foi um pesadelo, mas encontrei o motorista elegantemente vestido, que estava acenando com um cartaz com meu nome, depois de passar pela alfândega, e assim que ele fechou a porta do carro do seu lado, entregou-me um telefone celular.

– A Sra. Priestly pediu que ligasse para ela ao chegar. Tomei a liberdade de programar o número do hotel na discagem automática. Ela está na suíte de Coco Chanel.

– Humm, oh, ok. Obrigada. Acho que vou ligar agora mesmo – comuniquei desnecessariamente.

Mas antes que eu pressionasse a tecla com asterisco e o número um, o telefone tocou e piscou uma cor vermelha assustadora. Se o motorista não estivesse me olhando, eu teria colocado no mudo e fingindo que não tinha visto, mas fiquei com a sensação nítida de que ele tinha recebido ordens de ficar de olho em mim. Alguma coisa em sua expressão sugeria que eu não deveria ter o menor interesse em ignorar a chamada.

– Alô? Aqui fala Andrea Sachs – eu disse tão profissionalmente quanto possível, apostando que só poderia ser Miranda.

– Ahn-dre-ah! Que horas está marcando o seu relógio neste momento? – Era uma pergunta ardilosa? Um prefácio da acusação de que eu estava atrasada?

– Humm, deixa eu ver. Na verdade, marca cinco e quinze da manhã, mas obviamente ainda não mudei para a hora em Paris. Portanto, o meu relógio deveria marcar onze e quinze da manhã – eu disse animada, esperando começar a primeira conversa de nossa viagem interminável tão para cima quanto a coragem me permitisse.

– Obrigada por essa narrativa interminável, Ahn-dre-ah. E posso perguntar o que, exatamente, esteve fazendo nos últimos 35 minutos?

– Bem, Miranda, o avião aterrissou alguns minutos atrasado e eu ainda tive de...

– Porque de acordo com o itinerário que *você* criou para mim, o seu voo chegou às dez e trinta e cinco da manhã.

– Sim, estava programado para chegar a essa hora, mas sabe...

– Não é você que vai me dizer o que sei, Ahn-dre-ah. Certamente esse comportamento não será aceitável durante a semana, está me entendendo?

– Sim, é claro. Desculpe. – Meu coração parecia pulsar um milhão de batidas por minuto, e senti meu rosto esquentar de humilhação. Humilhação por falarem comigo dessa maneira, porém mais do que qualquer outra coisa, a minha própria vergonha de ser o instrumento disso. Eu tinha acabado de pedir desculpas, sinceramente, a alguém por não ter sido capaz de fazer o meu voo internacional aterrissar na hora programada e de não ser hábil o bastante para imaginar uma maneira de evitar a alfândega.

Pressionei meu rosto, desajeitadamente, contra a janela, e observei a limusine atravessar sinuosamente as ruas agitadas de Paris. As mulheres pareciam tão mais altas, os homens tão mais refinados, e quase todo mundo estava muito bem-vestido, magro e com uma postura régia. Eu só tinha estado em Paris uma vez antes, mas ficar em um albergue no outro lado da cidade não causava a mesma impressão do que observar, do banco de trás de uma limusine, as pequenas butiques muito chiques e os cafés adoráveis nas calçadas. *Eu adoraria viver assim*, pensei, quando o motorista se virou para mostrar onde eu encontraria garrafas de água se sentisse vontade.

Quando o carro estacionou na entrada do hotel, um cavalheiro de aparência distinta, usando o que imaginei ser um terno sob medida, abriu a porta do carro para mim.

– *Mademoiselle* Sachs, que prazer finalmente conhecê-la. Sou Gerard Renaud. – Sua voz era suave e segura, e seu cabelo grisalho e o rosto vincado indicavam que ele era muito mais velho do que eu tinha imaginado quando falamos ao telefone.

– *Monsieur* Renaud, é ótimo conhecê-lo, finalmente! – De repente, tudo o que eu queria fazer era me jogar em uma cama macia e recuperar a diferença de fuso horário, mas Renaud anulou minhas esperanças rapidamente.

– *Mademoiselle* Andrea, *madame* Priestly gostaria de vê-la em seu quarto imediatamente. Antes de se instalar no seu, receio. – A expressão em seu rosto era de quem se desculpava, fazendo com que, por um breve momento, eu sentisse mais pena dele do que de mim. Era óbvio que ele não sentia nenhum prazer em transmitir essas notícias.

– Putz, que ótimo – murmurei, antes de notar como isso tinha afligido *monsieur* Renaud. Estampei um sorriso atraente e recomecei. – Por favor, me perdoe. Foi uma viagem terrivelmente longa. Alguém pode, por favor, me dizer onde encontro Miranda?

– É claro, *mademoiselle*. Ela está em sua suíte e, pelo que percebi, ansiosa para vê-la. – Olhando-o de relance, achei ter detectado um ligeiro revirar de olhos e, embora sempre o tivesse achado opressivamente apropriado ao telefone, reconsiderei minha opinião. Apesar de ele ser muito profissional para demonstrá-lo, e, na verdade, nunca ter dito nada, achei que deveria detestar Miranda tanto quanto eu. Não que eu tivesse alguma prova real disso, mas simplesmente porque era impossível imaginar alguém que *não* a odiasse.

O elevador abriu e *monsieur* Renaud sorriu e me conduziu para dentro. Disse alguma coisa em francês ao mensageiro que me acompanharia. Renaud me deu adeus e o mensageiro me levou até a suíte de Miranda. Bateu à porta e fugiu, deixando-me sozinha para enfrentá-la.

Pensei brevemente se Miranda atenderia ela mesma a porta, mas era impossível imaginar isso. Nos 11 meses em que entrei e saí de seu apartamento, nunca a tinha visto fazendo algo que se parecesse a trabalho, nem tarefas comuns como atender o telefone, tirar um casaco do armário, ou se servir de água. Era como se todos os seus dias fossem *Shabbat* e ela voltasse a ser uma judia praticante, e eu, é claro, sua *Shabbes goy*.

Uma criada bonita, uniformizada, abriu a porta e me conduziu para dentro, seus olhos tristes e úmidos olhando diretamente para o chão.

– Ahn-dre-ah! – ouvi de algum lugar nos profundos recessos da sala mais magnífica que eu já tinha visto. – Ahn-dre-ah, vou precisar que o meu *tailleur* Chanel seja passado para esta noite, já que está praticamente arruinado de tão amassado por causa da viagem. Era de se esperar que o Concorde soubesse lidar com a bagagem, mas minhas coisas chegaram horríveis. E ligue para Horace Mann e confirme se as meninas foram à escola. Você fará isso todo dia. Não confio em Annabelle. Fale com Caroline e Cassidy pessoalmente toda noite e anote seus deveres de casa e datas de provas. Esperarei um registro escrito toda manhã logo após o café da manhã. Ah, ponha-me em contato com o senador Schumer imediatamente. É urgente. Por último, preciso que entre em contato com esse idiota do Renaud e lhe diga que espero que ele me forneça um *staff* competente durante minha estada, e se isso for difícil demais, estou certa de que o gerente geral poderá me assistir. Essa garota imbecil que ele me mandou é mentalmente deficiente.

Meus olhos se dirigiram para a triste garota que, nesse momento, encolhia-se no *foyer*, parecendo tão amedrontada quanto um hamster acuado, tremendo e tentando não chorar. Tive de supor que ela compreendia inglês, por isso lancei-lhe o meu olhar mais simpático, mas ela continuou a tremer. Olhei em volta da sala e tentei desesperadamente me lembrar de tudo o que Miranda tinha acabado de gritar, praticamente.

– Vou providenciar tudo – eu disse na direção de sua voz, depois do piano de cauda e dos 17 arranjos de flores que haviam sido dispostos adoravelmente pela suíte do tamanho de uma casa. – Voltarei com tudo o que você pediu já já. – Eu me censurei por encerrar a frase com um advérbio e dei uma última olhada em volta da sala magnífica. Era, sem dúvida, o lugar mais suntuoso, mais luxuoso que eu já tinha visto, com suas cortinas de brocado, o tapete espesso, creme, uma colcha cor de damasco ricamente tecida sobre a cama king size e estatuetas douradas em prateleiras de mesas de mogno. Somente uma TV de tela plana e um aparelho de som compacto, prateado, indicavam que o lugar inteiro não havia sido projetado no século anterior por artesãos extremamente habilidosos e dedicados à sua profissão.

Passei rápido pela garota trêmula em direção ao corredor. O mensageiro aterrorizado tinha reaparecido.

– Pode me mostrar o meu quarto, por favor? – perguntei da maneira mais gentil possível, mas ele sem dúvida achou que eu também o insultaria, de modo que, de novo, partiu correndo à minha frente.

– Aqui está, *mademoiselle*, espero que seja satisfatório.

A cerca de 20 metros, no corredor, havia uma porta sem um número. Dava para uma minissuíte, uma réplica quase exata da suíte de Miranda, mas com uma sala menor e uma cama do tamanho *queen*, não *king*. Uma escrivaninha grande de mogno equipada com um telefone do estilo de empresas, com várias linhas, um computador, uma impressora a *laser*, um *scanner* e um fax, ocupava o espaço do pequeno piano de cauda, mas, de resto, as salas eram notavelmente similares em sua decoração rica, aconchegante.

– Senhorita, esta porta leva ao corredor particular que liga o seu quarto ao da Sra. Priestly – explicou, dirigindo-se à porta aberta.

– Não! Tudo bem, não preciso ver. Só saber que existe é suficiente. – Relanceei os olhos para o crachá gravado, colocado discretamente no bolso da camisa engomada de seu uniforme. – Obrigada, ahn, Stephan. – Remexi na minha bolsa procurando algum dinheiro para lhe dar, mas me dei conta de que não tinha me ocorrido trocar meus dólares por euros, e ainda não passara pelo banco. – Oh, desculpe, eu, bem, só tenho dólares americanos. Tudo bem?

Seu rosto ficou carmesim e ele se pôs a se desculpar profusamente.

– Ah, não, senhorita, por favor, não se preocupe com isso. A Sra. Priestly cuida desses detalhes antes de partir. No entanto, como vai precisar de moeda local quando sair do hotel, permita-me que lhe mostre uma coisa. – Foi até a imensa escrivaninha e abriu a gaveta de cima, e me deu um envelope com o logotipo da *Runway* francesa. Dentro havia um maço de notas, no valor de 4 mil euros. O bilhete, redigido por Briget Jardin, a redatora-chefe, que tinha suportado o impacto de planejar e programar essa viagem e a festa de Miranda, dizia o seguinte:

> Andrea, querida, é um prazer tê-la conosco! Por favor, os euros incluídos aqui são para você usar enquanto estiver em Paris. Falei com *monsieur* Renaud e ele estará à disposição de Miranda durante 24 horas por dia. Veja abaixo uma lista dos números de seus telefones de trabalho e pessoal, assim como os números de telefone do chef, do professor de ginástica, do diretor de transporte e, é claro, do gerente geral do hotel. Todos estão familiarizados com as estadas de Miranda durante os desfiles e, por isso, não deve haver problemas. É claro que eu estarei sempre acessível no trabalho ou, se necessário, no celular; em casa, no fax, ou pager, se qualquer uma de vocês precisar de alguma coisa. Se não a vir até a grande *soirée* de sábado, estarei ansiosa por conhecê-la então. Um beijo grande, Briget.

Dobrada, escrita em um papel timbrado *Runway*, e posta debaixo do dinheiro, estava uma lista de quase cem números de telefone, abrangendo tudo o que alguém pudesse precisar em Paris, de um florista sofisticado a um cirurgião de emergência. Esses mesmos números eram repetidos na última página do itinerário detalhado que eu tinha criado para Miranda, usando a informação que Briget tinha atualizado e enviado por fax, para que, a partir desse momento, não surgisse uma única contingência – exceto uma guerra mundial – que impedisse Miranda Priestly de ver a coleção primavera com o mínimo possível de tensão, ansiedade e preocupação.

– Muito obrigada, Stephan. Isso é muito útil. – Tirei algumas notas para ele, que, cortesmente, fingiu não ver e voltou rápido ao corredor. Fiquei contente ao ver que ele parecia bem menos aterrorizado do que alguns momentos antes.

Consegui, não sei como, encontrar as pessoas que ela tinha pedido e calculei que teria alguns minutos para descansar a cabeça sobre a fronha de cambraia de linho, mas o telefone tocou no momento em que fechei os olhos.

– Ahn-dre-ah, venha ao meu quarto imediatamente – gritou ela antes de bater o telefone.

"Sim, é claro, Miranda, obrigada por pedir de maneira tão gentil. Será um prazer", eu disse a absolutamente ninguém. Levantei o meu corpo da cama, desorientado pela diferença de fuso horário, e me concentrei em não prender o salto no carpete do corredor que ligava o meu quarto ao dela. Mais uma vez, uma criada atendeu a porta quando bati.

– Ahn-dre-ah! Uma das assistentes de Briget acaba de me ligar para saber a duração do meu discurso no *brunch* hoje – comunicou. Ela estava folheando um exemplar de *Women's Wear Daily* que alguém do escritório, provavelmente Allison, que conhecia o procedimento de seu tempo com Miranda, o tinha enviado por fax mais cedo, e dois homens lindos estavam fazendo seu cabelo e maquiagem. Um prato de queijos estava na mesinha antiga do seu lado.

Discurso? Que discurso? A única coisa além dos desfiles que estava no itinerário de hoje era uma espécie de almoço de homenagem em que Miranda planejava passar seus 15 minutos habituais antes de cair fora por puro tédio.

– Desculpe. Falou discurso?

– Falei. – Fechou cuidadosamente o jornal, dobrou-o calmamente ao meio e jogou-o com raiva no chão, quase atingindo um dos homens que se ajoelhou na sua frente. – Por que diabos não fui informada de que receberia um prêmio absurdo no almoço de hoje? – estrilou ela, o rosto se contorcendo com um ódio que eu nunca tinha visto antes. Desprazer? Claro. Insatisfação? O tempo todo. Enfado, frustração, infelicidade generalizada? É claro, cada minuto a cada dia. Mas eu nunca a tinha visto tão completamente *irada*.

– Humm. Miranda, desculpe, mas, na verdade, foi o escritório de Briget que lhe enviou o convite para o evento hoje, e nunca...

– Pare de falar. Pare de falar já! Tudo o que me oferece o tempo todo são desculpas. *Você* é a minha assistente, *você* é a pessoa que designei para resolver as coisas em Paris, *você* é quem deveria me manter informada desse tipo de coisa. – Ela, agora, estava quase gritando. Um dos maquiadores perguntou baixinho, em inglês, se queríamos ficar a sós por um momento, mas Miranda ignorou-o completamente. – É meio-dia e vou precisar sair daqui a 45 minutos. Espero um discurso curto, sucinto e articulado, digitado legivelmente e me esperando no quarto. Se não pode realizar isso, volte para casa. *Permanentemente.* Isso é tudo.

Desapareci pelo corredor, nunca corri tanto de salto alto, e abri o celular internacional antes mesmo de chegar ao meu quarto. Foi quase impossível discar o número do trabalho de Briget com as mãos tremendo tanto, mas, de alguma maneira, a ligação se completou. Uma de suas assistentes atendeu.

– Preciso de Briget! – gritei, minha voz já estava rachando quando pronunciei seu nome. – Onde ela está? *Onde ela está?* Preciso falar com ela. *Já!*

A garota ficou momentaneamente em silêncio, em choque.

– Andrea? É você?

– Sim, sou eu e preciso de Briget. É uma emergência... onde ela está?

– Ela está em um desfile, mas não se preocupe, seu celular fica sempre ligado. Você está no hotel? Ela já vai ligar de volta para você.

O telefone na escrivaninha tocou alguns segundos depois, que pareceram uma semana.

– Andrea – falou ela com o tom leve e seu adorável sotaque francês. – O que houve, querida? Monique disse que você estava histérica.

– Histérica? Com certeza estou histérica! Briget, por que fez isso comigo? Seu escritório tomou as providências para a porcaria desse almoço e ninguém se deu o trabalho de me dizer que não somente ela seria homenageada como teria de proferir um discurso?

– Andrea, calma. Estou certa de que nós...

– E tenho de redigi-lo! Está me ouvindo? Tenho a droga de 45 minutos para redigir um discurso em agradecimento a um prêmio de que não sei nada a respeito em uma língua que não falo. Ou estarei liquidada. O que vou fazer?

– Está bem, relaxe, vou ajudá-la. Em primeiro lugar, a cerimônia é aí mesmo, no Ritz, em um dos *salons.*

– O quê? Que *salon*? – Ainda não tinha tido oportunidade de dar uma olhada no hotel, mas tinha quase certeza absoluta de que não havia nenhum pub no lugar.

– Isso é em francês, oh, como vocês chamam? Sala de reuniões. De modo que ela só precisará descer. É para o Conselho Francês sobre Moda, uma organização, aqui em Paris, que sempre distribui seus prêmios durante os desfiles porque todo mundo está na cidade. A *Runway* receberá o prêmio por cobertura da moda. Não é algo, como vocês dizem?, não é algo como uma grande questão, um problema, é quase uma formalidade.

– Ótimo, pelo menos já sei para o que é. O que exatamente devo escrever? Por que não dita em inglês e eu peço a *monsieur* Renaud para traduzir para o francês? Comece. Estou pronta. – Minha voz tinha recuperado uma certa confiança, mas eu continuava mal podendo segurar a caneta. O misto de exaustão, tensão e fome estava tornando difícil focalizar meus olhos no papel timbrado do Ritz sobre a minha mesa.

– Andrea, você tem sorte mais uma vez.

– Ah, é mesmo? Porque não estou me sentindo muito sortuda neste exato instante, Briget.

– Essas coisas são sempre em inglês. Não é preciso traduzir. Por isso pode escrevê-lo, certo?

– Sim, sim, vou escrevê-lo – gaguejei e larguei o telefone. Não havia nem mesmo tempo para pensar que era a minha primeira chance de mostrar a Miranda que eu era capaz de fazer algo mais sofisticado do que buscar cafés com leite.

Depois que desliguei e comecei a digitar sessenta palavras por minuto – datilografia foi a única aula útil que tive no segundo grau –, percebi que só precisaria de dois, talvez três minutos para Miranda ler. Houve tempo suficiente para beber um pouco de Pellegrino e devorar alguns dos morangos que alguém, atenciosamente, tinha deixado em meu pequeno bar. *Se pelo menos tivessem deixado um cheeseburguer*, pensei. Lembrei-me de que havia colocado uma barra de Twix na minha bagagem que estava perfeitamente empilhada em um canto, mas não havia tempo para procurar. Exatamente 40 minutos haviam se passado desde que eu recebera ordens de partir. Estava na hora de saber se passaria nesse exame.

Outra criada – igualmente aterrorizada – atendeu a porta de Miranda e me introduziu na sala. Obviamente, eu deveria permanecer em pé, mas a calça de couro que eu estava usando desde o dia anterior parecia ter-se colado permanentemente em minhas pernas, e as sandálias de tiras que não tinham me incomodado no avião começavam a parecer lâminas compridas e flexíveis afixadas em meus tornozelos e dedos. Decidi sentar-me no sofá extremamente acolchoado, mas o momento em que meus joelhos se flexionaram e o meu traseiro entrou em contato com a almofada, a porta de seu quarto abriu e eu, instintivamente, me pus de pé.

– Onde está o meu discurso? – perguntou automaticamente, enquanto mais outra criada seguia-a com um brinco na mão, que Miranda se esquecera de botar. – Escreveu alguma coisa, não escreveu? – Estava usando um de seus *tailleurs* Chanel clássicos, gola redonda e acabamento de pele, e um colar de pérolas extraordinariamente grandes.

– É claro, Miranda – eu disse orgulhosamente. – Acho que será apropriado. – Andei até ela, já que não fez nenhum esforço para pegá-lo ela mesma, mas antes que eu lhe desse o papel, ela o arrancou de minha mão. Não me dei conta, até seus olhos pararem de ficar de lá para cá, de que tinha suspendido a respiração.

– Bom. Está bom. Certamente nada inovador, mas bom. Vamos. – Pegou uma bolsa Chanel de pano e pôs a alça de corrente no ombro.

– Como?

– Eu disse vamos. Essa cerimônia tola vai ter início em 15 minutos e, com um pouco de sorte, ficaremos livres daquilo em vinte. Eu realmente detesto essas coisas.

Não havia como negar que eu tinha escutado "vamos": esperava, não havia dúvida, que eu fosse com ela. Relanceei os olhos para a minha calça e o blazer sob medida e pensei que se ela não tinha reclamado disso – e certamente eu teria escutado se tivesse –, então, que importância teria? Provavelmente haveria muitas assistentes perambulando por lá, servindo às suas chefes e, é claro, ninguém se importaria com o que estávamos vestindo.

O "salon" era exatamente o que Briget tinha dito que seria – uma típica sala de reuniões, com umas duas dúzias de mesas de almoço e uma plataforma ligeiramente suspensa com um pódio. Fiquei à parede do fundo com empregados de vários tipos e assisti ao trecho de um filme, incrivelmente sem graça, desinteressante, nada inspirado, que o presidente do conselho exibiu sobre como a moda afeta a nossa vida. Algumas outras pessoas tomaram o microfone durante a meia hora seguinte e, então, antes de um único prêmio ser oferecido, uma legião de garçons começou a servir saladas e encher os copos de vinho. Olhei, cautelosa, para Miranda, que parecia extremamente entediada e irritada, e tentei me encolher o máximo atrás da árvore em um vaso, na qual eu me escorava para não cair de sono. Não sei há quanto tempo meus olhos estavam fechados, mas assim que perdi o controle dos músculos do meu pescoço e a minha cabeça começou a cair incontrolavelmente, ouvi sua voz.

– Ahn-dre-ah! Não tenho tempo para essa besteira – sussurrou alto o bastante algumas pessoas em uma mesa próxima erguerem os olhos. – Não me informaram que eu receberia um prêmio, e eu não estava preparada para isso. Vou embora. – Virou-se e começou a andar em direção à porta.

Manquei atrás dela, mas achei melhor pegar em seu ombro.

– Miranda? Miranda? – Ela estava claramente me ignorando. – Miranda? Quem você gostaria que aceitasse o prêmio em nome da *Runway*? – sussurrei o mais baixo possível sem que ela deixasse de me ouvir.

Ela virou-se e me olhou direto nos olhos.

– Acha que estou ligando? Suba lá e o aceite você mesma. – E antes que eu pudesse responder, ela tinha desaparecido.

Ó meu Deus. Isso não estava acontecendo. Sem dúvida eu acordaria em minha própria cama, nada glamourosa, com lençóis que não eram de cambraia-de-linho, em um minuto, e descobriria que o dia inteiro – raios, o ano inteiro – tinha sido apenas um sonho medonho. Essa mulher não esperava que eu – a assistente *júnior* – subisse lá e aceitasse um prêmio para a *Runway* pela cobertura da moda, esperava? Olhei em volta da sala, freneticamente, para ver se havia mais alguém da *Runway* presente ao almoço. Nada. Deixei-me cair numa cadeira e tentei decidir se ligava para Emily ou para Briget me aconselharem, ou se simplesmente ia embora, já que Miranda, aparentemente, não estava dando a mínima a essa honra. Meu celular tinha acabado de se conectar com o escritório de Briget (que eu esperava que pudesse aparecer a tempo de receber o prêmio ela própria) quando escutei as palavras: "... estender a nossa mais profunda admiração à *Runway* americana por sua cobertura precisa, divertida e sempre informativa. Por favor, vamos receber a internacionalmente famosa editora-chefe, um ícone vivo da moda, a Sra. Miranda Priestly!"

A sala irrompeu em aplausos exatamente no mesmo instante em que senti meu coração parar de bater.

Não havia tempo para pensar, para amaldiçoar Briget por deixar isso acontecer, para amaldiçoar Miranda por sair e levar o discurso com ela, para amaldiçoar a mim mesma em primeiro lugar, por aceitar esse emprego. Minhas pernas avançaram por conta própria, *esquerda-direita, esquerda-direita,* e subiram os três degraus do pódio sem nenhum incidente. Se eu não estivesse em choque, teria notado que os aplausos entusiásticos haviam sido substituídos por um silêncio sinistro, todo mundo tentando entender quem eu era. Mas não notei. Ao invés disso, uma força maior me fez sorrir, estender a mão para aceitar a placa das mãos do presidente de ar austero, e colocá-la tremendo no pódio à minha frente. Só quando ergui a cabeça e vi centenas de olhos me encarando – olhos curiosos, investigadores, confusos, todos eles –, percebi que pararia de respirar e morreria ali mesmo.

Imagino que tenha ficado assim por não mais do que 10 ou 15 segundos, mas o silêncio era tão esmagador, tão opressor, que me perguntei se já não estaria morta. Ninguém proferiu uma única palavra. Nenhuma travessa de prata se arranhou, nenhum copo tilintou, ninguém sequer cochichou com o vizinho sobre quem estava representando Miranda Priestly. Simplesmente me observaram, até eu não ter outra escolha a não ser falar. Não me lembrei de uma palavra do discurso que tinha escrito uma hora antes, então eu improvisei.

– Olá – comecei e escutei minha voz reverberar em meus ouvidos. Eu não saberia dizer se era o microfone ou o som do sangue latejando dentro de minha cabeça, mas não fazia diferença. A única coisa que realmente sabia era que tremia incontrolavelmente. – Meu nome é Andrea Sachs e sou a assis... ahn, sou membro do *staff* da *Runway*. Infelizmente, Miranda, ahn, a Sra. Priestly teve de sair por um momento, mas eu gostaria de receber este prêmio em seu nome. E, é claro, em nome de todos na *Runway*. Obrigada, ahn – não consegui me lembrar do nome do conselho ou do presidente ali na frente –, muito obrigada por esta, ahn, por esta honra. Sei que falo por todos quando digo como nos sentimos honrados. – Idiota! Eu estava gaguejando, repetindo "ahn, ahn", e tremendo, e, a essa altura, estava consciente o bastante para reparar que as pessoas tinham começado a se alvoroçar. Sem nem mais uma palavra, desci da maneira mais digna que consegui do pódio e, só quando cheguei à porta dos fundos, me dei conta de que tinha esquecido a plaqueta. Um membro do *staff* foi ao meu encontro no saguão, onde simplesmente cedi à exaustão e humilhação, e me entregou a placa. Esperei que ela fosse embora e pedi a um dos porteiros para jogá-la fora. Ele encolheu os ombros e a jogou em sua bolsa.

Essa desgraçada! Pensei, furiosa e cansada demais para evocar qualquer nome criativo ou método para dar fim à vida dela. Meu telefone tocou e, sabendo que era ela, desliguei a campainha e pedi um gim-tônica a uma das funcionárias na entrada.

– Por favor. Por favor, peça que alguém me traga um. Por favor.

A mulher olhou para mim e balançou a cabeça. Traguei tudo em dois longos goles e subi para ver o que ela queria. Eram somente 14 horas do meu primeiro dia em Paris, e eu queria morrer. Só que a morte não era uma opção.

17

— Quarto de Miranda Priestly – atendi do meu novo escritório em Paris. As minhas quatro horas gloriosas, que constituiriam uma noite de sono, foram rudemente interrompidas por uma chamada frenética de uma das assistentes de Karl Lagerfeld às seis da manhã, que foi precisamente quando descobri que todas as ligações de Miranda estavam sendo dirigidas diretamente para o *meu* quarto. Parecia que a cidade inteira e seus arredores sabiam que Miranda ficava ali durante os desfiles, e, assim, meu telefone tocava incessantemente desde o momento em que pisei naquele quarto. Independentemente das duas dúzias de mensagens já deixadas na secretária eletrônica.

– Oi, sou eu. Como vai Miranda? Está tudo bem? Alguma coisa já deu errado? Onde ela está e por que não está com você?

– Oi, Em! Obrigada por se preocupar. A propósito, como está você?

– O quê? Ah, estou bem. Um pouco fraca, mas melhorando. Não importa. Como *ela* está?

– Sim, bem, estou bem, também, obrigada por perguntar. Sim, foi uma viagem longa e não dormi por mais de vinte minutos de cada vez, já que o telefone não para de tocar e, tenho certeza, nunca vai parar de tocar e... Oh! Proferi um discurso completamente improvisado, depois de redigir um discurso de improviso, para um grupo de pessoas que queria a companhia de Miranda, mas, aparentemente, não se interessaram o bastante para mantê-la. Parecia uma gigante idiota, e quase tive um ataque cardíaco, mas, exceto isso, as coisas estão muito bem.

– Andrea! Fale sério! Eu estava realmente preocupada com tudo. Não houve muito tempo para se preparar para isso, e sabe que se alguma coisa der errado aí, ela vai me culpar.

– Emily. Por favor, não leve para o lado pessoal, mas não posso conversar agora. Simplesmente não posso.

– Por quê? Há alguma coisa errada? Como foi a sua reunião ontem? Ela chegou na hora? Você tem tudo de que precisa? Está usando as roupas apropriadas? Não se esqueça de que está representando a *Runway*, por isso tem de manter a aparência à altura.

– Emily. Tenho de desligar.

– Andrea! Estou preocupada. Diga-me o que anda fazendo.

– Bem, vejamos. Em todo o tempo livre que tenho, recebo uma meia dúzia de massagens, duas faciais, e algumas manicures. Miranda e eu combinamos frequentar o tal spa juntas. É divertido demais. Ela está se esforçando de verdade para não ser exigente demais e diz que realmente quer que eu aproveite Paris, já que é uma cidade maravilhosa e tenho sorte de estar aqui. Por isso, basicamente, apenas saímos e nos divertimos. Bebemos vinhos excelentes. Fazemos compras. Você sabe, o de sempre.

– Andrea! Isso não é nada engraçado, ok? Agora me diga o que está acontecendo. – Quanto mais chateada ela parecia ficar, mais meu humor melhorava.

– Emily, não sei o que contar. O que quer saber? Como tem sido até agora? Vamos ver, tenho passado a maior parte do tempo tentando imaginar como dormir melhor com o telefone que não para de tocar e, simultaneamente, pôr comida suficiente goela abaixo entre as duas e seis da manhã para me sustentar pelas vinte horas restantes. Isso aqui é como um Ramadan, ou seja, nada de comida enquanto for dia. Sim, você realmente deve estar lamentando ter perdido essa.

A outra linha começou a piscar e pus Emily na espera. Toda vez que tocava, minha mente ia rapidamente, incontrolavelmente, para Alex, perguntando-me se ele não ligaria para dizer que tudo ia ficar bem. Eu tinha ligado duas vezes do meu celular internacional, desde que tinha chegado, e ele tinha atendido as duas vezes, mas como uma perita passadora de trotes no ginásio, desliguei no momento que escutava a sua voz. Nunca tínhamos ficado tanto tempo sem nos falar e eu queria saber o que estava acontecendo, mas também não podia deixar de sentir que a vida tinha se tornado consideravelmente mais simples desde que déramos um tempo nas discussões e provocações de culpa. Ainda assim, suspendi a respiração até escutar a voz de Miranda guinchando do outro lado.

– Ahn-dre-ah, quando Lucia vai chegar?

– Oh, alô, Miranda. Vou checar o itinerário dela. Aqui está. Vamos ver, aqui diz que ela está voando diretamente da sessão de fotos em Estocolmo hoje. Deve estar no hotel.

– Ponha-me em contato com ela.

– Sim, Miranda, só um momento, por favor.

Deixei-a na espera e voltei para Emily.

– É ela, espere.

– Miranda? Acabo de encontrar o número de Lucia. Vou conectá-la agora.

– Espere, Ahn-dre-ah. Vou sair daqui a vinte minutos, e ficarei fora o resto do dia. Vou precisar de algumas echarpes antes de retornar, e de um novo chef. Ele deve ter no mínimo dez anos de experiência nos principais restaurantes franceses e estar disponível para o jantar da família quatro noites por semana e jantares mais formais duas vezes por mês. *Agora*, coloque-me em contato com Lucia.

Eu sabia que seria um problema Miranda querer que eu contratasse um chef de Nova York, eu estando em Paris, mas tudo em que pude pensar foi que ela estava saindo – sem mim, e pelo resto do dia. Cliquei de volta a Emily e lhe disse que Miranda precisava de um novo chef.

– Vou ver isso, Andy – comunicou tossindo. – Farei uma triagem preliminar e, depois, você conversa com alguns dos finalistas. Apenas descubra se Miranda gostaria de esperar até chegar em casa para conhecê-los ou se prefere que você providencie para que uns dois vão a Paris e se encontrem com ela já, ok?

– Não pode estar falando sério.

– É claro que estou. Miranda contratou Cara quando estava em Marbella no ano passado. Sua última babá simplesmente se demitiu e ela me mandou despachar as três finalistas de avião, para que ela encontrasse alguém imediatamente. Apenas descubra, está bem?

– Claro – murmurei. – E obrigada.

Falar sobre aquelas massagens tinha sido tão bom que decidi reservar uma hora para mim mesma. Não havia hora até o começo da noite, de modo que chamei o serviço de quarto, nesse meio-tempo, e pedi um café da manhã completo. Quando foi entregue, eu já tinha me enfiado em um dos roupões felpudos, os pés em chinelos combinando, e me preparado para me banquetear com omelete, croissants, queijo Danish, muffins, batatas, cereal e crepes que chegaram com um cheiro delicioso. Depois de devorar tudo e beber duas xícaras de chá, voltei à cama – não tinha dormido nada na noite anterior – e caí no sono tão rapidamente que achei que tinham colocado algo no meu suco de laranja.

A massagem foi a maneira perfeita de coroar o que havia sido um dia abençoadamente relaxante. Outros estavam fazendo o trabalho para mim, e Miranda só tinha ligado uma vez – uma vez! – para pedir que eu fizesse uma reserva para o almoço no dia seguinte. *Isso não é nada tão ruim*, pensei, enquanto as mãos fortes da mulher pressionavam os músculos contorcidos do meu pescoço. Nada mau mesmo. Mas, exatamente quando comecei a cochilar mais uma vez, o celular, que eu levara comigo de má vontade, começou a tocar persistentemente.

– Alô? – eu disse animada, como se não estivesse nua sobre uma mesa, coberta de óleo, meio adormecida.

– Ahn-dre-ah. Mude meu cabelo e maquiagem para mais cedo e diga ao pessoal da Ungaro que não posso hoje à noite. Terei de comparecer a um coquetel e espero que você vá comigo. Esteja pronta para sair em uma hora.

– Ahn, claro, claro – gaguejei, tentando processar o fato de que eu ia realmente a algum lugar com ela. Uma retrospectiva do dia anterior, a última vez que me disse, na última hora, que eu iria com ela a algum lugar, inundou o meu cérebro, e senti como se a ansiedade fosse me dominar. Agradeci à mulher, pus a conta no número do quarto, embora só tivesse feito os dez primeiros minutos, e corri para cima, para imaginar como melhor contornar o mais novo obstáculo. Isso estava ficando comum. Rapidamente.

Só levei alguns minutos para ligar para o cabeleireiro e o maquiador de Miranda (que, incidentalmente, não eram os meus. Eu tinha, para as duas coisas, uma mulher de expressão irritada, cujo olhar de desespero ao me ver pela primeira vez ainda me assombra.

Enquanto isso, Miranda tinha dois caras gays que pareciam ter saído diretamente das páginas da *Maxim*) e mudar a sua hora.

– Sem problemas – disse Julien com um forte sotaque francês. – Estaremos aí, como vocês dizem mesmo? Não marcamos nada esta semana só para o caso de *madame* Priestly precisar da gente em horários diferentes!

Liguei para Briget e pedi que ela falasse com o pessoal da Ungaro. Hora de atacar o armário. O caderno de esboços com todos os meus diferentes "visuais" estava na mesinha de cabeceira, esperando uma vítima da moda, como eu, recorrer a ele para orientação espiritual. Dei uma olhada nos títulos e subtítulos e tentei entender aquilo.

Desfiles:

1. Dia
2. Noite

Refeições:

1. Reuniões no desjejum
2. Almoço
   A. Informal (hotel ou bar)
   B. Formal (O Espadon no Ritz)
3. Jantar:
   A. Informal (bar, serviço de quarto)
   B. Semiformal (restaurante decente, um jantar informal oferecido por alguém)
   C. Forma! (restaurante Le Grand Vefour, jantar formal oferecido por alguém)

Festas:

1. Informal (desjejum com champanhe, chás de tarde)
2. Elegante (coquetéis oferecidos por pessoas não importantes, lançamentos de livros, "encontros para drinques")
3. Sofisticado (coquetéis oferecidos por pessoas importantes, qualquer coisa em museu ou galeria, festas depois de desfiles, oferecidas pela equipe do designer)

Diversos:

1. Ida e volta de aeroporto
2. Eventos atléticos (aulas, torneios etc.)
3. Ida às compras
4. Incumbências
   A. Salões de alta-costura
   B. Lojas e butiques da classe alta
   C. Loja de alimentos local e/ou de produtos para a saúde e beleza.

Não tinha nenhuma sugestão para quando não se soubesse distinguir anfitriões importantes e não importantes. É óbvio que havia a oportunidade de se cometer um grande erro aqui: eu poderia reduzir o evento a "Festas", o que era um bom primeiro passo, mas, a essa altura, as coisas ficaram cinzentas. Essa festa seria uma simples número 2, para a qual eu simplesmente vestiria algo chique, ou uma número 3, e, então, eu teria de escolher algo muito elegante? Não havia instruções para "área cinza" ou "incerteza", mas alguém felizmente tinha incluído no último minuto, com letra corrida, uma anotação na parte inferior do índice: *Quando estiver em dúvida (e nunca deverá estar), é melhor usar algo menos formal fabuloso do que algo fabuloso sofisticadíssimo.* Ok, parecia que agora eu me ajustava perfeitamente na categoria festa; subcategoria, elegante. Examinei os seis visuais que Lucia havia esboçado para essa descrição específica e tentei ver o que pareceria menos ridículo quando fosse vestido de verdade.

Depois de uma divergência particularmente constrangedora com uma blusa sem mangas coberta de penas e botas preta de verniz até a coxa (sim, acima dos joelhos), selecionei, por fim, o *look* na página 33, uma saia de patchwork da Roberto Cavalli, com uma camisa *baby-look* e botas pretas de garota ciclista da D&G. Atraente, sexy, elegante – mas não sofisticada demais – sem, de fato, me fazer parecer um avestruz, um atavismo da década de 1980, ou uma prostituta. O que mais se poderia pedir? Quando eu estava tentando escolher uma bolsa apropriada, a mulher do cabelo e maquiagem apareceu para começar suas tentativas emburradas e reprovadoras de não me deixar tão horrível quanto ela claramente achava que eu era.

– Hum, será que poderia suavizar essa maquiagem sob meus olhos só um pouco? – perguntei cautelosa, tentando desesperadamente não depreciar seu trabalho. Talvez, teria sido melhor tentar a maquiagem eu mesma, especialmente por eu ter mais suprimentos e instruções do que os cientistas da Nasa contratados para construírem uma nave espacial. Mas a Maquiadora Gestapo aparecia pontualmente, gostasse eu ou não.

– Não! – gritou, nem se esforçou para mostrar a mesma sensibilidade que eu. – Fica melhor assim.

Ela terminou de passar a tinta preta nos cílios de baixo tão rapidamente quanto tinha chegado; peguei minha bolsa (uma sacola de viagens Gucci de couro de crocodilo) e me dirigi ao saguão 15 minutos antes da hora estimada da nossa partida e, assim, poder confirmar se o motorista estava pronto. Quando eu discutia com Renaud se Miranda preferia que nós duas fôssemos em carros separados, de modo que não precisasse falar comigo ou, na verdade, usar o mesmo e se arriscar a pegar alguma doença por dividir o banco traseiro com a sua assistente, ela apareceu. Olhou-me dos pés a cabeça, bem devagar, a expressão permanecendo completamente passiva e indiferente. Eu tinha passado! Essa foi a primeira vez, desde que começara a trabalhar, que não recebera um olhar de asco ou, no mínimo, um comentário sarcástico, e tudo o que havia sido necessário tinha sido uma equipe da Swat dos editores de moda de Nova York, um grupo de cabeleireiros e maquiadores parisienses e uma seleção de peso das roupas mais elegantes e caras do mundo.

– O carro está aqui, Andrea? – Ela estava deslumbrante em um vestido de veludo curto.

– Sim, Sra. Priestly, está a caminho. – *Monsieur* Renaud interrompeu baixinho, conduzindo-nos por um grupo do que só poderia ser outras editoras de moda americanas, também lá para os desfiles. Um silêncio reverente caiu sobre o grupo de *über-falantes*, quando passamos, Miranda estava a dois passos à minha frente, parecendo magra, atraente e muito, muito infeliz. Eu quase tive de correr para acompanhá-la, embora ela fosse 15 centímetros mais baixa do que eu, e esperei até ela me lançar um olhar "Bem? O que está esperando?", antes de eu me enfiar no banco de trás da limusine, depois dela.

Graças a Deus, o motorista parecia saber aonde estava indo, porque eu tinha ficado paranoica durante a última hora, de que se virasse para mim e me perguntasse onde o coquetel desconhecido estava sendo oferecido. Ela realmente se virou para mim, mas não disse nada, escolhendo conversar com C-SEM em seu celular, repetindo várias vezes que esperava que ele chegasse com bastante tempo para se trocar e tomar um drinque antes da grande festa no sábado à noite. Ele voaria no jato particular de sua companhia, e estavam, nesse momento, discutindo se ele levaria ou não Caroline e Cassidy. Como só retornaria na segunda-feira, ela não queria que perdessem um dia de escola. Somente quando estacionamos em frente a um apartamento duplex no Boulevard Saint Germain foi que me perguntei o que se esperava que fizesse realmente durante a noite toda. Ela sempre tinha se comportado bem em relação a não insultar Emily nem a mim, nem a ninguém de seu *staff* em público, o que indicava – pelo menos – em algum nível, que, antes de mais nada, ela sabia o que estava fazendo. Portanto, se não podia me mandar buscar seus drinques, ou fazer ligações para encontrar alguém para ela, ou separar a roupa para a lavanderia, enquanto estivéssemos ali, o que eu iria fazer?

– Ahn-dre-ah, essa festa está sendo oferecida por um casal de quem eu era amiga quando morava em Paris. Pediram que eu trouxesse uma assistente para entreter seu filho, que geralmente acha esses eventos extremamente maçantes. Estou certa de que vocês dois vão se dar bem. – Ela esperou até o motorista abrir a porta, em seguida, saiu do carro com charme, pisando com seus sapatos Jimmy Choo, perfeitos. Antes de eu poder abrir minha porta, ela tinha subido os três degraus e entregava o casaco ao mordomo, que estava, claramente, aguardando a sua chegada. Deixei-me cair no banco de couro macio só por um minuto, tentando processar essa nova peça preciosa de informação que ela tinha transmitido com tanta indiferença. O cabelo, a maquiagem, mudança de programação, a consulta apavorada ao caderno de esboços, as botas de ciclista, tudo isso para que eu passasse a noite de *baby-sitter* de um menino de nariz escorrendo filho de um casal rico? E ainda por cima, um menino de nariz escorrendo francês.

Passei três minutos me lembrando de que *The New Yorker* estava a apenas dois meses de distância, de que o meu ano de servidão estava para ser compensado, de que com certeza eu suportaria mais uma noite de tédio para conseguir o trabalho dos meus sonhos. Não adiantou nada. De repente, senti uma vontade louca e desesperada de me enroscar no sofá dos meus pais e minha mãe esquentar um pouco de chá para mim, e meu pai armar o tabuleiro de Scrabble. Jill, e até mesmo Kyle, me visitariam, com o bebê Isaac, que sorriria quando me visse, e Alex me ligaria e diria que me amava. Ninguém ligaria se meu *training* estivesse manchado e meus dedos dos pés assustadoramente maltratados, nem que eu estivesse comendo uma bomba de chocolate grande.

Ninguém nem saberia que aconteciam desfiles de moda em algum lugar do outro lado do Atlântico, e com certeza não estariam nem um pouco interessados em saber sobre isso. Mas tudo me pareceu incrivelmente distante – na verdade, uma vida inteira –, e neste exato instante, tive de lutar com o círculo social íntimo de pessoas que viviam e morriam na passarela. Isso e o que certamente seria um menino chorão, mimado, tagarelando em francês.

Quando, finalmente, tirei o meu ego escassa mas elegantemente vestido da limusine, o mordomo não estava mais me esperando. Havia música ao vivo e o cheiro de velas perfumadas flutuava para fora de uma janela, acima do pequeno jardim. Respirei fundo e estendi a mão para bater, mas a porta se abriu. Posso eu dizer com segurança que nunca, em toda a minha vida, eu tinha ficado tão surpresa quanto naquela noite: Christian estava sorrindo para mim.

– Andy, querida, estou tão feliz que esteja aqui – disse ele, inclinando-se e beijando a minha boca. Um beijo um tanto íntimo, já que a minha boca estava aberta, incrédula.

– O que está fazendo aqui?

Ele abriu um sorriso largo e afastou o cacho de cabelo, sempre presente, de sua testa.

– Deveria lhe perguntar a mesma coisa? Porque parece que me segue por toda parte. Vou acabar achando que você quer dormir comigo.

Corei e, com elegância, ri com desdém.

– Sim, algo parecido. Na verdade, não estou aqui como convidada. Sou apenas uma *baby-sitter* muito bem-vestida. Miranda pediu que eu a acompanhasse e só me disse quando chegamos que eu deveria tomar conta da pestinha do filho dos anfitriões. Por isso, se me dá licença, é melhor eu ir ver se ele já tomou o leite todo e se tem os lápis de que precisaremos.

– Oh, ele está bem, e estou certo de que a única coisa de que ele precisa nesta noite é outro beijo de sua *baby-sitter*. – Pegou meu rosto com as duas mãos e me beijou de novo. Abri a boca para protestar, para perguntar o que estava acontecendo, mas ele entendeu como entusiasmo e deslizou a língua para dentro da minha boca.

– Christian! – falei calmamente, pensando como seria rapidamente despedida, se Miranda me pegasse beijando um cara qualquer em uma de suas festas. – O que está fazendo? Me solte! – me contorci e me afastei, mas ele continuou com aquele sorriso irritantemente adorável.

– Andy, como você parece um pouco lenta para entender o que está acontecendo, esta é a *minha* casa. *Meus* pais estão oferecendo esta festa, e fui inteligente o bastante para fazer com que pedissem à sua chefe para trazer você. Ela lhe disse que eu tinha 10 anos, ou você concluiu isso sozinha?

– Você está brincando. Por favor, diga que está brincando.

– Não. Engraçado, não é? Como não consigo prender você de outra maneira, achei que isso funcionaria. Minha madrasta e Miranda eram amigas quando sua chefe trabalhava na *Runway* francesa. Ela é fotógrafa e faz fotos para eles o tempo todo. Por isso, só tive de lhe dizer que o seu filho solitário não se incomodaria se tivesse a companhia de uma assistente atraente. Funcionou como um sortilégio. Venha, vou lhe servir algo para beber. – Pôs a mão na minha cintura, atrás, e me conduziu a um bar de carvalho maciço na sala de estar, que tinha três *barmen* preparando martínis, copos de uísque e elegantes *flûtes* de champanhe.

– Espere, deixe-me esclarecer só uma coisa: não vou ter que ser *baby-sitter* de ninguém hoje à noite? Você não tem um irmãozinho ou algo assim, tem? – Era incompreensível eu ter vindo a uma festa com Miranda Priestly e não ter responsabilidades durante a noite toda, exceto ficar com um Escritor Inteligente e Atraente. Talvez tivessem me convidado porque estavam planejando me fazer dançar ou cantar para entreter os convidados, ou talvez estivesse faltando uma garota para servir bebidas e acharam que eu seria a melhor solução de última hora? Ou quem sabe não estaríamos indo para o vestiário onde eu revezaria com a garota que estava lá agora, parecendo entediada e cansada? Minha mente recusou-se a aceitar a história de Christian.

– Bem, não estou dizendo que não terá de bancar a *baby-sitter* esta noite, porque planejo precisar de muita atenção, mas acho que será uma noite melhor do que imaginou. Espere aqui. – Beijou-me no rosto e desapareceu na multidão de convidados: homens de aparência distinta e mulheres do tipo que seguiam a moda, que se davam ares de artistas, na faixa dos 40 e 50, que pareciam ser um misto de banqueiros e gente de revista, com alguns designers, fotógrafos e modelos. Havia um pequeno pátio de pedras elegante, nos fundos da casa, todo iluminado com velas brancas, onde um violinista tocava baixinho, e eu espiei lá fora. Reconheci, imediatamente, Anna Wintour, absolutamente encantadora em um vestido de alcinhas de seda creme e sandálias Manolo de contas. Ela conversava animadamente com um homem que presumi ser seu namorado, embora seus óculos escuros Chanel me impedissem de saber se estava se divertindo, indiferente ou soluçando. A imprensa adorava comparar os gestos extravagantes e as atitudes de Anna e Miranda, mas eu achava impossível alguém ser mais insuportável do que a minha chefe.

Atrás dela, estavam o que supus ser algumas editoras da *Vogue*, olhando Anna cautelosas e cansadas, como os tagarelas olham Miranda, e do lado delas estava a espalhafatosa Donatella Versace. O rosto dela estava tão maquiado que parecia uma caricatura de si mesma. Na primeira vez em que visitei a Suíça, não consegui deixar de pensar em como o país se parecia com uma falsa cidadezinha do Epcot Center. Da mesma maneira, Donatella realmente se parecia mais com a personagem do *Saturday Night Live* do que consigo mesma.

Bebi um pouco do meu champanhe (e eu que achei que não seria servida!) e conversei um pouco com um italiano – um dos primeiros italianos feios que conheci – que falava, com uma linguagem floreada, sobre a sua inata apreciação do corpo feminino, até Christian reaparecer.

– Venha comigo, um minuto – disse ele, mais uma vez me conduzindo suavemente pelo grupo de pessoas. Estava usando o seu uniforme: Diesel perfeitamente desbotado, camiseta branca, paletó esporte escuro e mocassins Gucci e misturava-se com o pessoal de moda perfeitamente.

– Aonde vamos? – perguntei, atenta a Miranda que, independentemente do que Christian dissesse, provavelmente continuava esperando que eu fosse banida para um canto, enviando faxes ou atualizando o itinerário.

– Primeiro vou lhe servir outro drinque, e, talvez, um para mim também. Depois, vou lhe ensinar a dançar.

– O que o faz pensar que não sei dançar? Por acaso, sou uma excelente dançarina.

Deu-me outra *flûte* de champanhe, que pareceu surgir do ar rarefeito, e me introduziu na sala de estar formal de seus pais, decorada em belos tons de castanho-avermelhado. Um grupo de seis músicos estava tocando música moderninha, é claro, e as pessoas com menos de 35 anos haviam se reunido ali. Como se recebendo um sinal, o conjunto começou a tocar *Let's Get It On,* de Marvin Gaye, e Christian puxou-me contra ele. Cheirava a colônia masculina, usada por alunos do segundo grau, algo tipo Polo Sport. Seus quadris se moviam naturalmente ao som da música. Sem nenhum pensamento complexo, simplesmente nos movíamos juntos por toda a pista de dança improvisada, e ele cantava baixinho em meu ouvido. O restante da sala ficou indistinta – eu tinha uma vaga ideia de que havia outras pessoas dançando, também, e de alguém, em algum lugar, brindando alguma coisa, mas naquele momento a única coisa com alguma definição era Christian. Nos profundos recessos da minha mente, havia a consciência muito tênue, mas insistente, de que esse corpo contra o meu não era o de Alex, mas não tinha importância. Não agora, não nesta noite.

Já tinha passado de uma hora quando, de fato, me lembrei de que estava ali com Miranda; haviam se passado horas desde que a vira pela última vez, e eu estava certa de que ela tinha se esquecido de mim e voltado ao hotel. Mas quando, finalmente, eu me afastei do sofá no gabinete do pai de Christian, eu a vi conversando feliz com Karl Lagerfeld e Gwyneth Paltrow, todos, aparentemente, esquecidos de que deveriam estar acordados para o desfile da Christian Dior dali a apenas algumas horas. Pensava se deveria ou não me aproximar, quando ela me localizou.

– Ahn-dre-ah! Venha cá – chamou, a voz soando quase feliz sobre o alarido da festa que, flagrantemente, se tornara mais festiva nas últimas horas. Alguém tinha diminuído as luzes, e estava muito claro que os convidados que restavam tinham sido muito bem atendidos pelos *barmen* sorridentes. A maneira irritante como pronunciou meu nome nem mesmo me incomodou na minha quente e indistinta embriaguez. E como eu pensava que a noite não poderia ter sido melhor, ela, evidentemente, estava me chamando para me apresentar a seus amigos famosos.

– Sim, Miranda? – falei no meu tom mais insinuante, mais "obrigada por ter me trazido a esta casa fabulosa". Ela sequer olhou na minha direção.

– Traga-me uma Pellegrino e depois chame o motorista. Estou pronta para sair agora. – As duas mulheres e um homem do lado dela reprimiram o riso, e senti meu rosto enrubescer.

– É claro. Volto já. – Busquei a água, que ela aceitou sem um obrigada e atravessei o grupo de pessoas, que se reduzia, até o carro. Pensei em procurar os pais de Christian e agradecer, mas pensei melhor e fui direto para a porta, onde ele estava encostado, com uma expressão presunçosa satisfeita.

– Então, pequena Andy, como foi a noite? – disse com um pouquinho de arrogância, e nem por isso pareceu menos adorável.

– Foi boa, acho.

– Só boa? Estou achando que você gostaria que eu a levasse lá para cima, hein, Andy? Tudo a seu tempo, minha amiga, tudo a seu tempo.

Beijei-o, brincando, no braço.

– Não se iluda, Christian. Agradeça a seus pais por mim. – E, dessa vez, inclinei-me primeiro, e o beijei no rosto, antes de ele ter tempo de fazer qualquer coisa. – Boa noite.

– Uma provocadora! – gritou, só um pouquinho mais arrogante. – Você é uma provocadora. Aposto que seu namorado adora esse seu lado, não? – Agora, ele estava sorrindo, e não cruelmente. Tudo fazia parte do jogo do flerte, para ele, mas a referência a Alex me deixou sóbria por um minuto. Tempo suficiente para me dar conta de que eu tinha me divertido esta noite como não acontecia há muitos anos. A bebida, a dança, suas mãos nas minhas costas quando me puxou contra si me fizeram sentir mais viva do que em todos aqueles meses trabalhando para a *Runway*, meses preenchidos com nada além de frustração e humilhação e uma exaustão que entorpecia meu corpo. Talvez por isso Lily bebesse, pensei. Os rapazes, as festas, a alegria de perceber que se é jovem e está vivo, respirando. Mal podia esperar para ligar para ela e contar tudo.

Miranda sentou-se do meu lado no banco de trás da limusine após mais cinco minutos, e até mesmo ela parecia, de alguma maneira, estar feliz. Eu me perguntei se ela estaria embriagada, mas excluí essa possibilidade imediatamente: o máximo que já a tinha visto beber tinha sido um gole de uma coisa ou outra, e, assim mesmo, porque a situação social exigia. Ela preferia Perrier ou Pellegrino a champanhe e, certamente, milk-shake ou café com leite a um *Cosmo*, por isso as chances de que estivesse realmente bêbada eram remotas.

Depois de me interrogar sobre o itinerário do dia seguinte durante cinco minutos (felizmente, eu tinha pensado em enfiar uma cópia na minha bolsa), virou-se e olhou para mim pela primeira vez naquela noite.

– Emily... ahn, Ahn-dre-ah, há quanto tempo está trabalhando para mim?

Isso foi inesperado, e a minha mente não trabalhou rápido o bastante para entender a intenção real dessa pergunta repentina. Era estranho eu ser objeto de qualquer pergunta sua que não fosse a de querer saber explicitamente por que eu era uma idiota tão completa ao não procurar, enviar por fax, ou buscar alguma coisa rápido o bastante. Ela, na verdade, nunca tinha perguntado nada sobre a minha vida antes. A menos que se lembrasse dos detalhes da primeira entrevista – o que parecia improvável, considerando-se que me olhou apaticamente no meu primeiro dia de trabalho –, não faria ideia de qual faculdade, se é que havia uma, eu havia cursado, onde eu morava, se é que eu morava, em Manhattan, ou do que eu fazia, se é que fazia, na cidade, nas poucas horas no dia em que não estava correndo em volta dela. E apesar da pergunta certamente apresentar um elemento de Miranda, a minha intuição dizia que, talvez, quem sabe, seria uma conversa sobre mim.

– No próximo mês, completará um ano, Miranda.

– E acha que aprendeu algumas coisas que possam ajudá-la no futuro? – Olhou para mim e, instantaneamente, reprimi o impulso de falar sobre as miríades de coisas que tinha "aprendido": como descobrir uma loja ou uma resenha de restaurante na cidade inteira ou em uma dúzia de jornais com poucas dicas sobre a sua origem genuína; como alcovitar as garotas pré-adolescentes que já tinham mais experiência de vida do que meus pais juntos; como implorar, gritar, persuadir, chorar, pressionar, bajular, ou seduzir alguém, do garoto de entregas da *delivery* ao editor-chefe de uma editora importante para obter exatamente o que eu precisava, quando precisava; e, é claro, como completar qualquer desafio em menos de uma hora, porque a frase "não estou certa como" ou "isso não é possível" simplesmente não eram uma opção. Não tinha sido outra coisa senão um ano de muita aprendizagem.

– Oh, é claro – me derramei. – Aprendi mais em um ano trabalhando para você do que poderia esperar em qualquer outro emprego. Foi fascinante, realmente, ver como uma revista importante, *a principal* delas, funciona: o seu ciclo da produção, conhecer todos os cargos. E, é claro, poder observar a maneira como você administra tudo, todas as decisões que toma. Tem sido um ano incrível. Estou tão agradecida, Miranda! – Tão agradecida, também, por meus dois molares doerem há semanas e eu não ter tempo de ir a um dentista, mas isso não importa. O meu recém-descoberto conhecimento da habilidade manual de Jimmy Choo tinha valido a pena a dor.

Seria possível isso parecer convincente? Olhei de soslaio e ela parecia estar acreditando, balançando a cabeça com gravidade.

– Bem, você sabe, Ahn-dre-ah, que, após um ano, minhas garotas tendo trabalhado bem, eu as considero aptas a uma promoção.

Meu coração disparou. Isso estava, finalmente, acontecendo? Era aí que ela diria que já tinha se antecipado e garantido um emprego para mim na *The New Yorker*? Independentemente de não fazer a menor ideia de que eu mataria para trabalhar lá. Talvez ela tivesse simplesmente imaginado isso porque se preocupava.

– Tenho dúvidas sobre você, é claro. Não pense que não noto sua falta de entusiasmo, ou aqueles suspiros e as caras que você faz quando peço alguma coisa que, obviamente, não está a fim de fazer. Espero que seja apenas um sinal de sua imaturidade, já que parece razoavelmente competente em outras áreas. O que exatamente está interessada em fazer?

Razoavelmente competente! Podia também ter dito que eu era a jovem mais inteligente, sofisticada, bela e capaz que ela já tivera o prazer de conhecer. Miranda Priestly tinha acabado de dizer que eu era razoavelmente competente!

– Bem, na verdade, não que eu não adore moda, porque é claro que adoro. Quem não adoraria? – Apressei-me em dizer, mantendo uma cuidadosa avaliação de sua expressão, que, como sempre, permanecia inalterável. – É que sempre sonhei em me tornar escritora, de modo que espero que, talvez, ahn, essa seja uma área que eu possa explorar.

Cruzou as mãos no colo e relanceou os olhos para a janela. Estava claro que essa conversa de 45 segundos já começava a entediá-la, por isso eu tinha de agir rápido.

– Bem, certamente não faço a menor ideia de se é capaz de escrever uma palavra ou não, mas não me oponho a que escreva alguns artigos curtos para a revista para eu poder avaliar. Talvez a resenha de uma peça de teatro ou uma pequena reportagem para a seção Happenings. Contanto que não interfira em nenhuma de suas responsabilidades comigo e que seja feito somente durante o seu tempo livre, é claro.

– É claro, é claro. Seria maravilhoso! – Estávamos conversando, realmente nos comunicando, e ainda não tínhamos mencionado as palavras "café da manhã" ou "lavanderia". As coisas estavam correndo bem demais para que eu não falasse tudo, portanto eu disse: – Meu sonho é, um dia, trabalhar na *The New Yorker.*

Isso pareceu atrair a sua atenção dispersa, e ela me olhou mais uma vez.

– Por que ia querer fazer isso? Não tem nenhum glamour, só o trabalho corriqueiro. – Não entendi direito se a pergunta era retórica e, por via das dúvidas, me calei.

Meu tempo acabaria em cerca de vinte segundos, não só porque estávamos nos aproximando do hotel, como também porque seu interesse fugaz por mim estava se esvanecendo rapidamente. Ela estava verificando as chamadas em seu celular, mas ainda disse da maneira mais natural e informal possível:

– Hum, *The New Yorker.* Condé Nast. – Eu balançava a cabeça freneticamente, encorajando, mas ela não estava olhando para mim. – É claro que conheço muita gente ali. Vamos ver como o restante da viagem se desenvolve, e talvez eu faça uma ligação para lá, quando voltarmos.

O carro estacionou na entrada, e um *monsieur* Renaud com a expressão exausta afastou o mensageiro que se curvava à frente para abrir a porta, abrindo-a ele mesmo.

– Senhoras! Espero que tenham tido uma noite adorável – falou suavemente, esforçando-se para sorrir, apesar da exaustão.

– Precisaremos do carro às nove da manhã, para ir ao desfile da Christian Dior. Tenho uma reunião, no café da manhã, às oito e meia. Faça de tudo para que eu não seja incomodada antes disso – falou bruscamente, todos os vestígios de humanidade evaporando-se como água derramada numa calçada quente. E antes de eu pensar em como finalizar a nossa conversa ou, no mínimo, bajulá-la um pouco mais por tudo isso, ela se dirigiu aos elevadores e desapareceu dentro de um deles. Lancei um olhar cansado e compreensivo a *monsieur* Renaud e entrei em um elevador.

Os chocolates pequenos e deliciosos dispostos em uma bandeja de prata sobre a minha mesinha de cabeceira só enfatizaram a perfeição da noite. Em uma festa imprevista, eu tinha me sentido como uma modelo, saído com um dos caras mais atraentes que eu já tinha visto em carne e osso e escutado Miranda Priestly me dizer que eu era razoavelmente competente. Sentia como se tudo, finalmente, estivesse se juntando, que o ano de sacrifício estava revelando os primeiros sinais de uma recompensa potencial. Caí sobre as cobertas, totalmente vestida, e olhei fixamente o teto, ainda sem poder acreditar que havia dito a Miranda, sem rodeios, que queria trabalhar na *The New Yorker*, e ela não tinha rido. Ou berrado. Ou de algum jeito, maneira ou forma, extrapolado e perdido o controle. Não tinha nem mesmo escarnecido e dito que eu era ridícula por não querer ser promovida a algum cargo na *Runway*. Foi quase como se – e talvez, aqui, eu esteja especulando, mas acho que não – ela tivesse me escutado e *compreendido*. Compreendido e *concordado*. Era coisa demais.

Tirei a roupa lentamente, saboreando cada minuto da noite, repassando várias vezes na mente a maneira como Christian tinha me conduzido de uma sala à outra e, depois, pela pista de dança, a maneira como me olhava através de suas pálpebras cobertas pelo cacho persistente, a maneira como Miranda quase imperceptivelmente balançou a cabeça quando eu disse que o que eu realmente queria era escrever. Uma noite verdadeiramente gloriosa, tinha de admitir, uma das melhores na história recente. Eram quase três e meia da manhã em Paris, nove e meia em Nova York – uma hora perfeita para pegar Lily antes de ela sair para a noite. Embora eu tivesse discado sem dar importância à luz piscando insistente que anunciava – surpresa, surpresa! – que eu tinha mensagens, animada, puxei um bloco de papel timbrado do Ritz e me preparei para transcrevê-las. Tudo indicava que eram listas compridas de pedidos de pessoas irritantes, mas nada conseguiria estragar a minha noite de Cinderela.

As três primeiras eram de *monsieur* Renaud e seus assistentes, confirmando vários motoristas e a hora para o dia seguinte, nunca se esquecendo de me desejar boa noite, como se eu fosse, realmente, uma pessoa, não apenas uma escrava, o que eu agradecia. Entre a terceira e a quarta mensagens, me vi querendo e não querendo que uma das mensagens fosse de Alex, e, consequentemente, foi ao mesmo tempo delicioso e aflitivo quando a quarta foi dele.

– Oi, Andy, sou eu, Alex. Desculpe incomodá-la aí, sei que deve estar extremamente ocupada, mas preciso falar com você. Por favor, ligue para o meu celular assim que puder. Não importa a hora, simplesmente ligue. Ok? Ahn, ok. Tchau.

Era tão estranho ele não ter dito que me amava ou sentia saudades ou estava esperando que eu voltasse, mas achei que todas essas coisas pertenciam à categoria "inapropriado" quando as pessoas tinham decidido "dar um tempo". Deletei e decidi, arbitrariamente, que a falta de urgência em sua voz significava que eu podia esperar até amanhã – eu simplesmente não podia lidar com uma conversa longa sobre o "estado da nossa relação" às três da manhã, depois da noite maravilhosa que eu tinha tido.

A última mensagem era da minha mãe, e também soava estranha e ambígua.

– Oi, querida, é sua mãe. São mais ou menos oito horas daqui, não sei bem que horas são aí. Ouça, nenhuma emergência, está tudo bem, mas seria bom se pudesse me ligar de volta. Ficaremos acordados, por isso, qualquer hora está bem, mas hoje é melhor do que amanhã. Eu e seu pai esperamos que esteja aproveitando muito, e nos falaremos mais tarde. Nós amamos você!

Era sem dúvida estranho. Tanto Alex quanto minha mãe tinham ligado, para Paris, antes de eu ter a chance de ligar para um deles, e os dois tinham pedido para eu ligar de volta, independentemente da hora em que eu recebesse a mensagem. Considerando que meus pais definiam o conceito de tarde da noite "se estavam ou não acordados para o monólogo de abertura do Letterman", eu sabia que algo tinha acontecido. Mas, ao mesmo tempo, nenhum dos dois parecia exatamente alarmado ou em pânico. Talvez eu tomasse um longo banho de espuma, com alguns dos produtos do Ritz e, aos poucos, reunisse força para ligar para eles; a noite tinha sido boa demais para ser arruinada falando com minha mãe sobre alguma preocupação banal ou com Alex sobre "onde ficamos".

O banho foi tão quente e luxuoso como era de se esperar em uma suíte júnior adjacente à de Coco Chanel no Ritz de Paris, e eu levei mais alguns minutos aplicando um pouco do hidratante levemente perfumado, que peguei no estojo, em todo o meu corpo. Então, finalmente, envolvida no roupão de veludo mais felpudo que eu já vestira, sentei-me para discar. Sem pensar, disquei o número da minha mãe primeiro, o que, provavelmente, foi um erro: até mesmo o seu "alô?" soou gravemente estressado.

– Oi, sou eu. Está tudo bem? Vou ligar para vocês amanhã. É que tudo tem sido tão agitado. Mas esperem até eu contar a noite que eu tive! – Eu sabia que omitiria qualquer referência romântica a Christian, já que não estava a fim de explicar a situação com Alex a meus pais, mas sabia que os dois ficariam felizes ao saber que Miranda pareceu reagir bem quando lancei a ideia da *The New Yorker.*

– Querida, não quero interrompê-la, mas aconteceu uma coisa. Recebemos, hoje, uma ligação do Lenox Hill Hospital, que fica na rua 77 acho, e parece que Lily sofreu um acidente.

E embora pareça um clichê, o meu coração parou por um breve momento.

– O quê? Do que está falando? Que tipo de acidente?

Ela já tinha mudado para o modo de mãe-preocupada e estava, visivelmente, tentando manter a voz firme e suas palavras racionais, obedecendo ao que certamente tinha sido sugestão do meu pai de me transmitir um sentimento de calma e controle.

– Um acidente de carro, querida. Um acidente grave, receio. Lily estava dirigindo. Havia também um rapaz no carro, alguém da faculdade dela, acho que foi o que disseram, e ela virou na contramão em uma rua de mão única. Parece que bateu de frente em um táxi, na velocidade de 70 quilômetros por hora em uma rua no perímetro urbano. O policial com quem falei disse que é um milagre ela estar viva.

– Não entendo. Quando aconteceu? Ela vai ficar bem? – Eu tinha começado a chorar, pois, por mais calma que minha mãe tentasse permanecer, eu podia sentir a gravidade da situação em suas palavras cuidadosamente escolhidas. – Mãe, onde está Lily agora, ela vai ficar bem?

Só então notei que minha mãe também estava chorando, baixinho.

– Andy, vou passar para o seu pai. Ele falou com os médicos ainda há pouco. Eu te amo, querida. – A última parte saiu como um guincho.

– Oi, querida. Como vai? Desculpe termos ligado com notícias assim. – A voz do meu pai soou grave e tranquilizadora, e eu tive uma sensação passageira de que tudo seria resolvido. Ele me diria que ela tinha quebrado uma perna, talvez uma costela ou outra, e que alguém tinha chamado um bom cirurgião plástico para corrigir alguns arranhões em seu rosto. Mas ela ficaria bem.

– Pai, por favor, quer me dizer o que aconteceu? Mamãe disse que Lily estava dirigindo e bateu em um táxi que corria? Não entendo. Nada disso faz sentido. Lily não tem carro, e odeia dirigir. Nunca atravessaria Manhattan. Como soube disso? Quem ligou? E como ela está? – De novo, me controlei, pois estava quase histérica, e de novo a sua voz foi firme e confortadora ao mesmo tempo.

– Respire fundo. Vou contar tudo o que sei. O acidente aconteceu ontem, mas só ficamos sabendo hoje.

– Ontem! Como isso pode ter acontecido ontem e ninguém me ligar? Ontem?

– Querida, eles ligaram para você. O médico disse que Lily tinha preenchido as informações na primeira página de sua agenda e tinha colocado você como contato de emergência, já que a avó não adiantaria muito. De qualquer jeito, acho que o hospital ligou para a sua casa e seu celular, mas naturalmente não a encontraram. Como ninguém ligou de volta nem apareceu em 24 horas, examinaram a sua agenda e perceberam que tínhamos o mesmo sobrenome seu, por isso o hospital nos ligou para saber como contatar você. Sua mãe e eu não lembrávamos onde você estaria, e ligamos para Alex para saber o nome do hotel.

– Oh, meu Deus, foi ontem. Ela ficou sozinha esse tempo todo? Continua no hospital? – Não consegui fazer as perguntas rápido o bastante, mas continuava com a impressão de que não teria respostas. Tudo o que eu sabia com certeza era que Lily tinha me escolhido como primeira pessoa em sua vida, o contato de emergência que sempre se indica, mas nunca leva a sério. E ela tinha precisado realmente de mim, de fato, não tinha mais ninguém, e eu não tinha sido encontrada. Minha apreensão tinha diminuído, mas as lágrimas continuaram a correr por meu rosto em fios raivosos, pungentes, e a minha garganta parecia ter sido arranhada com uma pedra-pomes.

– Sim, ela continua no hospital. Vou ser muito franco com você, Andy. Não sabemos se ela resistirá.

– O quê? O que está dizendo? Alguém pode me dizer algo concreto?

– Querida, já falei com o médico uma meia dúzia de vezes, e estou certo de que está sendo muito bem cuidada. Só que Lily está em coma, querida. Mas o médico me tranquilizou...

– Coma? Lily está em coma? – Nada mais fazia sentido, as palavras recusavam-se a fazer sentido.

– Querida, tente se acalmar. Sei que é um choque e odeio contar isso por telefone. Pensamos em não lhe contar até que voltasse, mas como ainda falta uma semana, achamos que teria o direito de saber. Mas saiba que eu e sua mãe estamos fazendo tudo o que podemos para garantir que Lily receba o melhor tratamento. Ela sempre foi como uma filha para nós, você sabe disso, por isso ela não ficará só.

– Oh, meu Deus, tenho de voltar. Pai, tenho de voltar para casa! Ela não tem ninguém a não ser a mim, e estou do outro lado do Atlântico. Oh, mas a maldita festa é depois de amanhã, e é a única razão para eu ter vindo e Miranda, com certeza, me despedirá, se eu não estiver aqui. Pensar! Preciso pensar!

– Andy, já é tarde aí. Acho que a melhor coisa que você pode fazer é dormir um pouco, ter um pouco de tempo para refletir sobre isso. É claro que sei que gostaria de vir para casa agora mesmo, pois você é assim, mas não se esqueça de que Lily não está consciente. O médico dela me assegurou que as chances de ela sair do coma nas próximas 48 a 72 horas são excelentes, que o seu corpo está usando isso para um sono mais profundo e mais demorado para ajudar a si mesmo a se curar. Mas nada é certo – acrescentou, a voz suave.

– E se ela sair do coma? É possível que ela tenha sofrido vários tipos de danos cerebrais, uma horrível paralisia ou algo assim? Oh, meu Deus, não posso aguentar isso.

– Eles ainda não sabem. Disseram que ela responde aos estímulos nos pés e nas pernas, o que é um bom sinal de que não há paralisia. Mas há inchaços em sua cabeça, e só será possível saber alguma coisa ao certo quando ela sair desse quadro. Temos que esperar.

Falamos por mais alguns minutos e desliguei abruptamente para tentar falar com Alex.

– Sou eu. Você a viu? – perguntei sem nem mesmo dar um alô. No momento fui uma minimiranda.

– Andy. Oi. Então já sabe?

– Sim, acabo de falar com meus pais. Você a viu?

– Sim. Estou no hospital. Não me permitiram entrar ao quarto dela agora porque não é hora de visitas e eu não sou da família, mas queria estar aqui, se ela acordar. – Ele parecia muito, muito distante, completamente perdido em seus próprios pensamentos.

– O que aconteceu? Minha mãe disse algo de ela estar dirigindo e bater em um táxi. Nada disso fez nenhum sentido para mim.

– Poxa, foi um pesadelo – falou com um suspiro, visivelmente infeliz por ter de ser ele a me contar a história. – Não sei se entendi direito, mas falei com o cara com quem ela estava quando aconteceu. Lembra-se de Benjamin, o tal com quem ela saía na faculdade e que Lily encontrou com as três garotas?

– É claro, ele trabalha no mesmo prédio que eu. Às vezes, eu o vejo. O que diabos ela estava fazendo com ele? Lily o odeia. Nunca superou o que aconteceu.

– Eu sei, também era o que eu achava, mas parece que andavam saindo ultimamente e estavam juntos nessa noite. Ele disse que tinham comprado entradas para assistir ao show do Phish no Nassau Coliseum e foram para lá, de carro, juntos. Parece que Benjamin tinha fumado demais e achou que não deveria dirigir de volta para casa, por isso Lily se ofereceu. Voltaram à cidade sem problemas, até Lily passar um sinal vermelho e virar para o lado errado, na Madison, direto para o trânsito que vinha na direção contrária. Bateram de frente com um táxi, no lado do motorista, e, bem, o resto você sabe. – Sua voz ficou embargada, e senti que as coisas eram mais graves do que tinham transparecido até agora.

Tudo o que eu tinha feito na última meia hora eram perguntas – à minha mãe, ao meu pai e a Alex –, mas não tinha tido coragem de fazer a mais óbvia: por que Lily tinha ultrapassado um sinal vermelho e entrado numa contramão? Mas não precisei, porque Alex, como sempre, sabia exatamente no que eu estava pensando.

– Andy, o nível de álcool em seu sangue era quase o dobro do limite legal – declarou sem rodeios, tentando não engolir as palavras, para que eu não pedisse para repetir.

– Oh, meu Deus.

– Se... quando... ela acordar, terá de lidar com muito mais do que a sua saúde. Ela está bem encrencada. Felizmente, o taxista está bem, só com algumas contusões, e a perna esquerda de Benjamin está completamente esfacelada, mas ele ficará bem, também. Só precisamos esperar Lily. Quando vai voltar?

– O quê? – Eu ainda estava tentando processar o fato de Lily estar "vendo" um cara que sempre odiou, de acabar em coma por estar tão bêbada na companhia dele.

– Eu perguntei quando vai voltar. – Como permaneci calada por um momento, ele prosseguiu. – Vai voltar, não vai? Não está pensando sério em ficar aí quando a sua melhor amiga está em uma cama de hospital, está?

– O que está sugerindo, Alex? Está sugerindo que a culpa é minha por eu não estar aí? Que ela está no hospital porque estou em Paris? Que se eu soubesse que ela tinha voltado a sair com Benjamin nada disso teria acontecido? É isso? O que exatamente está querendo dizer? – Estrilei, todas as confusas emoções da noite transbordando em uma necessidade simples e urgente de gritar com alguém.

– Eu não disse nada disso. Você disse. Eu simplesmente supus que você, evidentemente, voltaria para casa o mais cedo possível para ficar com ela. Não a estou julgando, Andy, sabe que não. Também sei que é tarde demais para você, e que não há nada que possa fazer nas próximas horas, por isso, por que não me liga quando souber em que voo virá? Eu a pegarei no aeroporto e viremos direto para o hospital.

– Está bem. Obrigada por ficar com ela. Eu realmente agradeço e sei que Lily também. Ligo quando souber o que vou fazer.

– Ok, Andy. Sinto a sua falta. E sei que fará a coisa certa. – O telefone emudeceu antes de eu poder reagir.

Fazer a coisa certa? A coisa *certa*? O que isso significava? Odiei ele ter suposto que eu pularia em um avião e correria para casa porque ele havia mandado. Odiei o seu tom de voz condescendente, moralista, que me fez sentir, imediatamente, como uma de suas alunas que tivesse acabado de ser pega conversando em aula. Odiei que fosse ele quem estivesse com Lily agora, embora ela fosse minha amiga, que fosse ele quem estivesse agindo como ligação entre mim e meus pais, que ele, mais uma vez, do alto de seu pedestal moral, desse as ordens. Os velhos tempos tinham desaparecido, quando eu talvez me sentisse confortada com a sua presença, sabendo que estávamos nisso juntos e que teríamos que superar juntos, em vez de nos dividirmos. Quando as coisas tinham ficado desse jeito?

Não havia restado energia para apontar o óbvio para ele, isto é, que se eu voltasse para Nova York antes do previsto, eu seria despedida imediatamente e o meu ano inteiro de servidão teria sido em vão. Eu tinha conseguido reprimir o terrível pensamento antes de ele assumir sua forma completa em minha mente: que eu estar ou não lá não significaria absolutamente nada para Lily nesse momento, já que estava inconsciente no leito de um hospital. As opções me atormentavam. Talvez eu ficasse para ajudar na festa e, então, tentasse explicar a Miranda o que tinha acontecido e pedisse por meu emprego. Ou, se Lily acordasse e ficasse consciente, alguém poderia lhe explicar que eu chegaria assim que pudesse, a essa altura, provavelmente, em uns dois dias. E apesar dessas explicações parecerem, de certa forma, razoáveis nas horas escuras antes do amanhecer, após uma noite de dança, taças de champanhe e uma ligação dizendo que a minha melhor amiga estava em coma porque tinha dirigido bêbada, em algum lugar lá no fundo eu sabia – eu sabia – que não eram.

– AHN-DRE-AH, deixe uma mensagem no Horace Mann de que as meninas faltarão à aula na segunda-feira porque estarão em Paris comigo, e faça uma lista de todo o trabalho que precisarão preparar. Além disso, adiante o jantar de hoje à noite para as oito e meia, e se não ficarem satisfeitos, cancele-o. Localizou aquele livro que lhe pedi ontem? Preciso de quatro exemplares, dois em francês e dois em inglês, antes de encontrar-me com eles no restaurante. Ah, e quero uma cópia final do menu editado para a festa de amanhã, com as modificações que fiz. Certifique-se de que não haja sushi de tipo algum, entendeu?

– Sim, Miranda – eu disse, anotando tão rápido quanto possível no caderno de anotações Smythson que o departamento de acessórios tinha, tão prestativamente, incluído com as bolsas, os sapatos, os cintos e as joias. Estávamos no carro a caminho do desfile da Dior, o meu primeiro desfile, com Miranda disparando instruções sem considerar o fato de que eu dormira menos de duas horas. Às quinze para as oito da manhã, um dos zeladores juniores de *monsieur* Renaud bateu na minha porta, assegurando-se de que eu acordara e estaria pronta a tempo de comparecer ao desfile com Miranda, que tinha decidido que gostaria da minha assistência seis minutos antes. Ele tinha, polidamente, ignorado o meu óbvio desmaio sobre a cama ainda feita, e havia diminuído as luzes, que tinham ficado acesas a noite toda. Tive 25 minutos para tomar uma chuveirada, consultar o livro dos trajes, me vestir e me maquiar, já que não tinha marcado a maquiadora para tão cedo.

Acordei com uma dor de cabeça de ressaca de champanhe, mas a verdadeira dor atacou quando as ligações da noite anterior me voltaram à lembrança. Lily! Precisava ligar para Alex ou meus pais e saber se algo havia acontecido nas últimas horas – Deus, parecia uma semana atrás –, mas não tinha tempo agora.

Quando o elevador chegou ao primeiro andar, eu tinha decidido que ficaria mais um dia, simplesmente um dia asqueroso, para dar atenção à festa, e então estaria de volta, com Lily. Talvez eu tirasse uma breve licença depois que Emily retornasse, para passar mais tempo com Lily, ajudar na sua recuperação e lidar com parte dos inevitáveis efeitos colaterais do acidente. Meus pais e Alex iriam assisti-la e estar com ela até eu chegar – *não é como se ela estivesse completamente só*, disse a mim mesma. E essa era a minha vida. A minha carreira, o meu futuro estavam em perigo, e não via como dois dias poderiam fazer diferença para alguém que não estava consciente. Mas para mim – e, certamente, para Miranda – faziam toda a diferença do mundo.

De alguma maneira, sentei-me no banco de trás da limusine antes de Miranda, e embora os seus olhos estivessem fixados na minha saia de chiffon, ela ainda não comentara sobre nenhuma parte da minha roupa. Eu tinha acabado de pôr o livro Smythson na minha bolsa Bottega Venetta quando meu celular para chamadas internacionais tocou. Nunca havia tocado na presença de Miranda antes, percebi, por isso corri a desligar a campainha, mas ela mandou que eu atendesse.

– Alô? – mantive um dos olhos em Miranda, que estava examinando o itinerário do dia e fingia não escutar.

– Andy, oi, querida. – Papai. – Só queria dar as últimas notícias.

– Ok – Eu tentava dizer o mínimo, já que parecia incrivelmente estranho falar ao telefone na frente de Miranda.

– O médico acabou de ligar e disse que Lily mostra sinais que indicam que pode sair do coma em breve. Não é ótimo? Achei que você gostaria de saber.

– Isso é ótimo. Muito bom.

– Já decidiu se virá ou não para casa?

– Hum, não, não decidi. Miranda vai dar uma festa amanhã à noite e ela precisa da minha ajuda, por isso... Ouça, pai, desculpe, mas agora não é uma boa hora. Posso ligar depois?

– Claro, ligue quando quiser. – Ele tentou parecer neutro, mas pude sentir a decepção em sua voz.

– Ótimo. Obrigada por ligar. Tchau.

– Quem era? – perguntou Miranda, continuando a olhar seu itinerário. Tinha começado a chover e sua voz quase foi abafada pelo som da água batendo na limusine.

– Hum? Ah, era o meu pai. Dos Estados Unidos. – De onde diabos eu tirara isso? Dos *Estados Unidos*?

– E o que ele queria que entra em conflito com a festa de amanhã à noite?

Pensei em milhões de mentiras possíveis durante dois segundos, mas não havia tempo para elaborar os detalhes de nenhuma delas, especialmente quando ela voltara toda a sua atenção para mim. Fiquei sem opção a não ser contar a verdade.

– Ah, não foi nada. Uma amiga sofreu um acidente. Está no hospital em coma. E ele ligou para me dizer como ela está e ver se eu ia voltar para casa.

Ela refletiu, balançando a cabeça devagar, e, então, pegou um exemplar do *International Herald Tribune*, que o chofer havia, atenciosamente, oferecido.

– Entendo. – Nenhum "sinto muito" ou "a sua amiga está bem?", somente uma declaração indiferente, vaga, e uma expressão de extremo desprazer.

– Mas não irei, não irei para casa. Sei como é importante estar na festa amanhã, e estarei. Pensei muito a respeito, e quero que saiba que planejo honrar o compromisso que assumi com você e meu trabalho, por isso vou ficar.

De início, Miranda não disse nada. Mas, depois, sorriu ligeiramente e disse:

– Ahn-dre-ah, estou muito satisfeita com a sua decisão. É sem dúvida a coisa certa a fazer, e gosto de você ter reconhecido isso. Ahn-dre-ah, tenho de admitir, tive dúvidas em relação a você desde o começo. É óbvio que não conhece nada de moda e, mais que isso, não parece se importar com isso. E sempre notei todas as maneiras variadas e elaboradas de você me transmitir seu desagrado quando peço para que faça alguma coisa que você preferiria não fazer. Sua competência no trabalho foi adequada, mas a sua atitude tem sido, na melhor das hipóteses, inferior à média.

– Oh, Miranda, por favor, deixe que...

– Estou falando! E ia dizer que estou muito mais disposta a ajudála a chegar aonde quer chegar, agora que demonstrou que está comprometida. Deve ter orgulho de si mesma, Ahn-dre-ah. – Exatamente quando achei que ia desmaiar por causa da extensão, da profundidade e do conteúdo de suas palavras, se de alegria ou de dor, eu não sabia, ela deu mais um passo. Em um gesto tão fundamentalmente contraditório, em todos os aspectos, com a personalidade dessa mulher, ela pôs a mão sobre a que eu apoiava no banco entre nós e disse: – Você me lembra quando eu era da sua idade. – E antes de poder imaginar uma única sílaba apropriada para proferir, o motorista parou em frente ao Carrousel du Louvre e saiu para abrir as portas. Peguei a minha bolsa, e a dela, e me perguntei se esse seria o momento de mais orgulho ou de mais humilhação em minha vida.

MEU PRIMEIRO DESFILE de moda parisiense foi um borrão. Estava escuro, disso me lembro, e a música pareceu alta demais para a elegância subentendida do evento. Mas a única coisa que se destaca dessas duas horas de bizarrice foi o meu intenso desconforto. As botas Chanel que Jocelyn tinha selecionado, tão amorosamente, para o traje – uma suéter de *cashmere* da Malo colada ao corpo, sobre uma saia de chiffon –, faziam meus pés se parecerem com documentos confidenciais sendo passados em um moedor de carne. Minha cabeça doía da ressaca combinada com a ansiedade, fazendo o meu estômago vazio protestar com ondas ameaçadoras de náusea. Eu estava em pé, nos fundos da sala, com os repórteres selecionados e outros que não tinham posição alta o bastante para se sentarem, com um dos olhos em Miranda e o outro investigando os lugares menos humilhantes para ficar nauseada, se fosse necessário. *Você me lembra quando eu era da sua idade. Você me lembra quando eu era da sua idade. Você me lembra quando eu era da sua idade.* As palavras ficaram reverberando repetidamente, afinadas com o latejar regular, persistente, da minha testa.

Miranda conseguiu não se dirigir a mim por quase uma hora, mas, depois disso, disparou. Embora eu estivesse na mesma sala que ela, ligou para o meu celular para pedir uma Pellegrino. A partir desse momento, o telefone tocou a intervalos de dez a vinte minutos, cada pedido provocando um choque de dor diretamente em minha cabeça. *Triiimmm.* "Chame o Sr. Tomlinson em seu jato." (C-SEM não atendeu nas 16 vezes que liguei.) *Triiimmm.* "Lembre a todos os editores da *Runway* em Paris que estarem aqui não significa negligenciarem suas responsabilidades em Nova York. Quero tudo pronto no prazo original!" (As duas editoras *Runway* com quem entrei em contato em seus hotéis em Paris simplesmente riram e desligaram.) *Triimm.* "Quero um sanduíche de peru imediatamente. Estou farta desse presunto."(Andei cerca de 3 quilômetros sobre as botas dolorosas e com o estômago dando sinais de indisposição, e não encontrei peru em lugar nenhum. Estou convencida de que ela sabia disso, já que nunca tinha pedido sanduíche de peru nos Estados Unidos, mesmo que estivessem disponíveis em cada esquina de Nova York.) *Triiimm.* "Espero que os dossiês sobre os três melhores *chefs* que descobriu até agora estejam em minha suíte quando retornarmos deste desfile." (Emily quicou, reclamou e xingou, mas prometeu que passaria um fax independentemente da informação que tivesse sobre os candidatos até agora e eu poderia transformá-lo em "dossiês".) *Triim! Triiimm! Triiimm! Você me lembra quando eu era da sua idade.*

Nauseada demais e incapacitada de assistir ao desfile de modelos anoréxicas, saí para fumar um cigarro. Naturalmente, no momento em que acendi o isqueiro, o celular estrilou de novo.

– Ahn-dre-ah! Ahn-dre-ah! Onde está você? Onde está neste exato instante?

Joguei fora meu cigarro que ainda estava apagado e corri de volta para dentro, meu estômago revirando tão violentamente que eu sabia que vomitaria. Era apenas uma questão de quando e onde.

– Estou logo aqui, no fundo da sala, Miranda – respondi; deslizando pela porta e encostando-me na parede. – Bem à esquerda da porta. Está me vendo? Observei-a virar a cabeça até seus olhos cruzarem com os meus.

Estava para desligar, mas ela continuava a sussurrar nele.

– Não se mexa, está ouvindo? Não se mexa! Espera-se que a minha assistente esteja aqui para me assistir, não para divertir-se lá fora quando preciso dela. Isso é inadmissível, Ahn-dre-ah! – Quando ela chegou ao fundo da sala e se posicionou na minha frente, uma mulher em um vestido longo, prateado e cintilante, e ligeiramente rodado, atravessava o grupo de pessoas reverentes, e a música mudou de um tipo de canto gregoriano bizarro para *heavy metal*. Minha cabeça começou a latejar quase acompanhando o ritmo da mudança de música. Miranda não parou de sibilar quando me alcançou, porém, finalmente, fechou o celular. Eu fiz o mesmo. – Ahn-dre-ah, temos um problema muito sério. *Você* tem um problema muito sério. Acabo de receber uma ligação do Sr. Tomlinson. Parece que Annabelle lhe chamou a atenção para o fato de que os passaportes das gêmeas expiraram na semana passada. – Olhou fixo para mim, mas tudo o que consegui fazer foi me concentrar para não vomitar.

– Ah, é mesmo? – foi tudo o que pude dizer, mas essa, sem dúvida não foi a resposta certa. A sua mão apertou-se em volta da sua bolsa e seus olhos começaram a se escancarar de raiva.

– *Ah, é mesmo?* – imitou em um uivo como o de uma hiena. As pessoas começaram a olhar para nós. – Ah, é mesmo? É tudo o que tem a dizer? "Ah, é mesmo?"

– Não, ahn, é claro que não, Miranda. Não quis dizer isso. Tem alguma coisa que eu possa fazer para ajudar?

– *Tem alguma coisa que eu possa fazer para ajudar?* – imitou de novo, dessa vez, com uma voz de criança. Se ela fosse qualquer outra pessoa, eu a teria esbofeteado. – É melhor acreditar nisso, Ahn-dre-ah. Já que é claramente incapaz de tratar dessas coisas com antecedência, vai ter de imaginar como renová-los a tempo de elas viajarem hoje à noite. Não quero que minhas próprias filhas faltem à festa amanhã, entendeu?

Eu entendi? Humm. Uma boa pergunta, sem dúvida. Eu não conseguia entender como era minha culpa os passaportes de suas filhas de 10 anos terem expirado quando, teoricamente, tinham pais, padrasto e uma babá em horário integral para tratar dessas coisas, mas também entendi que isso não tinha importância. Se ela achava que a culpa era minha, era. Entendi que ela nunca entenderia quando eu lhe dissesse que essas meninas não viajariam nessa noite. Que não havia praticamente nada que eu não pudesse descobrir, consertar, providenciar, mas garantir documentos federais enquanto estava no exterior, em menos de três horas, não seria possível. Ponto final. Ela, finalmente, tinha feito um pedido em um ano inteiro que eu não poderia atender – independentemente de quanto gritasse, exigisse ou intimidasse, não seria atendido. *Você me lembra quando eu era da sua idade.*

Que se danasse. Que se danasse Paris e os desfiles de moda e os "estou tão gorda". Que se danassem todas as pessoas que acreditavam que o comportamento de Miranda se justificava porque ela podia juntar um fotógrafo talentoso com algumas roupas caras e produzir algumas páginas bonitas em uma revista. Que se danasse por chegar a pensar que eu me parecia com ela. E, mais do que tudo, que se danasse por estar certa. Por que razão eu estava ali, sendo insultada, diminuída e humilhada por essa diaba infeliz? Para que talvez, apenas talvez, eu também pudesse estar nesse mesmo evento dali a trinta anos, acompanhada somente de uma assistente que me abominaria, cercada de hordas de pessoas que fingiriam gostar de mim porque precisavam disso.

Tirei meu telefone e apertei um número e observei Miranda ficar cada vez mais pálida.

– Ahn-dre-ah! – sibilou como uma dama que nunca fazia uma cena. – O que acha que está fazendo? Estou dizendo que as minhas filhas precisam de passaportes imediatamente, e você decide que é uma boa hora para conversar ao telefone? Está achando que é para isso que a trouxe a Paris?

Minha mãe atendeu no terceiro toque, mas eu nem mesmo disse alô.

– Mãe, vou pegar o primeiro voo que tiver. Ligo quando chegar no JFK. Estou voltando para casa. – Fechei o telefone, antes de ela ter tempo de responder, e vi que Miranda parecia genuinamente surpresa. Senti um sorriso romper a dor de cabeça e a náusea quando percebi que a tinha deixado momentaneamente sem fala. Infelizmente, ela se recuperou depressa. Havia uma pequena chance de eu não ser despedida se, imediatamente, eu implorasse, explicasse e perdesse a atitude desafiadora, mas não consegui juntar um único pingo de autocontrole.

– Ahn-dre-ah, você percebe o que está fazendo, não? Sabe que se sair daqui assim, serei obrigada a...

– Foda-se, Miranda. *Foda-se.*

Ela arfou alto enquanto sua mão foi à sua boca em choque, e senti muitos dos tagarelas se virarem para ver o que estava acontecendo. Começaram a apontar e cochichar, eles próprios tão chocados quanto Miranda, com o fato de que uma assistente qualquer tivesse dito isso – e não baixo demais – a uma das grandes lendas vivas da moda.

– Ahn-dre-ah! – Ela agarrou meu braço com sua mão semelhante a garras, mas a afastei com força e estampei um sorriso enorme. Também achei que seria um bom momento para parar de sussurrar e revelar a todos o nosso pequeno segredo.

– Lamento muito, Miranda – comuniquei com a minha voz normal, que pela primeira vez, desde que eu chegara a Paris, não estava tremendo incontrolavelmente –, mas acho que não poderei ficar para a festa amanhã. Você entende, não? Estou certa de que será adorável, por isso, por favor, divirta-se. Isso é tudo. – E antes que ela pudesse responder, pus a bolsa no ombro, ignorei a dor que ia do calcanhar aos dedos dos pés e saí ereta para pegar um táxi. Não me lembro de ter me sentido melhor do que nesse momento. Eu estava voltando para casa.

18

– Jill, pare de chamar sua irmã! – berrou minha mãe, sem ajudar muito. – Acho que ela ainda está dormindo. – E então, uma voz ainda mais alta me chegou do pé da escada.

– Andy, você ainda está dormindo? – gritou ela, na direção do meu quarto.

Abri um dos olhos e consultei o relógio. Oito e quinze da manhã. Deus meu, o que essa gente estava *pensando?*

Levei alguns minutos me balançando de um lado para o outro, antes de reunir forças para me sentar, e quando, finalmente, consegui, meu corpo todo implorou por mais sono, só um pouco mais.

– Bom dia – sorriu Lily, seu rosto a alguns centímetros do meu. – Eles realmente acordam cedo aqui. – Desde que Jill, Kyle e o bebê haviam chegado para o Dia de Ação de Graças, Lily tinha sido obrigada a ceder o antigo quarto de Jill e a se mudar para a cama de baixo, que, nesse momento, estava puxada para fora, quase no nível da minha.

– Do que está se queixando? Parece animada, já acordada, e não entendo bem por quê. – Ela estava apoiada em um dos cotovelos, lendo um jornal e bebendo uma xícara de café, que ficava pegando e colocando no chão do lado da cama.

– Estou acordada há séculos escutando Isaac chorar.

– Ele estava chorando? Mesmo?

– Não acredito que não escutou. Não parou desde mais ou menos as seis e meia da manhã. Uma gracinha, Andy, mas essa agitação toda de manhã cedo é dose.

– Meninas! – gritou minha mãe de novo. – Tem alguém acordado aí? Alguém? Não me importa que ainda estejam dormindo, apenas, por favor, respondam para que eu saiba quantos waffles devo descongelar!

– Por favor, pode responder? Eu vou matá-la, Lil. – E, então, gritei para a porta do quarto ainda fechada: – Estamos dormindo ainda, não percebeu? Profundamente adormecidas, provavelmente por mais algumas horas. Não ouvimos o bebê, nem os gritos, nada! – e caí de novo na cama. Lily riu.

– Relaxe – disse ela de um jeito muito-não-Lily. – Eles só estão felizes por você estar em casa, e eu, por minha vez, estou feliz por estar aqui. Além do mais, só são mais dois meses, e ficaremos sós de novo. Na verdade, não é tão ruim.

– Mais dois meses? Só se passou um até agora e a minha vontade é dar um tiro na cabeça. – Tirei a camiseta de dormir, uma das camisetas de Alex, e vesti um moletom. O mesmo jeans que usava diariamente nas últimas semanas estava enrolado do lado do meu armário: quando o puxei para os quadris, notei que parecia mais apertado. Agora que eu não precisava mais engolir uma tigela de sopa ou subsistir só de cigarros e Starbucks, meu corpo tinha se ajustado e recuperado os 5 quilos que perdera enquanto trabalhava na *Runway*. E isso não me fez me encolher envergonhada; eu *acreditava* quando Lily e meus pais me diziam que estava saudável e não gorda.

Lily vestiu uma calça esportiva sobre as ceroulas com que dormira e amarrou um lenço sobre o cabelo ondulado. Com o cabelo puxado para trás, as marcas vermelhas inflamadas, onde cacos de vidro do para-brisa entraram em sua testa, ficavam mais evidentes, mas os pontos já haviam sido retirados e o médico prometera que as cicatrizes, se ficasse alguma, seriam mínimas.

– Vamos – disse ela, pegando as muletas que ficavam encostadas na parede onde quer que ela estivesse. – Eles vão embora daqui a pouco, portanto talvez hoje tenhamos uma noite decente de sono.

– Ela não vai parar de gritar enquanto não descermos, vai? – murmurei, segurando seu cotovelo para ajudá-la a se levantar. O gesso em seu tornozelo direito havia sido autografado pela família inteira, e Kyle tinha até traçado mensagens chatinhas de Isaac por todo ele.

– Com certeza.

Minha irmã apareceu à porta, embalando o bebê, que babava até seu queixo gorducho, mas que, agora, ria contente.

– Veja só o que eu tenho aqui – disse ela com vozinha de bebê, jogando o menininho feliz para cima e para baixo. – Isaac, diga à sua tia Andy para não ser uma cretina, já que estamos indo embora daqui a pouquinho. Pode fazer isso para a mamãe, querido? Pode?

Isaac espirrou, um espirro fofo de neném, em resposta, e Jill reagiu como se ele tivesse acabado de se tornar um adulto em seus braços e recitado sonetos de Shakespeare.

– Viu isso, Andy? *Ouviu* isso? Oh, o meu garotinho é a coisa mais fofinha que já existiu!

– Bom dia – eu disse, beijando-a na bochecha. – Sabe que não quero que vá embora, não sabe? E Isaac é bem-vindo, contanto que imagine uma maneira de dormir de meia-noite às dez da manhã. Céus, até mesmo Kyle pode ficar se prometer não abrir a boca. Viu? Somos afáveis aqui.

Lily tinha conseguido mancar escada abaixo e cumprimentar meus pais, que estavam vestidos para trabalhar e se despedindo de Kyle.

Fiz minha cama e enfiei a de Lily para baixo, não me esquecendo de afofar seu travesseiro antes de metê-lo no meu armário. Ela tinha saído do coma antes de o meu avião decolar em Paris, e, depois de Alex, fui a primeira a vê-la acordada. Fizeram milhões de exames e testes em toda parte concebível de seu corpo, mas, exceto algumas suturas no rosto, pescoço e peito e um tornozelo fraturado, ela estava perfeitamente bem. Estava horrível, é claro – exatamente o que se esperaria de alguém que tivesse se deparado com um veículo que vinha na direção contrária –, mas ela se locomovia bem e parecia, até de uma maneira quase irritante, animada, para alguém que tinha passado o que passara.

Foi ideia do meu pai sublocarmos o apartamento em novembro e dezembro e morarmos com eles durante esse tempo. Apesar de a ideia não me ter parecido tão atraente, minha falta de dinheiro não me deixou com muitos argumentos. Além disso, Lily pareceu gostar da oportunidade de sair da cidade por um tempo e deixar para trás todas as perguntas e fofocas que teria de enfrentar assim que se deparasse com alguém conhecido. Descrevemos o apartamento no classificados on-line, como um perfeito "aluguel de férias" para desfrutar todas as vistas de Nova York, e, para nossa surpresa, um casal de suecos mais velhos, cujos filhos viviam na cidade, pagaram o preço que pedimos – 600 dólares a mais por mês do que pagávamos. Trezentos dólares por mês eram mais do que suficientes para nós duas nos mantermos, especialmente se considerássemos que meus pais nos davam tíquetes para alimentação, roupa lavada e nos deixavam dirigir um velho Camry. Os suecos partiriam na semana após o Ano-Novo, exatamente a tempo de Lily recomeçar seu semestre e eu, bem, fazer alguma coisa.

Emily tinha sido quem, oficialmente, me despedira. Não que eu tivesse qualquer dúvida quanto ao status do meu emprego depois do meu acesso de fúria verbal, mas suponho que Miranda tenha ficado lívida o bastante para mais uma provocação. A coisa toda tinha levado somente três ou quatro minutos e havia se desenrolado com a eficiência *Runway* impiedosa de que eu gostava tanto.

Eu tinha acabado de pegar um táxi e de tirar a bota do meu pé esquerdo, que latejava, quando o telefone tocou. É claro que o meu coração, instintivamente, vacilou, mas quando me lembrei de que havia dito a Miranda o que ela podia fazer com o seu *Você me lembra quando eu era da sua idade*, dei-me conta de que não poderia ser ela. Calculei rapidamente os minutos que tinham se passado: um para Miranda calar a boca ofegante e recuperar a calma diante de todos os tagarelas que estavam observando, outro para ela localizar o seu celular e ligar para Emily, um terceiro para transmitir os detalhes sórdidos do meu rompante sem precedentes, e um último para Emily garantir a Miranda que cuidaria "pessoalmente de tudo". Sim, apesar de o identificador de chamadas simplesmente dizer "indisponível" em chamadas internacionais, não havia a menor dúvida de quem era.

– Oi, Em, como vai? – praticamente cantei enquanto esfregava meu pé descalço, sem deixar que tocasse o chão imundo do táxi.

Meu tom alegre pareceu pegá-la desprevenida.

– Andrea?

– Ei, sou eu, estou aqui. O que houve? Estou com uma certa pressa, por isso... – Pensei em perguntar direto se tinha ligado para me despedir, mas decidi dar-lhe um tempo, por uma vez. Preparei-me para o discurso veemente que ela certamente descarregaria em mim: Como pode tê-la decepcionado, me decepcionado, decepcionado a *Runway*, o mundo da moda, blablablá. Mas isso não aconteceu.

– Ah, sim, claro. Acabo de falar com Miranda... – Sua voz se arrastou como se ela estivesse esperando que eu continuasse e explicasse que tudo tinha sido um grande erro e que não se preocupasse, porque eu tinha ajeitado a situação nos últimos quatro minutos.

– E soube do que aconteceu, suponho.

– Hum, sim! Andy, o que está acontecendo?

– Provavelmente eu é que deveria estar lhe perguntando isso, certo?

Houve um silêncio.

– Ouça, Em, tenho o pressentimento de que ligou para me despedir. Tudo bem. Sei que a decisão não foi sua. Então, ela ligou e pediu que se livrasse de mim? – Embora eu me sentisse mais leve, como não me sentia há meses, ainda me peguei suspendendo a respiração, perguntando-me se talvez, por um golpe de sorte ou azar, Miranda tinha compreendido eu lhe dizer para se foder, em vez de ficar estarrecida.

– Sim. Ela pediu que eu lhe informasse que seria, de fato, despedida imediatamente, e de que gostaria que você tivesse deixado o hotel quando ela retornasse do desfile. – Ela falou baixinho e parecendo lamentar. Talvez fosse pelas várias horas, dias e semanas que teria de enfrentar para encontrar e treinar de novo outra pessoa, mas parecia que havia algo mais por trás.

– Vai sentir a minha falta, não vai, Em? Vá, admita. Tudo bem, não vou contar a ninguém. Para todos os efeitos, esta conversa nunca aconteceu. Não quer que eu vá embora, quer?

Milagre dos milagres, ela riu!

– O que disse a ela? Só ficou repetindo que você era grosseira e vulgar. Não consegui tirar nada mais específico dela.

– Oh, provavelmente porque eu lhe disse para se foder.

– Não disse!

– Você está ligando para me despedir. Garanto que disse.

– Oh, meu Deus.

– Sim, bem, eu mentiria se dissesse que não foi o momento que mais me causou satisfação em minha patética vida. É claro, fui despedida pela mulher mais poderosa no meio editorial. Não somente não tenho como pagar o meu MasterCard quase estourado, como futuros trabalhos em revistas parecem difíceis. Talvez eu devesse tentar trabalhar para uma de suas inimigas, não acha? Ficariam felizes em me contratar, não?

– É claro. Mande seu currículo para Anna Wintour. Nunca se gostaram muito.

– Humm. É algo em que pensar. Ouça, Em, sem ressentimentos, ok? – Nós duas sabíamos que não tínhamos nada, absolutamente nada em comum, a não ser Miranda Priestly, mas como estávamos indo tão bem, pensei em continuar a fingir.

– Claro, é claro – mentiu, sem jeito, sabendo muito bem que eu estava para entrar na estratosfera superior dos párias sociais. As chances de Emily admitir, desse dia em diante, que tinha me conhecido, não existiam, mas tudo bem. Talvez daqui a dez anos, quando ela estivesse na frente e no centro, no desfile de Michael Kors, e eu comprando na Filene's e jantando no Benihana, ríssemos da coisa toda. Mas provavelmente não.

– Bem, adoraria poder conversar, mas estou meio enrolada neste momento, sem saber bem o que vou fazer. Tenho de dar um jeito de voltar o mais cedo possível para casa. Acha que poderei usar o meu bilhete de volta? Ela não pode me despedir e me deixar encalhada em um país estrangeiro, pode?

– Bem, é claro que ela teria justificativa para fazer isso, Andrea – disse ela. Ha, ha! Uma última observação cáustica. Era confortante saber que as coisas nunca mudavam. – Afinal, na verdade, foi você que abandonou o trabalho. Você a obrigou a despedi-la. Mas não, não acho que ela seja uma pessoa vingativa. Apenas pague a taxa de alteração de voo e pensarei em uma maneira de resolver isso.

– Obrigada, Em. Agradeço. E boa sorte para você também. Um dia, ainda será uma editora de moda fantástica.

– Verdade? Acha mesmo? – perguntou ansiosa, feliz. Por que a minha opinião, eu a maior perdedora no campo da moda, seria relevante eu não sabia, mas ela pareceu muito, muito feliz.

– Com certeza. Não tenho a menor dúvida.

Christian ligou assim que desliguei. Não me surpreendi ao ver que ele já sabia o que tinha acontecido. Inacreditável. Mas o prazer de escutar os detalhes sórdidos, combinados com todos os tipos de promessas e convites que fez, só conseguiram com que eu voltasse a me sentir nauseada. Disse-lhe, o mais calmamente possível, que tinha de resolver muitas coisas agora e que, por favor, parasse de ligar nesse meio-tempo, que eu entraria em contato se e quando quisesse.

Como eles, por um milagre, ainda não sabiam que eu havia perdido o emprego, *monsieur* Renaud e seu *entourage* apressaram-se a me atender ao ouvirem que uma emergência em casa me obrigava a retornar imediatamente. Em meia hora, o pequeno *staff* do hotel me reservou o próximo voo para Nova York, fez minhas malas e me pôs no banco de trás de uma limusine, com um bar completo, e parti em direção ao Charles de Gaulle. O motorista era falante, mas eu não respondi: queria desfrutar os últimos momentos como a assistente mais mal remunerada, porém mais altiva do mundo livre. Servi-me de uma última *flûte* de um champanhe perfeitamente seco, e tomei um demorado, lento, suntuoso gole. Haviam sido 11 meses, 44 semanas e cerca de 3.080 horas de trabalho para entender – de uma vez por todas – que se metamorfosear na imagem de Miranda Priestly provavelmente não era uma boa ideia.

Em vez de um chofer uniformizado com um cartaz com o meu nome me esperando, quando passei pela alfândega, encontrei meus pais, parecendo imensamente felizes em me ver. Abraçamo-nos, e depois de se recuperarem do choque inicial diante de como eu estava vestida (jeans D&G, colado ao corpo, desbotado, sapatos de salto alto e uma blusa completamente transparente – ei, estava listada na categoria diversos; subcategoria, ida e volta do aeroporto, e era de longe a coisa mais apropriada a avião que haviam separado para mim), deram-me boas notícias: Lily estava acordada e consciente. Fomos direto para o hospital, onde a própria Lily conseguiu comentar minha roupa assim que cheguei.

É claro que ela teve de enfrentar o problema legal; afinal, tinha dirigido em alta velocidade na contramão, e alcoolizada. Mas como ninguém mais ficara gravemente ferido, o juiz tinha demonstrado uma tremenda tolerância e, embora ela fosse ter um "dirigindo alcoolizada" para sempre em sua ficha, havia sido condenada ao aconselhamento obrigatório a alcoólatras, o que parecia corresponder a três décadas de serviço comunitário. Não tínhamos falado muito a esse respeito – ela ainda não estava preparada para admitir que tinha um problema –, mas levei-a à primeira sessão do grupo no East Village, e, quando saiu, reconheceu que não era "comovente demais". "Muito chato", foi como colocou, mas quando ergui as sobrancelhas e lancei-lhe um olhar intimidador – *à la* Emily –, fez a concessão de admitir que havia uns caras bonitinhos e que não morreria se namorasse alguém sóbrio uma única vez. Razoável. Meus pais a tinham convencido a contar a verdade ao reitor da Columbia, o que pareceu, na época, um pesadelo, mas acabou sendo uma boa iniciativa. Além de concordar com que Lily se afastasse no meio do semestre sem ser reprovada, assinou a aprovação para a tesouraria, dizendo que ela poderia se reinscrever na primavera seguinte.

A vida de Lily e a nossa amizade pareceram entrar de novo nos eixos. O mesmo não aconteceu com Alex. Ele estava sentado do lado dela no hospital quando chegamos, e, no minuto em que o vi, peguei-me desejando que meus pais não tivessem decidido, diplomaticamente, esperar na cafeteria. Houve um olá desajeitado e muita brincadeira com Lily. Mas quando vestiu a jaqueta e acenou se despedindo, não tínhamos dito uma palavra de verdade um ao outro. Liguei para ele ao chegar em casa, mas ele deixou que caísse na secretária. Liguei mais algumas vezes e desliguei, e tentei pela última vez antes de me deitar. Ele atendeu, mas pareceu cauteloso.

– Oi! – eu disse, tentando parecer adorável e bem ajustada.

– Oi. – Sem dúvida, ele não caiu no meu charme.

– Escute. Sei que ela também é sua amiga, e que você faria isso por qualquer um, mas não sei como agradecer tudo o que fez por Lily: me procurar, ajudar meus pais, ficar com ela horas a fio. Verdade.

– Não tem problema. Qualquer um faria isso. Não foi nada demais. – Implicitamente, é claro, dizia que qualquer um faria, exceto alguém que, por acaso, fosse extraordinariamente centrado em prioridades malucas.

– Alex, por favor, podemos conversar como...

– Não. Na verdade, não podemos conversar sobre nada neste momento. Passei o ano inteiro querendo falar com você, às vezes suplicando, e você não mostrou nenhum interesse. Em algum lugar, neste ano, perdi a Andy por quem era apaixonado. Não sei como, não estou certo de quando aconteceu, mas você não é mais a mesma pessoa que era antes desse emprego. A minha Andy jamais teria hesitado escolher entre um desfile de moda ou uma festa, ou seja lá o que for, a estar com uma amiga que realmente precisava dela. Que precisava dela *de verdade*. Mas estou feliz que tenha decidido voltar para casa, que tenha sabido que essa era a coisa certa a fazer, mas preciso de um tempo para entender o que está acontecendo comigo, com você, conosco. Isso não é novo, Andy, não para mim. Está acontecendo há muito, muito tempo. Só que você estava ocupada demais para notar.

– Alex, você não me concedeu um segundo sequer para ficarmos cara a cara e eu tentar explicar o que tem acontecido. Talvez você tenha razão, talvez eu seja uma pessoa completamente diferente. Mas não creio. E mesmo que tenha mudado, não acho que tenha sido *totalmente* para pior. Fomos nos separando tanto assim?

Ainda mais que Lily, ele era o meu melhor amigo, disso eu tinha certeza, mas não era o meu namorado há muitos, muitos meses. Percebi que ele tinha razão. Estava na hora de lhe dizer isso.

Respirei fundo e disse o que achei ser a coisa certa, embora não tivesse parecido tão excepcional, na hora.

– Você tem razão.

– Tenho? Concorda?

– Sim. Tenho sido muito egoísta e injusta com você.

– E agora? – perguntou, parecendo resignado, mas não inconsolável.

– Não sei. E agora? Vamos simplesmente parar de nos falar? Parar de nos ver? Não faço ideia de como seria isso. Mas quero que seja parte da minha vida, e não consigo me imaginar não sendo parte da sua.

– Nem eu. Mas não sei se conseguiremos isso por muito tempo. Não éramos amigos antes de começarmos a namorar, e parece impossível imaginar que fiquemos somente amigos agora. Mas quem sabe? Talvez depois de um tempo para compreender as coisas...

Desliguei o telefone e chorei, não só por Alex, mas por tudo o que tinha mudado naquele ano. Entrei no Elias-Clark como uma menina malvestida, indefesa, e saí ligeiramente desgastada, malvestida, quase adulta (embora também alguém que agora percebia como se vestia mal). Mas, nesse ínterim, tinha vivido bastante, o equivalente a uma centena de empregos-para-recém-formados. E apesar de o meu currículo, agora, ostentar um "F"* vermelho, apesar de o meu namorado concordar que estávamos quites, apesar de eu ter saído com nada concreto além de uma mala (bem, ok, quatro malas Louis Vuitton) cheia de roupas fabulosas, talvez tivesse valido a pena.

Desliguei a campainha e peguei um velho caderno de anotações no fundo da gaveta da escrivaninha e comecei a escrever.

MEU PAI JÁ tinha escapado para o seu escritório e minha mãe estava indo para a garagem, quando desci.

– Bom dia, querida. Não sabia que já estava acordada! Tenho de correr. Tenho um aluno às 9 horas. O voo de Jill é ao meio-dia, e seria melhor saírem mais cedo do que tarde, já que será uma hora de trânsito intenso. Meu celular vai ficar ligado para o caso de terem algum problema. Ah, você e Lily jantarão em casa?

– Realmente não sei. Acabei de acordar e ainda nem tomei café. Acha que conseguiria decidir sobre o jantar?

Mas ela nem ficara para escutar a minha resposta ranzinza – já estava quase à porta quando abri a boca. Lily, Jill, Kyle e o bebê estavam sentados à mesa da cozinha, em silêncio, lendo diferentes seções da *Times*. Havia um prato de waffles parecendo úmidos e nada apetitosos no meio, uma garrafa de calda e um tablete de manteiga tirado da geladeira. A única coisa que as pessoas pareciam estar tocando era o café que o meu pai buscara na sua ida matinal ao Dunkin Donuts – uma tradição originada de sua relutância compreensível em ingerir qualquer coisa que minha mãe tivesse preparado. Peguei com o garfo um pedaço de waffle e o coloquei em um prato de papel. Ao tentar cortá-lo, virou imediatamente uma massa ensopada.

– Isto é incomível. Papai trouxe *donuts* hoje?

– Sim, escondeu-os no armário do lado de fora de seu escritório – disse Kyle com sua fala arrastada. – Não queria que a sua mãe visse. Você traz a caixa se for até lá?

*Sigla para "Fired", demitido, em inglês. (*N. do R.*)

O telefone tocou enquanto eu ia buscar a refeição escondida.

– Alô? – atendi com a minha melhor voz irritada. Por fim, tinha parado de atender todo telefonema com um "escritório de Miranda Priestly".

– Olá. Andrea Sachs está, por favor?

– É ela. Quem está falando?

– Andrea, oi, aqui é Loretta Andriano, da revista *Seventeen.*

O meu coração deu uma guinada. Eu tinha escrito um artigo de "ficção", com 2 mil palavras, sobre uma adolescente que quer tanto entrar para a universidade que ignora seus amigos e sua família. Eu tinha levado duas horas para escrever aquela tolice, mas achava que conseguira dosar bem humor e emoção.

– Oi! Como vai?

– Tudo bem, obrigada. Ouça, me passaram a sua história e tenho de admitir que... adorei. Precisa de algumas revisões, é claro, e a linguagem precisa ser um pouquinho modificada. Nossos leitores são geralmente pré-adolescentes, mas eu gostaria de publicá-la na edição de fevereiro.

– Gostaria? – Não acreditei. Eu tinha enviado a história a uma dúzia de revistas juvenis e, depois, redigido uma versão um pouquinho mais madura para quase duas dúzias de revistas femininas, mas não tinha recebido resposta de nenhuma.

– Exatamente. Pagamos 1,50 dólar por palavra, e só preciso que preencha alguns formulários para os impostos. Você já vendeu histórias antes, como freelancer, certo?

– Na verdade, não, mas trabalhei na *Runway.* – Não sei por que achei que isso ajudaria, principalmente porque a única coisa que escrevia lá eram memorandos forjados para intimidar outras pessoas. Mas Loretta não pareceu perceber a lacuna em minha lógica.

– Ah, verdade? Meu primeiro emprego ao me formar foi como assistente na *Runway.* Aprendi mais lá em um ano do que nos cinco seguintes.

– Foi uma experiência intensa. Tive sorte em tê-la.

– O que fazia lá?

– Era assistente de Miranda Priestly.

– Era mesmo? Coitadinha, faço ideia. Espere aí... você é a que acabou de ser despedida em Paris?

Percebi tarde demais que tinha cometido um grande erro. A *Page Six* tinha feito uma publicidade considerável sobre toda a confusão alguns dias depois de eu chegar em casa, provavelmente com base na informação de um dos tagarelas que tinham testemunhado minhas maneiras horríveis. Considerando o fato de que me citaram com precisão, não conseguia imaginar outra possibilidade. Como pude me esquecer de que outras pessoas leriam a matéria? Tive o pressentimento de que Loretta ficaria nitidamente menos satisfeita com a minha história do que estava há três minutos, mas agora não havia escapatória.

– Hum, bem, sim. Mas não foi tão terrível quanto parece, não mesmo. Foi tudo muito exagerado naquele artigo do *Page Six*. Realmente foi.

– Bem, espero que não! Alguém precisava dizer a essa mulher para ela se foder, e se foi você, então, tiro o chapéu! Essa mulher tornou a minha vida um inferno durante o ano em que trabalhei lá, e nunca cheguei a trocar uma palavra sequer com ela. Ouça, tenho um almoço com a imprensa agora, mas por que não marcamos um encontro? Você precisa vir aqui e preencher a papelada, e eu gostaria de conhecê-la de qualquer jeito. Traga mais alguma coisa que ache que sirva para a revista.

– Ótimo, oh, parece ótimo. – Combinamos de nos encontrar na sexta seguinte às três, e desliguei sem acreditar no que tinha acontecido. Kyle e Jill tinham deixado o bebê com Lily enquanto se vestiam e faziam as malas, e ele tinha começado meio que a choramingar, parecendo estar a dois segundos de uma completa histeria. Eu o tirei de sua cadeirinha e o apoiei em meu ombro, coçando suas costas por cima de seu pijama felpudo e, por incrível que pareça, ele se calou.

– Não vai acreditar quem era. – Cantei, dançando pela sala com Isaac. – Era uma editora da revista *Seventeen*. Vão publicar minha história!

– Mentira! Vão publicar a sua vida?

– Não e a história da minha vida, é a história da vida de Jennifer. E só tem 2 mil palavras, de modo que não é a maior coisa já escrita, mas é um começo. Mas não importa. – Lily estava sorrindo e revirando os olhos ao mesmo tempo. – O resto são detalhes, detalhes. O importante é que vão publicá-la na edição de fevereiro e me pagarão 3 mil dólares por ela. Não é uma loucura?

– Parabéns, Andy. Sério, isso é incrível. E então, será como um artigo?

– Sim. Não é *The New Yorker*, mas é um bom primeiro passo. Se eu conseguir mais alguns desses, talvez em outras revistas também, posso chegar a algum lugar. Tenho um encontro com a mulher na sexta-feira, e ela disse para eu levar mais alguma coisa em que eu esteja trabalhando. E nem perguntou se eu falo francês. E ela odeia Miranda. Com essa mulher, eu posso trabalhar.

Levei minha irmã, meu cunhado e meu sobrinho de carro ao aeroporto, comprei um bom e gorduroso almoço no Burger King para Lily e para mim, para fazer descer os *donuts* do café da manhã, e passei o resto do dia – e o seguinte, e o seguinte – trabalhando em algo para mostrar a Loretta que-odiava-Miranda.

19

— Cappuccino com baunilha, por favor – pedi a um atendente que não reconheci no Starbucks, na rua 57. A última vez em que estivera lá tinha sido há quase cinco meses, tentando equilibrar uma bandeja de cafés, croissants, e levar tudo para Miranda, antes que ela me despedisse por respirar. Quando pensava nisso dessa maneira, achava muito melhor ter sido despedida por gritar "foda-se" do que se tivesse sido por eu ter levado dois pacotinhos de Equal em vez dos dois cubinhos de açúcar. O mesmo resultado, mas uma jogada totalmente diferente.

Quem diria que o Starbucks tinha uma rotatividade tão grande de pessoal? Não havia uma única pessoa no balcão que fosse remotamente familiar, o que fez com que parecesse que eu não ia lá há muito mais tempo. Alisei minha calça preta de bom corte, mas não de grife, e chequei se a bainha virada não havia ficado com a neve lamacenta da cidade. Eu sabia que havia um *staff* completo de fanáticos por moda que discordaria enfaticamente, mas eu achava que estava muito bem para a minha segunda entrevista. Não somente agora eu sabia que ninguém usava *tailleur* nas revistas, mas de alguma maneira um ano de alta-costura tinha – por simples osmose, acho – se introduzido na minha cabeça.

O cappuccino estava quente demais, o que foi fantástico nesse dia úmido e frio. O céu escuro de fim de tarde parecia enevoar a cidade como uma gigantesca casquinha de sorvete. Normalmente, um dia como esse me deprimiria. Afinal, foi um dos dias mais deprimentes no mês mais deprimente (fevereiro) do ano, do tipo em que até mesmo os otimistas se meteriam debaixo das cobertas e os pessimistas não resistiriam à chance de o suportarem sem mostrar o punho a Zoloft. Mas o Starbucks estava aconchegantemente iluminado e com o número certo de pessoas. Me enrosquei em uma de suas enormes poltronas verdes e tentei não pensar em quem havia esfregado o cabelo sujo ali antes.

Nos últimos três meses, Loretta tinha-se tornado minha mentora, meu ídolo, minha salvadora. Tínhamos ficado amigas desde a primeira vez em que nos encontramos, e ela tinha sido maravilhosa desde então. Assim que entrei em sua sala espaçosa, mas atravancada, e vi que ela era – ufa! – gorda, tive a sensação estranha de que a amaria. Ela me convidou a sentar e leu cada palavra daquilo em que eu tinha trabalhado durante toda a semana: artigos irônicos sobre desfiles de moda, algo fantasioso sobre ser assistente de uma celebridade, uma história sensível sobre o que era preciso – e o que não era – para romper uma relação de três anos com alguém que você amava, mas com quem não conseguia ficar. Parece um romance com final feliz, enjoativo, na verdade, o fato de como nos demos bem instantaneamente, como partilhamos naturalmente nossos pesadelos com a *Runway* (eu ainda os tinha: um recente incluía um segmento particularmente medonho em que os meus pais eram mortos pela polícia de moda parisiense por usarem short na rua, e Miranda tinha conseguido, não sei como, me adotar legalmente), como rapidamente percebemos que éramos a mesma pessoa, apenas com sete anos de diferença.

Graças à minha ideia brilhante de levar todas as minhas roupas *Runway* a uma dessas lojas de revenda metidas a besta, na Madison Avenue, eu era uma mulher rica – podia escrever em troca de pouco dinheiro e faria qualquer coisa para ter meu nome em uma revista ou jornal. Esperei muito tempo que Emily ou Jocelyn me ligassem para dizer que estavam enviando um mensageiro para buscar as roupas, mas nunca ligaram. Portanto, eram minhas. Empacotei a maior parte, mas separei o vestido Diane Von Furstenberg. Remexendo no conteúdo das gavetas de minha mesa, que Emily havia colocado em caixas e enviado para mim, encontrei a carta de Anita Alvarez, na qual ela expressava a sua adoração pelas coisas *Runway*. Eu sempre pensara em lhe enviar um vestido fabuloso, mas nunca tinha tido tempo. Embrulhei o vestido em papel de seda, incluí um par de Manolos e forjei um bilhete de Miranda – talento que fiquei triste ao descobrir que continuava tendo. A garota saberia – só uma vez – como é possuir algo bonito. E o mais importante: achar que havia alguém lá que realmente se importava.

Exceto o vestido, o jeans D&G apertado e sexy e a bolsa de alça de corrente, sem dúvida clássica, que dei de presente para a minha mãe ("Oh, querida, como é bonita. Qual é mesmo a marca?"), vendi cada top transparente, calça de couro, bota e sandália. A mulher que trabalhava na caixa chamou a dona da loja, e as duas decidiram que seria melhor fechar a loja por algumas horas para avaliar a mercadoria. Só as malas Louis Vuitton – duas malas grandes, uma bolsa média de acessórios e um baú enorme – me renderam 6 mil dólares, e quando finalmente terminaram de cochichar, examinar e darem risinhos afetados, saí de lá com um cheque de 38 mil dólares. O que, segundo meus cálculos, daria para pagar o aluguel e me alimentar por um ano, enquanto tentava reunir alguns escritos. E então Loretta entrou na minha vida e a tornou instantaneamente melhor.

Loretta tinha concordado em comprar quatro artigos – uma descrição resumida do conteúdo de uma obra, somente um pouquinho maior do que um release, dois artigos de 500 palavras, e a história original, de 2 mil palavras. Porém, o mais excitante era a sua estranha obsessão em me ajudar a fazer contatos, a sua ansiedade em contatar pessoas de outras revistas que pudessem estar interessadas em material freelance. E foi exatamente isso que me levou ao Starbucks nesse dia nublado de inverno – eu estava de volta ao Elias-Clark. Foi preciso muita insistência de sua parte para me convencer de que Miranda não me acossaria no minuto em que eu entrasse no edifício e me derrubaria soprando um dardo, mas eu continuava nervosa. Não paralisada de medo como nos velhos tempos, quando um mero toque do celular era suficiente para fazer meu coração disparar, mas irrequieta com o pensamento – por mais remota que fosse a possibilidade – de vê-la. Ou Emily. Ou qualquer outra pessoa, exceto James, que mantinha contato.

De alguma maneira, por alguma *razão*,. Loretta havia ligado para uma antiga companheira de quarto, que, por acaso, era a editora da seção cidade da *The Buzz*, e dito que tinha descoberto a próxima escritora que estouraria. Aparentemente, falava de mim. Tinha conseguido uma entrevista para hoje, e até mesmo alertado-a de que eu tinha sido sumariamente despedida por Miranda. A mulher, ao ouvir isso, simplesmente riu e disse que se recusasse todos os que Miranda tivesse despedido, ficaria sem nenhum escritor.

Terminei o cappuccino e, revigorada, peguei o portfólio de diversos artigos e me dirigi – dessa vez, calmamente, sem o telefone tocar nem o braço carregado de cafés – ao edifício Elias-Clark. Um momento ou dois de reconhecimento, na calçada, indicaram que nenhum tagarela *Runway* estava entre as pessoas no saguão, e entrei, jogando meu corpo contra a porta giratória. Nada mudara nos cinco meses desde que estivera lá pela última vez: vi Ahmed atrás da caixa na banca e um pôster enorme e cintilante anunciando que a *Chic* daria uma festa na Lotus neste fim de semana. Embora, tecnicamente, eu devesse registrar minha entrada, instintivamente caminhei direto para as roletas. Logo, escutei uma voz familiar desafiar: *American*

Pie. Que gracinha!, pensei. Era a música de despedida que eu nunca tinha cantado. Virei-me e vi Eduardo, grande e suado como sempre, sorrindo. Mas não era para mim. Em frente das roletas mais próximas dele, estava uma garota altíssima e magérrima, de cabelo negro e olhos verdes, com uma calça justa, de riscas finas, maravilhosa, e uma camiseta com o umbigo de fora. Ela equilibrava uma pequena bandeja com três cafés Starbucks, uma bolsa cheia de jornais e revistas, três cabides com roupas penduradas e um saco com o monograma "MP". Seu celular começou a tocar assim que eu me dei conta do que estava acontecendo, e ela pareceu tão apavorada que achei que ia chorar ali mesmo. Mas quando não conseguiu passar, suspirou fundo e cantou junto com Eduardo. Quando olhei de novo para ele, sorriu na minha direção e piscou o olho. Então, enquanto a garota morena bonita finalizava a música, deixou-me passar, como se eu fosse alguém importante.

fim

Agradecimentos

Sou grata a quatro pessoas que contribuíram para que este livro acontecesse:

Stacy Creamer – minha editora. Se não gostarem do livro, a culpa é dela... retirou tudo o que era realmente engraçado.

Charles Salzberg – escritor e professor. Ele me incentivou a prosseguir com o projeto, de modo que, se não gostarem, podem culpá-lo também.

Deborah Schneider – agente extraordinária. Está sempre me garantindo que gosta de, no mínimo, 15 por cento de tudo o que faço, digo, ou, principalmente, escrevo.

Richard David Story – meu ex-chefe. É fácil amá-lo, agora que não preciso mais vê-lo todo dia antes das nove da manhã.

E, é claro, o meu maior agradecimento a todos aqueles que não ofereceram ajuda de espécie alguma, mas que prometeram comprar vários exemplares em troca da menção de seus nomes:

Dave Baiada, Dan Barasch, Heather Bergida, Lynn Bernstein, Dan Braun, Beth Buschman-Kelly, Helen Coster, Audrey Diamond, Lydia Fakundiny, Wendy Finerman, Chris Fonzone, Kelly Gillespie, Simone Girner, Cathy Gleason, Jon Goldstein, Eliza Harris, Peter Hedges, Julie Hootkin, Bernie Kelberg, Alli Kirshner, John Knecht, Anna Weber Kneitel, Jaime Lewisohn, Bill McCarthy, Dana McMakin, Ricki Miller, Daryl Nierenberg, Wittney Rachlin, Drew Reed, Edgar Rosenberg, Brian Seitchik, Jonathan Seitchik, Marni Senofonte, Shalom Shoer, Josh Ufberg, Kyle White e Richard Willis.

E especialmente a Leah Jacobs, Jon Roth, Joan e Abe Lichtenstein e os Weisberger: Shirley e Ed, Judy, David e Pam, Mike e Michele.

ATENDIMENTO AO LEITOR E VENDAS DIRETAS

Você pode adquirir os títulos da BestBolso através do Marketing Direto do Grupo Editorial Record.

- Telefone: (21) 2585-2002
  (de segunda a sexta-feira, das 8h30 às 18h)
- E-mail: mdireto@record.com.br
- Fax: (21) 2585-2010

Entre em contato conosco caso tenha alguma dúvida, precise de informações ou queira se cadastrar para receber nossos informativos de lançamentos e promoções.

Nossos sites:
www.edicoesbestbolso.com.br
www.record.com.br

EDIÇÕES BESTBOLSO

Alguns títulos publicados

1. *O diário de Bridget Jones*, Helen Fielding
2. *Bridget Jones além da razão*, Helen Fielding
3. *Os delírios de consumo de Becky Bloom*, Sophie Kinsella
4. *Sex and the city*, Candace Bushnell
5. *Melancia*, Marian Keyes
6. *Férias!*, Marian Keyes
7. *Sushi*, Marian Keyes
8. *Orgulho e preconceito*, Jane Austen
9. *A abadia de Northanger*, Jane Austen
10. *Razão e sensibilidade*, Jane Austen
11. *Mansfield Park*, Jane Austen
12. *Persuasão*, Jane Austen
13. *O morro dos ventos uivantes*, Emily Brontë
14. *A valsa inacabada*, Catherine Clément
15. *O amante de Lady Chaterlley*, D.H. Lawrence
16. *Medo de voar*, Erica Jong
17. *Fim de caso*, Graham Greene
18. *As seis mulheres de Henrique VIII*, Antonia Fraser
19. *Em algum lugar do passado*, Richard Matheson
20. *Bom dia, tristeza*, Françoise Sagan
21. *O príncipe das marés*, Pat Conroy
22. *Perdas e danos*, Josephine Hart
23. *O diário roubado*, Régine Deforges
24. *O grande Gatsby*, F. Scott Fitzgerald
25. *Paula*, Isabel Allende
26. *O primo Basílio*, Eça de Queirós
27. *O crime do padre Amaro*, Eça de Queirós
28. *Amor de perdição*, Camilo Castelo Branco
29. *35 noites de paixão*, Dalton Trevisan
30. *A casa das sete mulheres*, Leticia Wierzchowski

EDIÇÕES
BestBolso

Este livro foi composto na tipologia Minion, em corpo 10/12,5, e impresso em papel off-set 56g/m² no Sistema Cameron da Divisão Gráfica da Distribuidora Record.